다:품

고등 화학 I

STRUCTURE 구성과 특징

핵심 개념
시험 대비에 꼭 필요한 개념들만 엄선하여 이해하기 쉽도록 정리하였습니다.

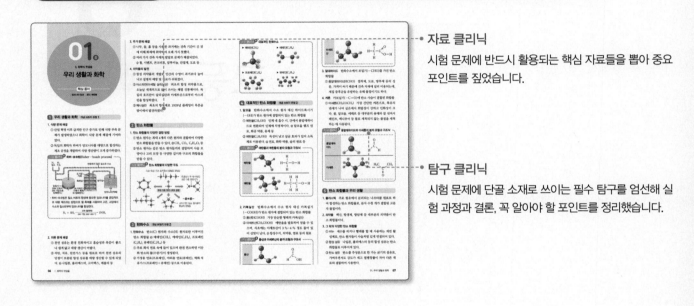

자료 클리닉
시험 문제에 반드시 활용되는 핵심 자료들을 뽑아 중요 포인트를 짚었습니다.

탐구 클리닉
시험 문제에 단골 소재로 쓰이는 필수 탐구를 엄선해 실험 과정과 결론, 꼭 알아야 할 포인트를 정리했습니다.

단계별 문제 구성

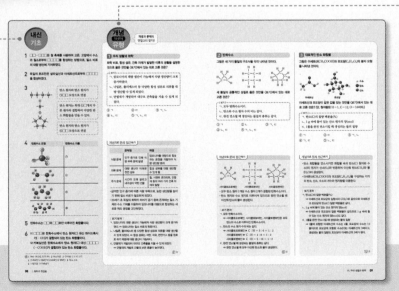

내신 기초
중요 그림과 필수 개념을 완벽히 암기할 수 있도록 다양한 구성으로 제시하였습니다.

개념 브릿지 유형
과학 공부에서 개념을 이해하고도 문제 풀이에 적용이 안 되는 경우가 많습니다. 이를 극복할 수 있도록 각 단원의 핵심 문제의 풀이에 개념이 어떻게 적용되는지를 확실히 연습합니다.

내신 기출

기출 문제를 완벽 검토하여 학교 시험에
반드시 출제되는 문제들로 엄선하여 수록
하였습니다.

단원 마무리

각 대단원의 마무리 학습으로, 정제되고 수
준 높은 문제들로만 구성하여 단원을 완벽
히 정복할 수 있도록 구성하였습니다.

정답과 해설   모든 문제에 대해 자세하고 친절한 해설을 제공하였습니다.

해설 클리닉

대표 유형, 중요 문제에 대해 문제 풀이에 꼭 필요한 단
계별 접근 방법을 제시하였습니다.

문제 속 자료

문제에 제시된 자료를 완벽히 분석하여 깊이 있는 내용
까지도 함께 제시했습니다.

CONTENTS 차례

Ⅲ 화학 결합과 분자의 세계

Ⅳ 역동적인 화학 반응

01강

I. 화학의 첫걸음

우리 생활과 화학

─── 핵심 용어 ───

• 암모니아 합성 • 탄소 화합물

1 우리 생활과 화학 개념 브릿지 유형 1

1. 식량 문제 해결

① 산업 혁명 이후 급격한 인구 증가로 인해 식량 부족 문제가 발생하였으나 화학이 식량 문제 해결에 기여하였다.

② 독일의 화학자 하버가 암모니아를 대량으로 합성하는 제조 공정을 개발하여 식량 생산량이 크게 증가하였다.

> 자료 클리닉 ➕ 하버–보슈법(Haber–bosch process)
>
>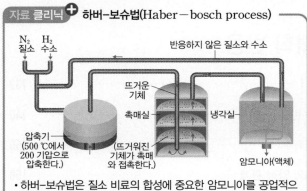
>
> • 하버–보슈법은 질소 비료의 합성에 중요한 암모니아를 공업적으로 대량 제조하는 방법으로 철 촉매를 사용하여 고온, 고압에서 수소와 질소로부터 암모니아를 합성한다.
>
> $$N_2 + 3H_2 \xrightarrow[\text{200 기압, 500~600 ℃}]{\text{산화 철(촉매)}} 2NH_3$$

2. 의류 문제 해결

① 천연 섬유는 환경 친화적이고 흡습성과 촉감이 좋으나 쉽게 닳고 대량 생산이 어렵다.

② 석탄, 석유, 천연가스 등을 원료로 하여 천연 섬유의 단점이 보완된 합성 섬유를 대량 생산할 수 있게 되었다. ⓐ 나일론, 폴리에스터, 고어텍스, 케블라 등

3. 주거 문제 해결

① 나무, 돌, 흙 등을 사용한 과거에는 건축 기간이 긴 것에 비해 화재에 취약하며 오래 가지 못했다.

② 여러 가지 건축 자재의 발달로 문제가 해결되었다. ⓐ 철, 시멘트, 콘크리트, 알루미늄, 단열재, 도료 등

4. 의약품의 발전

① 합성 의약품의 개발로 인간의 수명이 과거보다 늘어나고 질병의 예방 및 치료가 쉬워졌다.

② 아스피린(아세틸 살리실산) 최초의 합성 의약품으로, 오늘날 세계적으로 많이 쓰이는 해열 진통제이다. 독일의 호프만이 살리실산과 아세트산으로부터 아스피린을 합성하였다.

③ 페니실린 최초의 항생제로 1928년 플레밍이 푸른곰팡이에서 발견하였다.

2 탄소 화합물

1. 탄소 화합물의 다양한 결합 방법

① 탄소 원자는 최대 4개의 다른 원자와 결합하여 다양한 탄소 화합물을 만들 수 있다. ⓐ CH_4, CO_2, $C_6H_{12}O_6$ 등

② 탄소 원자는 같은 탄소 원자들끼리 결합하여 사슬 모양이나 고리 모양 등 다양한 길이와 구조의 화합물을 만들 수 있다.

> 자료 클리닉 ➕ 탄소 화합물의 다양한 구조
>
>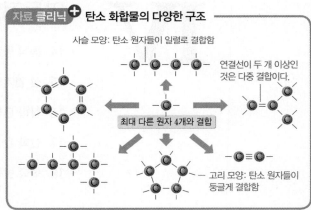
>
> 사슬 모양: 탄소 원자들이 일렬로 결합함
>
> 연결선이 두 개 이상인 것은 다중 결합이다.
>
> 최대 다른 원자 4개와 결합
>
> 고리 모양: 탄소 원자들이 둥글게 결합함

3 탄화수소 개념 브릿지 유형 2

1. 탄화수소 탄소(C) 원자와 수소(H) 원자로만 이루어진 탄소 화합물 ⓐ 메테인(CH_4), 에테인(C_2H_6), 프로페인(C_3H_8), 뷰테인(C_4H_{10}) 등

① 주로 화석 연료 속에 들어 있으며 완전 연소하면 이산화 탄소와 물(수증기)이 생성된다.

② 가정용 연료(프로페인), 야외용 연료(뷰테인), 액화 석유가스(프로페인+뷰테인) 등으로 이용된다.

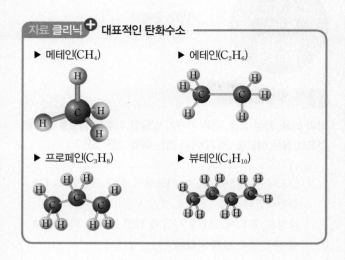

▶ 메테인(CH_4)   ▶ 에테인(C_2H_6)

▶ 프로페인(C_3H_8)   ▶ 뷰테인(C_4H_{10})

4 대표적인 탄소 화합물 개념 브릿지 유형 3

1. **알코올** 탄화수소에서 수소 원자 대신 하이드록시기($-OH$)가 탄소 원자에 결합되어 있는 탄소 화합물
   ① 메탄올(CH_3OH) 인체 내 흡수 시, 간에서 폼알데하이드로 변환되어 인체에 치명적이다. 예 알코올 램프 연료, 화공 약품, 용제 등
   ② 에탄올(C_2H_5OH) 독성이 낮고 살균 효과가 있어 소독제로 이용된다. 예 연료, 화학 약품, 술의 원료 등

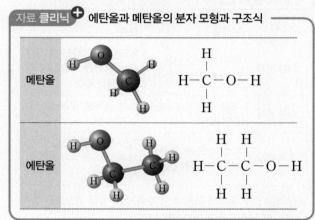

메탄올

에탄올

2. **카복실산** 탄화수소에서 수소 원자 대신 카복실기($-COOH$)가 탄소 원자에 결합되어 있는 탄소 화합물
   ① 폼산($HCOOH$) 가장 단순한 형태의 카복실산
   ② 아세트산(CH_3COOH) 에탄올을 발효하여 얻을 수 있으며, 식초에는 아세트산이 3 %~4 % 정도 들어 있어 신맛이 난다. 예 합성수지, 의약품, 염료 등의 원료

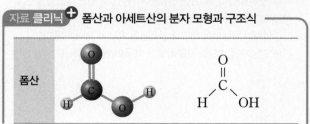

폼산

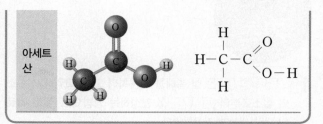

아세트산

3. **알데하이드** 탄화수소에서 포밀기($-CHO$)를 가진 탄소 화합물
   ① 폼알데하이드($HCHO$) 접착제, 도료, 방부제 등의 성분. 가격이 싸기 때문에 건축 자재에 널리 이용되는데, 새집 증후군을 유발하는 유해 물질이기도 하다.

4. **케톤** 카보닐기($-C=O$)에 탄소 사슬이 결합된 화합물
   ① 아세톤(CH_3COCH_3) 가장 간단한 케톤으로, 특유의 냄새가 나며 실온에서 휘발성이 강하고 인화성이 크다. 물, 알코올, 에테르 등 대부분의 용매와 잘 섞여서 페인트, 매니큐어 등 물로 세척되지 않는 물질을 세척하는 데 사용된다.

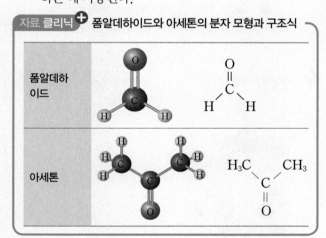

폼알데하이드

아세톤

5 탄소 화합물과 우리 생활

1. **플라스틱** 주로 원유에서 분리되는 나프타를 원료로 하여 합성하는 탄소 화합물로, 분자 수천 개가 결합된 고분자 물질이다.
2. **의약품** 백신, 항생제, 항암제 등 대부분의 의약품이 탄소 화합물이다.
3. **그 밖의 다양한 탄소 화합물**
   ① 비누 세수를 하거나 빨래를 할 때 사용하는 계면 활성제로, 탄소 원자들이 사슬처럼 길게 연결되어 있다.
   ② 합성 섬유 나일론, 폴리에스터 등의 합성 섬유는 탄소 화합물로 이루어져 있다.
   ③ 탄소 섬유 탄소를 주성분으로 한 가는 굵기의 섬유로, 가벼우면서도 강도가 세고 열팽창률이 작아 다른 재료와 결합하여 사용한다.

내신 기초

1 □□-□□□은 철 촉매를 사용하여 고온, 고압에서 수소와 질소로부터 □□□□를 합성하는 방법으로, 질소 비료의 대량 생산에 기여하였다.

2 독일의 호프만은 살리실산과 아세트산으로부터 □□□□을 합성하였다.

3

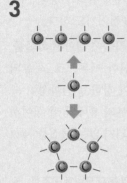

| | 탄소 원자와 탄소 원자가 ㉠□□ 모양으로 연결 |

| | 탄소 원자는 최대 ㉡□개의 다른 원자와 결합하여 다양한 탄소 화합물을 만들 수 있다. |

| | 탄소 원자와 탄소 원자가 ㉢□□ 모양으로 연결 |

4

탄화수소 모형	탄화수소 이름
(CH₄ 모형)	㉠
(C₂H₆ 모형)	㉡
(C₃H₈ 모형)	㉢
(C₄H₁₀ 모형)	㉣

5 탄화수소는 □□와 □□로만 이루어진 화합물이다.

6 (1) □□□은 탄화수소에서 탄소 원자(C) 대신 하이드록시기(−OH)가 결합되어 있는 탄소 화합물이다.
(2) 카복실산은 탄화수소에서 탄소 원자(C) 대신 □□□□(−COOH)가 결합되어 있는 탄소 화합물이다.

답 1 하버-보슈법, 암모니아 2 아스피린 3 ㉠사슬 ㉡4 ㉢고리
4 ㉠메테인 ㉡에테인 ㉢프로페인 ㉣뷰테인 5 탄소, 수소
6 (1) 알코올 (2) 카복실기

개념 브릿지 유형

개념과 문제의 연결고리 찾기!!

1 우리 생활과 화학

화학 비료, 합성 섬유, 건축 자재가 발달한 이후의 생활을 설명한 것으로 옳은 것만을 〈보기〉에서 있는 대로 고른 것은?

┤ 보기 ├
ㄱ. 암모니아의 대량 생산이 가능해져 식량 생산량이 크게 증가하였다.
ㄴ. 나일론, 폴리에스터 등 다양한 합성 섬유로 의류를 대량 생산할 수 있게 되었다.
ㄷ. 단열재가 개발되어 대규모 건축물을 지을 수 있게 되었다.

① ㄱ
② ㄷ
③ ㄱ, ㄴ
④ ㄴ, ㄷ
⑤ ㄱ, ㄴ, ㄷ

개념으로 문제 접근하기

	문제점	해결
식량 문제	인구 증가로 인해 식량 부족 문제 발생	암모니아를 대량으로 합성하는 공정을 개발하여 식량 생산량 증대
의류 문제	대량 생산이 어려운 천연 섬유	합성 섬유를 대량 생산할 수 있게 됨
주거 문제	시간이 오래 걸리고 내구성이 약한 건물	칠, 시멘트 콘크리트, 단열재 등의 여러 가지 건축 자재의 발달

• 급격한 인구 증가에 따른 식량 부족으로, 농업 생산량을 높이기 위해 질소 비료가 필요하게 되었다.
• 20세기 초 독일의 화학자 하버가 공기 중에 존재하는 질소 기체와 수소 기체를 이용하여 암모니아를 대량으로 합성하는 새로운 제조 공정을 고안하였다.

| 보기 분석 |
ㄱ. 암모니아의 대량 생산이 가능해져 식량 생산량이 크게 증가하였다. ➡ 암모니아는 질소 비료의 원료이다.
ㄴ. 나일론, 폴리에스터 등 다양한 합성 섬유로 의류를 대량 생산할 수 있게 되었다. ➡ 합성 섬유는 석탄, 석유, 천연가스 등을 원료로 하기 때문에 대량 생산이 가능하다.
ㄷ. 단열재가 개발되어 대규모 건축물을 지을 수 있게 되었다.
➡ 단열재의 개발로 건물의 보온 효율이 높아졌다.

답 ③

---

2 탄화수소

그림은 세 가지 물질의 구조식을 각각 나타낸 것이다.

$$\begin{array}{c} H \quad H \\ \backslash \quad / \\ H-C \quad C-H \\ | \quad | \\ C-C \\ / \quad \backslash \\ H \quad H \end{array} \qquad \begin{array}{c} H \quad H \\ | \quad | \\ H-C-C-H \\ | \quad | \\ H-C-C-H \\ | \quad | \\ H \quad H \end{array} \qquad \begin{array}{c} H \quad H \\ \backslash \; | \; / \\ C \\ H-C \quad C-H \\ | \quad | \\ H-C-C-H \\ / \quad \backslash \\ H \quad H \end{array}$$

세 물질의 공통적인 성질로 옳은 것만을 〈보기〉에서 있는 대로 고른 것은?

| 보기 |
ㄱ. 모두 탄화수소이다.
ㄴ. 탄소와 수소 원자 수의 비는 같다.
ㄷ. 완전 연소될 때 생성되는 물질의 종류는 같다.

① ㄱ   ② ㄴ   ③ ㄱ, ㄷ
④ ㄴ, ㄷ   ⑤ ㄱ, ㄴ, ㄷ

개념으로 문제 접근하기

사이클로프로페인   사이클로뷰테인   사이클로펜테인

• 모두 탄소 원자 1개당 수소 원자 2개가 결합된 탄화수소이다.
• 탄소 원자와 수소 원자로 이루어져 있으므로 완전 연소될 때 이산화 탄소와 물이 생성된다.

| 보기 분석 |
ㄱ. 모두 탄화수소이다.
 ➡ 사이클로프로페인, 사이클로뷰테인, 사이클로펜테인은 모두 탄소와 수소로 이루어진 탄화수소이다.
ㄴ. 탄소와 수소 원자 수의 비는 같다.
 ➡ 사이클로프로페인 ▶ $C:H = 3:6 = 1:2$
   사이클로뷰테인 ▶ $C:H = 4:8 = 1:2$
   사이클로펜테인 ▶ $C:H = 5:10 = 1:2$
ㄷ. 완전 연소될 때 생성되는 물질의 종류는 같다.
 ➡ 완전 연소될 때 모두 이산화 탄소와 물이 생성된다.

답 ⑤

3 대표적인 탄소 화합물

그림은 아세트산(CH_3COOH)과 포도당($C_6H_{12}O_6$)의 분자 모형을 나타낸 것이다.

 ⚪ 수소
 ⚫ 탄소
 ● 산소

아세트산   포도당

아세트산과 포도당이 같은 값을 갖는 것만을 〈보기〉에서 있는 대로 고른 것은? (단, 원자량은 $H=1$, $C=12$, $O=16$이다.)

| 보기 |
ㄱ. 탄소(C)의 질량 백분율(%)
ㄴ. 1 g 속에 들어 있는 산소 원자의 양(mol)
ㄷ. 1몰을 완전 연소시킬 때 생성되는 물의 질량

① ㄱ   ② ㄷ   ③ ㄱ, ㄴ
④ ㄱ, ㄷ   ⑤ ㄴ, ㄷ

개념으로 문제 접근하기

• 탄소 화합물을 연소시키면 화합물 속의 탄소(C) 원자와 수소(H) 원자가 산소(O_2)와 반응하여 이산화 탄소(CO_2)와 물(H_2O)이 생성된다.
• 아세트산(CH_3COOH)과 포도당($C_6H_{12}O_6$)을 구성하는 각각의 탄소, 산소, 수소의 개수와 원자량을 이용한다.

| 보기 분석 |
ㄱ. 탄소(C)의 질량 백분율(%)
 ➡ 아세트산과 포도당의 실험식이 CH_2O로 같으므로 아세트산과 포도당의 탄소(C) 질량 백분율은 같다.
ㄴ. 1 g 속에 들어 있는 산소 원자의 양(mol)
 ➡ 아세트산과 포도당의 질량 백분율이 같으므로 1 g 속에 들어 있는 산소 원자의 양(mol)도 같다.
ㄷ. 1몰을 완전 연소시킬 때 생성되는 물의 질량
 ➡ 1몰에 포함된 아세트산의 수소는 4몰, 포도당의 수소는 12몰이므로 포도당에 포함된 수소(H)는 아세트산의 3배이고, 생성되는 물의 질량도 포도당이 아세트산의 3배가 된다.

답 ③

---

1 인류 문명과 화학 | 대표 기출

01

다음은 인류 문명 발전에 기여한 물질과 그 물질을 이용하는 사례를 나타낸 것이다.

[물질]	[이용 사례]
석유 석유 가스	자동차 연료
질소, 수소 암모니아	질소 비료
철광석 철	기차 선로, 바퀴, 농기구

이에 대한 설명으로 옳은 것만을 〈보기〉에서 있는 대로 고른 것은?

┤ 보기 ├
ㄱ. 석유 가스와 철은 교통 발달에 기여하였다.
ㄴ. 철은 농업 생산량 증대에 기여하였다.
ㄷ. 암모니아 합성은 식량 부족 문제를 개선하는 데 기여하였다.

① ㄱ   ② ㄴ   ③ ㄱ, ㄷ
④ ㄴ, ㄷ   ⑤ ㄱ, ㄴ, ㄷ

기출 포인트 | 화학이 인류의 역사에 어떻게 기여해 왔는지 알고, 각각의 분야에 해당되는 예시를 알아 두어야 한다.

02

다음은 인류의 문명 발달과 관련된 어떤 물질에 대한 설명이다.

• 자동차와 항공기의 연료나 산업의 에너지원으로 사용된다.
• 플라스틱, 합성 고무, 합성 섬유의 원료로 사용된다.

이에 해당하는 가장 적절한 물질은?

① 석유   ② 수소   ③ 암모니아
④ 철   ⑤ 포도당

03

다음은 인류 문명과 관련된 화학 반응을 나타낸 것이다.

(가) 화석 연료의 연소:
    화석 연료 A + 산소 ⟶ 이산화 탄소 + 물
(나) 철의 제련:
    산화 철 + 일산화 탄소 ⟶ 이산화 탄소 + B

이에 대한 설명으로 옳은 것만을 〈보기〉에서 있는 대로 고른 것은?

┤ 보기 ├
ㄱ. (가)와 (나)는 모두 불의 이용과 관련이 있다.
ㄴ. A는 탄소 원소를 포함하고 있다.
ㄷ. B는 건축 자재의 발달에 기여하였다.

① ㄱ   ② ㄴ   ③ ㄱ, ㄷ
④ ㄴ, ㄷ   ⑤ ㄱ, ㄴ, ㄷ

---

2 탄소 화합물 | 대표 기출

04

그림은 2가지 물질을 모형으로 나타낸 것이다.

메테인(CH_4)   흑연(C)

메테인이 흑연보다 큰 값을 갖는 것만을 〈보기〉에서 있는 대로 고른 것은?

┤ 보기 ├
ㄱ. 물질을 구성하는 원소의 종류
ㄴ. C 원자에 연결된 원자의 수
ㄷ. 완전 연소시켰을 때 생성되는 물질의 종류

① ㄱ   ② ㄴ   ③ ㄱ, ㄴ
④ ㄱ, ㄷ   ⑤ ㄱ, ㄴ, ㄷ

기출 포인트 | 탄소 화합물을 구성하는 원소의 종류와 수를 알고, 탄소 화합물이 연소될 때 산소와 반응하여 이산화 탄소와 물이 생성됨을 알고 있어야 한다.

05

탄소 화합물에 대한 설명으로 옳지 <u>않은</u> 것은?

① 동물과 식물은 대부분 탄소 화합물로 이루어져 있다.

② 탄소만으로 이루어진 화합물을 탄소 화합물이라고 한다.

③ 탄소 화합물은 여러 가지 모양과 구조를 갖는다.

④ 원유를 분별 증류하면 다양한 탄소 화합물을 얻을 수 있다.

⑤ 플라스틱, 비누, 의약품 등은 탄소 화합물로 이루어져 있다.

06

그림은 (가)~(다)는 탄소로만 구성된 물질의 구조를 모형으로 나타낸 것이다.

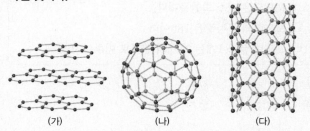

(가)   (나)   (다)

이에 대한 설명으로 옳은 것만을 〈보기〉에서 있는 대로 고른 것은?

┤보기├

ㄱ. (가)는 연필심의 주성분이다.

ㄴ. (가)와 (나)는 완전 연소하였을 때 생성물이 다르다.

ㄷ. (나)와 (다)에서 탄소 원자 1개에 결합한 탄소 원자의 수는 같다.

① ㄱ ② ㄴ ③ ㄷ ④ ㄱ, ㄷ ⑤ ㄴ, ㄷ

07

그림은 탄소 원자 간의 다양한 결합 방법을 나타낸 것이다.

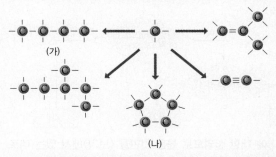

(가)

(나)

이에 대한 설명으로 옳은 것만을 〈보기〉에서 있는 대로 고른 것은?

┤보기├

ㄱ. (가)는 사슬 모양, (나)는 고리 모양의 탄소 화합물이다.

ㄴ. 탄소 원자는 최대 3개의 다른 원자와 결합할 수 있다.

ㄷ. 탄소 원자는 다른 원자와 결합하여 다양한 구조를 만들 수 있다.

① ㄱ ② ㄴ ③ ㄷ ④ ㄱ, ㄷ ⑤ ㄴ, ㄷ

---

3 탄화수소   대표 기출

08

다음은 2가지 탄화수소의 화학식이다.

$$CH_3CH_2CH_2CH_3 \qquad CH_3CH_2CH_2CH_2CH_3$$

이 탄화수소의 공통점으로 옳은 것만을 〈보기〉에서 있는 대로 고른 것은?

┤보기├

ㄱ. 탄소와 수소로 구성되어 있다.

ㄴ. 탄소와 수소의 비율이 1 : 3이다.

ㄷ. 완전 연소하였을 때의 생성물이 같다.

① ㄱ   ② ㄴ   ③ ㄱ, ㄷ

④ ㄴ, ㄷ   ⑤ ㄱ, ㄴ, ㄷ

기출 포인트 | 탄화수소의 특성을 알고, 화학식을 보고 탄화수소의 구조적 특성을 유추할 수 있어야 한다.

09

다음은 2가지 탄화수소의 구조식이다.

(가)
```
      H
      |
  H — C — H
      |
      H
```

(나)
```
      H   H
      |   |
  H — C — C — H
      |   |
      H   H
```

이에 대한 설명으로 옳은 것만을 〈보기〉에서 있는 대로 고른 것은?

┤보기├

ㄱ. (가)와 (나)는 실험식이 같다.

ㄴ. (가)와 (나)는 모두 사슬 모양이다.

ㄷ. (가)와 (나)의 탄소 원자 1개에는 4개의 원자가 연결되어 있다.

① ㄱ   ② ㄴ   ③ ㄷ   ④ ㄱ, ㄷ   ⑤ ㄴ, ㄷ

10 서술형

표는 탄화수소 (가)~(다)에 대한 자료이다.

탄화수소	(가)	(나)	(다)
1분자 당 H 원자의 수	4	6	4
$\dfrac{\text{H 원자의 수}}{\text{C 원자의 수}}$	4	3	2

(가)~(다)의 화학식을 쓰시오.

11

다음은 탄소 수가 6개인 탄화수소 (가)~(다)의 자료이다.

구분	(가)	(나)	(다)
이름	헥세인	사이클로헥세인	벤젠
구조식	H H H H H H | | | | | | H–C–C–C–C–C–C–H | | | | | | H H H H H H		

이에 대한 설명으로 옳은 것만을 〈보기〉에서 있는 대로 고른 것은?

┤ 보기 ├
ㄱ. (가)의 실험식은 CH_2이다.
ㄴ. $\dfrac{H\ 원자의\ 수}{C\ 원자의\ 수}$ 는 (가) > (나) > (다)이다.
ㄷ. 완전 연소 시켰을 때 생성되는 물질의 종류는 모두 같다.

① ㄱ
② ㄷ
③ ㄱ, ㄴ
④ ㄴ, ㄷ
⑤ ㄱ, ㄴ, ㄷ

---

4 대표적인 탄소 화합물　　　대표 기출

12

그림은 2가지 탄소 화합물의 구조를 나타낸 것이다.

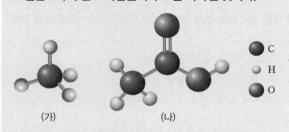

(가)　　　　(나)

- C
- H
- O

(가)와 (나)의 이름과 화학식을 옳게 연결한 것은?

	(가)		(나)	
	이름	화학식	이름	화학식
①	메테인	CH_4	아세트알데히드	CH_3COOH
②	메테인	CH_4	아세트산	CH_3COCH_3
③	메테인	CH_4	아세트산	CH_3COOH
④	메테인	C_2H_6	아세트알데히드	CH_3COOH
⑤	메테인	CH_4	아세톤	CH_3COCH_3

기출 포인트 | 탄소 화합물의 종류와 그에 해당하는 구조, 분자식을 알고 있어야 한다.

13

그림은 포도당($C_6H_{12}O_6$)의 분자 모형을 나타낸 것이다.

수소
탄소
산소

포도당에 대한 설명으로 옳은 것만을 〈보기〉에서 있는 대로 고른 것은? (단, C, H, O의 화학식량은 각각 12, 1, 16이다.)

┤ 보기 ├
ㄱ. 포도당은 탄소 화합물이다.
ㄴ. 포도당의 분자량은 180이다.
ㄷ. 포도당 분자 1개는 24개의 원자로 이루어져 있다.

① ㄱ
② ㄴ
③ ㄱ, ㄴ
④ ㄴ, ㄷ
⑤ ㄱ, ㄴ, ㄷ

14 　고난도

그림은 3가지 탄소 화합물을 몇 가지 기준에 따라 분류하는 과정을 나타낸 것이다.

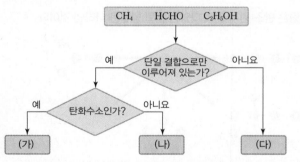

| CH_4 | HCHO | C_2H_5OH |

예 ← 단일 결합으로만 이루어져 있는가? → 아니요

예 ← 탄화수소인가? → 아니요

(가)　　　(나)　　　(다)

(가)~(다)에 대한 설명으로 옳은 것만을 〈보기〉에서 있는 대로 고른 것은?

┤ 보기 ├
ㄱ. (가)의 분자식은 CH_4이다.
ㄴ. (나)는 소독약이나 손 소독제로 이용된다.
ㄷ. (다)에는 카복실기(−COOH)가 있다.

① ㄱ
② ㄴ
③ ㄱ, ㄴ
④ ㄴ, ㄷ
⑤ ㄱ, ㄴ, ㄷ

15

오른쪽 그림은 어떤 탄소 화합물의 구조를 나타낸 것이다. 이에 대한 설명으로 옳지 않은 것은?

① 알코올의 일종이다.

② 살균 효과가 있어 소독약으로 이용할 수 있다.

③ 인체 내 흡수 시, 치명적이다.

④ 불을 붙이면 타므로 연료로 이용되기도 한다.

⑤ 화학 약품, 술의 원료이다.

[16~17] 그림은 두 탄소 화합물의 구조식을 나타낸 것이다.

$$H_3C \quad CH_3$$
$$\underset{\underset{O}{\|}}{C}$$
(가)

$$H-\underset{\underset{H}{|}}{\overset{\overset{H}{|}}{C}}-\underset{O-H}{\overset{O}{\|}}{C}$$
(나)

16 서술형

두 탄소 화학물의 화학식을 쓰시오.

17

이에 대한 설명으로 옳은 것만을 〈보기〉에서 있는 대로 고른 것은?

─ 보기 ├─

ㄱ. (가)와 (나) 모두 2중 결합을 포함하고 있다.

ㄴ. (가)와 (나)의 산소 원자의 개수는 같다.

ㄷ. 두 탄소 화합물 모두 휘발성이 강하다.

① ㄱ　　② ㄴ　　③ ㄱ, ㄷ　④ ㄴ, ㄷ　⑤ ㄱ, ㄴ, ㄷ

18

다음은 여러 가지 탄소 화합물의 화학식을 나타낸 것이다.

$$C_2H_5OH \quad CH_3COOH \quad CH_3COCH_3$$

위 탄소 화합물의 공통점으로 옳은 것만을 〈보기〉에서 있는 대로 고른 것은?

─ 보기 ├─

ㄱ. 구성 물질에 산소가 포함되어 있다.

ㄴ. 이중 결합이 포함되어 있다.

ㄷ. 우리 생활에 널리 이용되는 물질이다.

① ㄱ　　② ㄴ　　③ ㄱ, ㄷ　④ ㄴ, ㄷ　⑤ ㄱ, ㄴ, ㄷ

19 서술형

그림은 어떤 탄소 화합물의 분자 모형을 나타낸 것이다.

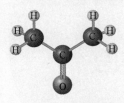

(1) 이 탄소 화합물의 이름과 화학식을 쓰시오.

(2) 이 탄소 화합물은 매니큐어 제거제의 원료이다. 그 까닭이 무엇인지 서술하시오.

5 탄소 화합물과 의약품　　대표 기출

20

다음은 민수가 의약품 (가)에 대하여 조사한 내용의 일부이다.

- 효능: 해열, 진통, 소염 작용
- 특징: 최초의 합성 의약품
- 관련 자료: 예로부터 버드나무 잎과 껍질은 해열 및 진통 작용을 한다고 알려져 있어서…

(가)로 옳은 것은?

① 카페인　　　② 사포닌　　　③ 모르핀

④ 아스피린　　⑤ 페니실린

기출 포인트 | 탄소 화합물들이 우리 생활에서 어떻게 이용되고 있고, 어떤 종류가 있는지 알고 있어야 한다.

21

다음은 우리 생활 속에 다양하게 사용되는 탄소 화합물이다.

비누　합성 세제　플라스틱　LPG　LNG

이에 대한 설명으로 옳은 것만을 〈보기〉에서 있는 대로 고른 것은?

─ 보기 ├─

ㄱ. 비누와 합성 세제에는 계면 활성제가 포함되어 있다.

ㄴ. 플라스틱과 LPG는 원유에서 원료를 얻어 생산한다.

ㄷ. LNG의 주성분은 메테인(CH_4)으로 탄소 원자 1개와 수소 원자 4개가 결합한 구조이다.

① ㄱ　　　　② ㄷ　　　　③ ㄱ, ㄴ

④ ㄴ, ㄷ　　⑤ ㄱ, ㄴ, ㄷ

02강

I. 화학의 첫걸음

몰과 화학식량

---- **핵심 용어** ----

• 몰 • 아보가드로 법칙

1 원자량과 분자량

1. 원자량 개념 브릿지 유형 1

① 질량수가 12인 탄소 원자(^{12}C)의 질량을 12.00으로 정하고, 이를 기준으로 하여 나타낸 원자들의 상대적인 질량

② 평균 원자량 동위 원소의 존재비를 고려하여 평균값으로 나타낸 원자량

예 ^{35}Cl가 75.8 %, ^{37}Cl가 24.2 % 존재할 때,

$$Cl의 평균 원자량 = \frac{(35 \times 75.8) + (37 \times 24.2)}{100}$$

$$\fallingdotseq 35.5$$

자료 클리닉 ➕ 여러 가지 원소의 평균 원자량

원소	원자량	원소	원자량	원소	원자량
H	1.0	O	16.0	Cl	35.5
He	4.0	Na	23.0	K	39.1
C	12.0	Mg	24.3	Fe	55.8
N	14.0	Al	27.0	Zn	65.4

2. 분자량과 화학식량

① 분자량 분자를 구성하는 모든 원자들의 원자량을 합한 값

예 • H_2O의 분자량

= 16.0(O의 원자량) + {1.0(H의 원자량) × 2}

= 18.0

• CO_2의 분자량

= 12.0(C의 원자량) + {16.0(O의 원자량) × 2}

= 44.0

② 화학식량 물질의 화학식을 이루는 모든 원자들의 원자량을 합한 값

예 • 염화 나트륨(NaCl)의 화학식량

= 23.0(Na의 원자량) + 35.5(Cl의 원자량)

= 58.5

• 염화 칼슘($CaCl_2$)의 화학식량

= 40.0(Ca의 원자량) + {35.5(Cl의 원자량) × 2}

= 111

2 몰과 아보가드로수

1. 몰(mole) 원자나 분자, 이온 등의 수를 나타내기 위해 사용하는 묶음 단위

① 1몰 6.02×10^{23}개의 입자를 의미하며, 단위는 몰 또는 mol을 사용한다.

② 아보가드로수 물질의 종류에 관계없이 물질 1몰에는 물질을 구성하는 입자 6.02×10^{23}개가 들어 있으며, 이 수를 아보가드로수라 한다.

자료 클리닉 ➕ 몰과 입자 수의 관계

입자 수 = 몰(mol) × (6.02×10^{23}/mol)

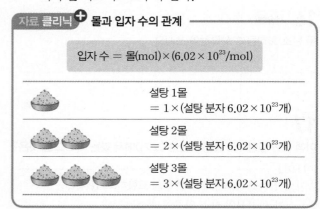

	설탕 1몰 = 1×(설탕 분자 6.02×10^{23}개)
	설탕 2몰 = 2×(설탕 분자 6.02×10^{23}개)
	설탕 3몰 = 3×(설탕 분자 6.02×10^{23}개)

③ 몰과 입자 수의 관계 입자 수 사이에는 다음과 같은 관계가 성립한다.

입자 수 = 몰(mol) × (6.02×10^{23}/mol)

3 몰과 질량 개념 브릿지 유형 2

1. 몰 질량 1몰의 질량(단위: g/mol)으로, 1몰을 구성하고 있는 입자 6.02×10^{23}개의 질량이기도 하다.

2. 물질의 질량 물질의 양(mol) × 1몰의 질량 = 물질의 양(mol) × 화학식량

3. 원자나 분자의 양(mol)

$$원자의 양(mol) = \frac{질량}{원자량}, \quad 분자의 양(mol) = \frac{질량}{분자량}$$

예 탄소가 24 g 있다면, 원자량이 12이므로

$$\frac{24\ g}{12\ g/mol} = 2\ mol이다.$$

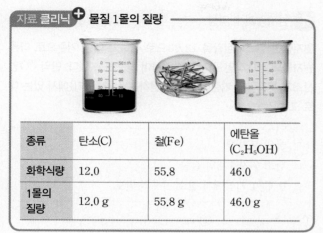

종류	탄소(C)	철(Fe)	에탄올 (C_2H_5OH)
화학식량	12.0	55.8	46.0
1몰의 질량	12.0 g	55.8 g	46.0 g

4 몰과 기체의 부피

1. 아보가드로 법칙

① 모든 기체는 온도와 압력이 같을 때, 같은 부피 속에 같은 수의 분자가 들어 있다. ➡ 일정한 온도와 압력에서 기체의 부피는 물질의 양(mol)에 비례한다.

② 모든 기체는 분자의 종류에 관계없이 0 ℃, 1 기압에서 22.4 L의 부피 속에 6.02×10^{23}개의 분자를 포함한다.

기체	수소(H_2)	질소(N_2)	이산화 탄소 (CO_2)
모형			
몰	1몰	1몰	1몰
몰 질량	2 g	28 g	44 g
몰 부피	22.4 L	22.4 L	22.4 L
분자 수	6.02×10^{23}개	6.02×10^{23}개	6.02×10^{23}개

2. 몰 부피 표준 상태(0 ℃, 1 기압)에서 기체 1몰의 부피

① 기체 1몰의 부피 0 ℃, 1 기압에서 모든 기체 1몰의 부피는 22.4 L이다.

② 기체의 양(mol) $= \dfrac{기체의\ 부피(L)(0\ ℃,\ 1\ 기압)}{22.4\ L/mol}$

예 0 ℃, 1 기압에서 수소(H_2)의 부피가 44.8 L일 때, 수소의 양(mol)은 $\dfrac{44.8\ L}{22.4\ L/mol} = 2\ mol이다.$

5 몰과 입자 수, 질량, 기체의 부피와의 관계

1. 몰과 입자 수, 질량, 기체의 부피와의 관계 [개념 브릿지 유형 3]

$$몰(mol) = \frac{입자\ 수}{6.02 \times 10^{23}} = \frac{질량}{몰\ 질량\ (g/mol)}$$
$$= \frac{기체의\ 부피(L)}{22.4\ L/mol}(0\ ℃,\ 1\ 기압)$$

예 0 ℃, 1 기압에서 산소(O_2) 기체 11.2 L가 있을 때

➡ 분자의 양(mol): $\dfrac{11.2\ L}{22.4\ L/mol} = 0.5\ mol$

➡ 분자 수: $0.5\ mol = \dfrac{입자\ 수}{6.02 \times 10^{23}/mol}$

입자 수 $= 3.01 \times 10^{23}$

➡ 질량: $0.5\ mol = \dfrac{질량(g)}{32\ g/mol}$, 질량(g) $= 16\ g$

2. 기체의 분자량 구하기 같은 온도와 압력에서 부피가 같은 두 기체의 질량비는 분자량비와 같다.

$$\frac{A\ 기체의\ 질량}{B\ 기체의\ 질량} = \frac{A\ 기체의\ 분자량}{B\ 기체의\ 분자량}$$

3. 밀도를 이용하여 분자량 구하기 0 ℃, 1 기압에서 기체 1몰의 부피가 22.4 L이고, 기체의 밀도는 1 L의 질량에 해당하므로 0 ℃, 1 기압에서 기체의 밀도에 22.4 L를 곱하면 기체의 분자량이 된다.

$$기체의\ 밀도(0\ ℃,\ 1\ 기압) = \frac{기체의\ 질량}{기체의\ 부피} = \frac{분자량}{22.4}(g/L)$$
$$분자량 = 기체의\ 밀도 \times 22.4\,(0\ ℃,\ 1\ 기압)$$

4. 아보가드로 법칙 이용하기 같은 온도와 압력에서 부피가 같은 두 기체의 질량비는 분자량 비와 같으며, 같은 부피의 질량을 비교하면 밀도를 알 수 있으므로 밀도비는 분자량 비와 같다.

$$밀도비 = 질량비 = 분자량\ 비$$
$$\frac{A\ 기체의\ 밀도}{B\ 기체의\ 밀도} = \frac{A\ 기체의\ 질량}{B\ 기체의\ 질량} = \frac{A\ 기체의\ 분자량}{B\ 기체의\ 분자량}$$

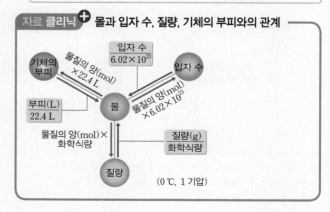

1 1몰의 입자의 개수는 □개이다.

2 물질의 종류에 관계없이 물질 1몰을 구성하는 입자의 수를 □□□□□□라고 한다.

3 원자량의 기준은 □□를 기준으로 하여 그 값을 12.00으로 한다.

4 동위 원소의 존재비를 고려하여 평균값으로 나타낸 원자량을 □□ □□□이라고 한다.

5 원자량이 12인 탄소(C) 24 g의 양(mol)은 $\dfrac{\square\,\mathrm{g}}{\square\,\mathrm{g/mol}} = \square$ mol이다.

6 (1) 일정한 온도와 압력에서 기체의 부피는 물질의 양(mol)에 비례한다. ································ (○ , ×)

(2) 모든 기체는 분자의 종류에 관계없이 25 ℃, 1 기압에서 22.4 L의 부피 속에 6.02×10^{23}개의 분자를 포함한다. ································ (○ , ×)

7

기체	수소(H_2)	질소(N_2)	이산화 탄소 (CO_2)
모형			
몰	㉠	1몰	1몰
몰 질량	2 g	28 g	㉡
몰 부피	22.4 L	㉢	22.4 L
분자 수	6.02×10^{23}개	6.02×10^{23}개	㉣

8

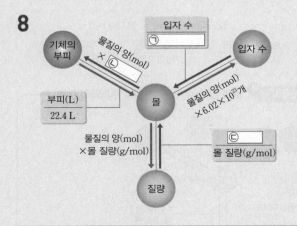

답 1 6.02×10^{23} 2 아보가드로수 3 탄소 4 평균 원자량 5 24, 12, 2
6 (1)○ (2)× 7 ㉠1몰 ㉡44 g ㉢22.4 L ㉣6.02×10^{23} 개
8 ㉠6.02×10^{23} ㉡22.4 L ㉢질량(g)

개념과 문제의 연결고리 찾기!!

1 원자량과 분자량

원자량은 ^{12}C의 질량을 12.00으로 정하고 이를 기준으로 다른 원자들의 상대적인 원자량을 구하여 사용하고 있다. 만약 ^{16}O인 산소가 원자량의 기준이 된다면 변하는 것을 〈보기〉에서 있는 대로 고른 것은?

┤ 보기 ├
ㄱ. 물의 분자량
ㄴ. 탄소 원자 1개의 질량
ㄷ. 0 ℃, 1 기압에서 질소 기체의 밀도

① ㄱ　　　　　② ㄴ　　　　　③ ㄱ, ㄷ
④ ㄴ, ㄷ　　　　⑤ ㄱ, ㄴ, ㄷ

개념으로 문제 접근하기

· 원자량은 질량수가 12인 탄소 원자(^{12}C)의 질량을 12.00으로 정하고, 이를 기준으로 하여 나타낸 원자들의 상대적인 질량이므로, 기준이 바뀌면 기존의 원자량 및 분자량, 화학식량도 바뀐다.
· 원자량을 정하는 기준이 달라져도 원자의 실제 질량은 바뀌지 않는다.

| 보기 분석 |

ㄱ. 물의 분자량
➡ 물을 구성하는 수소와 산소의 원자량이 바뀌므로, 물의 분자량도 바뀐다.
ㄴ. 탄소 원자 1개의 질량
➡ 원자량의 기준이 바뀌어도 물질의 실제적인 양인 질량, 부피는 바뀌지 않는다.
ㄷ. 0 ℃, 1 기압에서 질소 기체의 밀도
➡ 물질의 질량과 부피가 변하지 않으므로 밀도 역시 변하지 않는다.

답 ①

2 몰과 질량

다음은 3가지 물질의 질량 또는 부피이다.

> (가) NaOH(s) 20 g
> (나) H_2O(l) 18 g
> (다) H_2(g) 12 L (20 ℃, 1 기압)

이에 대한 설명으로 옳은 것만을 〈보기〉에서 있는 대로 고른 것은? (단, H, O, Na의 원자량은 각각 1, 16, 23이고, 기체 1몰의 부피는 20 ℃, 1 기압에서 24 L이다.)

> ┤ 보기 ├
> ㄱ. (가)에서 NaOH의 양(mol)은 0.5몰이다.
> ㄴ. (다)에서 H_2의 질량은 2 g이다.
> ㄷ. (나)의 H_2O(l)과 (다)의 H_2(g)에 포함된 H 원자 수는 같다.

① ㄱ   ② ㄴ   ③ ㄷ
④ ㄱ, ㄴ   ⑤ ㄱ, ㄷ

개념으로 문제 접근하기

• 0 ℃, 1 기압에서 기체의 종류에 관계없이 모든 기체 1몰의 부피는 22.4 L이므로, 같은 조건 하에서의 어떤 기체의 부피와 질량을 알면 다른 기체의 부피와 질량도 유추할 수 있다.

• 몰(mol) $= \dfrac{\text{입자 수}}{6.02 \times 10^{23}/\text{mol}} = \dfrac{\text{질량(g)}}{\text{몰 질량(g/mol)}}$
$= \dfrac{\text{기체의 부피(L)}}{22.4\ \text{L(mol)}}$ (0 ℃, 1 기압)

| 보기 분석 |

ㄱ. (가)에서 NaOH(s) 20 g의 양은 0.5몰이다.
➡ NaOH(s) 20 g의 양은 $\dfrac{20\ \text{g}}{40\ \text{g/mol}} = 0.5\ \text{mol}$이다.

ㄴ. (다)에서 H_2의 질량은 2 g이다.
➡ 20 ℃, 1 기압에서 H_2(g) 12 L는 $\dfrac{12\ \text{L}}{24\ \text{L/mol}} = 0.5\ \text{mol}$
이며, H_2(g) 0.5몰의 질량은 1 g이다.

ㄷ. (나)와 (다)에 포함된 H 원자 수는 같다.
➡ (나)의 H_2O(l) 18 g은 1몰이고, (다)의 H_2(g)은 0.5몰이므로 (나)와 (다)에 포함된 H 원자 수는 (나)가 2몰, (다)가 1몰이다.

답 ①

---

3 몰과 입자 수, 질량, 기체의 부피와의 관계

표는 일정한 온도와 압력에서 기체 (가)~(다)에 대한 자료이다. (가)~(다)에 각각 포함된 수소 원자의 전체 질량은 같다.

기체	(가)	(나)	(다)
분자식	H_2	NH_3	CH_4
기체의 양	N_A개	V L	x g

(가)~(다)에 대한 설명으로 옳은 것만을 〈보기〉에서 있는 대로 고른 것은? (단, H, C, N의 원자량은 각각 1, 12, 14이며, N_A는 아보가드로수이다.)

> ┤ 보기 ├
> ㄱ. $x = 8$이다.
> ㄴ. (가)의 부피는 $\dfrac{2V}{3}$ L이다.
> ㄷ. (다)에 있는 총 원자 수는 $2N_A$이다.

① ㄱ   ② ㄱ, ㄴ   ③ ㄱ, ㄷ
④ ㄴ, ㄷ   ⑤ ㄱ, ㄴ, ㄷ

개념으로 문제 접근하기

(가)~(다)의 수소 원자의 전체 질량이 같다고 하였으므로, 문제에 제시된 (가)에 들어 있는 수소 원자의 질량을 기준으로 하여, (나)와 (다)에 있는 기체의 양을 구할 수 있다.

기체	(가)	(나)	(다)
분자식	H_2	NH_3	CH_4
분자의 개수	N_A	$\dfrac{2}{3}N_A$	$\dfrac{1}{2}N_A$
물질의 양(mol)	1몰	$\dfrac{2}{3}$몰	$\dfrac{1}{2}$몰
수소의 질량	2 g	2 g	2 g
전체 질량	2 g	11.3 g	x g = 8 g
부피	$\dfrac{3}{2}V$ L	V L	$\dfrac{3}{4}V$ L

| 보기 분석 |

ㄱ. $x = 8$이다. ➡ CH_4의 화학식량은 16이고, 물질의 양(mol)은 $\dfrac{1}{2}$몰이므로 전체 질량은 $16 \times \dfrac{1}{2} = 8$ g이다.

ㄴ. (가)의 부피는 $\dfrac{2V}{3}$ L이다. ➡ (가)의 부피는 $\dfrac{3V}{2}$ L이다.

ㄷ. (다)에 있는 총 원자 수는 $2N_A$이다. ➡ (다)에 있는 총 원자 수는 $\dfrac{5}{2}N_A$이다.

답 ①

1 원자량과 분자량 　　　대표 기출

01

표는 A와 B 두 원소로 이루어진 분자 (가)와 (나)에 대한 자료이다. 원자량은 A가 B보다 크다.

분자	분자당 구성 원자 수	분자량(상댓값)
(가)	2	20
(나)	4	34

이에 대한 설명으로 옳은 것만을 〈보기〉에서 있는 대로 고른 것은? (단, A와 B는 임의의 원소 기호이다.)

┌ 보기 ├
ㄱ. (나)를 구성하는 원자의 수는 B가 A보다 많다.
ㄴ. 1 g당 B 원자의 수는 (나)가 (가)의 3배이다.
ㄷ. AB_6의 분자량은 (가)의 2.4배이다.

① ㄱ　　　　② ㄴ　　　　③ ㄱ, ㄴ
④ ㄴ, ㄷ　　　⑤ ㄱ, ㄴ, ㄷ

기출 포인트 | 분자량을 계산하는 방법을 알고, 분자를 구성하는 원자들의 종류와 수를 유추해 낼 수 있어야 한다.

02 고난도

표는 W~Z 원자 1개의 질량을 나타낸 것이다.

원자	W	X	Y	Z
1개의 질량(g)	$\frac{1}{6} \times 10^{-23}$	2×10^{-23}	$\frac{7}{3} \times 10^{-23}$	$\frac{8}{3} \times 10^{-23}$

이에 대한 설명으로 옳은 것만을 〈보기〉에서 있는 대로 고른 것은? (단, W~Z는 임의의 원소 기호이고, 아보가드로수는 6×10^{23}이다.)

┌ 보기 ├
ㄱ. W 1 g에 포함된 원자는 1몰이다.
ㄴ. XZ_2와 Y_2Z의 분자량은 같다.
ㄷ. Y_2 14 g과 W_2 2 g이 반응하여 생성된 YW_3 분자는 6×10^{23}개이다.

① ㄱ　　　　② ㄴ　　　　③ ㄱ, ㄴ
④ ㄴ, ㄷ　　　⑤ ㄱ, ㄴ, ㄷ

2 몰과 아보가드로수 　　　대표 기출

03

다음은 몰에 대한 자료이다.

> 1몰은 6.02×10^{23}개의 입자 수를 말하며, 이 수를 아보가드로수(N_A)라고 한다.

이에 대한 설명으로 옳은 것만을 〈보기〉에서 있는 대로 고른 것은? (단, H, C의 원자량은 각각 1, 12이다.)

┌ 보기 ├
ㄱ. 흑연(C) 1 g에 들어 있는 탄소 원자 수는 $\frac{N_A}{12}$이다.
ㄴ. 수소(H_2) 1몰에 있는 양성자수는 N_A이다.
ㄷ. 메테인(CH_4) 1몰에 들어 있는 탄소와 수소의 질량비는 4 : 1이다.

① ㄱ　② ㄴ　③ ㄱ, ㄷ　④ ㄴ, ㄷ　⑤ ㄱ, ㄴ, ㄷ

기출 포인트 | 아보가드로수의 정의를 알고, 물질을 구성하는 원소들의 몰비와 질량비를 계산할 수 있어야 한다.

04

표는 ^1H, ^{12}C, ^{16}O 1몰의 질량을 나타낸 것이다.

	^1H	^{12}C	^{16}O
1몰의 질량(g)	1.008	12.000	15.995

이에 대한 설명으로 옳은 것만을 〈보기〉에서 있는 대로 고른 것은?

┌ 보기 ├
ㄱ. ^{12}C 1개의 질량은 $\dfrac{12.000}{\text{아보가드로수}}$ g이다.
ㄴ. 1 g에 들어 있는 원자의 양(mol)은 ^1H가 가장 작다.
ㄷ. ^{12}C 12.000 g의 원자 수와 $^{16}O_2$ 15.995 g의 분자 수는 같다.

① ㄱ　② ㄴ　③ ㄱ, ㄷ　④ ㄴ, ㄷ　⑤ ㄱ, ㄴ, ㄷ

05 서술형

다음은 AB_2, A_2, B_2 분자에 대한 자료이다.

- AB_2 분자 3.01×10^{23}개의 질량은 23 g이다.
- A_2 분자 8개의 질량과 B_2 분자 7개의 질량은 같다.

A 원자의 원자량은? (단, A와 B는 임의의 원소 기호이고, 아보가드로수는 6.02×10^{23}이다.)

06

다음은 인터넷에 올라온 학생의 질문과 선생님의 답변이다.

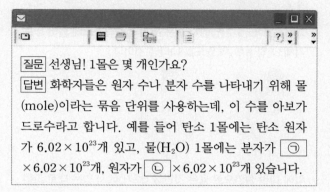

질문 선생님! 1몰은 몇 개인가요?

답변 화학자들은 원자 수나 분자 수를 나타내기 위해 몰 (mole)이라는 묶음 단위를 사용하는데, 이 수를 아보가드로수라고 합니다. 예를 들어 탄소 1몰에는 탄소 원자가 6.02×10^{23}개 있고, 물(H_2O) 1몰에는 분자가 ⓐ $\times 6.02 \times 10^{23}$개, 원자가 ⓑ $\times 6.02 \times 10^{23}$개 있습니다.

ⓐ+ⓑ은?

① 1 ② 2 ③ 3
④ 4 ⑤ 5

07 서술형

다음은 물질을 구성하는 원자, 분자, 이온 수에 대한 설명이다. 아보가드로수는 6.02×10^{23}이다.

- H_2O 1몰에 들어 있는 분자 수는 (가)$\times 6.02 \times 10^{23}$이다.
- CH_4 1몰에 들어 있는 원자 수는 (나)$\times 6.02 \times 10^{23}$이다.
- KCl 1몰에 들어 있는 양이온 수는 (다)$\times 6.02 \times 10^{23}$이다.

(가)+(나)+(다)를 구하시오.

08

표는 2가지 물질에 대한 자료이다.

물질	분자의 양(mol)	질량(g)	원자 수(개)
O_2	a	32	—
NH_3	3	—	bN_A

$a+b$의 값으로 옳은 것은? (단, O의 원자량은 16이고, N_A는 6.02×10^{23}이다.)

① 4 ② 5 ③ 12
④ 13 ⑤ 20

09

표는 분자 (가), (나)의 분자당 구성 원자 수와 분자량을 나타낸 것이다.

분자	구성 원자 수	분자량
(가)	4	17
(나)	5	16

이에 대한 설명으로 옳은 것만을 〈보기〉에서 있는 대로 고른 것은? (단, 0 ℃, 1 기압에서 (가), (나)는 기체 상태이다.)

┤보기├
ㄱ. (가) 16 g에 있는 분자 수는 아보가드로수보다 작다.
ㄴ. 1 g에 들어 있는 원자 수는 (나)>(가)이다.
ㄷ. 0 ℃, 1 기압에서 1 g의 기체 부피는 (나)>(가)이다.

① ㄴ ② ㄷ ③ ㄱ, ㄴ
④ ㄱ, ㄷ ⑤ ㄱ, ㄴ, ㄷ

---

3 몰과 질량   **대표 기출**

10

그림은 임의의 원소 A, B로 구성된 분자 (가)~(다) 1몰의 질량을 성분 원소의 질량으로 각각 나타낸 것이다. A, B의 원자량은 각각 a, b이며, $b>a$이다.

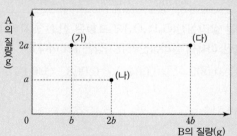

이에 대한 설명으로 옳은 것만을 〈보기〉에서 있는 대로 고른 것은?

┤보기├
ㄱ. 1몰의 (가)에는 2몰의 A 원자가 있다.
ㄴ. (다)의 분자식은 A_2B_4이다.
ㄷ. 1몰의 질량은 (가)>(나)이다.

① ㄱ ② ㄴ ③ ㄱ, ㄴ
④ ㄴ, ㄷ ⑤ ㄱ, ㄴ, ㄷ

기출 포인트ㅣ 그래프를 분석하여 각 물질을 구성하는 원자의 종류와 비율을 유추해낼 수 있어야 한다.

11 고난도

그림은 화합물 W~Z의 구성 원소의 질량 비율을 나타낸 것이다. W와 X는 각각 AC와 AC_2 중 하나이고, Y와 Z는 각각 BC와 BC_2 중 하나이다. 원자량은 A~C 중 C가 가장 크다.

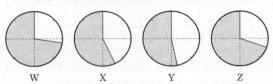

W   X   Y   Z

이에 대한 설명으로 옳은 것만을 〈보기〉에서 있는 대로 고른 것은? (단, A~C는 임의의 원소 기호이다.)

┤보기├
ㄱ. Y는 BC_2이다.
ㄴ. 원자량은 A < B이다.
ㄷ. X와 Z에서 C 원자 1몰당 결합한 A와 B의 몰수 비는 2 : 1이다.

① ㄴ   ② ㄷ   ③ ㄱ, ㄴ
④ ㄴ, ㄷ   ⑤ ㄱ, ㄴ, ㄷ

12

표는 어느 환자의 처방전이다.

처방 의약품의 명칭	1회 투약량	1일 투여 횟수	총 투약 일수
아세틸 살리실산	360 mg	1회	1일

처방된 아세틸 살리실산($C_9H_8O_4$)에 포함된 산소 원자의 총양(mol)은? (단, 아세틸 살리실산의 분자량은 180이다.)

① 0.001   ② 0.002   ③ 0.004   ④ 0.008   ⑤ 0.016

13

입자 수가 1몰인 것을 〈보기〉에서 있는 대로 고른 것은? (단, N, O의 원자량은 각각 14, 16이고, 아보가드로수는 6.02×10^{23}이다.)

┤보기├
ㄱ. 질소(N_2) 기체 14 g 속에 포함된 질소 원자의 수
ㄴ. 산소(O_2) 기체 8 g 속에 포함된 산소 원자의 수
ㄷ. 암모니아(NH_3) 분자 6.02×10^{23}개 속에 포함된 질소 원자의 수

① ㄱ   ② ㄴ   ③ ㄱ, ㄷ
④ ㄴ, ㄷ   ⑤ ㄱ, ㄴ, ㄷ

4 몰과 기체의 부피   대표 기출

14

그림은 0 ℃, 1 기압에서 같은 부피의 플라스크에 들어 있는 기체 O_2와 XO_2의 밀도를 나타낸 것이다.

O_2
d g/L
(가)

XO_2
$2d$ g/L
(나)

이에 대한 설명으로 옳은 것만을 〈보기〉에서 있는 대로 고른 것은? (단, X는 임의의 원소 기호이다.)

┤보기├
ㄱ. 원자량은 X가 O의 2배이다.
ㄴ. (가)와 (나)에 들어 있는 기체 분자 수는 같다.
ㄷ. (가)와 (나)에 들어 있는 기체의 전체 원자 수비는 2 : 3이다.

① ㄱ   ② ㄴ   ③ ㄱ, ㄷ
④ ㄴ, ㄷ   ⑤ ㄱ, ㄴ, ㄷ

기출 포인트 | 1몰의 기체가 가지는 부피를 알고, 주어진 조건에서의 상대적 부피비를 계산할 수 있어야 한다.

15 서술형

그림은 0 ℃, 1 기압의 기체 A와 B에 관한 자료이다.

기체	A	B
분자량	(가)	32
부피(L)	5.6	(나)
질량(g)	4	16

(가)와 (나)에 해당하는 값을 구하시오. (단, 0 ℃, 1 기압에서 기체 1몰의 부피는 22.4 L이다.)

16

표는 용기 (가)~(다)에 들어 있는 기체에 대한 자료이다. 기체의 압력은 모두 1 기압이다.

용기	기체	온도(℃)	부피(L)	질량(g)
(가)	H_2	30	25	2
(나)	N_2	30	12.5	㉠
(다)	He	50	25	

이에 대한 설명으로 옳은 것만을 〈보기〉에서 있는 대로 고른 것은? (단, H, N의 원자량은 각각 1, 14이고, 아보가드로수는 6×10^{23}이다.)

┤보기├
ㄱ. (가)에서 수소 분자 수는 6×10^{23}이다.
ㄴ. ㉠은 7이다.
ㄷ. (가)와 (다)에서 기체의 양(mol)은 같다.

① ㄱ　　② ㄴ　　③ ㄱ, ㄷ　　④ ㄴ, ㄷ　　⑤ ㄱ, ㄴ, ㄷ

---

5 몰과 입자 수, 질량, 기체의 부피와의 관계　　대표 기출

17

다음은 기체 A와 B가 반응하여 기체 C를 생성하는 반응의 화학 반응식이다.

$$2A(g) + B(g) \longrightarrow C(g)$$

표는 실린더에 기체 A와 B를 넣고 반응시켰을 때 반응 전과 후 기체에 대한 자료이다.

실험	반응 전		반응 후		
	A의 질량(g)	B의 질량(g)	A의 질량(g)	B의 질량(g)	전체 부피(L)
I	4.0	2.0	0	1.0	V_1
II	10.0	2.0	a	0	V_2

이에 대한 설명으로 옳은 것만을 〈보기〉에서 있는 대로 고른 것은? (단, 피스톤의 질량과 마찰은 무시한다.)

┤보기├
ㄱ. a는 2.0이다.
ㄴ. 분자량은 C가 B의 5배이다.
ㄷ. V_2는 V_1의 2배이다.

① ㄱ　　② ㄴ　　③ ㄱ, ㄷ　　④ ㄴ, ㄷ　　⑤ ㄱ, ㄴ, ㄷ

기출 포인트 | 몰, 입자 수, 질량, 기체의 부피의 상관 관계를 이해하고, 문제에 주어진 정보만으로 나머지 요소들을 계산할 수 있어야 한다.

18　서술형

다음은 원소 X, Y로 이루어진 순물질 (가)~(다)에 대한 자료이다. (단, X, Y는 임의의 원소 기호이다.)

- (가)~(다)는 각각 실험식과 분자식이 같다.
- (다)를 구성하는 X 원자의 수와 Y 원자의 수는 같다.

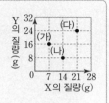

(1) (가), (나), (다)의 분자식을 쓰시오.

(2) X와 Y는 질소(N)와 산소(O) 중 하나이다. 0 ℃, 1 기압에서 (가)와 (나)의 밀도를 구하는 과정을 포함하여 구하시오. (단, N, O의 원자량은 각각 14, 16이고, 소수점 아래 셋째 자리에서 반올림한다.)

19　고난도

그림은 25 ℃, 1 기압에서 실린더 (가), (나)에 들어 있는 혼합 기체의 조성과 부피를 나타낸 것이다. A, B는 각각 C_2H_2, C_3H_8 중 하나이고, (가)와 (나)에 들어 있는 수소(H) 원자의 양(mol)은 같다.

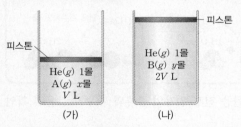

이에 대한 설명으로 옳은 것만을 〈보기〉에서 있는 대로 고른 것은? (단, 피스톤의 질량과 마찰은 무시한다.)

┤보기├
ㄱ. 실린더 속 혼합 기체의 전체 양(mol)은 (나)가 (가)의 2배이다.
ㄴ. A의 수소 원자의 양(mol)은 2몰이다.
ㄷ. $xy = 1$이다.

① ㄱ　　　　② ㄴ　　　　③ ㄱ, ㄷ
④ ㄴ, ㄷ　　　　⑤ ㄱ, ㄴ, ㄷ

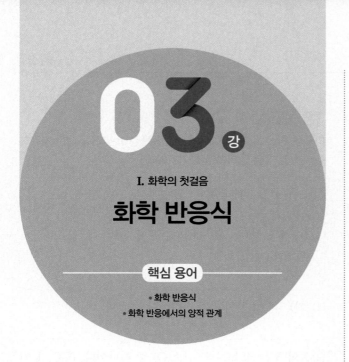

03 강

I. 화학의 첫걸음

화학 반응식

── 핵심 용어 ──

- 화학 반응식
- 화학 반응에서의 양적 관계

---

1 화학 반응식 만들기 　개념 브릿지 유형 1

1. 화학 반응식 　화학 반응을 화학식과 기호를 사용하여 나타낸 식

① 1단계 　화학 반응의 반응물과 생성물을 화학식으로 나타낸다.

② 2단계 　반응 전후 원자의 종류와 개수가 같도록 계수를 맞춘다.

> **자료 클리닉 ➕ 화학 반응식 계수 맞추기**
>
> ❶ 물의 계수를 1로 놓는다.
> $$H_2 + O_2 \longrightarrow 1H_2O$$
> ❷ 반응 전후 수소와 산소 원자의 개수를 맞춘다.
> $$1H_2 + \frac{1}{2}O_2 \longrightarrow 1H_2O$$
> ❸ 계수는 가장 간단한 정수로 만들고, 계수가 1이면 생략한다.
> $$2H_2 + O_2 \longrightarrow 2H_2O$$
>
>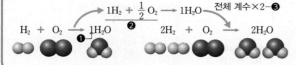

③ 3단계 　반응 전후 원자의 종류와 개수가 같은지 확인한다.

2. 화학 반응식에 사용되는 표현

① 물질의 상태 표시 　기체(g), 액체(l), 고체(s), 수용액(aq)

② 화학 반응 조건(촉매, 온도, 압력 등)을 화살표 위와 아래에 표시

③ 가열하는 경우 화살표 아래에 △표시

④ 기체가 발생하는 경우 위로 향하는 화살표($\uparrow$)를, 앙금이 생성되는 경우 아래로 향하는 화살표($\downarrow$)를 화학식 뒤에 표시

---

3. 화학 반응식 계수 맞추기 – 미정 계수법 활용하기

단계	예시
❶ 반응물과 생성물을 화학식으로 쓰고 계수를 a, b, x, y 등으로 나타낸다.	$aC_3H_8(g) + bO_2(g)$ $\longrightarrow xCO_2(g) + yH_2O(l)$
❷ 반응물과 생성물에 들어 있는 원자의 종류와 개수가 같아지도록 관계식을 세운다.	C: $3a = x$ H: $8a = 2y$ O: $2b = 2x + y$
❸ a, b, x, y 가운데 임의의 계수 값을 1로 놓고 다른 계수의 값을 구한다. 분수가 있으면 계수 전체에 배수를 곱해서 가장 간단한 정수로 만든다.	$2b = 2x + y$의 x, y에 $x = 3a$, $y = 4a$를 대입하면 $2b = 10a$, $b = 5a$이다. $a = 1$이라 하면, $b = 5$, $x = 3$, $y = 4$이다.
❹ 화학 반응식을 완성하고 반응물과 생성물의 원자들의 원자 수가 같은지 확인한다.	프로페인의 연소 반응의 화학 반응식은 $C_3H_8(g) + 5O_2(g)$ $\longrightarrow 3CO_2(g) + 4H_2O(l)$이다. 화살표 왼쪽과 오른쪽의 원자의 종류와 개수는 각각 탄소 3, 수소 8, 산소 10으로 같다.

4. 화학 반응의 종류

종류	정의	화학 반응식
화합	두 가지 이상의 물질이 반응하여 한 가지 물질로 변하는 반응	$A + B \longrightarrow AB$ 예 $H_2 + Cl_2 \longrightarrow 2HCl$
분해	한 가지 물질이 두 가지 이상의 물질로 변하는 반응	$AB \longrightarrow A + B$ 예 $2NaHCO_3 \longrightarrow$ $Na_2CO_3 + H_2O + CO_2\uparrow$
치환	화합물을 구성하는 성분 중 일부가 다른 원자나 원자단으로 자리를 바꾸는 반응	$AB + C \longrightarrow AC + B$ 예 $2HBr + Cl_2 \longrightarrow$ $2HCl + Br_2$
복분해	두 가지 화합물이 성분의 일부를 서로 바꾸어 두 가지 새로운 화합물을 생성하는 반응	$AB + CD \longrightarrow AD + BC$ 예 $AgNO_3 + NaCl \longrightarrow$ $AgCl\downarrow + NaNO_3$

---

2 화학 반응식의 의미

1. 화학 반응식

① 화학 반응식의 물질의 계수비로부터 반응물과 생성물의 다양한 양적 관계를 파악할 수 있다.

> 계수비＝몰비＝분자 수비＝부피비(기체의 경우)≠질량비

② 화학 반응식으로 알 수 있는 정보

- 반응물과 생성물의 종류
- 계수비를 통한 각 물질의 몰비 또는 분자 수비와 부피비
- 반응하는 물질들의 질량비

화학 반응식	$CH_4(g) + 2O_2(g) \longrightarrow CO_2(g) + 2H_2O(l)$				
분자 모형	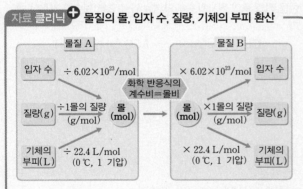				
물질	메테인	산소		이산화 탄소	물
	반응물			생성물	
분자 수	1 : 2 : 1 : 2				
	메테인 분자 1개와 산소 분자 2개가 반응하여 이산화 탄소 분자 1개와 물 분자 2개를 생성함을 알 수 있다.				
몰(mol)	1 : 2 : 1 : 2				
	메테인 1몰과 산소 2몰이 반응하여 이산화 탄소 1몰과 물 2몰을 생성함을 알 수 있다.				
기체의 부피(L) (0 ℃, 1 기압)	22.4 : 2×22.4 : 22.4 : 2×22.4				
질량(g)	1×16.0 : 2×32.0 : 1×44.0 : 2×18.0				
	4 : 16 : 11 : 9				
	1몰의 질량은 물질의 화학식량에 따라 달라지므로 질량비≠계수비이다.				

3 화학 반응에서의 양적 관계 개념 브릿지 유형 2

1. **화학양론** 화학 반응에서 반응물과 생성물 사이의 양적 관계를 설명하는 이론으로, 몰과 입자 수, 질량, 기체의 부피는 환산이 가능하다.

- 주어진 물질의 입자 수, 질량, 부피(기체의 경우)를 몰(mol)로 환산한다.
- 주어진 물질의 양(mol)과 몰비를 이용하여 구하고자 하는 물질의 양(mol)을 계산한다.

2. 화학 반응에서 몰과 질량의 관계 '계수비 = 몰비'를 이용하여 반응물 혹은 생성물의 질량을 계산할 수 있다.

3. 화학 반응에서 몰과 기체의 부피의 관계 '계수비 = 몰비 = 부피비(기체의 경우)'를 이용하여 반응물 혹은 생성물의 부피를 계산할 수 있다.

예 숯(탄소) 24.0 g을 산소가 충분한 상태에서 연소시켰을 때 생성되는 이산화 탄소의 질량 구하기

$$C(s) + O_2(g) \longrightarrow CO_2(g)$$

탄소의 원자량이 12이므로 $\dfrac{24\,g}{12\,g/mol} = 2\,mol$이다.

탄소와 이산화 탄소가 반응하는 몰비가 1 : 1이므로 탄소 2몰이 반응할 때 이산화 탄소도 2몰이 생성된다. 이산화 탄소의 분자량이 44이므로 2 mol × 44 g/mol = 88 g이다.

- 탄산 칼슘과 묽은 염산의 화학 반응식

  $CaCO_3(s) + 2HCl(aq) \longrightarrow CaCl_2(aq) + H_2O(l) + CO_2(g)$

  ➡ 탄산 칼슘과 생성된 이산화 탄소 기체의 몰비는 1 : 1이며, 화학 반응식의 계수비와 일치한다.

- 반응 전과 반응 후에 질량 차이가 나는 이유

  ➡ 반응 시 이산화 탄소가 생성되어 빠져나가기 때문

- 계수비와 부피비의 관계는 기체일 때만 성립하고, 고체나 액체일 때는 성립하지 않는다.
- 질량비와 부피비는 일치하지 않는다.

4 한계 반응물 개념 브릿지 유형 3

1. **한계 반응물** 임의의 양의 반응물이 있을 때, 먼저 소모되는 물질

2. **한계 반응물의 결정** 각 반응 물질에 대해서 그 양이 전부 사용되었다고 가정하고 그때 만들어지는 생성물의 질량을 계산한다. 한계 반응물은 가장 적은 생성 물질을 만든다.

   예 암모니아(NH_3) 17 g과 염화 수소(HCl) 17 g을 완전히 반응시켜 염화 암모늄(NH_4Cl)을 만들 때

   - 화학 반응식: $NH_3(g) + HCl(g) \longrightarrow NH_4Cl(s)$
   - 암모니아의 양(mol): $\dfrac{17\,g}{17\,g/mol} = 1\,mol$
   - 염화 수소의 양(mol): $\dfrac{17\,g}{36.5\,g/mol} ≒ 0.47\,mol$
   - 암모니아와 염화 수소는 1 : 1로 반응하므로, 양이 적은 쪽인 염화 수소가 한계 반응물
   - 암모니아 0.47몰과 염화 수소 0.47몰이 반응하여 염화 암모늄 0.47몰을 생성하고, 암모니아 0.53몰이 남는다.

개념과 문제의
연결고리 찾기!!

1 화학 반응식에서 반응물을 화살표(→)의 오른쪽에, 생성물을 화살표(→)의 왼쪽에 쓴다. ……………………… (○ , ×)

2 화학 반응 전후 원자의 종류와 개수는 변하지 않는다.
……………………………………………………… (○ , ×)

3 화학 반응식에서 상태를 표시할 때, 수용액은 □(으)로 표시한다.

4 화학 반응식의 계수비로부터 질량비와 부피비를 알 수 있다.
……………………………………………………… (○ , ×)

5 메테인의 연소 반응 (단, H의 원자량은 1, C의 원자량은 12, O의 원자량은 16이다.)

화학 반응식	$CH_4(g) + 2O_2(g) \longrightarrow CO_2(g) + 2H_2O(l)$			
물질	메테인	산소	이산화 탄소	물
분자 수	㉠	2	㉡	㉢
몰(mol)	㉣	㉤	1	2
기체의 부피(L) (0 ℃, 1 기압)	22.4	㉥	㉦	―
질량(g)	16.0	64.0	◎	㉰

6 화학 반응식 계수 맞추기

(1) $H_2 + N_2 \longrightarrow NH_3$

(2) $CH_3COOH + O_2 \longrightarrow CO_2 + H_2O$

(3) $NH_3 + O_2 \longrightarrow NO + H_2O$

7 메테인 연소 반응의 화학 반응식에서 메테인 1몰이 반응할 때 이산화 탄소는 □몰 생성된다.

8 화학 반응식에서 계수비와 부피비가 같음은 액체의 경우에도 성립할 수 있다. …………………………………… (○ , ×)

답 1 × 2 ○ 3 aq 4 × 5 ㉠1 ㉡1 ㉢2 ㉣1 ㉤2 ㉥44.8 ㉦22.4 ◎44.0 ㉰36.0 6 (1) $H_2 + 3N_2 \longrightarrow 2NH_3$ (2) $CH_3COOH + 2O_2 \longrightarrow 2CO_2 + 2H_2O$ (3) $4NH_3 + 5O_2 \longrightarrow 4NO + 6H_2O$ 7 1 8 ×

1 화학 반응식 만들기

다음은 메테인(CH_4)의 연소 과정을 나타낸 화학 반응식이다.

$$CH_4(g) + aO_2(g) \longrightarrow bCO_2(g) + cH_2O(l)$$

이를 통해 알 수 있는 내용으로 옳은 것만을 〈보기〉에서 있는 대로 고른 것은?

보기
ㄱ. 화학 반응식의 $a+b+c=3$이다.
ㄴ. 생성된 CO_2와 H_2O의 분자 수비는 1 : 2이다.
ㄷ. 반응물의 질량의 합과 생성물의 질량의 합은 같다.

① ㄱ　　　　② ㄷ　　　　③ ㄱ, ㄴ
④ ㄴ, ㄷ　　　⑤ ㄱ, ㄴ, ㄷ

개념으로 문제 접근하기

반응 전과 후의 원자의 종류와 개수가 같도록 계수를 맞춰야 한다.

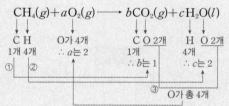

| 보기 분석 |
ㄱ. 화학 반응식의 $a+b+c=3$이다.
　➡ a는 2, b는 1, c는 2이다. 따라서 $a+b+c=5$이다.
ㄴ. 생성된 CO_2와 H_2O의 분자 수비는 1 : 2이다.
　➡ 생성된 이산화 탄소와 물의 계수비가 1 : 2이므로 분자 수의 비도 1 : 2이다.
ㄷ. 반응물의 질량의 합과 생성물의 질량의 합은 같다.
　➡ 질량 보존 법칙에 의해 반응물의 질량의 합과 생성물의 질량의 합은 같다.

답 ④

2 화학 반응에서의 양적 관계

다음은 탄산 칼슘($CaCO_3$)과 묽은 염산(HCl)의 반응에서 양적 관계를 알아보기 위한 실험이다.

[화학 반응식]

$$CaCO_3(s) + 2HCl(aq) \longrightarrow CaCl_2(aq) + H_2O(l) + CO_2(g)$$

[실험]

(가) 그림과 같이 묽은 염산 100 mL를 담
은 삼각 플라스크의 질량을 측정하였
더니 w_1 g이었다.

(나) 탄산 칼슘 1.0 g을 (가)의 삼각 플라스크에 넣었더니
탄산 칼슘이 모두 반응하였다.

(다) 반응이 끝난 후 용액이 담긴 삼각 플라스크의 질량을
측정하였더니 w_2 g이었다.

이에 대한 설명으로 옳은 것만을 〈보기〉에서 있는 대로 고른 것
은? (단, $CaCO_3$의 화학식량은 100이다.)

┤보기├

ㄱ. $w_1 + 1.0 = w_2$이다.

ㄴ. 반응한 $CaCO_3$의 양(mol)은 0.01몰이다.

ㄷ. 생성된 CO_2의 양(mol)은 0.02몰이다.

① ㄱ   ② ㄴ   ③ ㄱ, ㄴ
④ ㄴ, ㄷ   ⑤ ㄱ, ㄴ, ㄷ

개념으로 문제 접근하기

반응물의 질량과 분자량을 이용하여 물질의 양(mol)을 계산
하고, 몰수비를 이용해 생성물의 질량을 계산할 수 있다.

| 보기 분석 |

ㄱ. $w_1 + 1.0 = w_2$이다. ➡ 묽은 염산과 삼각 플라스크의 질량(w_1)
에 탄산 칼슘을 1.0 g 넣으면 CO_2가 발생하므로 전체 질량
은 감소한다. 즉, '$w_1 + 1.0 = w_2 +$ 발생한 CO_2의 질량'이므로
$w_1 + 1.0 > w_2$이다.

ㄴ. 반응한 $CaCO_3$의 양(mol)은 0.01몰이다. ➡ (나)에서 탄산 칼
슘 1.0 g을 삼각 플라스크에 넣었을 때 모두 반응하였으므로 반
응한 $CaCO_3$의 양(mol)$= \dfrac{1.0}{100} = 0.01$몰이다.

ㄷ. 생성된 CO_2의 양(mol)은 0.02몰이다. ➡ 반응한 $CaCO_3$과 생
성된 CO_2의 몰비는 화학 반응식의 계수비를 통해 알 수 있다.
생성된 CO_2의 양(mol)과 반응한 $CaCO_3$의 양(mol)의 계수비
가 1 : 1로 같으므로 0.01몰이다.

답 ②

3 한계 반응물

그림은 $A(g) + 2B(g) \longrightarrow C(g)$ 반응에서 같은 질량의 기체
A와 B를 실린더에 넣고 반응시켰을 때, 반응 전후의 모습을 나
타낸 것이다. 반응 후 A는 완전히 소모되었고, 남은 B와 생성된
C의 질량비는 3 : 4이었다.

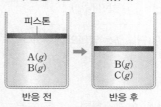

이에 대한 설명으로 옳은 것만을 〈보기〉에서 있는 대로 고른 것
은? (단, 반응 전후 온도와 압력은 일정하며, 피스톤의 마찰과 질
량은 무시한다.)

┤보기├

ㄱ. A와 B의 분자량비는 7 : 1이다.

ㄴ. 반응 후 실린더에서 B와 C의 몰비는 12 : 1이다.

ㄷ. 반응 전과 후 실린더 속 전체 기체의 밀도비는 13 : 15이다.

① ㄱ   ② ㄷ   ③ ㄱ, ㄴ   ④ ㄴ, ㄷ   ⑤ ㄱ, ㄴ, ㄷ

개념으로 문제 접근하기

각 반응 물질에 대해서 그 양이 전부 사용되었다고 가정하고 그
때 만들어지는 생성물의 질량을 계산한다. 한계 반응물은 가장
적은 생성 물질을 만든다.

| 보기 분석 |

ㄱ. A와 B의 분자량비는 7 : 1이다. ➡ 기체 A~C의 반응에서 몰
비는 화학 반응식을 통해 1 : 2 : 1인 것을 알 수 있다. 기체 A
와 B의 질량은 같고, 반응 후 남은 B와 C의 질량비가 3 : 4이
므로 전체 기체의 질량을 $7x$로 두면, A~C의 질량비는 $3.5x$
: $0.5x$: $4x = 7 : 1 : 8$이고, 분자량의 비는 14 : 1 : 16이 된
다. 그러므로 A와 B의 분자량비는 14 : 1이다.

ㄴ. 반응 후 실린더에서 B와 C의 몰비는 12 : 1이다. ➡ A, B, C의
분자량비는 14 : 1 : 16이고, 반응 후 실린더에는 B가 $3x$ g, C
가 $4x$ g 남아 있다. 실린더에 남은 'B의 양(mol) : C의 양
(mol)$= \dfrac{3x}{1} : \dfrac{4x}{16}$'이고, B와 C의 몰비는 12 : 1이다.

ㄷ. 반응 전과 후 실린더 속 전체 기체의 밀도비는 13 : 15이다.
➡ 실린더에 남은 B와 C의 몰비는 12 : 1이므로 남은 B와 C의
양(mol)은 각각 $12n$, n이다. 밀도는 부피에 반비례하며 부
피는 물질의 양(mol)과 비례한다. 따라서 반응 전과 후의 밀
도비는 $\dfrac{1}{n + 14n} : \dfrac{1}{12n + n} = 13 : 15$이다.

답 ④

1 화학 반응식 만들기   대표 기출

01

다음은 암모니아 기체가 생성되는 화학 반응식이다.

$$a\mathrm{N}_2(g) + b\mathrm{H}_2(g) \longrightarrow 2\mathrm{NH}_3(g)$$

이에 대한 설명으로 옳은 것은? (단, a, b는 임의의 계수이다.)

① $a+b=2$이다.
② 생성물은 수소와 질소이다.
③ 원자의 종류와 개수는 반응 후 감소한다.
④ 암모니아 분자는 2종류의 원소로 이루어져 있다.
⑤ 암모니아 2분자를 생성하기 위해서는 질소 원자 1개가 필요하다.

> **기출 포인트** ❘ 화학 반응이 일어날 때 원자가 없어지거나 새로 생성되지 않음을 이용하는 문제가 자주 출제된다.

02

다음은 에탄올($\mathrm{C}_2\mathrm{H}_6\mathrm{O}$) 연소 반응의 화학 반응식이다.

$$\mathrm{C}_2\mathrm{H}_6\mathrm{O} + a\mathrm{O}_2 \longrightarrow b\mathrm{CO}_2 + c\mathrm{H}_2\mathrm{O}$$

$a \times b$는?

① 4   ② 6   ③ 7
④ 8   ⑤ 9

03   서술형

다음은 철의 제련 과정과 관련된 화학 반응식이다.

$$a\mathrm{Fe}_2\mathrm{O}_3(s) + b\mathrm{CO}(g) \longrightarrow c\mathrm{Fe}(s) + d\mathrm{CO}_2(g)$$

$a+b+c+d$의 값은? (단, $a{\sim}d$는 화학 반응식의 계수이다.)

04   서술형

그림은 어떤 화학 반응을 모형으로 나타낸 것이다.

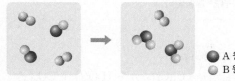
● A 원자
○ B 원자

이를 화학 반응식으로 나타내시오. (단, A와 B는 임의의 원소 기호이다.)

---

2 화학 반응식의 의미   대표 기출

05

다음은 탄소(C)의 2가지 연소 반응의 화학 반응식이다.

> (가) $a\mathrm{C}(s) + b\mathrm{O}_2(g) \longrightarrow \mathrm{CO}_2(g)$ (a, b는 반응 계수)
> (나) $2\mathrm{C}(s) + \mathrm{O}_2(g) \longrightarrow 2(\ \text{㉠}\ )(g)$

이에 대한 설명으로 옳은 것만을 〈보기〉에서 있는 대로 고른 것은?

> **┤ 보기 ├**
> ㄱ. $a+b=2$이다.
> ㄴ. ㉠은 CO이다.
> ㄷ. 같은 온도와 압력에서 1몰의 C가 모두 반응할 때 필요한 O_2의 최소 부피비는 (가) : (나) = 1 : 1이다.

① ㄱ   ② ㄴ   ③ ㄱ, ㄴ
④ ㄴ, ㄷ   ⑤ ㄱ, ㄴ, ㄷ

> **기출 포인트** ❘ 화학 반응식에서 계수가 의미하는 것을 묻는 문제가 자주 출제된다.

06

다음은 탄산 칼슘($CaCO_3$)과 묽은 염산(HCl)의 반응을 화학 반응식으로 나타낸 것이다.

$$CaCO_3(s) + xHCl(aq) \longrightarrow CaCl_2(aq) + H_2O(l) + \boxed{(가)}$$
(x는 반응식의 계수)

이에 대한 설명으로 옳은 것만을 〈보기〉에서 있는 대로 고른 것은?

┤ 보기 ├
ㄱ. $x=2$이다.
ㄴ. (가)는 $CO_2(g)$이다.
ㄷ. 생성물의 총 질량은 반응물의 총 질량보다 크다.

① ㄱ   ② ㄷ   ③ ㄱ, ㄴ
④ ㄴ, ㄷ   ⑤ ㄱ, ㄴ, ㄷ

07 _{고난도}

그림은 용기에 XY, Y_2를 넣고 반응시켰을 때, 반응 전과 후 용기에 존재하는 물질을 모형으로 나타낸 것이다.

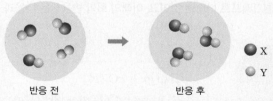

반응 전   반응 후   ● X   ○ Y

이 반응에 대한 설명으로 옳은 것만을 〈보기〉에서 있는 대로 고른 것은? (단, X, Y는 임의의 원소 기호이다.)

┤ 보기 ├
ㄱ. Y_2가 1몰 반응하면 생성물은 2몰이 생성된다.
ㄴ. 용기에 존재하는 물질의 총 질량은 반응 전과 후가 같다.
ㄷ. 반응 전 용기에 Y_2 입자를 1개 더 넣으면, 반응 후 용기에는 생성물만 존재한다.

① ㄱ   ② ㄴ   ③ ㄷ
④ ㄱ, ㄴ   ⑤ ㄱ, ㄴ, ㄷ

08

다음은 LPG의 주성분인 뷰테인의 연소 반응식이다.

$$2C_4H_{10}(g) + 13O_2(g) \longrightarrow 8CO_2(g) + 10H_2O(l)$$

이에 대한 설명으로 옳은 것은? (단, C, O, H의 원자량은 각각 12, 16, 1이다.)

① 반응 전보다 반응 후의 분자 수가 작다.
② 반응을 통해 새로운 원자가 생성된다.
③ 뷰테인 1몰이 반응하면 이산화 탄소 8몰이 생성된다.
④ 뷰테인 4.48 L가 반응하면 H_2O 18 g이 생성된다.
⑤ 생성된 CO_2와 H_2O의 질량비는 4 : 5이다.

09

그림은 실린더 속에서 기체 A와 B가 반응하여 기체 C를 생성하는 과정을 모형으로 나타낸 것이다.

피스톤

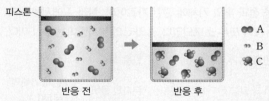

반응 전   반응 후   ◦◦ A   ◦ B   ◦◦ C

이에 대한 설명으로 옳은 것만을 〈보기〉에서 있는 대로 고른 것은? (단, 온도와 압력은 일정하다.)

┤ 보기 ├
ㄱ. 화학 반응식은 $A + 3B \longrightarrow 2C$이다.
ㄴ. C의 분자량은 $\dfrac{A의 \ 분자량 + B의 \ 분자량}{2}$이다.
ㄷ. 실린더 속 혼합 기체의 밀도는 반응 후가 반응 전보다 작다.

① ㄱ   ② ㄷ   ③ ㄱ, ㄴ
④ ㄴ, ㄷ   ⑤ ㄱ, ㄴ, ㄷ

3 화학 반응에서의 양적 관계 | 대표 기출

10

다음은 금속 M(s)과 HCl(aq)이 반응하여 MCl(aq)과 H$_2$(g)를 생성하는 반응의 화학 반응식을 완성하기 위해 수행한 실험이다.

[실험]
t ℃, 1 기압에서 M(s) w g을 충분한 양의 HCl(aq)과 반응시켰을 때 발생하는 H$_2$(g)의 부피를 측정하였더니 V mL 이었다.

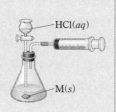
HCl(aq)
M(s)

화학 반응식을 완성하기 위해 반드시 이용해야 할 자료만을 〈보기〉에서 있는 대로 고른 것은? (단, M은 임의의 원소 기호이다.)

⎯보기⎯
ㄱ. M의 원자량
ㄴ. t ℃, 1 기압에서 기체 1몰의 부피
ㄷ. 반응한 HCl(aq)의 부피

① ㄱ   ② ㄷ   ③ ㄱ, ㄴ   ④ ㄴ, ㄷ   ⑤ ㄱ, ㄴ, ㄷ

기출 포인트 | 화학 반응식을 완성하기 위해 필요한 요소들이 무엇인지 알아야 한다.

11 고난도

다음은 기체 A와 B가 반응하는 화학 반응식이다.

$$a\text{A}(g) + \text{B}(g) \longrightarrow 2\text{C}(g) \quad (a\text{는 반응 계수})$$

표는 반응 전과 후의 기체에 관한 자료이며, 실험 Ⅰ에서는 B가, Ⅱ에서는 A가 모두 소모되었다. A와 C의 분자량비는 4 : 5이다.

실험	반응 전		반응 후	
	A의 질량(g)	B의 질량(g)	분자의 몰비	전체 기체의 부피(L)
Ⅰ	18	4	A : C = 1 : 8	V_1
Ⅱ	8	12	B : C = 5 : 2	V_2

이에 대한 설명으로 옳은 것만을 〈보기〉에서 있는 대로 고른 것은? (단, 온도와 압력은 일정하다.)

⎯보기⎯
ㄱ. a는 2이다.
ㄴ. 분자량은 A가 B의 4배이다.
ㄷ. $V_1 : V_2 = 9 : 14$이다.

① ㄱ   ② ㄷ   ③ ㄱ, ㄴ   ④ ㄱ, ㄷ   ⑤ ㄴ, ㄷ

12

다음은 이산화 탄소(CO$_2$)의 생성에 관한 실험이다.

[실험 과정]
(가) 탄산 칼슘(CaCO$_3$)의 질량을 측정한다.
(나) 삼각 플라스크에 충분한 양의 묽은 염산(HCl)을 넣고, 질량을 측정한다.
(다) 삼각 플라스크에 과정 (가)에서 측정한 탄산 칼슘을 넣으면서 반응시킨 후, 반응이 완전히 끝나면 삼각 플라스크의 질량을 측정한다.

위의 실험으로 화학 반응에서의 몰 관계를 비교하기 위해 추가적으로 필요한 자료만을 〈보기〉에서 있는 대로 고른 것은?

⎯보기⎯
ㄱ. 묽은 염산의 농도
ㄴ. 탄산 칼슘의 화학식량
ㄷ. 이산화 탄소의 분자량

① ㄱ   ② ㄷ   ③ ㄱ, ㄴ
④ ㄴ, ㄷ   ⑤ ㄱ, ㄴ, ㄷ

13

그림은 0 ℃, 1 기압에서 반응 용기에 메테인(CH$_4$) 1몰과 산소(O$_2$) a몰을 넣고 완전 연소시켰을 때 생성된 두 물질의 질량 백분율을 원그래프로 나타낸 것이고, 이때의 화학 반응식은 다음과 같다.

(가) (나)

$$\text{CH}_4(g) + a\text{O}_2(g) \longrightarrow \text{CO}_2(g) + 2\text{H}_2\text{O}(g)$$

이에 대한 설명으로 옳은 것만을 〈보기〉에서 있는 대로 고른 것은? (단, a는 계수이다.)

⎯보기⎯
ㄱ. (가)는 H$_2$O이고, (나)는 CO$_2$이다.
ㄴ. (나)의 산소 원자 수가 (가)의 2배이다.
ㄷ. 반응 전 기체의 부피가 생성된 기체의 부피보다 작다.

① ㄱ   ② ㄷ   ③ ㄱ, ㄴ
④ ㄱ, ㄷ   ⑤ ㄱ, ㄴ, ㄷ

14

그림 (가)는 기체 A가 실린더에 들어 있는 모습을, (나)는 (가)의 실린더에 기체 B를 넣은 모습을 나타낸 것이다. 온도와 압력은 일정하고, (나)에서 A와 B의 질량은 같다.

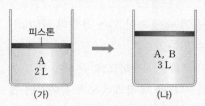

이에 대한 설명으로 옳은 것만을 〈보기〉에서 있는 대로 고른 것은? (단, 피스톤의 마찰과 질량은 무시하고, A와 B는 서로 반응하지 않는다.)

┤보기├
ㄱ. A의 분자량은 B의 2배이다.
ㄴ. 단위 부피당 기체 분자 수는 (가)와 (나)가 같다.
ㄷ. 실린더 속 기체의 밀도비는 (가) : (나) = 3 : 4이다.

① ㄱ   ② ㄴ   ③ ㄱ, ㄷ   ④ ㄴ, ㄷ   ⑤ ㄱ, ㄴ, ㄷ

---

4 한계 반응물　　　　　　　　**대표 기출**

15

다음은 기체 A와 B가 반응하는 화학 반응식이다.

$$2A(g) + B(g) \longrightarrow 2C(g)$$

그림은 실린더에 A와 B의 혼합 기체 2몰을 넣고 반응시켰을 때, 반응 전과 후의 모습을 나타낸 것이다. B는 모두 반응하였고, C의 분자량은 46이다.

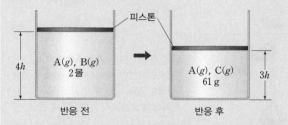

이에 대한 설명으로 옳은 것만을 〈보기〉에서 있는 대로 고른 것은? (단, 기체의 온도와 압력은 일정하고, 피스톤의 질량과 마찰은 무시한다.)

┤보기├
ㄱ. 반응 전 분자 수비는 A : B = 2 : 1이다.
ㄴ. 반응 후 실린더에 들어 있는 A의 질량은 15 g이다.
ㄷ. B의 분자량은 16이다.

① ㄱ   ② ㄴ   ③ ㄱ, ㄷ   ④ ㄴ, ㄷ   ⑤ ㄱ, ㄴ, ㄷ

기출 포인트ㅣ화학 반응식에서 반응 전후의 부피비, 몰, 질량을 통해 문제에서 요구하는 것을 구할 수 있어야 한다.

16　서술형

프로페인(C_3H_8)의 연소 반응은 다음과 같다.

$$C_3H_8(g) + aO_2(g) \longrightarrow bCO_2(g) + cH_2O(g)$$

(1) 위 화학 반응식에서 a, b, c를 구하시오. (단, 반응물과 생성물은 모두 기체이다.)

(2) 프로페인 22 g이 완전 연소될 때 생성되는 수증기의 질량은 몇 g인지 계산 과정과 함께 쓰시오. (단, H, C, O의 원자량은 각각 1, 12, 16이다.)

17　고난도

다음은 기체 X와 산소(O_2)가 반응하여 기체 Y를 생성하는 화학 반응식이다.

$$2X(g) + O_2(g) \longrightarrow aY(g) \ (a는 반응 계수)$$

그림은 X와 O_2를 실린더에 넣고 반응시켰을 때 반응 전후의 모습을 나타낸 것이다.

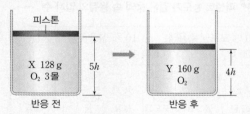

이에 대한 설명으로 옳은 것만을 〈보기〉에서 있는 대로 고른 것은? (단, O의 원자량은 16이고, 온도와 압력은 일정하며, 피스톤의 마찰과 질량은 무시한다.)

┤보기├
ㄱ. $a = 2$이다.
ㄴ. Y의 분자량은 160이다.
ㄷ. 반응 후 남아 있는 O_2를 모두 반응시키기 위해 추가로 필요한 X의 최소 질량은 256 g이다.

① ㄴ　　　　② ㄷ　　　　③ ㄱ, ㄴ
④ ㄱ, ㄷ　　　⑤ ㄱ, ㄴ, ㄷ

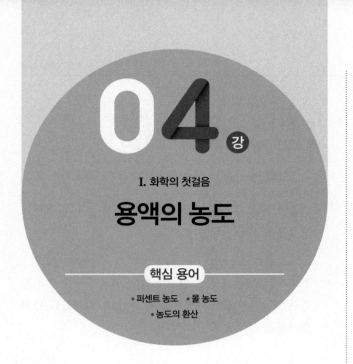

04강

I. 화학의 첫걸음

용액의 농도

핵심 용어

• 퍼센트 농도 • 몰 농도
• 농도의 환산

1 용액의 농도   개념 브릿지 유형 1

1. 용해와 용액
① 용액   용매와 용질이 균일하게 섞여 있는 혼합물
② 용해   두 종류 이상의 물질이 균일하게 섞이는 현상
③ 용매   다른 물질을 녹이는 물질
④ 용질   다른 물질에 녹는 물질

2. 질량 퍼센트 농도   용액 100 g 속에 녹아 있는 용질의 질량을 백분율로 나타낸 것

$$질량\ 퍼센트\ 농도(\%) = \frac{용질의\ 질량(\%)}{용액의\ 질량(g)} \times 100$$
$$= \frac{용질의\ 질량(g)}{용질의\ 질량(g) + 용매의\ 질량(g)} \times 100$$

자료 클리닉 ➕ 퍼센트 농도가 같은 용액 속 용질의 입자 수

수용액	10 % 포도당 수용액 100 g	10 % 설탕 수용액 100 g
수용액 제조 과정	포도당 (10 g) + 물 (90 g) → 용해 10 % 포도당 수용액 (100 g)	설탕 (10 g) + 물 (90 g) → 용해 10 % 설탕 수용액 (100 g)
용질의 질량	10 g	10 g
용질의 분자량	180	342
용질의 분자 수	$\frac{10\ g}{180\ g/mol}$ ≒ 0.056 mol이므로 $0.056 \times (6.02 \times 10^{23})$개	$\frac{10\ g}{342\ g/mol}$ ≒ 0.029 mol이므로 $0.029 \times (6.02 \times 10^{23})$개

• 10 % 포도당 수용액 100 g과 10 % 설탕 수용액 100 g에 녹아 있는 포도당과 설탕의 질량은 10 g으로 같지만, 입자 수는 다르다.

2 몰 농도   개념 브릿지 유형 2

1. 몰 농도   용액 1 L 속에 녹아 있는 용질의 양(mol)으로, 단위는 M 또는 mol/L를 사용한다.

$$몰\ 농도(M) = \frac{용질의\ 양(mol)}{용액의\ 부피(L)}$$

① 몰 농도를 알면 용액 속에 녹아 있는 용질의 양(mol)이나 질량을 알 수 있다.
② 몰 농도는 용액의 부피를 사용하므로, 온도에 따라 용액의 부피가 달라진다. ➡ 용액의 온도가 높아지면 몰 농도가 감소하고, 온도가 낮아지면 몰 농도가 증가한다.
③ 용액의 부피로 표시되므로, 수용액의 밀도를 모르면 용매의 정확한 질량을 구할 수 없다.

2. 몰 농도가 필요한 까닭   화학 반응에서 물질의 양적 관계를 다룰 때 용액의 성질이 용질의 질량보다는 용질의 입자 수에 의해 결정되는 경우가 많기 때문이다.

탐구 클리닉 ➕ 0.2 M 황산 구리(II) 수용액 만들기

과정

① 깨끗한 비커와 유리 막대를 준비한 후, 비커 속에 황산 구리(II) 오수화물을 전자저울로 정확하게 측정하여 넣는다.
② 과정 ①의 비커에 증류수를 약간 넣어 유리 막대로 저으면서 황산 구리(II) 오수화물을 녹인다.

③ 1000 mL 부피 플라스크에 깔때기를 사용하여 과정 ②의 수용액을 넣고 증류수로 비커를 씻어낸 용액도 부피 플라스크 속에 넣는다.

④ 부피 플라스크에 증류수를 넣다가 표선 근처에 이르면 중지하고, 스포이트를 사용하여 증류수를 한 방울씩 떨어뜨려서 정확하게 표선까지 채워지도록 한다.

⑤ 부피 플라스크의 뚜껑을 닫고 용액을 충분히 흔들어 주어 용질이 모두 용해되도록 한다.

정리

• 사용된 황산 구리(II) 오수화물의 양 구하기
  (황산 구리(II) 오수화물의 화학식량 = 249.7)
  ➡ 몰 농도(M) = $\frac{용질의\ 양(mol)}{용액의\ 부피(L)}$, $0.2\ M = \frac{용질의\ 양(mol)}{1\ L}$
  필요한 황산 구리(II) 오수화물은 0.2 mol이므로 사용된 황산 구리(II) 오수화물의 양은 249.7 g/mol × 0.2 mol = 49.94 g이다.

- 만들어진 0.2 M 황산 구리(II) 수용액을 사용하여 0.1 M 황산 구리(II) 수용액 0.5 L 만들기
  ➡ 0.1 M 황산 구리(II) 수용액 0.5 L에 녹아 있는 황산 구리(II)의 양은 $0.1\,M = \dfrac{x\,mol}{0.5\,L}$, $x = 0.05\,mol$이다.
  ➡ 0.2 M 황산 구리(II) 수용액에서 같은 양의 황산 구리(II)를 취하려면 0.2 M 황산 구리(II) 수용액 0.25 L가 필요하다.
  ➡ 0.2 M 황산 구리(II) 수용액 0.25 L를 500 mL 부피 플라스크에 넣고, 물을 넣어 500 mL까지 채워 준다.
- 증류수로 비커를 씻어 낸 용액을 부피 플라스크 속에 넣는 까닭
  ➡ 비커에 묻어 있는 황산 구리(II) 수용액을 씻어 정확한 황산 구리(II)의 질량을 취하기 위해서이다.

자료 클리닉➕ 용질의 종류에 따른 몰 농도 비교하기

- 같은 부피의 용액에 같은 질량의 용질을 녹인 수용액의 몰 농도

수용액	포도당 수용액 100 mL	설탕 수용액 100 mL
용액 100 mL에 같은 양의 용질 용해	포도당 18 g 포도당 수용액 100 mL	설탕 18 g 설탕 수용액 100 mL
용질의 질량	18 g	18 g
용질의 분자량	180	342
용질의 양(mol)	$\dfrac{18\,g}{180\,g/mol}$ $=0.1\,mol$	$\dfrac{18\,g}{342\,g/mol}$ $=0.053\,mol$
수용액의 몰 농도(M)	$\dfrac{0.1\,mol}{0.1\,L}=1\,M$	$\dfrac{0.053\,mol}{0.1\,L}$ $=0.53\,M$

➡ 같은 부피의 용액에 같은 질량의 용질을 녹이더라도 용질의 종류가 다르면 몰 농도가 다르다.

---

3. 혼합 용액의 몰 농도 용액에 물을 넣어 희석하거나, 두 용액을 섞을 때 용액의 부피와 농도는 변하지만 용질이 반응하지 않는다면 용질의 전체 양(mol)은 변하지 않고 일정하다.

① 희석했을 때의 농도 용질의 전체 양(mol)은 변하지 않고 일정하다.

- 용질의 양(mol) = 몰 농도(mol/L) × 용액의 부피(L)
- 처음 용액의 몰 농도(a) × 처음 용액의 부피(V)
  = 나중 용액의 몰 농도(a') × 나중 용액의 부피(V')
  나중 용액의 몰 농도(a')
  = $\dfrac{처음\ 용액의\ 몰\ 농도(a) \times 처음\ 용액의\ 부피(V)}{나중\ 용액의\ 부피(V)}$

② 혼합 용액의 농도 농도가 다른 두 용액을 혼합하면, 용질의 전체 양(mol)은 변하지 않고 농도와 부피만 변한다.

- 용질의 전체 양(mol) = $(a \times V) + (a' \times V')$
  $= a'' \times (V + V')$
- 혼합 용액의 농도(a'') = $\dfrac{용질의\ 전체의\ 양(aV + a'V')}{혼합\ 용액의\ 부피(V + V')}$

---

3 **농도의 환산** 개념 브릿지 유형 3

1. 퍼센트 농도를 몰 농도로 환산하기

몰 농도(M) = $\dfrac{용질의\ 양(mol)}{용액의\ 부피(L)}$ 이므로 몰 농도를 구하기 위해서는 용액의 부피(L)와 용질의 양(mol)을 알아야 한다.

- $a\,\%$ 용액의 밀도가 $d\,g/mL$이고, 용질의 화학식량이 M_w라고 가정할 때 퍼센트 농도를 몰 농도로 환산하기(단, 용액의 질량은 100 g)
- [1단계] 밀도를 사용하여 용액의 질량을 용액의 부피로 환산한다.
  용액의 부피(L) = $\dfrac{용액의\ 질량(g)}{용액의\ 밀도(g/mL) \times 1000}$
  $= \dfrac{100}{1000d} = \dfrac{1}{10d}$
- [2단계] 용질의 분자량을 사용하여 용질의 양(mol)을 구한다.
  용질의 양(mol) = $\dfrac{용질의\ 질량(g)}{용질의\ 화학식량(M_w)}$
  $= \dfrac{a}{M_w}$ (mol)
- [3단계] 몰 농도를 구한다.
  $a\,\%$ 용액의 몰 농도
  $= \dfrac{용질의\ 양(mol)}{용액의\ 부피(L)} = \dfrac{10ad}{M_w}$ (mol/L)

---

2. 몰 농도를 퍼센트 농도로 환산하기

질량 퍼센트 농도(%) = $\dfrac{용질의\ 질량(g)}{용액의\ 질량(g)} \times 100$ 이므로 용질의 질량(g)과 용액의 질량(g)을 알아야 한다.

- 용액의 몰 농도가 $b\,M$이고 용질의 화학식량은 M_w, 밀도는 $d\,g/mL$라고 가정할 때 몰 농도를 퍼센트 농도로 환산하기(단, 용액의 부피는 1 L)
  [1단계] 분자량과 몰 농도를 이용하여 용질의 질량을 구한다.
  용질의 질량(g) = 화학식량 × 몰 농도 = $M_w \times b$
  [2단계] 용액의 부피와 밀도를 이용하여 용액의 질량을 구한다.
  용액의 질량(g) = 용액의 부피 × 용액의 밀도
  $= 1000\,mL \times d\,g/mL$
  [3단계] % 농도를 구한다.
  % 농도 = $\dfrac{용질의\ 질량(g)}{용액의\ 질량(g)} \times 100$
  $= \dfrac{100bM_w}{1000d} = \dfrac{bM_w}{10d}$

1 두 종류 이상의 물질이 균일하게 섞이는 현상을 □□라고 한다.

2 소금이 물에 녹아 소금물이 될 때, 소금과 같이 용매에 녹는 물질을 □□, 물과 같이 소금을 녹이는 물질을 □□, 소금물과 같이 용매와 용질이 고르게 섞인 물질을 □□라고 한다.

3 질량 퍼센트 농도는 용액 □ g 속에 녹아 있는 □□의 질량을 백분율로 나타낸 것이다.

$$질량\ 퍼센트\ 농도(\%) = \frac{□□의\ 질량(g)}{용액의\ 질량(g)} \times 100$$

4 용질의 양이 많아질수록 용액의 농도는 □□□□, 용매의 양이 많아질수록 용액의 농도는 □□□□.

5 몰 농도는 용액 □ L 속에 녹아 있는 □□의 양(mol)으로, 단위는 M 또는 mol/L를 사용한다.

$$몰\ 농도(M) = \frac{□□의\ 양(mol)}{용액의\ 부피(L)}$$

6

포도당 18 g
포도당 수용액
100 mL

• 포도당의 분자량 = 180
• 용질의 질량 = 18 g
(1) 용질의 양(mol) =
(2) 몰 농도(M) =

7 퍼센트 농도를 몰 농도로 환산할 때 용액의 부피를 구하기 위해서 용액의 □□를 사용한다.

8 몰 농도를 퍼센트 농도로 환산하기 위해서는 용질의 □□□□과 용액의 □□가 필요하다.

답 1 용해 **2** 용질, 용매, 용액 **3** 100, 용질, 용질 **4** 진해지고, 묽어진다
5 1, 용질, 용질 **6** (1) 0.1몰 (2) 1 M **7** 밀도 **8** 화학식량, 밀도

개념과 문제의 연결고리 찾기!!

1 용액의 농도

그림은 설탕 수용액 (가)와 (나)를 나타낸 것이다.

20 ℃
물 100 g
설탕 50 g
(가)

80 ℃
물 50 g
설탕 25 g
(나)

(가)와 (나)에 대한 설명으로 옳은 것은?
① (가)와 (나)의 퍼센트 농도는 같다.
② (가)와 (나)의 몰 농도는 같다.
③ (가)와 (나)의 밀도는 같다.
④ (가)가 (나)보다 몰 농도가 작다.
⑤ (가)가 (나)보다 밀도가 작다.

개념으로 문제 접근하기

• 퍼센트 농도: 용액 100 g 속에 녹아 있는 용질의 질량을 백분율로 나타낸 것
• 몰 농도: 용액 1 L 속에 녹아 있는 용질의 양(mol)
• 용액의 온도가 증가하면 용액의 부피가 증가하므로 몰 농도는 작아지고, 밀도도 작아진다.

┈┈┈┈┈┈┈┈┈┈┈┈┈┈┈┈┈┈┈┈┈┈┈┈┈

| 보기 분석 |
① (가)와 (나)의 퍼센트 농도는 같다.
➡ (가)와 (나)는 용액과 용질의 비율이 같으므로 퍼센트 농도가 같다.
② (가)와 (나)의 몰 농도는 같다.
➡ 용액의 온도가 증가하면 용액의 부피가 증가하므로 몰 농도가 작아진다.
③ (가)와 (나)의 밀도는 같다.
➡ 용액의 온도가 증가하면 용액의 부피가 증가하므로 밀도가 작아진다.
④ (가)가 (나)보다 몰 농도가 작다.
➡ (나)가 (가)보다 몰 농도가 작다.
⑤ (가)가 (나)보다 밀도가 작다.
➡ (나)가 (가)보다 밀도가 작다.

답 ①

2 몰 농도

500 mL 부피 플라스크에 염화 나트륨($NaCl$) 5.85 g을 넣은 후, 표선까지 증류수를 채워 밀도가 d g/mL인 용액을 만들었다. 이 용액에 대한 설명으로 옳은 것만을 〈보기〉에서 있는 대로 고른 것은? (단, 온도는 일정하고, $NaCl$의 화학식량은 58.5이다.)

┤ 보기 ├
ㄱ. 몰 농도는 0.2 M이다.

ㄴ. 퍼센트 농도는 $\dfrac{5.85}{5d}$ %이다.

ㄷ. 용액에 들어 있는 증류수의 질량은 $(500d - 5.85)$ g 이다.

① ㄱ   ② ㄴ   ③ ㄱ, ㄷ
④ ㄴ, ㄷ   ⑤ ㄱ, ㄴ, ㄷ

개념으로 문제 접근하기

- 몰 농도: 용액 1 L 속에 녹아 있는 용질의 양(mol)

- 염화 나트륨의 양(mol) $= \dfrac{5.85\ \text{g}}{58.5\ \text{g/몰}} = 0.1$몰

  용액의 질량 $= 500d$ g, 용질의 질량 $= 5.85$ g

  용액의 퍼센트 농도 $= \dfrac{5.85}{500d} \times 100 = \dfrac{5.85}{5d}$ %

  용액의 몰 농도 $= \dfrac{0.1\text{몰}}{500\ \text{mL}} = \dfrac{0.2\ \text{몰}}{1\ \text{L}} = 0.2$ M

┈┈┈┈┈┈┈┈┈┈┈┈┈┈┈┈┈┈┈┈┈┈┈

| 보기 분석 |

ㄱ. 몰 농도는 0.2 M이다.
➡ 용액의 부피와 용질의 양(mol)으로 몰 농도를 구할 수 있다.

$$\dfrac{0.1\text{몰}}{500\ \text{mL}} = 0.2\ \text{M}$$

ㄴ. 퍼센트 농도는 $\dfrac{5.85}{5d}$ %이다.
➡ 용액의 질량과 용질의 질량으로 퍼센트 농도를 구할 수 있다.

$$\dfrac{5.85}{500d} \times 100 = \dfrac{5.85}{5d}\ \%$$

ㄷ. 용액에 들어 있는 증류수의 질량은 $(500d-5.85)$ g이다.
➡ 전체 용액의 질량이 $500d$ g이고, 포함된 용질의 질량이 5.85 g이므로, 용액에 들어 있는 증류수의 질량은 $(500d-5.85)$ g이다.

답 ⑤

---

3 농도의 환산

표는 수용액 (가)와 (나)에 대한 자료이다.

수용액	(가)	(나)
수용액의 양	100 mL	110 g
용질의 종류와 양	에탄올 24 g	요소 20 g
수용액의 밀도	0.96 g/mL	1.1 g/mL

이에 대한 설명으로 옳은 것만을 〈보기〉에서 있는 대로 고른 것은? (단, 에탄올과 요소의 분자량은 각각 46, 60이다.)

┤ 보기 ├
ㄱ. (가)의 질량 퍼센트 농도는 25 %이다.

ㄴ. (나)의 몰 농도는 약 3.3 M이다.

ㄷ. 몰 농도는 (가)< (나)이다.

① ㄱ   ② ㄷ   ③ ㄱ, ㄴ
④ ㄴ, ㄷ   ⑤ ㄱ, ㄴ, ㄷ

개념으로 문제 접근하기

- (가) 수용액의 질량 $= 100 \times 0.96$ g/mL $= 96$ g
- (가)의 질량 퍼센트 농도 $= \dfrac{\text{용질의 질량(g)}}{\text{용액의 질량(g)}} \times 100$

  $$= \dfrac{24\ \text{g}}{96\ \text{g}} \times 100 = 25\ \%$$

- (가)의 몰 농도 $= \dfrac{\dfrac{24\ \text{g}}{46\ \text{g/몰}}}{0.1\ \text{L}} ≒ 5.2\ \text{M}$

- (나)의 몰 농도 $= \dfrac{\dfrac{20\ \text{g}}{60\ \text{g/몰}}}{\dfrac{110\ \text{g}}{1.1\ \text{g/mL}}} ≒ \dfrac{0.33\ \text{몰}}{0.1\ \text{L}} = 3.3\ \text{M}$

┈┈┈┈┈┈┈┈┈┈┈┈┈┈┈┈┈┈┈┈┈┈┈

| 보기 분석 |

ㄱ. (가)의 질량 퍼센트 농도는 25 %이다.
➡ (가) 수용액의 질량과 용질의 질량으로 질량 퍼센트 농도를 구할 수 있다. $\dfrac{24\ \text{g}}{96\ \text{g}} = 25\ \%$

ㄴ. (나)의 몰 농도는 3.3 M이다.
➡ (나) 수용액의 부피와 용질의 양으로 몰 농도를 구할 수 있다.

$$\dfrac{\dfrac{20\ \text{g}}{60\ \text{g/몰}}}{\dfrac{110\ \text{g}}{1.1\ \text{g/mL}}} ≒ \dfrac{0.33\ \text{몰}}{0.1\ \text{L}} = 3.3\ \text{M}$$

ㄷ. 몰 농도는 (가)< (나)이다. ➡ 몰 농도는 (가)> (나)이다.

답 ③

1 용액의 농도 　　　　　　　　대표 기출

01

그림은 5 % 설탕 수용액과 5 % 포도당 수용액을 나타낸 것이다.

5 % 설탕
수용액 500 g
(가)

5 % 포도당
수용액 500 g
(나)

두 수용액에서 여러 가지 값들의 크기를 비교한 것으로 옳지 <u>않은</u> 것은? (단, 설탕과 포도당의 화학식량은 각각 342, 180이고, 두 수용액의 밀도는 1 g/mL로 가정한다.)

① 용질의 입자 수: (가)<(나)
② 용질의 양(mol): (가)>(나)
③ 용액의 부피: (가)=(나)
④ 용질의 질량: (가)=(나)
⑤ 용액 속 물 분자 수: (가)=(나)

기출 포인트 | 용액을 구성하는 용질과 용매의 양을 계산하고 비교할 수 있어야 한다.

02 　서술형

그림과 같이 t ℃ 물 200 g에 고체 X 100 g을 넣어 포화 용액을 만들었더니 고체 X 50 g이 녹지 않고 남았다.

물 200 g

고체 X
100 g 첨가

고체 X
50 g

이 포화 용액의 퍼센트 농도를 계산 과정과 함께 쓰시오.

03

밀도가 1.5 g/mL인 수산화 나트륨(NaOH) 수용액 500 mL에는 수산화 나트륨 160 g이 녹아 있다. 수산화 나트륨 수용액의 퍼센트 농도는? (단, 소수점 둘째 자리에서 반올림한다.)

① 2.13 %　　　② 21.3 %　　　③ 5.33 %
④ 53.3 %　　　⑤ 42.6 %

2 몰 농도 　　　　　　　　대표 기출

04

다음은 A 수용액을 만드는 과정이다.

> (가) 물 160 g에 A 40 g을 넣어 모두 녹인다.
> (나) (가) 용액 100 g에 물을 넣어 1 L 용액을 만든다.
> (다) (가) 용액 20 g과 (나) 용액 0.5 L를 혼합한다.

이에 대한 설명으로 옳은 것만을 〈보기〉에서 있는 대로 고른 것은? (단, A의 분자량은 50이다.)

┤ 보기 ├
ㄱ. (가) 용액의 퍼센트 농도는 20 %이다.
ㄴ. (나) 용액의 몰 농도는 0.4 M이다.
ㄷ. (다) 용액에 A는 0.28 mol이 포함되어 있다.

① ㄱ　　　　② ㄷ　　　　③ ㄱ, ㄴ
④ ㄴ, ㄷ　　　⑤ ㄱ, ㄴ, ㄷ

기출 포인트 | 용질, 용매, 용액의 양으로 농도를 계산할 수 있어야 한다.

05

그림 (가)~(다)는 서로 다른 농도의 NaH_2PO_4 수용액을 나타낸 것이다.

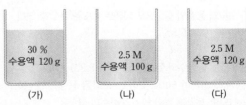

30 %
수용액 120 g
(가)

2.5 M
수용액 100 g
(나)

2.5 M
수용액 120 g
(다)

물에 녹아 있는 NaH_2PO_4의 질량을 옳게 비교한 것은? (단, NaH_2PO_4의 화학식량은 120이고, 2.5 M 수용액의 밀도는 1.2 g/mL이다.)

① (가)>(나)>(다)　　　② (가)>(다)>(나)
③ (나)>(가)>(다)　　　④ (나)>(다)>(가)
⑤ (다)>(나)>(가)

06 서술형

그림은 농도가 다른 탄산수소 칼륨($KHCO_3$) 수용액을 이용하여 1.0 M $KHCO_3$ 수용액 1 L를 만드는 과정을 나타낸 것이다.

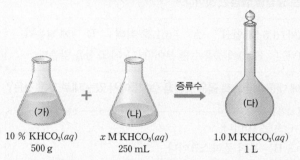

10 % $KHCO_3(aq)$ 500 g + x M $KHCO_3(aq)$ 250 mL →(증류수)→ 1.0 M $KHCO_3(aq)$ 1 L

(나) 수용액의 몰 농도를 구하시오. (단, 온도는 일정하고, $KHCO_3$의 화학식량은 100이다.)

07 고난도

그림은 서로 다른 농도의 포도당 수용액 (가)와 (나)를 나타낸 것이다.

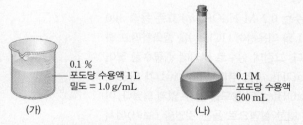

(가) 0.1 % 포도당 수용액 1 L 밀도 = 1.0 g/mL

(나) 0.1 M 포도당 수용액 500 mL

이에 대한 설명으로 옳은 것만을 〈보기〉에서 있는 대로 고른 것은? (단, 포도당의 분자량은 180이다.)

┤보기├
ㄱ. 녹아 있는 포도당의 분자 수는 (가)가 (나)보다 많다.
ㄴ. (나)에 녹아 있는 포도당의 질량은 9 g이다.
ㄷ. 수용액 (나)에서 100 mL를 취하여 1 L 부피 플라스크에 넣고, 표선까지 물을 채워 만든 수용액의 농도는 0.01 M이다.

① ㄱ   ② ㄴ   ③ ㄱ, ㄷ
④ ㄴ, ㄷ   ⑤ ㄱ, ㄴ, ㄷ

08

다음과 같이 수산화 나트륨($NaOH$) 수용액을 만들었다.

(가) 그림과 같이 $NaOH$ 2.0 g을 증류수에 모두 녹여 $NaOH$ 수용액 100 mL를 만들었다.
(나) 며칠 후, 물이 증발하여 수면이 표선 아래로 내려갔다.
(다) 증류수를 더 넣어 부피 플라스크의 표선까지 수면을 일치시켰다.

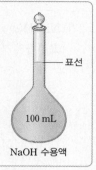

표선
100 mL
NaOH 수용액

이에 대한 설명으로 옳은 것만을 〈보기〉에서 있는 대로 고른 것은? (단, $NaOH$의 화학식량은 40이다.)

┤보기├
ㄱ. (가)에서 만든 수용액의 몰 농도는 0.5 M이다.
ㄴ. 수용액의 밀도는 (나)에서보다 (가)에서 크다.
ㄷ. 수용액의 몰 농도는 (다)에서보다 (가)에서 크다.

① ㄱ   ② ㄴ   ③ ㄱ, ㄷ
④ ㄴ, ㄷ   ⑤ ㄱ, ㄴ, ㄷ

09

표는 수용액 (가)~(다)에 대한 자료이다.

수용액	용질	용액 1 L당 용질의 질량(g)	몰 농도(M)
(가)	X	40	a
(나)	X	10	b
(다)	Y	10	a

이에 대한 설명으로 옳은 것만을 〈보기〉에서 있는 대로 고른 것은? (단, 모든 수용액의 밀도는 1 g/mL이다.)

┤보기├
ㄱ. $a = 4b$이다.
ㄴ. 퍼센트 농도는 (가)와 (다)가 같다.
ㄷ. 퍼센트 농도는 (나)와 (다)가 같다.

① ㄴ   ② ㄷ   ③ ㄱ, ㄴ
④ ㄱ, ㄷ   ⑤ ㄱ, ㄴ, ㄷ

10 고난도

다음은 0.005 M NaOH 수용액을 만드는 과정이다.

(가) NaOH(s) x g을 1 L 부피 플라스크에 넣고 증류수를 표선까지 가하여 0.1 M NaOH(aq)을 만든다.

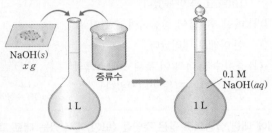

NaOH(s) x g   증류수   0.1 M NaOH(aq)
1 L   1 L

(나) 200 mL 부피 플라스크에 (가)의 용액 y mL를 넣고 증류수를 표선까지 가하여 0.005 M NaOH(aq)을 만든다.

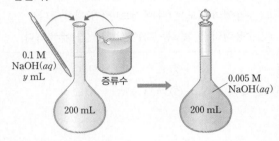

0.1 M NaOH(aq) y mL   증류수   0.005 M NaOH(aq)
200 mL   200 mL

(가)의 NaOH(s)의 질량 x와 (나)의 0.1 M NaOH(aq)의 부피 y는? (단, NaOH의 화학식량은 40이다.)

	x	y		x	y
①	4	5	②	4	10
③	5	10	④	5	20
⑤	8	20			

11 서술형

그림 (가), (나)는 서로 다른 농도의 NaOH 수용액을 나타낸 것이다.

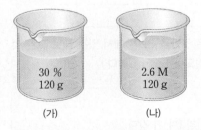

30 %
120 g
(가)

2.6 M
120 g
(나)

물에 녹아 있는 NaOH의 질량을 각각 구하고, 그 양을 비교하시오. (단, NaOH의 화학식량은 40이고, 수용액의 밀도는 1.3 g/mL이다.)

12

다음은 0.5 M 염산(HCl)을 묽게 하여 0.01 M 염산 0.5 L를 만드는 방법을 설명한 것이다.

(가) 0.5 M 염산 (A) mL를 취해 (B)에 넣는다.
(나) (B)에 증류수를 부어 0.5 L의 표선을 맞춘다.

이에 대한 설명으로 옳은 것만을 〈보기〉에서 있는 대로 고른 것은?

┤보기├
ㄱ. A는 10이다.
ㄴ. B는 부피 플라스크이다.
ㄷ. 0.01 M 염산 0.5 L에 포함된 염화 수소의 양(mol)은 0.005몰이다.

① ㄱ   ② ㄱ, ㄴ   ③ ㄱ, ㄷ
④ ㄴ, ㄷ   ⑤ ㄱ, ㄴ, ㄷ

13

은수는 0.1 M NaOH(aq) 표준 용액 300 mL를 이용하여 HCl(aq)을 중화하려고 하였다. 그런데 실수로 비커에 증류수를 넣어 NaOH(aq)의 부피가 500 mL가 되었고, NaOH(aq)의 농도를 알 수 없게 되었다. 이에 대한 설명으로 옳은 것만을 〈보기〉에서 있는 대로 고른 것은? (단, NaOH의 화학식량은 40이고, 추가한 NaOH에 따른 부피 증가는 없다고 가정한다.)

? M NaOH(aq) 500 mL

┤보기├
ㄱ. 희석된 용액의 농도는 0.06 M이다.
ㄴ. 표준 용액이 희석되기 전과 후의 NaOH의 양(mol)은 같다.
ㄷ. 희석된 용액의 농도를 다시 0.1 M로 만들기 위해서는 NaOH을 2 g 더 넣어 주면 된다.

① ㄱ   ② ㄱ, ㄴ   ③ ㄱ, ㄷ
④ ㄴ, ㄷ   ⑤ ㄱ, ㄴ, ㄷ

14

철수는 2.5 M 탄산수소 칼륨($KHCO_3$) 수용액 200 mL를 희석시켜 1 M 수용액을 만들려고 하였으나 실수로 물을 더 넣어 600 mL가 되었다. 이 수용액을 1 M 수용액으로 만들기 위한 방법으로 옳은 것만을 〈보기〉에서 있는 대로 고른 것은? (단, $KHCO_3$의 화학식량은 100이며, 온도 변화는 없다.)

┌ 보기 ┐
ㄱ. $KHCO_3$ 10 g을 더 녹인다.
ㄴ. $KHCO_3$ 25 g을 더 녹이고 물을 넣어 750 mL가 되게 한다.
ㄷ. 2.5 M $KHCO_3$ 수용액 200 mL를 더하고 물을 넣어 1 L가 되게 한다.

① ㄴ　　　　　② ㄷ　　　　　③ ㄱ, ㄴ
④ ㄱ, ㄷ　　　　⑤ ㄱ, ㄴ, ㄷ

15

20 % 수산화 나트륨($NaOH$) 수용액을 1 M로 만드는 방법으로 옳은 것은? (단, 수산화 나트륨의 화학식량은 40이고, 20 % 수용액의 밀도는 1.2 g/mL이다.)

① 20 % 수용액 20 g에 증류수를 가해 100 g이 되게 한다.
② 20 % 수용액 20 g에 증류수를 가해 104 g이 되게 한다.
③ 20 % 수용액 20 g에 증류수를 가해 100 mL가 되게 한다.
④ 20 % 수용액 20 mL에 증류수를 가해 100 mL가 되게 한다.
⑤ 20 % 수용액 20 mL에 증류수를 가해 104 mL가 되게 한다.

기출 포인트 | 퍼센트 농도와 몰 농도를 구하고, 두 단위를 환산할 수 있어야 한다.

---

16 고난도

그림은 서로 다른 농도의 과산화 수소(H_2O_2) 수용액 (가)와 (나)가 각각 들어 있는 두 시약병의 표지를 나타낸 것이다.

$$\frac{(가)의 \ 몰 \ 농도(M)}{(나)의 \ 몰 \ 농도(M)}$$는? (단, H_2O_2의 분자량은 34이다.)

① 8　　　　② 10　　　③ 12　　　④ 14　　　⑤ 17

17

다음은 12 M 염산(HCl)을 퍼센트 농도(%)로 환산하는 과정이다.

┌─────────────────────────────┐
・(가) = 12 M 염산의 밀도(g/mL) × 1000 mL
・(나) = 12 mol/L × HCl의 화학식량(g/mol)
・퍼센트 농도 = (다) × 100
└─────────────────────────────┘

(다)로 옳은 것은?

① (가) + (나)　　　② (가) − (나)　　　③ (가) × (나)
④ $\dfrac{(가)}{(나)}$　　　⑤ $\dfrac{(나)}{(가)}$

18

그림은 어떤 산 HA 시약병에 붙어 있는 표지를 나타낸 것이다. 영희는 20 ℃에서 다음과 같은 실험을 수행하였다.

HA
화학식량 = a
농도(질량 %) = c
밀도(g/mL, 20 ℃) = d

┌─────────────────────────────┐
(가) 피펫을 이용하여 시약병에서 HA 용액 V mL를 취한다.
(나) (가)에서 취한 용액을 증류수로 묽혀 용액의 부피를 500 mL로 만든다.
└─────────────────────────────┘

(나)에서 만든 용액의 몰 농도(M)로 옳은 것은?

① $\dfrac{cdV}{50a}$　② $\dfrac{dV}{2a}$　③ $\dfrac{2dV}{a}$　④ $\dfrac{2cdV}{a}$　⑤ $\dfrac{50cdV}{a}$

01

다음은 인류 문명에 기여한 화학 반응에 관련된 글이다.

- ⊙ 석탄, 석유, 천연가스 등의 화석 연료는 지질 시대의 생물이 땅속에 묻혀 특정 환경에서 분해되어 만들어진 에너지이다.
- ⓒ 암모니아의 합성과 ⓒ 철의 제련 등은 인류 문명의 발달에 영향을 준 대표적인 화학 반응이다.

⊙~ⓒ에 대한 설명으로 옳은 것만을 〈보기〉에서 있는 대로 고른 것은?

┤보기├
ㄱ. ⊙의 주요 구성 원소는 탄소와 질소이다.
ㄴ. ⓒ은 식량 생산 증대에 크게 기여하였다.
ㄷ. ⓒ으로 인해 철이 대량으로 생산되기 시작했다.

① ㄱ ② ㄴ ③ ㄱ, ㄷ
④ ㄴ, ㄷ ⑤ ㄱ, ㄴ, ㄷ

[02~03] 그림은 탄화수소 (가)~(다)의 분자당 수소 원자 수와 성분 원소의 질량비($\dfrac{C의\ 질량}{H의\ 질량}$)를 나타낸 것이다.

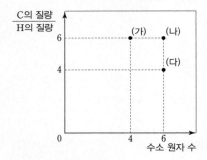

02

이에 대한 설명으로 옳은 것만을 〈보기〉에서 있는 대로 고른 것은? (단, (가)~(다)는 모두 사슬 모양 탄화수소이고, H, C의 원자량은 각각 1, 12이다.)

┤보기├
ㄱ. (가)와 (나)의 실험식은 같다.
ㄴ. (가)와 (다)의 분자당 탄소 원자 수는 다르다.
ㄷ. (나)와 (다)에는 모두 2중 결합이 있다.

① ㄱ ② ㄴ ③ ㄱ, ㄷ
④ ㄴ, ㄷ ⑤ ㄱ, ㄴ, ㄷ

03 서술형

(가)~(다)의 분자식을 쓰시오.

04

그림 (가)~(다)는 일상생활에서 사용되는 대표적인 탄소 화합물이다.

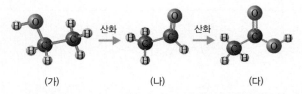

이에 대한 설명으로 옳은 것만을 〈보기〉에서 있는 대로 고른 것은?

┤보기├
ㄱ. (가)~(다)의 탄소의 개수는 같다.
ㄴ. (나)는 폼알데하이드이다.
ㄷ. (가)~(다)의 분자 1몰이 완전 연소할 때 생성되는 H_2O의 양(mol)이 가장 큰 것은 (가)이다.

① ㄱ ② ㄱ, ㄴ ③ ㄱ, ㄷ
④ ㄴ, ㄷ ⑤ ㄱ, ㄴ, ㄷ

05

표는 수소(H) 원자 수가 동일한 탄화수소 (가)와 (나)의 분자량과 구성 성분 원소의 질량비를 나타낸 것이다.

탄화수소	분자량	질량비(C : H)
(가)	42	6 : 1
(나)	54	$x : y$

이에 대한 설명으로 옳은 것만을 〈보기〉에서 있는 대로 고른 것은? (단, H, C의 원자량은 각각 1, 12이다.)

┤보기├
ㄱ. (가)를 구성하는 C와 H의 몰비는 1 : 3이다.
ㄴ. (나)의 C 원자 수는 4이다.
ㄷ. $x : y = 8 : 1$이다.

① ㄱ ② ㄴ ③ ㄱ, ㄷ
④ ㄴ, ㄷ ⑤ ㄱ, ㄴ, ㄷ

06

그림은 같은 온도와 압력에서 2가지 기체의 부피와 질량을 각각 나타낸 것이다.

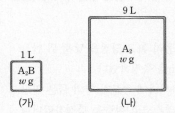

이에 대한 설명으로 옳은 것만을 〈보기〉에서 있는 대로 고른 것은? (단, A와 B는 임의의 원소 기호이다.)

┤ 보기 ├
ㄱ. 분자 수의 비는 (가) : (나) = 1 : 9이다.
ㄴ. 분자 1개의 질량비는 (가) : (나) = 1 : 9이다.
ㄷ. 원자량 비는 A : B = 1 : 8이다.

① ㄱ　　　　② ㄴ　　　　③ ㄱ, ㄷ
④ ㄴ, ㄷ　　　⑤ ㄱ, ㄴ, ㄷ

07 고난도

표는 물질 (가), (나)의 구성 원소와 (가), (나)를 각각 완전 연소시켰을 때에 대한 자료이다.

물질	구성 원소	소모된 O_2의 질량(mg)	연소 생성물의 질량(mg)	
			CO_2	H_2O
(가)	C, H	$7w$	220	135
(나)	C, H, O	$6w$	220	135

이에 대한 설명으로 옳은 것만을 〈보기〉에서 있는 대로 고른 것은? (단, H, C, O의 원자량은 각각 1, 12, 16이다.)

┤ 보기 ├
ㄱ. $w = 20$이다.
ㄴ. (나)의 실험식은 C_2H_6O이다.
ㄷ. 1 g당 $\dfrac{\text{H 원자 수}}{\text{C 원자 수}}$는 (가)와 (나)가 같다.

① ㄱ　　　　② ㄷ　　　　③ ㄱ, ㄴ
④ ㄴ, ㄷ　　　⑤ ㄱ, ㄴ, ㄷ

08

표는 기체 (가), (나)에 대한 자료이다. 기체의 온도와 압력은 같다.

기체	분자식	부피(L)	질량(g)
(가)	AB	2.4	3.0
(나)	AB_2	1.2	2.3

이에 대한 설명으로 옳은 것만을 〈보기〉에서 있는 대로 고른 것은? (단, A와 B는 임의의 원소 기호이다.)

┤ 보기 ├
ㄱ. 기체의 밀도는 (가)가 (나)보다 크다.
ㄴ. 원자량은 B가 A보다 크다.
ㄷ. 1 g에 들어 있는 전체 원자 수는 (가)가 (나)보다 많다.

① ㄱ　　　　② ㄴ　　　　③ ㄱ, ㄷ
④ ㄴ, ㄷ　　　⑤ ㄱ, ㄴ, ㄷ

09

표는 용기 (가)~(다)에 들어 있는 기체에 대한 자료이다. 기체의 압력은 모두 1 기압이다.

용기	기체	온도(℃)	부피(L)	질량(g)
(가)	H_2	30	25	2
(나)	N_2	30	12.5	㉠
(다)	He	50	25	

이에 대한 설명으로 옳은 것만을 〈보기〉에서 있는 대로 고른 것은? (단, H, N의 원자량은 각각 1, 14이고, 아보가드로수는 6×10^{23}이다.)

┤ 보기 ├
ㄱ. (가)에서 수소 분자 수는 6×10^{23}이다.
ㄴ. ㉠은 7이다.
ㄷ. (가)와 (다)에서 기체의 양(mol)은 같다.

① ㄱ　　　　② ㄴ　　　　③ ㄱ, ㄷ
④ ㄴ, ㄷ　　　⑤ ㄱ, ㄴ, ㄷ

10

그림은 어떤 기체들의 화학 반응을 모형으로 나타낸 것이다.

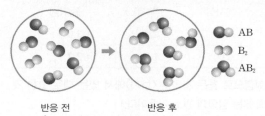

반응 전   반응 후

AB
B₂
AB₂

이 반응에 대한 설명으로 옳은 것만을 〈보기〉에서 있는 대로 고른 것은? (단, A와 B는 임의의 원소 기호이다.)

┤ 보기 ├
ㄱ. 생성물은 2가지이다.
ㄴ. 화학 반응식은 $2AB(g) + B_2(g) \longrightarrow 2AB_2(g)$이다.
ㄷ. 반응 후 B_2를 더 넣으면 생성물의 양이 증가한다.

① ㄱ   ② ㄷ   ③ ㄱ, ㄴ
④ ㄱ, ㄷ   ⑤ ㄴ, ㄷ

11

다음은 금속 $M(s)$과 염산($HCl(aq)$)이 반응하는 화학 반응식과 0 ℃, 1 기압에서 6 g의 $M(s)$을 충분한 양의 $HCl(aq)$과 반응시켰을 때 생성되는 수소(H_2) 기체의 부피를 시간에 따라 나타낸 것이다.

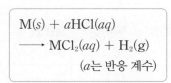

$M(s) + aHCl(aq)$
$\longrightarrow MCl_2(aq) + H_2(g)$
(a는 반응 계수)

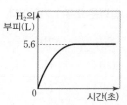

H_2의 부피(L)

5.6

0   시간(초)

이에 대한 설명으로 옳은 것만을 〈보기〉에서 있는 대로 고른 것은? (단, M은 임의의 원소 기호이고, H의 원자량은 1이며, 기체 1몰의 부피는 0 ℃, 1 기압에서 22.4 L이다.)

┤ 보기 ├
ㄱ. $a = 2$이다.
ㄴ. M의 원자량은 48이다.
ㄷ. 12 g의 $M(s)$을 충분한 양의 $HCl(aq)$과 반응시키면 생성되는 $H_2(g)$의 질량은 2 g이다.

① ㄱ   ② ㄴ   ③ ㄷ
④ ㄱ, ㄴ   ⑤ ㄱ, ㄷ

12 서술형

탄산 칼슘($CaCO_3$)과 묽은 염산(HCl)의 반응에서 생성되는 기체 X의 분자량을 구하기 위한 실험이다. 탄산 칼슘의 화학식량은 M이다.

(가) 전자저울에 약포지를 올려 놓고 영점을 맞춘 뒤 탄산 칼슘 가루의 질량(w_1) g을 측정하였다.
(나) 탄산 칼슘 w_1 g이 반응하기에 충분한 양의 묽은 염산이 들어 있는 삼각 플라스크의 질량을 측정하였더니 w_2 g이었다.
(다) (나)의 삼각 플라스크에 (가)의 탄산 칼슘을 넣었더니 기체 X가 발생하였다.

     $CaCO + 2HCl \longrightarrow CaCl_2 + H_2O + X$

(라) 반응이 완전히 끝난 후 용액이 들어 있는 삼각플라스크의 질량을 측정하였더니 w_3 g이었다.

(1) 기체 X의 분자식과 분자량을 쓰시오.

_____

(2) 이 반응에서 어떤 과정을 잘못 수행하면 기체 X의 분자량이 작게 측정될지 서술하시오.

_____

_____

_____

13

그림 (가)는 기체 A가 실린더에 들어 있는 모습을, (나)는 (가)의 실린더에 기체 B를 넣은 모습을 나타낸 것이다. 온도와 압력은 일정하고, (나)에서 A와 B의 질량은 같다.

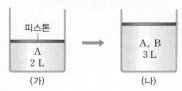

피스톤

A
2 L

A, B
3 L

(가)   (나)

이에 대한 설명으로 옳은 것만을 〈보기〉에서 있는 대로 고른 것은? (단, 피스톤의 마찰과 질량은 무시하고, A와 B는 서로 반응하지 않는다.)

┤ 보기 ├
ㄱ. A의 분자량은 B의 2배이다.
ㄴ. 단위 부피당 기체 분자 수는 (가)와 (나)가 같다.
ㄷ. 실린더 속 기체의 밀도비는 (가) : (나) = 3 : 4이다.

① ㄱ   ② ㄴ   ③ ㄱ, ㄷ
④ ㄴ, ㄷ   ⑤ ㄱ, ㄴ, ㄷ

14

20 % H_2SO_4 수용액의 몰 농도를 구하기 위하여 〈보기〉와 같은 자료를 조사하였다.

┤ 보기 ├

ㄱ. H_2SO_4의 화학식량

ㄴ. 물의 분자량

ㄷ. H_2SO_4 수용액의 밀도

ㄹ. 물의 밀도

ㅁ. H_2SO_4 수용액의 온도

몰 농도를 구하기 위해 꼭 필요한 자료를 〈보기〉에서 있는 대로 고른 것은?

① ㄱ, ㄴ　　　　② ㄱ, ㄷ　　　　③ ㄱ, ㄷ, ㄹ

④ ㄴ, ㄷ, ㄹ　　　⑤ ㄴ, ㄷ, ㅁ

15 고난도

그림은 (가) 0.1 M HCl(aq) 500 mL와 (나) 0.3 M HCl(aq) 200 mL를 나타낸 것이다.

(가) 0.1 M HCl(aq) 500 mL
(나) 0.3 M HCl(aq) 200 mL

이에 대한 설명으로 옳은 것만을 〈보기〉에서 있는 대로 고른 것은?

┤ 보기 ├

ㄱ. HCl의 양(mol)은 (가)가 (나)보다 많다.

ㄴ. (가)와 (나)를 모두 섞었을 때 용액의 농도는 약 0.5 M 이다.

ㄷ. (가) 용액 200 mL와 (나) 용액 200 mL를 섞었을 때 용액의 농도는 0.2 M이다.

① ㄱ　　　　② ㄴ　　　　③ ㄷ

④ ㄴ, ㄷ　　　⑤ ㄱ, ㄴ, ㄷ

16

그림은 서로 다른 농도의 포도당 수용액 (가)와 (나)를 나타낸 것이다.

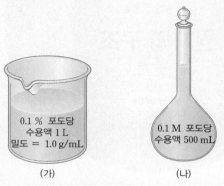

(가) 0.1 % 포도당 수용액 1 L 밀도 = 1.0 g/mL
(나) 0.1 M 포도당 수용액 500 mL

이에 대한 설명으로 옳은 것만을 〈보기〉에서 있는 대로 고른 것은? (단, 포도당의 분자량은 180이다.)

┤ 보기 ├

ㄱ. 녹아 있는 포도당의 분자 수는 (가)가 (나)보다 많다.

ㄴ. (나)에 녹아 있는 포도당의 질량은 9 g이다.

ㄷ. 수용액 (나)에서 100 mL를 취하여 1 L 부피 플라스크에 넣고 표선까지 물을 채워 만든 수용액의 농도는 0.01 M이다.

① ㄱ　　　　② ㄴ　　　　③ ㄱ, ㄷ

④ ㄴ, ㄷ　　　⑤ ㄱ, ㄴ, ㄷ

17

그림은 0.1 M NaOH 수용액 300 mL를 나타낸 것이다. 이 비커에 8 g의 NaOH를 추가하려고 한다. 이에 대한 설명으로 옳은 것만을 〈보기〉에서 있는 대로 고른 것은? (단, NaOH의 화학식량은 40이고 추가한 NaOH에 따른 부피 증가는 없다고 가정한다.)

0.1 M NaOH(aq) 300 mL

┤ 보기 ├

ㄱ. NaOH를 추가로 넣기 전 비커 속 NaOH의 양은 1.2 g 이다.

ㄴ. NaOH를 추가했을 때 용액의 농도는 약 0.77 M이다.

ㄷ. NaOH를 추가한 후 용액의 농도가 0.1 M이 되려면 물 1 L를 추가하면 된다.

① ㄱ　　　　② ㄷ　　　　③ ㄱ, ㄴ

④ ㄴ, ㄷ　　　⑤ ㄱ, ㄴ, ㄷ

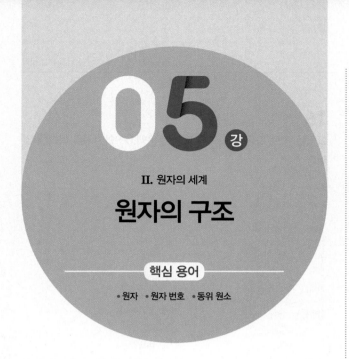

II. 원자의 세계

원자의 구조

핵심 용어

• 원자 • 원자 번호 • 동위 원소

1 원자를 구성하는 입자의 발견

1. 전자의 발견 [개념 브릿지 유형 1]

① 음극선 실험　톰슨(Thomson, J. J., 1856~1940)은 실험을 통해 음극선의 정체가 원자를 이루고 있는 전자라는 사실을 밝혔다.

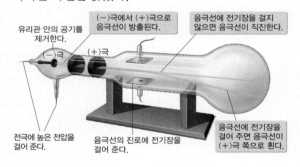

유리관 안의 공기를 제거한다.
(−)극에서 (+)극으로 음극선이 방출된다.
음극선에 전기장을 걸지 않으면 음극선이 직진한다.
(−)극　(+)극
전극에 높은 전압을 걸어 준다.
음극선의 진로에 전기장을 걸어 준다.
음극선에 전기장을 걸어 주면 음극선이 (+)극 쪽으로 휜다.

② 음극선의 성질

탐구 클리닉 ➕ 음극선의 성질

유리관 내부에 물체를 놓아두면 (−)극의 반대쪽에 그림자가 생긴다. ➡ 음극선은 직진한다.

음극선의 진행 경로에 자석을 갖다 대면 음극선이 휘어진다. ➡ 음극선은 (+) 방향으로 인력을 받으며, (−)전하를 띤다.

음극선의 진행 경로에 수레바퀴를 놓아두면 수레바퀴가 (+)극 쪽으로 굴러간다. ➡ 음극선은 질량을 가지는 입자의 흐름이다.

③ 톰슨의 원자 모형　톰슨은 음극선 실험을 통해 원자 내부에는 질량을 가지면서 (−)전하를 띠는 '전자'가 있다는 것을 알아내고, 새로운 원자 모형을 제시하였다.

2. 원자핵의 발견

① 알파(α) 입자 산란 실험　러더퍼드(Rutherford, E., 1871~1937)는 금박에 알파(α) 입자를 쏘아 주고 α 입자의 경로를 관찰하였다.

• 알파(α) 입자: 헬륨의 원자핵으로, 방사성 물질이 핵붕괴할 때 방출된다.

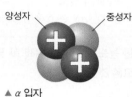

양성자　중성자

▲ α 입자

자료 클리닉 ➕ 알파(α) 입자 산란 실험

[실험 장치]

방사성 물질에서 방출되는 알파(α) 입자를 금박에 쏘고, 주변에 형광막을 설치하여 알파(α) 입자의 경로를 관찰한다. 이를 통해 알파(α) 입자 경로에 영향을 주는 원자 내부 입자의 존재를 확인할 수 있다.

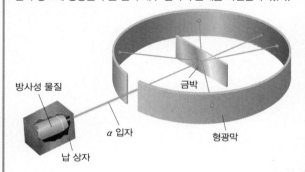

방사성 물질
금박
α 입자
형광막
납 상자

[예상 결과]

알파(α) 입자는 전자보다 매우 무겁기 때문에 톰슨의 원자 모형에 따른다면 모든 알파(α) 입자는 휘지 않고 직선 운동할 것으로 예상되었다.

[실험 결과 및 해석]

• 대부분의 알파(α) 입자는 휘지 않고 금박을 통과하였다. ➡ 원자의 대부분은 빈 공간이라는 것을 알 수 있다.

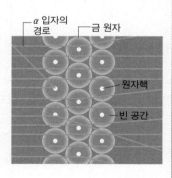

α 입자의 경로
금 원자
원자핵
빈 공간

• 소수의 알파(α) 입자는 작은 각도로 경로가 휘었고, 극소수의 알파(α) 입자는 큰 각도로 튕겨져 나왔다. ➡ 알파(α) 입자의 경로에 영향을 줄 수 있는 큰 질량을 가진 입자가 원자 내부에 존재하며, 이 입자는 알파(α) 입자가 큰 각도로 휘게 하는 반발력이 작용하므로 (+)전하를 띤다.

• 원자 내부에는 부피는 작으나 질량이 크고 (+)전하를 띠는 입자가 존재함을 알 수 있다.

② 러더퍼드의 원자 모형 러더퍼드는 α 입자 산란 실험을 통해 (＋)전하를 띠는 '원자핵'이 원자 내부 중심에 존재하고, 주변부에 전자가 움직이는 모형을 제안하였다.

▲ 러더퍼드의 원자 모형

3. 새로운 원자 모형

① 원자핵이 양성자와 중성자로 이루어져 있다는 것을 확인하였다.

② 원자를 이루는 입자는 양성자, 중성자, 전자이며, 양성자와 중성자가 뭉쳐진 원자핵 주변을 전자가 돌고 있는 원자 모형이 제시되었다.

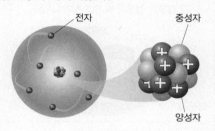

2 원자를 구성하는 입자의 성질 개념 브릿지 유형 2

1. 원자의 크기
원자의 지름은 10^{-10} m 정도이고, 원자핵의 지름은 $10^{-15}{\sim}10^{-14}$ m 정도이다.

2. 원자를 구성하는 입자의 질량과 전하량

입자		질량(g)	전하량(C)
원자핵	양성자	1.673×10^{-24}	$+1.60\times10^{-19}$
	중성자	1.675×10^{-24}	0
전자		9.109×10^{-28}	-1.60×10^{-19}

① 양성자와 중성자의 질량은 거의 동일하고 전자보다 1837배 무거우므로 원자의 질량은 원자핵의 질량과 거의 같다. ➡ 원자의 대부분은 빈 공간이고, 원자핵은 원자 크기에 비해 매우 작다.

② 양성자와 전자의 전하량은 크기가 같고 부호만 반대이다. ➡ 원자는 전기적으로 중성이다.

3 원자의 표시와 동위 원소 개념 브릿지 유형 3

1. 원자의 표시

① 원자 번호와 원소 기호 원소의 종류는 양성자의 개수에 의해 결정되며, 양성자의 개수를 원자 번호로 정한다.

② 질량수 양성자와 중성자의 개수 합을 통해 원자의 질량을 표시하고, 이를 질량수라고 한다.

> 질량수＝양성자수＋중성자수

2. 동위 원소
동위 원소는 양성자수는 같지만 중성자수가 다른 원소이고, 양성자수가 같으므로 원자 번호와 원소 기호가 같고, 중성자수가 다르므로 질량수가 다르다.

• 동위 원소는 화학적 성질이 동일하므로 분자의 화학 결합 및 반응 등에 있어서 차이는 거의 없지만, 물리적 성질에서는 차이가 나타날 수 있다.

[수소의 동위 원소]

수소($^{1}_{1}$H)   중수소($^{2}_{1}$H)   3중 수소($^{3}_{1}$H)

3. 평균 원자량

① 평균 원자량 주기율표에 나타내는 원자량은 해당 원소의 동위 원소의 원자량을 모두 고려한 평균 원자량이다.

• 자연계에서 동위 원소의 비율이 대부분 일정하게 나타나므로 질량을 계산할 때 평균 원자량을 사용하는 것이 편리하다.

• 평균 원자량은 동위 원소의 존재 비율을 고려하여 계산한다.

> 평균 원자량＝(동위 원소의 원자량×존재 비율)
> ＋(동위 원소의 원자량×존재 비율)…

② 평균 분자량 구성 원자의 평균 원자량을 모두 더한 값

• 분자량은 분자를 구성하는 원자의 원자량 합과 동일하며, 동위 원소로 인해 같은 분자라도 여러 가지 분자량이 존재할 수 있다.

자료 클리닉 ➕ 평균 분자량 구하기

• 안정한 염소(Cl) 동위 원소의 원자량

동위 원소	원자량	존재 비율
^{35}Cl	35	$\dfrac{3}{4}$
^{37}Cl	37	$\dfrac{1}{4}$

• 염소 분자(Cl_2)의 분자량에 따른 존재 비율

분자량	구성 동위 원소	존재 비율
70	^{35}Cl＋^{35}Cl	$\dfrac{3}{4}\times\dfrac{3}{4}=\dfrac{9}{16}$
72	^{35}Cl＋^{37}Cl	$2\times\dfrac{3}{4}\times\dfrac{1}{4}=\dfrac{3}{8}$
74	^{37}Cl＋^{37}Cl	$\dfrac{1}{4}\times\dfrac{1}{4}=\dfrac{1}{16}$

• 염소 분자(Cl_2)의 평균 분자량

$$\left(70\times\dfrac{9}{16}\right)+\left(72\times\dfrac{3}{8}\right)+\left(74\times\dfrac{1}{16}\right)=71$$

➡ Cl의 평균 원자량(35.5)×2＝71

1 음극선의 경로에 전기장을 걸어 주면 (+)극 쪽으로 휘어진다. ·································· (○, ×)

2 톰슨은 음극선 실험을 통해 원자 내부에는 질량을 가지면서 (−)전하를 띠는 □□가 있다는 것을 알아내었다.

3 원자는 전기적으로 □□이다.

4 러더퍼드는 α 입자 산란 실험을 통해 (+)전하를 띠는 □□□이 원자 내부 중심에 존재하고, 주변부에 전자가 움직이는 모형을 제안하였다.

5 양성자와 전자의 전하량은 크기가 □□, 부호가 □□이다.

6 원자와 이온을 구성하는 입자 수

기호	원자번호	질량수	전하량	양성자수	중성자수	전자수
$^1_1$H	1	1	㉠	1	㉡	1
$^1_1$H$^+$	1	1	+1	1	0	㉢
$^{16}_{8}$O	8	16	0	8	8	㉣
$^{15}_{8}$O^{2-}	8	15	−2	8	㉤	㉥

7 원소의 종류는 (양성자 / 전자)의 수에 의해 결정된다.

8 원자 번호는 (양성자수 / 중성자수 / 질량수)와 같다.

9 원소 X의 동위 원소 원자량이 각각 34, 36, 존재 비율이 각각 30 %, 70 %일 때 평균 원자량은 □이다.

답 **1** ○ **2** 전자 **3** 중성 **4** 원자핵 **5** 같고, 반대
6 ㉠0 ㉡0 ㉢0 ㉣8 ㉤8 ㉥7 ㉦10 **7** 양성자 **8** 양성자수 **9** 35.4

개념과 문제의
연결고리 찾기!!!

1 음극선 실험

다음은 원자를 구성하는 입자 X, Y에 관련된 실험이다.

입자	실험
X	(가) 음극선의 경로에 바람개비를 두었더니 회전하였다. 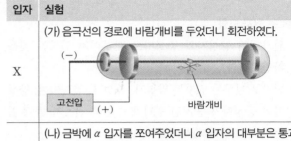
Y	(나) 금박에 α 입자를 쪼여주었더니 α 입자의 대부분은 통과하고 일부는 경로가 휘거나 튕겨 나왔다. 

이에 대한 설명으로 옳은 것만을 〈보기〉에서 있는 대로 고른 것은?

┤보기├
ㄱ. 음극선은 질량을 가진 X의 흐름이다.
ㄴ. Y는 α 입자와 전기적으로 반발한다.
ㄷ. 톰슨의 원자 모형으로 (가)와 (나)를 설명할 수 있다.

① ㄱ　② ㄷ　③ ㄱ, ㄴ　④ ㄴ, ㄷ　⑤ ㄱ, ㄴ, ㄷ

개념으로 문제 접근하기

• 톰슨의 음극선 실험 ➡ 음극선이 질량을 가진 입자임을 알 수 있다.
• 러더퍼드의 α 입자 산란 실험 ➡ 원자는 대부분 빈 공간이며, 원자의 중심에 (+)전하를 띠고 질량이 매우 큰 입자가 존재한다.

| 보기 분석 |
ㄱ. 음극선은 질량을 가진 X의 흐름이다. ➡ 음극선의 경로에 있는 바람개비가 회전한 것은 질량을 가진 입자가 바람개비를 움직였기 때문이다.
ㄴ. Y는 α 입자와 전기적으로 반발한다. ➡ 원자핵은 (+)전하를 띠므로 같은 전하를 띠는 α 입자와 전기적으로 반발한다.
ㄷ. 톰슨의 원자 모형으로 (가)와 (나)를 설명할 수 있다. ➡ 톰슨의 원자 모형은 (+)전하를 띤 부드러운 공 모양의 물질에 (−)전하를 띤 전자가 드문드문 박혀 있는 모양으로, α 입자의 경로가 크게 휘거나 튕겨 나오는 결과를 설명할 수 없다.

답 ③

2 원자의 구성 입자

다음은 원자 A와 B의 이온에 대한 자료이다.

이온	A^+	B^{2+}
전자 수	10	10
질량수	24	24

원자 A와 B에 대한 설명으로 옳은 것만을 〈보기〉에서 있는 대로 고른 것은? (단, A와 B는 임의의 원소 기호이다.)

┌ 보기 ├
ㄱ. A의 원자 번호는 10이다.
ㄴ. B의 전자 수는 12개이다.
ㄷ. 중성자수는 A가 B보다 적다.

① ㄱ   ② ㄴ   ③ ㄱ, ㄷ
④ ㄴ, ㄷ   ⑤ ㄱ, ㄴ, ㄷ

개념으로 문제 접근하기

- A^+, B^{2+}과 같이 이온이 주어졌을 경우에는 이온의 전자 수에 이 이온이 얻거나 잃은 전자 수를 빼거나 더해 중성 원자의 전자 수를 구한다.
- 중성 원자의 전자 수는 양성자수와 같고, 질량수에서 양성자수를 빼면 중성자수를 구할 수 있다.

| 보기 분석 |
ㄱ. A의 원자 번호는 10이다.
➡ A^+은 중성 원자 A에서 전자 1개를 잃고 형성된 것이다. A^+의 전자 수가 10이므로 A의 전자 수는 11이다. 원자의 전자 수는 원자 번호와 같으므로 A의 원자 번호는 11이다.
ㄴ. B의 전자 수는 12개이다.
➡ B^{2+}은 중성 원자 B에서 전자 2개를 잃고 형성된 것이다. B^{2+}의 전자 수가 10이므로 B의 전자 수는 12이다.
ㄷ. 중성자수는 A가 B보다 적다.
➡ 질량수는 '양성자수+중성자수'이다. A의 중성자수는 13, B의 중성자수는 12이므로 중성자수는 A가 B보다 많다.

답 ②

3 동위 원소

표는 원자 (가)~(다)를 구성하는 양성자수, 중성자수, 전자 수의 비율과 각 원자의 질량수를 나타낸 것이다. (가)와 (나)는 동위 원소이다.

원자	(가)	(나)	(다)
구성 입자 수의 비율	$\frac{1}{2}$, $\frac{1}{4}$, $\frac{1}{4}$	$\frac{1}{3}$, $\frac{1}{3}$, $\frac{1}{3}$	$\frac{2}{5}$, $\frac{2}{5}$, $\frac{1}{5}$
질량수	3	x	3

원자 A와 B에 대한 설명으로 옳은 것만을 〈보기〉에서 있는 대로 고른 것은? (단, A와 B는 임의의 원소 기호이다.)

┌ 보기 ├
ㄱ. (가)는 ^3_1H이다.
ㄴ. $x=4$이다.
ㄷ. 중성자수는 (다)가 (가)의 2배이다.

① ㄱ   ② ㄴ   ③ ㄱ, ㄷ
④ ㄴ, ㄷ   ⑤ ㄱ, ㄴ, ㄷ

개념으로 문제 접근하기

- 중성 원자에서 '양성자수=전자 수'이고 동위 원소는 양성자수는 같고 중성자수가 다른 원소를 말한다.
- (가): 입자 수의 비율이 $\frac{1}{2}$, $\frac{1}{4}$, $\frac{1}{4}$이므로 차례로 중성자, 양성자, 전자를 의미한다. 중성자 2개, 양성자 1개, 전자 1개를 가진다.
 (나): (가)의 동위 원소이므로 양성자 수는 1개이고, 입자 수의 비율이 $\frac{1}{3}$, $\frac{1}{3}$, $\frac{1}{3}$이므로 중성자수도 1개가 되어 질량수는 2이다.
 (다): (다)는 입자 수비가 $\frac{2}{5}$, $\frac{2}{5}$, $\frac{1}{5}$이므로 양성자 : 중성자 =2 : 1이고, 질량수가 3이므로 양성자가 2개, 중성자가 1개가 있는 원자이다.

| 보기 분석 |
ㄱ. (가)는 ^3_1H이다. ➡ 중성자 2개, 양성자 1개, 전자 1개를 가지는 원소는 3중 수소(^3_1H)이다.
ㄴ. $x=4$이다. ➡ 양성자가 1개, 중성자가 1개이므로 질량수는 2이다.
ㄷ. 중성자수는 (다)가 (가)의 2배이다. ➡ (가)의 중성자수는 2, (다)의 중성자수는 1이므로 (가)가 (다)의 2배이다.

답 ①

1 원자를 구성하는 입자의 발견　　　　대표 기출

01

다음은 원자의 구성 입자 (가)와 (나)의 발견과 관련된 실험이다.

구성 입자	(가)	(나)
실험	(그림)	(그림)

(가)와 (나)에 대한 설명으로 옳은 것만을 〈보기〉에서 있는 대로 고른 것은?

┤ 보기 ├
ㄱ. (나)는 (+)전하를 띤 입자이다.
ㄴ. (가)가 (나)보다 먼저 발견되었다.
ㄷ. 입자 1개의 질량은 (가)가 (나)보다 크다.

① ㄱ　　　　② ㄷ　　　　③ ㄱ, ㄴ
④ ㄴ, ㄷ　　　⑤ ㄱ, ㄴ, ㄷ

기출 포인트 | 각 실험에서 발견된 원자의 구성 입자가 무엇인지 알아야 한다.

02

다음은 톰슨의 원자 모형과 관련된 자료이다.

방전관에 들어 있는 두 금속에 고전압을 걸어주었더니 직진하는 음극선이 관찰되었고, 전기장을 걸어 주었더니 음극선이 (+)극 쪽으로 휘어졌다. 이를 토대로 톰슨은 (−)전하를 띤 입자가 원자의 구성 입자임을 알았고, 원자는 전기적으로 중성이므로 (+)전하를 포함하여야 한다고 추론하였다.

다음 중 톰슨의 원자 모형으로 가장 적절한 것은?

① 　② 　③

④ 　⑤

03

다음은 알파(α) 입자 산란 실험을 나타낸 것이다.

[실험 장치]

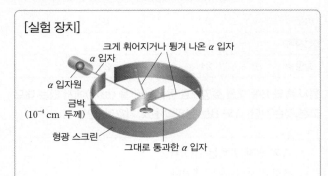

[실험 결과]
• 대부분의 α 입자는 휘어지지 않고 금박을 통과했다.
• 일부 α 입자는 휘어지거나 튕겨져 나왔다.

이에 대한 설명으로 옳은 것만을 〈보기〉에서 있는 대로 고른 것은?

┤ 보기 ├
ㄱ. 원자는 대부분 빈 공간이다.
ㄴ. 이 실험을 통해 (+)전하를 띠는 입자가 발견되었다.
ㄷ. 이 실험을 통해 발견된 입자의 수는 원자 번호와 같다.

① ㄱ　　　　② ㄷ　　　　③ ㄱ, ㄴ
④ ㄴ, ㄷ　　　⑤ ㄱ, ㄴ, ㄷ

04

그림은 3가지 원자 모형을 나타낸 것이다.

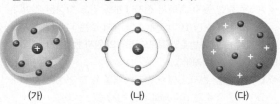

(가)　　　　(나)　　　　(다)

이에 대한 설명으로 옳은 것만을 〈보기〉에서 있는 대로 고른 것은?

┤ 보기 ├
ㄱ. 원자 모형이 제시된 순서는 (다) → (가) → (나)이다.
ㄴ. (가)에 따르면 알파(α) 입자 산란 실험에서 알파(α) 입자 중 일부의 경로가 휘어진다.
ㄷ. (나)에 따르면 전자의 에너지 준위가 불연속적이다.

① ㄱ　　　　② ㄷ　　　　③ ㄱ, ㄴ
④ ㄴ, ㄷ　　　⑤ ㄱ, ㄴ, ㄷ

05 서술형
그림은 실험을 통해 제시된 원자 모형 3가지를 나타낸 것이다.

(가)　　　　　　(나)　　　　　　(다)

원자 모형이 제시된 순서를 쓰시오.

_____

06
다음은 원자 모형 (가)에 대한 설명이다.

- 음극선 실험의 결과를 설명할 수 있다.
- (가)에 따르면 알파(α) 입자가 원자를 통과했을 때 모든 알파(α) 입자의 경로가 거의 휘어지지 않고 직진할 것이다.

(가)에 대한 설명으로 옳은 것만을 〈보기〉에서 있는 대로 고른 것은?

┤보기├
ㄱ. 원자핵이 존재하는 모형이다.
ㄴ. 수소 원자의 선 스펙트럼을 설명할 수 있다.
ㄷ. 전자의 존재를 확률 분포로 설명할 수 있다.

① ㄱ　　　　　② ㄷ　　　　　③ ㄱ, ㄴ
④ ㄴ, ㄷ　　　　⑤ ㄱ, ㄴ, ㄷ

07
그림은 음극선 실험 장치를 나타낸 것이다.

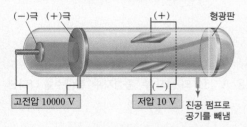

음극선 실험에 대한 설명으로 옳은 것은?

┤보기├
ㄱ. 음극선은 (+)극에서 방출된다.
ㄴ. 이 실험에 의해 양성자가 발견되었다.
ㄷ. 음극선의 경로에 바람개비를 두면 회전할 것이다.

① ㄱ　　　　　② ㄷ　　　　　③ ㄱ, ㄴ
④ ㄴ, ㄷ　　　　⑤ ㄱ, ㄴ, ㄷ

---

2 원자를 구성하는 입자의 성질 　대표 기출

08
표는 원자 A와 B에서 원자를 구성하는 입자 중 전자의 수와 (가)의 수를 나타낸 것이다.

원자	전자의 수	(가)의 수
A	1	2
B	2	1

이에 대한 설명으로 옳은 것만을 〈보기〉에서 있는 대로 고른 것은? (단, A와 B는 임의의 원소 기호이다.)

┤보기├
ㄱ. (가)는 중성자이다.
ㄴ. B는 $^2_1$H의 동위 원소이다.
ㄷ. A와 B는 질량수가 같다.

① ㄱ　　　　　② ㄴ　　　　　③ ㄱ, ㄷ
④ ㄴ, ㄷ　　　　⑤ ㄱ, ㄴ, ㄷ

기출 포인트 ㅣ 원자를 구성하는 입자의 특성과, 구성 입자의 수에 따른 원자의 변화에 대해 묻는 문제가 자주 출제된다.

09 고난도
표는 원자 X~Z에 대한 자료이다.

원자	X	Y	Z
중성자 수	6	7	8
질량 수 / 전자 수	2	2	$\frac{7}{3}$

이에 대한 설명으로 옳은 것만을 〈보기〉에서 있는 대로 고른 것은? (단, X~Z는 임의의 원소 기호이다.)

┤보기├
ㄱ. Y는 $^{13}_6$C이다.
ㄴ. X와 Z는 동위 원소이다.
ㄷ. 질량수는 Z > Y이다.

① ㄱ　　　　　② ㄴ　　　　　③ ㄱ, ㄷ
④ ㄴ, ㄷ　　　　⑤ ㄱ, ㄴ, ㄷ

10

표는 전자 수가 x인 3가지 이온에 대한 자료이다.

이온	양성자수	중성자수	질량수
A^-	9	10	19
B^{m+}	11	y	23
C^{n+}	y	y	z

이에 대한 설명으로 옳은 것만을 〈보기〉에서 있는 대로 고른 것은? (단, A~C는 임의의 원소 기호이다.)

┤보기├
ㄱ. x는 10이다.
ㄴ. z는 24이다.
ㄷ. m은 n보다 크다.

① ㄱ   ② ㄴ   ③ ㄷ
④ ㄱ, ㄴ   ⑤ ㄱ, ㄴ, ㄷ

11 고난도

그림은 원자의 구성 입자인 양성자, 중성자, 전자를 A~C로 분류한 것이고, 표는 원자 ^{15}X와 이온 $^{18}Y^-$에 대한 자료이다.

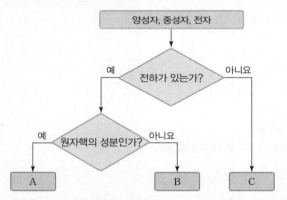

이에 대한 설명으로 옳은 것만을 〈보기〉에서 있는 대로 고른 것은?

구분	A 수	B 수	C 수
^{15}X	a	7	b
$^{18}Y^-$	c	d	10

┤보기├
ㄱ. A는 양성자이다.
ㄴ. X의 원자 번호는 8이다.
ㄷ. $a+d=b+c$이다.

① ㄱ   ② ㄴ   ③ ㄱ, ㄷ
④ ㄴ, ㄷ   ⑤ ㄱ, ㄴ, ㄷ

12

표는 $^{16}_{8}O^{2-}$과 $^{19}_{9}F$에 대한 자료이다. (가)~(다)는 각각 양성자, 중성자, 전자 중 하나이다.

원자 또는 이온	구성 입자 수		
	(가)	(나)	(다)
$^{16}_{8}O^{2-}$	8		10
$^{19}_{9}F$		9	

(가)~(다)에 해당하는 것으로 옳은 것은?

	(가)	(나)	(다)
①	전자	양성자	중성자
②	양성자	전자	중성자
③	양성자	중성자	전자
④	중성자	전자	양성자
⑤	중성자	양성자	전자

13

그림은 원자 X의 구조를 모형으로 나타낸 것이다. ●, ●, ●는 원자를 구성하는 입자이다. 이에 대한 설명으로 옳은 것만을 〈보기〉에서 있는 대로 고른 것은?

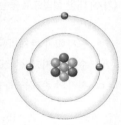

┤보기├
ㄱ. X의 원자 번호는 3이다.
ㄴ. ●의 수가 변하면 이온이 된다.
ㄷ. ●는 원자 질량의 대부분을 차지한다.

① ㄱ   ② ㄷ   ③ ㄱ, ㄴ
④ ㄱ, ㄷ   ⑤ ㄴ, ㄷ

14 서술형

표는 2가지 이온 A^-, B^+의 전자 수, 중성자수, 질량수를 나타낸 것이다.

이온	전자 수	중성자 수	질량수
A^-	10	10	x
B^+	y	12	23

$x+y$ 값을 구하는 과정을 서술하시오. (단, A, B는 임의의 원소 기호이다.)

_____

_____

3 원자의 표시와 동위 원소 대표 기출

15

그림은 원자 A~D의 원자 번호와 중성자수를 나타낸 것이다.

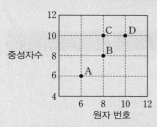

이에 대한 설명으로 옳은 것만을 〈보기〉에서 있는 대로 고른 것은?

┤보기├
ㄱ. A는 양성자수와 중성자수가 같다.
ㄴ. B와 C는 전자 수가 같다.
ㄷ. C와 D는 동위 원소이다.

① ㄱ   ② ㄷ   ③ ㄱ, ㄴ
④ ㄴ, ㄷ   ⑤ ㄱ, ㄴ, ㄷ

기출 포인트 | 원자 번호와 중성자수를 보고 양성자수와 질량수를 구할 수 있어야 한다.

16

그림은 원자 (가), (나)를 모형으로 나타낸 것이다. A, B는 각각 양성자, 중성자 중 하나이다.

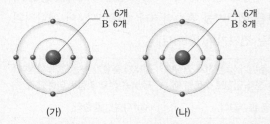

이에 대한 설명으로 옳은 것만을 〈보기〉에서 있는 대로 고른 것은?

┤보기├
ㄱ. A는 양성자이다.
ㄴ. (가)와 (나)는 동위 원소이다.
ㄷ. (나)는 ^{14}N와 질량수가 같다.

① ㄱ   ② ㄴ   ③ ㄱ, ㄷ
④ ㄴ, ㄷ   ⑤ ㄱ, ㄴ, ㄷ

17 서술형

그림은 분자량에 따른 X_2의 분자 수를 상댓값으로 나타낸 것이다. 자연계에 존재하는 X_2의 분자량은 모두 3가지이다. (단, X는 임의의 원소 기호이다.)

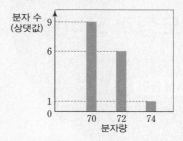

(1) X의 동위 원소 종류를 구하시오.

(2) X의 평균 원자량을 구하는 과정과 함께 서술하시오.

18

표는 X_2 분자의 분자량에 따른 존재 비율을 나타낸 것이다.

분자량	존재 비율(%)
158	25
160	50
162	25

이에 대한 설명으로 옳은 것만을 〈보기〉에서 있는 대로 고른 것은? (단, X는 임의의 원소 기호이다.)

┤보기├
ㄱ. X의 동위 원소는 3가지이다.
ㄴ. X의 원자량 중 가장 작은 값은 79이다.
ㄷ. X_2의 평균 분자량은 160이다.

① ㄱ   ② ㄷ   ③ ㄱ, ㄴ
④ ㄴ, ㄷ   ⑤ ㄱ, ㄴ, ㄷ

II. 원자의 세계

06강

현대 원자 모형과 오비탈

핵심 용어

• 선 스펙트럼 • 수소 원자의 에너지 준위 • 오비탈

1 빛과 선 스펙트럼

1. 빛과 스펙트럼

① 빛 전기장과 자기장의 진동을 통해 전달되는 파동을 전자기파라고 하며, 전자기파는 빛의 형태로 나타난다.

• 전자기파는 파장에 따라 여러 영역으로 나누어진다.

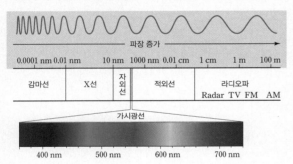

• 파장(λ)에 관계없이 속도(c)는 동일하고 속도(c)는 파장(λ)과 진동수(ν)의 곱이므로, 파장(λ)과 진동수(ν)는 반비례한다.

• 전자기파의 에너지(E)는 진동수(ν)에 비례한다. 따라서 에너지는 파장(λ)에 반비례한다.

$$c = \lambda\nu, \ E = h\nu = \frac{hc}{\lambda}$$

(c: 빛의 속도, λ: 파장, ν: 진동수, h(플랑크 상수): 6.6×10^{-34} J·s)

② 스펙트럼 빛을 분광기에 통과시킬 때 각 파장별로 빛이 분산되어 생기는 띠

• 연속 스펙트럼: 햇빛을 프리즘(분광기)에 통과시키면 모든 색이 나타나는 연속 스펙트럼이 나타난다.

• 수소 원자의 선 스펙트럼: 수소 방전관에서 방출되는 빛을 프리즘(분광기)에 통과시키면 불연속적인 선 스펙트럼이 나타난다.

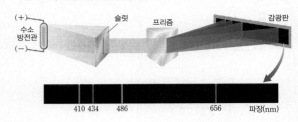

2 수소 원자의 선 스펙트럼과 에너지 준위

1. 보어의 원자 모형 보어는 수소 원자의 선 스펙트럼을 설명할 수 있는 원자 모형을 제시하였다.

① 전자 껍질 전자는 특정한 에너지 준위의 원형 궤도를 따라 원자핵 주위를 원운동하고 있는데, 전자가 존재할 수 있는 궤도를 전자 껍질이라고 한다.

② 주 양자수 원자핵에 가까운 전자 껍질부터 주 양자수(n)를 1, 2, 3, … 순서로 부여하며, 전자 껍질을 나타내는 기호로 K, L, M, N, …을 사용한다.

③ 전자의 에너지 준위 전자가 각 전자 껍질에서 가지는 에너지

• 전자 껍질의 주 양자수가 커질수록 전자가 가지는 에너지 준위가 높아진다.

• 전자는 전자 껍질 외의 다른 공간에 존재할 수 없으므로 전자의 에너지는 불연속적이다.

④ 전자 전이와 에너지 출입: 전자가 에너지 준위가 다른 전자 껍질로 전이할 때 두 전자 껍질의 에너지 준위 차이만큼 에너지를 흡수하거나 방출한다. 이 에너지의 형태는 전자기파(빛)이다.

에너지 준위가 낮은 전자 껍질에서 높은 전자 껍질로 이동할 때	에너지 준위가 높은 전자 껍질에서 낮은 전자 껍질로 이동할 때
에너지를 흡수한다.	에너지를 방출한다.

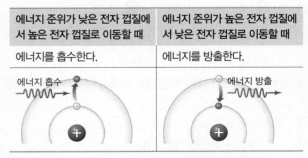

2. 수소 원자에서 전자의 에너지 준위 개념 브릿지 유형 1

$$E_n = -\frac{1312}{n^2} \text{ kJ/mol} \ (n = 1, 2, 3, \cdots)$$

3. 수소 원자의 방출 스펙트럼 전자가 가질 수 있는 에너지는 불연속적이므로 전자 전이 시 흡수하거나 방출하는 빛의 에너지와 파장도 불연속적이다.

스펙트럼 계열	주 양자수		스펙트럼 영역
	전이 전	전이 후	
라이먼 계열	$n \geq 2$	$n = 1$	자외선
발머 계열	$n \geq 3$	$n = 2$	가시광선
파셴 계열	$n \geq 4$	$n = 3$	적외선

자료 클리닉 ➕ 수소 원자의 방출 스펙트럼

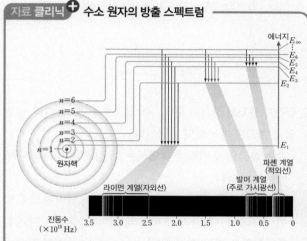

- 같은 계열의 경우, 더 높은 에너지 준위의 전자가 전이할수록 방출하는 에너지의 크기가 커진다.
- 더 높은 에너지 준위의 전자가 전이하는 쪽의 선 스펙트럼 간격이 좁다.

3 **현대 원자 모형과 오비탈** 개념 브릿지 유형 2

1. 현대 원자 모형

① 전자의 파동성 모든 물질은 입자성과 파동성을 가진다는 이론이 제시되면서, 전자를 파동으로 취급할 수 있게 되었다.

② 불확정성 원리 독일의 과학자 하이젠베르크(Heisenberg, W., 1901~1976)는 전자의 위치와 운동량을 동시에 정확하게 알 수 없다는 불확정성 원리를 발표하였다. ➡ 전자의 파동성 때문에 불확정성이 나타나며, 전자의 위치는 확률적으로만 알 수 있다고 해석할 수 있다.

2. 오비탈

① 오비탈 일정한 에너지의 전자가 원자핵 주위에서 발견될 확률 분포를 나타낸 것

② 오비탈을 나타내는 방법
- 점밀도 그림: 전자가 발견될 확률을 점으로 표시하여 나타낸다.
- 경계면 그림: 전자의 존재 확률이 90 %인 경계면을 그려서 나타낸다.

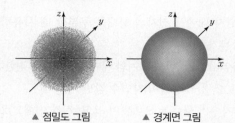

▲ 점밀도 그림   ▲ 경계면 그림

③ 주 양자수(n)와 오비탈 보어 모형에서 에너지 준위가 더 높은 전자 껍질에 존재하는 전자는 오비탈 모형에서 핵으로부터 더 먼 곳에 존재할 수 있는 확률이 높다. ➡ 경계면이 핵으로부터 더 멀리 존재하므로 오비탈의 크기가 커진다고 볼 수 있다.

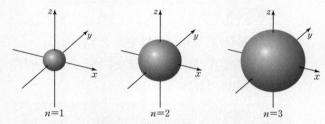

④ 오비탈의 종류 같은 전자 껍질 안에도 여러 종류의 오비탈이 존재하며, 오비탈의 종류에 따라 모양이 다르다.

자료 클리닉 ➕ 오비탈의 종류

- s 오비탈(구형): 전자가 존재할 확률은 방향과 관계없이 원자핵으로부터의 거리에 따라서만 달라진다. ➡ 모든 전자 껍질에 1개씩 존재한다.

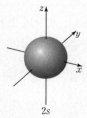

$2s$

- p 오비탈(아령 모양): 원자핵으로부터의 방향에 따라 전자의 존재 확률이 다르다. 즉, x축, y축, z축 세 방향으로 존재하며, 이를 p_x, p_y, p_z로 표시한다. ➡ $n = 2$인 전자 껍질부터 존재한다.

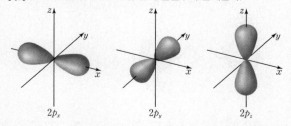

$2p_x$ $2p_y$ $2p_z$

⑤ 전자 껍질에 따른 오비탈의 종류와 수 주 양자수(n)가 커질수록 존재하는 오비탈의 종류가 다양하며, 오비탈의 개수가 많다.

3. **양자수** 원자 내에서 전자의 상태를 구분할 때 사용하는 수로, 4종류가 있다.
① 주 양자수(n) 오비탈의 크기와 에너지 준위를 결정한다.
  • n은 1, 2, 3 …과 같이 자연수 값만 가능하다.
  • 주 양자수가 클수록 오비탈이 크고, 전자가 핵으로부터 멀리 떨어져 존재할 확률이 높다.
② 방위 양자수(l) 오비탈의 종류(모양)를 결정한다.
  • 주 양자수가 n일 때 방위 양자수는 0부터 $(n-1)$까지의 정수만 가능하다.

방위 양자수(l)	0	1	2	3
오비탈의 종류	s	p	d	f

③ 자기 양자수(m_l) 오비탈의 방향을 결정한다.
  • 방위 양자수가 l일 때 방위 양자수는 $-l$부터 $+l$까지의 정수만 가능하다.

주 양자수 (n)	방위 양자수 (l)	자기 양자수 (m_l)	오비탈의 종류	오비탈 수(n^2)	
1	0	0	$1s$	1	1
2	0	0	$2s$	1	4
	1	$-1, 0, +1$	$2p$	3	
3	0	0	$3s$	1	9
	1	$-1, 0, +1$	$3p$	3	
	2	$-2, -1, 0, +1, +2$	$3d$	5	

④ 스핀 자기 양자수(m_s) 전자의 스핀 방향을 나타낸다.
  • 전자의 스핀 방향은 2가지가 가능하며, 한 방향을 $+\frac{1}{2}$, 다른 방향을 $-\frac{1}{2}$로 나타낸다.
  • 스핀 자기 양자수는 오비탈과 관련 없는 전자의 고유 성질이다. ➡ 서로 상관관계를 갖는 n, l, m_l과는 달리 m_s는 다른 세 종류의 양자수와 연관이 없다.

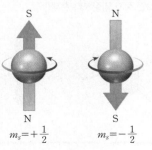

$m_s = +\frac{1}{2}$　　$m_s = -\frac{1}{2}$

4 오비탈의 에너지 준위 개념 브릿지 유형 3

1. **수소 원자의 에너지 준위** 주 양자수(n)에 의해서만 에너지 준위가 결정된다.
  • 전자가 1개로 전자 간 반발력이 존재하지 않으므로 원자핵과 전자 사이의 거리에 의해서만 에너지가 달라진다.
  • 주 양자수가 클수록 원자핵과 전자 사이의 거리가 멀어져 전자가 받는 인력의 크기가 작아지므로 에너지가 높아진다.

$$1s < 2s = 2p < 3s = 3p = 3d < 4s = 4p = 4d = 4f < 5s \cdots$$

2. **다전자 원자의 에너지 준위** 주 양자수(n)뿐 아니라 방위 양자수(l)에 따라서도 달라진다.
  • 같은 종류의 오비탈에 대해서는 주 양자수(n)가 클수록 에너지가 높다.
  • 오비탈의 종류에 따라 전자 간 반발력이 달라지므로 방위 양자수(l)에 따라 오비탈의 에너지 준위가 달라진다. ➡ 같은 전자 껍질에서는 $s < p < d < f$ 순서로 에너지가 높아진다.

$$1s < 2s < 2p < 3s < 3p < 4s < 3d < 4p < 5s < 4d < 5p \cdots$$

자료 클리닉➕ **오비탈의 에너지 준위**

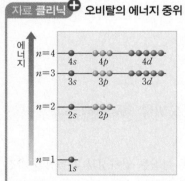

▶ 수소 원자의 오비탈 에너지 준위: 주 양자수가 같으면 에너지 준위가 같다.

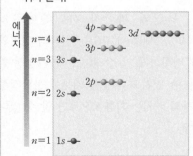

▶ 다전자 원자의 오비탈 에너지 준위: 주 양자수 뿐만 아니라 오비탈의 종류에 따라서도 에너지 준위가 달라진다.

내신 기초

1 빛을 분광기에 통과시킬 때 각 파장별로 빛이 분산되어 생기는 띠를 □□□□이라 한다.

2 수소 방전관에서 방출되는 빛을 프리즘에 통과시키면 (연속, 선) 스펙트럼이 나타난다.

3 전자가 한 에너지 준위에서 다른 에너지 준위로 이동하는 현상을 □□□□라 한다.

4 수소 원자에서 전자의 에너지 준위

$$E_n = -\frac{1312}{\square} \text{ kJ/mol} \ (n = 1, 2, 3, \cdots)$$

5 전자는 원자핵에서 멀어질수록 높은 에너지를 가진다.
$\cdots\cdots\cdots\cdots\cdots\cdots\cdots\cdots\cdots\cdots\cdots\cdots\cdots\cdots\cdots\cdots\cdots\cdots$ (○, ×)

6 주 양자수(n)가 커질수록 전자 껍질 사이의 에너지 준위 차이가 커진다. $\cdots\cdots\cdots\cdots\cdots\cdots\cdots\cdots\cdots\cdots\cdots\cdots$ (○, ×)

7 수소 원자에서 $n=2$에서 $n=1$로 전자가 전이할 때 자외선이 방출된다. $\cdots\cdots\cdots\cdots\cdots\cdots\cdots\cdots\cdots\cdots$ (○, ×)

8 수소 원자의 전자 전이와 에너지

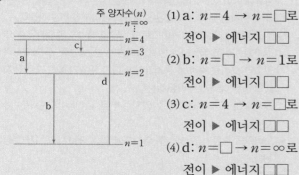

(1) a: $n=4 \rightarrow n=\square$로 전이 ▶ 에너지 □□
(2) b: $n=\square \rightarrow n=1$로 전이 ▶ 에너지 □□
(3) c: $n=4 \rightarrow n=\square$로 전이 ▶ 에너지 □□
(4) d: $n=\square \rightarrow n=\infty$로 전이 ▶ 에너지 □□

답 **1** 스펙트럼 **2** 선 **3** 전자 전이 **4** n^2 **5** ○ **6** × **7** ○
8 (1) 2, 방출 (2) 2, 방출 (3) 3, 방출 (4) 1, 흡수

개념과 문제의 연결고리 찾기!!

1 수소 원자에서의 에너지 준위

그림은 수소 원자의 전자 배치를 나타낸 것이다. 이에 대한 설명으로 옳은 것만을 〈보기〉에서 있는 대로 고른 것은?

┤보기├
ㄱ. 바닥상태의 전자 배치이다.
ㄴ. 전자가 L 전자 껍질로 전이할 때 가시광선을 흡수한다.
ㄷ. 전자가 M 전자 껍질로 전이할 때 흡수하는 빛의 파장이 L 전자 껍질로 전이할 때 흡수하는 빛의 파장보다 짧다.

① ㄴ   ② ㄷ   ③ ㄱ, ㄴ
④ ㄱ, ㄷ   ⑤ ㄱ, ㄴ, ㄷ

개념으로 문제 접근하기

• 수소 원자의 전자 전이와 스펙트럼 계열
　− $n \geq 2 \rightarrow n = 1$ ▶ 라이먼 계열, 자외선
　− $n \geq 3 \rightarrow n = 2$ ▶ 발머 계열, 가시광선
　− $n \geq 4 \rightarrow n = 3$ ▶ 파셴 계열, 적외선

| 보기 분석 |
ㄱ. 바닥상태의 전자 배치이다.
➡ 수소 원자는 전자가 1개이며, 이 전자가 가장 에너지 준위가 낮은 전자 껍질에 배치되어 있으므로 가장 안정한 바닥상태의 전자 배치이다.
ㄴ. 전자가 L 전자 껍질로 전이할 때 가시광선을 흡수한다.
➡ K 전자 껍질의 전자가 L 전자 껍질로 전이할 때 흡수하는 빛은 L 전자 껍질에서 K 전자 껍질로 전이할 때 방출하는 빛과 동일하므로, 이때 자외선을 흡수한다.
ㄷ. 전자가 M 전자 껍질로 전이할 때 흡수하는 빛의 파장이 L 전자 껍질로 전이할 때 흡수하는 빛의 파장보다 짧다.
➡ K 전자 껍질의 전자가 M 전자 껍질로 전이할 때가 L 전자 껍질로 전이할 때보다 더 큰 에너지를 흡수하므로 에너지의 파장은 더 짧다.

답 ④

2 현대 원자 모형과 오비탈

그림 (가), (나)는 수소 원자의 두 가지 오비탈을 나타낸 것이다.

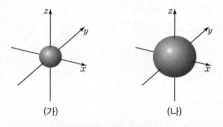

이에 대한 설명으로 옳은 것만을 〈보기〉에서 있는 대로 고른 것은?

┤ 보기 ├

ㄱ. (가)가 (나)보다 에너지 준위가 높다.
ㄴ. (나)에 전자가 존재하면 들뜬상태이다.
ㄷ. 각 오비탈에 들어갈 수 있는 최대 전자 수는 (나)가 (가)보다 더 많다.

① ㄴ   ② ㄷ   ③ ㄱ, ㄴ   ④ ㄱ, ㄷ   ⑤ ㄱ, ㄴ, ㄷ

개념으로 문제 접근하기

• 에너지 준위가 더 높은 전자 껍질에 존재하는 전자는 오비탈 모형에서 핵으로부터 더 먼 곳에 존재할 수 있는 확률이 높다.

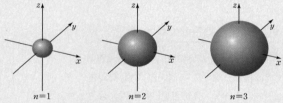

• s 오비탈은 모든 전자 껍질에 1개씩 존재하며, 최대 2개의 전자가 들어갈 수 있다.

| 보기 분석 |

ㄱ. (가)가 (나)보다 에너지 준위가 높다.
➡ 오비탈의 크기가 클수록 핵으로부터 더 먼 곳에서 전자가 존재할 확률이 높으므로 주 양자수가 크다. 따라서 (가)보다 (나)의 주 양자수가 더 크고, 에너지 준위가 더 높다.

ㄴ. (나)에 전자가 존재하면 들뜬상태이다.
➡ (가)보다 (나)의 주 양자수가 더 크므로 (나)의 주 양자수는 2 이상이다. 수소 원자의 바닥상태 전자 배치는 $2s$ 이상의 오비탈에 전자가 채워지는 것이므로 (나)에 전자가 존재할 때는 들뜬상태이다.

ㄷ. 각 오비탈에 들어갈 수 있는 최대 전자 수는 (나)가 (가)보다 더 많다. ➡ 파울리 배타 원리에 따르면 양자수에 관계 없이 한 오비탈에 들어갈 수 있는 최대 전자 수는 2이다.

답 ①

3 오비탈의 에너지 준위

그림은 임의의 원자 A의 오비탈의 에너지 준위를 나타낸 것이다.

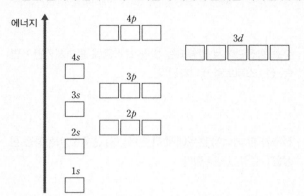

이에 대한 설명으로 옳은 것만을 〈보기〉에서 있는 대로 고른 것은?

┤ 보기 ├

ㄱ. 오비탈의 에너지 준위는 주 양자수에 의해서만 결정된다.
ㄴ. 수소 원자는 원자 A와 같은 오비탈의 에너지 준위를 가진다.
ㄷ. 오비탈의 종류가 같으면 주 양자수가 클수록 에너지 준위는 높아진다.

① ㄱ   ② ㄴ   ③ ㄷ   ④ ㄱ, ㄴ   ⑤ ㄱ, ㄷ

개념으로 문제 접근하기

• 수소 원자에서의 전자의 에너지 준위는 주 양자수(n)에 의해서만 결정되나, 다전자 원자에서의 전자의 에너지 준위는 주 양자수뿐만 아니라 오비탈의 종류에 의해서도 영향을 받는다.

| 보기 분석 |

ㄱ. 오비탈의 에너지 준위는 주 양자수에 의해서만 결정된다.
➡ 그림의 오비탈 에너지 준위는 다전자 원자의 에너지 준위이다. 다전자 원자의 에너지 준위는 주 양자수뿐만 아니라 오비탈의 종류에 따라서도 달라진다.

ㄴ. 수소 원자는 원자 A와 같은 오비탈의 에너지 준위를 가진다.
➡ 수소 원자는 전자가 1개이므로 오비탈의 에너지 준위는 전자와 원자핵 사이에 작용하는 인력의 영향만 받는다. 즉, 주 양자수가 같으면 오비탈 종류에 관계없이 에너지 준위가 같으므로 원자 A와 다른 에너지 준위를 갖는다.

ㄷ. 오비탈의 종류가 같으면 주 양자수가 클수록 에너지 준위는 높아진다.
➡ 오비탈의 종류가 같으면 주 양자수에 의해 에너지 준위가 결정된다.

답 ③

1 빛과 선 스펙트럼　대표 기출

01

그림은 수소 원자의 방출 스펙트럼을 나타낸 것이다.

위의 스펙트럼을 설명할 수 있는 원자 모형은?

기출 포인트 | 어떤 원자 모형이 선 스펙트럼과 관련이 있는지 알아야 한다.

02

다음은 전자 전이와 스펙트럼에 대한 세 학생의 대화이다.

- 학생 A: 수소 원자에서는 선 스펙트럼이 관찰되고, 다전자 원자에서는 연속 스펙트럼이 관찰돼.
- 학생 B: 전자가 에너지 준위가 더 높은 전자 껍질로 이동할 때 빛에너지를 방출해.
- 학생 C: 선 스펙트럼을 통해 원자에서 전자의 에너지 준위는 불연속적이라는 것을 알 수 있어.

제시한 의견이 옳은 학생만을 있는 대로 고른 것은?

① A　　② C　　③ A, B
④ B, C　　⑤ A, C

2 수소 원자의 선 스펙트럼과 전자 전이　대표 기출

03

그림은 수소 원자의 에너지 준위와 몇 가지 전자 전이를 나타낸 것이다.

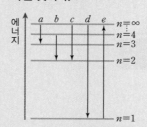

전자 전이 $a \sim e$에 대한 설명으로 옳은 것만을 〈보기〉에서 있는 대로 고른 것은? (단, 수소 원자의 에너지 준위는 $E_n = -\dfrac{1312}{n^2}$ kJ/몰이다.)

┤ 보기 ├
ㄱ. a와 b에서 방출되는 빛의 파장은 같다.
ㄴ. b와 c에서 적외선 영역의 빛이 방출된다.
ㄷ. d와 e에서 출입하는 에너지의 크기는 같다.

① ㄱ　② ㄷ　③ ㄱ, ㄴ　④ ㄴ, ㄷ　⑤ ㄱ, ㄴ, ㄷ

기출 포인트 | 수소 원자의 에너지 준위 그래프에서 에너지의 방출 및 흡수에 대해 묻는 문제가 자주 출제된다.

04

그림은 수소 방전관에서 나오는 선 스펙트럼의 일부를 나타낸 것이다.

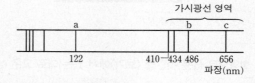

이에 대한 설명으로 옳은 것만을 〈보기〉에서 있는 대로 고른 것은?

┤ 보기 ├
ㄱ. 스펙트럼 선의 에너지 크기는 a < b < c이다.
ㄴ. a선은 L 껍질에서 K 껍질로의 전자 전이에 해당한다.
ㄷ. 수소 방전관에 더 높은 에너지를 가해도 a~c선의 파장은 변하지 않는다.

① ㄱ　② ㄴ　③ ㄷ　④ ㄱ, ㄴ　⑤ ㄴ, ㄷ

05

다음은 학생 A가 학습한 내용과 결론이다.

[학습 내용]
- 수소 원자의 에너지 준위: $E_n \propto -\dfrac{1}{n^2}$ (n은 주 양자수)
- 수소의 선 스펙트럼 중 일부와 스펙트럼 계열 구분

라이먼 계열   발머 계열

구분	전자 전이
라이먼 계열	$n \geq 2 \rightarrow n=1$
발머 계열	$n \geq 3 \rightarrow n=2$

[결론]
$n=2 \rightarrow n=1$에 의한 빛에너지는 (㉠)에 의한 빛 에너지보다 크므로, 전자 전이에 의해 방출되는 빛에너지는 라이먼 계열이 발머 계열보다 항상 크다.

결론에서 ㉠은?

① $n=\infty \rightarrow n=2$ ② $n=\infty \rightarrow n=1$

③ $n=5 \rightarrow n=2$ ④ $n=4 \rightarrow n=1$

⑤ $n=3 \rightarrow n=2$

06

그림은 수소 원자에서 나타나는 전자 전이 a~c와 수소 원자의 가시광선 영역에 해당하는 선 스펙트럼을 나타낸 것이다.

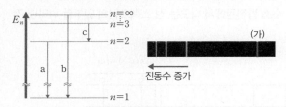

진동수 증가

a~c에 대한 설명으로 옳은 것만을 〈보기〉에서 있는 대로 고른 것은? (단, 수소 원자의 에너지 준위(E_n)는 $-\dfrac{1312}{n^2}$ kJ/몰이다.)

보기
ㄱ. 자외선 영역에 해당하는 전자 전이는 2가지이다.
ㄴ. 파장이 가장 긴 빛이 방출되는 전자 전이는 b이다.
ㄷ. (가)에 해당하는 전자 전이는 c이다.

① ㄱ   ② ㄴ   ③ ㄱ, ㄷ

④ ㄴ, ㄷ   ⑤ ㄱ, ㄴ, ㄷ

07 고난도

그림은 들뜬상태에 있는 수소 원자의 전자가 주 양자수(n) 5 이하에서 전이할 때 방출하는 빛의 에너지(ΔE)를 Δn에 따라 모두 나타낸 것이다. $\Delta n = n_{전이 전} - n_{전이 후}$이다.

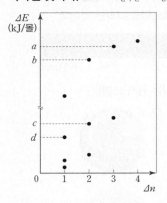

이에 대한 설명으로 옳은 것만을 〈보기〉에서 있는 대로 고른 것은? (단, 수소 원자의 에너지 준위 $E_n \propto -\dfrac{1}{n^2}$이다.)

보기
ㄱ. d kJ/몰에 해당하는 빛은 자외선이다.
ㄴ. $a-c = b-d$이다.
ㄷ. 수소 원자에서 $(a-d)$ kJ/몰에 해당하는 빛을 방출하는 전자 전이가 일어날 수 있다.

① ㄱ   ② ㄴ   ③ ㄷ

④ ㄱ, ㄴ   ⑤ ㄴ, ㄷ

08 서술형

다음은 수소 원자의 임의의 3가지 전자 전이 a~c에 대한 공통된 설명이다.

- 전이 전 주 양자수($n_전$)는 전이 후 주 양자수($n_후$)보다 작다.
- $n_후$는 4 이하이다.
- 전이에 해당하는 에너지의 크기는 $\dfrac{3}{4}k$ kJ/mol보다 작다.

a~c에서 각각의 $n_전$을 모두 더한 값을 구하시오. (단, 수소 원자의 에너지 준위 $E_n = -\dfrac{k}{n^2}$ kJ/몰이고, n은 주 양자수, k는 상수이다.)

09

그림은 들뜬상태의 수소 원자에서 전자가 $n=2$인 전자 껍질로 전이될 때, 전자 전이 $P_1{\sim}P_3$의 전이 전 주 양자수($n_\text{전}$)와 방출되는 빛의 파장을 나타낸 것이다. 그림에서 λ_1은 발머 계열 중 가장 긴 파장에 해당한다.

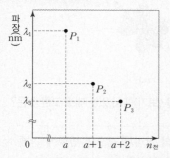

이에 대한 설명으로 옳은 것만을 〈보기〉에서 있는 대로 고른 것은? (단, 수소 원자의 에너지 준위는 $E_n=-\dfrac{1312}{n^2}$이며, n은 주 양자수이다.)

┤ 보기 ├
ㄱ. $a=3$이다.
ㄴ. P_1과 P_2에서 방출되는 에너지의 비는 20 : 27이다.
ㄷ. 방출되는 빛의 진동수는 P_2에서가 P_3에서보다 크다.

① ㄱ　　　　② ㄷ　　　　③ ㄱ, ㄴ
④ ㄴ, ㄷ　　　⑤ ㄱ, ㄴ, ㄷ

10 고난도

그림은 수소 원자의 전자가 주 양자수(n) x 이하에서 전자 전이할 때 방출하는 빛의 에너지를 모두 나타낸 것이다. 전자 전이 $a{\sim}f$에 해당하는 빛의 파장(λ)은 각각 $\lambda_a{\sim}\lambda_f$이다.

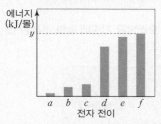

이에 대한 설명으로 옳은 것만을 〈보기〉에서 있는 대로 고른 것은? (단, 수소 원자의 에너지 준위는 $E_n=-\dfrac{k}{n^2}$ kJ/몰이고, k는 상수이다.)

┤ 보기 ├
ㄱ. $x=3$이다.
ㄴ. $\dfrac{1}{\lambda_e}-\dfrac{1}{\lambda_d}=\dfrac{1}{\lambda_b}$이다.
ㄷ. 수소 원자의 이온화 에너지는 $\dfrac{15}{16}$ kJ/몰이다.

① ㄱ　② ㄷ　③ ㄱ, ㄴ　④ ㄴ, ㄷ　⑤ ㄱ, ㄴ, ㄷ

11 서술형

그림은 주 양자수(n)에 따른 수소 원자의 에너지 준위를 나타낸 것이다.

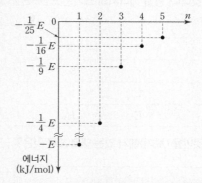

다음 두 가지 전자 전이에서 방출되는 에너지 크기의 비(E_a : E_b)를 구하는 과정과 함께 서술하시오.

구분	전자 전이	방출되는 에너지
a	$n=3 \rightarrow n=2$	E_a
b	$n=2 \rightarrow n=1$	E_b

12

표는 수소 원자의 전자 전이에서 방출되는 빛의 스펙트럼 선 Ⅰ~Ⅳ에 대한 자료이다.

선	전자 전이	에너지(kJ/몰)
Ⅰ	$n=4 \rightarrow n=1$	x
Ⅱ	$n=\infty \rightarrow n=2$	
Ⅲ	$n=3 \rightarrow n=2$	y
Ⅳ	$n=2 \rightarrow n=1$	z

이에 대한 설명으로 옳은 것만을 〈보기〉에서 있는 대로 고른 것은? (단, 수소 원자의 에너지 준위 $E_n \propto -\dfrac{1}{n^2}$이고, n은 주 양자수이다.)

┤ 보기 ├
ㄱ. Ⅲ에 해당하는 빛은 가시광선이다.
ㄴ. $x<y+z$이다.
ㄷ. 방출하는 빛의 파장은 Ⅱ에서가 Ⅳ에서보다 짧다.

① ㄱ　　　　② ㄴ　　　　③ ㄷ
④ ㄱ, ㄴ　　　⑤ ㄱ, ㄷ

13 고난도

표는 수소 원자의 전자 전이 Ⅰ~Ⅲ을 전이 전과 후의 양자수(n) 및 방출 에너지로 나타낸 것이다. 방출 에너지의 크기는 $E_Ⅰ < E_Ⅱ < E_Ⅲ$이다.

주 양자수 전자 전이	Ⅰ	Ⅱ	Ⅲ
전이 전($n_전$)	4	x	3
전이 후($n_후$)	2	1	1
방출 에너지	$E_Ⅰ$	$E_Ⅱ$	$E_Ⅲ$

이에 대한 설명으로 옳은 것만을 〈보기〉에서 있는 대로 고른 것은?

┤ 보기 ├
ㄱ. x는 2이다.
ㄴ. Ⅰ~Ⅲ 중 가시광선 영역에 해당하는 것은 1가지이다.
ㄷ. $E_Ⅰ$과 $E_Ⅱ$의 합은 $E_Ⅲ$보다 크다.

① ㄱ   ② ㄴ   ③ ㄱ, ㄷ
④ ㄴ, ㄷ   ⑤ ㄱ, ㄴ, ㄷ

---

3 현대 원자 모형과 오비탈   대표 기출

14

그림은 바닥상태 원자 A에서 전자가 들어 있는 모든 오비탈을 모형으로 나타낸 것이다. 주 양자수는 (가)가 (나)보다 작다.

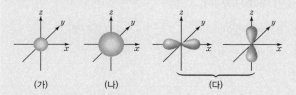

(가)   (나)   (다)

이에 대한 설명으로 옳은 것만을 〈보기〉에서 있는 대로 고른 것은? (단, A는 임의의 원소 기호이다.)

┤ 보기 ├
ㄱ. 원자 A의 전자 수는 6개이다.
ㄴ. (가)는 원자핵으로부터 거리가 같으면 방향에 관계없이 전자가 발견될 확률이 같다.
ㄷ. 에너지 준위는 (나)와 (다)가 같다.

① ㄱ   ② ㄷ   ③ ㄱ, ㄴ
④ ㄴ, ㄷ   ⑤ ㄱ, ㄴ, ㄷ

기출 포인트 I 각 오비탈의 모양과 특성을 묻는 문제가 자주 출제된다.

15

그림 (가)와 (나)는 각각 s 오비탈과 p 오비탈에서 에너지 준위가 가장 낮은 오비탈을 모형으로 나타낸 것이다.

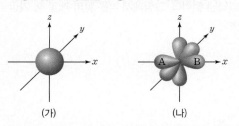

(가)   (나)

이에 대한 설명으로 옳은 것만을 〈보기〉에서 있는 대로 고른 것은?

┤ 보기 ├
ㄱ. (가)는 원자핵으로부터의 거리가 같으면 방향에 관계없이 전자를 발견할 확률이 같다.
ㄴ. 전자가 (나)에 모두 채워질 경우 A와 B에는 각각 2개씩 채워진다.
ㄷ. 수소 원자에서 (가)와 (나)의 에너지 준위는 같다.

① ㄱ   ② ㄷ   ③ ㄱ, ㄴ
④ ㄴ, ㄷ   ⑤ ㄱ, ㄴ, ㄷ

---

16 서술형

그림은 수소 원자의 $1s$, $2s$, $2p_x$ 오비탈을 기준에 따라 분류한 것이다.

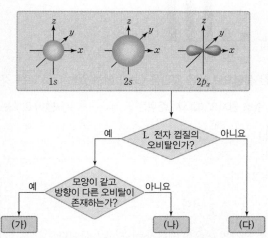

(가)~(다)에 해당하는 오비탈을 각각 쓰시오.

17

그림은 수소 원자의 $1s$, $2s$ 오비탈의 모습과 각 오비탈에서 핵으로부터의 거리에 따른 전자 발견 확률을 나타낸 것이다.

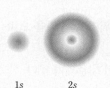 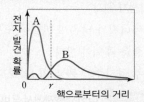

이에 대한 설명으로 옳은 것만을 〈보기〉에서 있는 대로 고른 것은?

┤ 보기 ├
ㄱ. B는 $1s$ 오비탈에 해당한다.
ㄴ. r에서 A와 B의 전자 발견 확률은 같다.
ㄷ. 전자가 발견될 확률이 최대인 거리는 A가 B보다 크다.

① ㄱ　　　　　② ㄴ　　　　　③ ㄱ, ㄴ
④ ㄴ, ㄷ　　　　⑤ ㄱ, ㄴ, ㄷ

---

4 오비탈의 에너지 준위　　　　대표 기출

18

그림 (가)는 $2s$ 오비탈을, (나)는 $3p_x$ 오비탈을 나타낸 것이다.

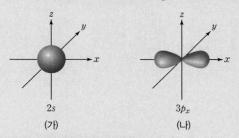

이에 대한 설명으로 옳은 것은?

① 방위 양자수는 (가)와 (나)가 같다.
② (가)에는 전자가 최대 1개 채워질 수 있다.
③ (나)에서는 원자핵으로부터의 거리가 같으면 전자의 발견 확률이 같다.
④ 수소 원자에서 에너지 준위는 (가)와 (나)가 같다.
⑤ 다전자 원자에서 에너지 준위는 (가)가 (나)보다 낮다.

> **기출 포인트** | 수소 원자와 다전자 원자에서 오비탈의 에너지 준위를 비교할 수 있어야 한다.

19

그림은 다전자 원자의 $2s$와 $2p$ 오비탈을 모형으로 나타낸 것이다.

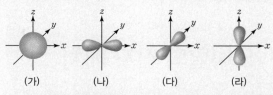

(가)~(라)에 대한 설명으로 옳은 것만을 〈보기〉에서 있는 대로 고른 것은?

┤ 보기 ├
ㄱ. 수용 가능한 최대 전자 수는 모두 같다.
ㄴ. 오비탈의 에너지 준위는 (가)<(나)=(다)=(라)이다.
ㄷ. 바닥상태에서 질소($_7$N) 원자의 오비탈에 배치된 전자 수는 (가)>(나)=(다)=(라)이다.

① ㄴ　　　　　② ㄷ　　　　　③ ㄱ, ㄴ
④ ㄴ, ㄷ　　　　⑤ ㄱ, ㄴ, ㄷ

---

20 고난도

표는 주 양자수(n)에 따른 오비탈의 종류와 수를 나타낸 것이다.

주 양자수	1	2	2
오비탈의 종류	(가)	(나)	(다)
오비탈의 수	1	1	3

이에 대한 설명으로 옳은 것만을 〈보기〉에서 있는 대로 고른 것은?

┤ 보기 ├
ㄱ. (가)는 s 오비탈이다.
ㄴ. $_4$Be의 바닥상태 전자 배치에서 (나)에 채워진 전자 수는 1개이다.
ㄷ. $_7$N의 바닥상태 전자 배치에서 전자가 채워진 오비탈의 수는 5개이다.

① ㄴ　　　　　② ㄷ　　　　　③ ㄱ, ㄴ
④ ㄱ, ㄷ　　　　⑤ ㄱ, ㄴ, ㄷ

II. 원자의 세계

오비탈의 전자 배치

─── 핵심 용어 ───

• 파울리 배타 원리 • 훈트 규칙 • 원자가 전자

1 전자 배치

1. 전자 배치 표시 〔개념 브릿지 유형 **1**〕

① 오비탈 기호 이용
오비탈 기호의 오른쪽 위에 채워진 전자의 수를 작은 글씨로 표시한다.

오비탈에 채워진 전자 수

오비탈 기호

오비탈의 방향을 나타내어 p_x, p_y, p_z로 표시하기도 한다.

② 오비탈 상자 모형 이용 오비탈을 상자로, 전자를 점 또는 화살표로 표시한다.

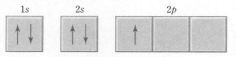

• 상자 1개가 오비탈 1개를 의미한다.
• p 오비탈과 같이 서로 다른 방향의 오비탈이 존재할 때에는 채워지지 않은 오비탈도 함께 붙여서 표시한다.

2. 원자의 전자 배치

① 바닥상태 전자 배치 에너지가 가장 낮은 안정한 상태의 전자 배치
② 들뜬상태 전자 배치 바닥상태의 원자가 에너지를 흡수하여 에너지 준위가 높은 오비탈로 전자가 전이된 불안정한 상태의 전자 배치

2 전자 배치 규칙 〔개념 브릿지 유형 **2**〕

1. 쌓음 원리 전자는 에너지 준위가 낮은 오비탈부터 순서대로 채워져야 한다.

① 수소 원자
• 전자가 1개이므로 $1s$ 오비탈에 있을 때가 바닥상태이다.

• 주 양자수가 같으면 에너지 준위가 같다.

$$2s = 2p$$
$$3s = 3p = 3d$$
$$4s = 4p = 4d = 4f$$ ─── 주 양자수가 같으면 에너지 준위가 같다.

② 다전자 원자
• 에너지가 낮은 오비탈이 모두 채워지고 그 다음 오비탈을 채워야 한다.
• 주 양자수가 큰 $4s$가 $3d$보다 에너지 준위가 낮다.

자료 클리닉 ➕ 다전자 원자에서 오비탈에 전자가 채워지는 순서

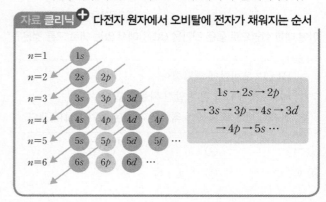

$1s \rightarrow 2s \rightarrow 2p$
$\rightarrow 3s \rightarrow 3p \rightarrow 4s \rightarrow 3d$
$\rightarrow 4p \rightarrow 5s \cdots$

2. 파울리 배타 원리 1개의 오비탈에는 전자가 최대 2개까지 채워질 수 있으며, 이때 두 전자의 스핀 방향은 달라야 한다.

① 한 원자 안에 있는 어떤 전자도 4가지 양자수(n, l, m_l, m_s)가 모두 동일할 수 없다.
② 같은 오비탈에서는 3가지 양자수(n, l, m_l)가 같으므로 스핀 자기 양자수(m_s)가 달라야 한다.

예 리튬($_3$Li)의 바닥상태 전자 배치

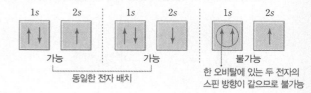

3. 훈트 규칙 p 오비탈 또는 d 오비탈과 같이 에너지 준위가 같은 오비탈에 전자가 들어갈 때에는 홀전자 수가 많을수록 안정하다. ➡ 전자 2개가 같은 오비탈에 채워지면 전자 간 반발력이 더 크므로 불안정해진다.

예 탄소($_6$C)의 바닥상태 전자 배치

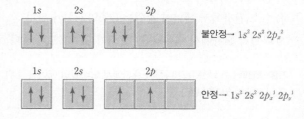

원자번호	전자껍질	K	L		M			N	전자 배치	홀전자 수
	오비탈	$1s$	$2s$	$2p$	$3s$	$3p$	$3d$	$4s$		
1	H	↑							$1s^1$	1
2	He	↑↓							$1s^2$	0
3	Li	↑↓	↑	☐☐☐					$1s^2 2s^1$	1
4	Be	↑↓	↑↓	☐☐☐					$1s^2 2s^2$	0
5	B	↑↓	↑↓	↑ ☐☐					$1s^2 2s^2 2p^1$	1
6	C	↑↓	↑↓	↑ ↑ ☐					$1s^2 2s^2 2p^2$	2
7	N	↑↓	↑↓	↑ ↑ ↑					$1s^2 2s^2 2p^3$	3
8	O	↑↓	↑↓	↑↓ ↑ ↑					$1s^2 2s^2 2p^4$	2
9	F	↑↓	↑↓	↑↓ ↑↓ ↑					$1s^2 2s^2 2p^5$	1
10	Ne	↑↓	↑↓	↑↓ ↑↓ ↑↓					$1s^2 2s^2 2p^6$	0
11	Na	↑↓	↑↓	↑↓ ↑↓ ↑↓	↑				$1s^2 2s^2 2p^6 3s^1$	1
12	Mg	↑↓	↑↓	↑↓ ↑↓ ↑↓	↑↓				$1s^2 2s^2 2p^6 3s^2$	0
13	Al	↑↓	↑↓	↑↓ ↑↓ ↑↓	↑↓	↑ ☐☐			$1s^2 2s^2 2p^6 3s^2 3p^1$	1
14	Si	↑↓	↑↓	↑↓ ↑↓ ↑↓	↑↓	↑ ↑ ☐			$1s^2 2s^2 2p^6 3s^2 3p^2$	2
15	P	↑↓	↑↓	↑↓ ↑↓ ↑↓	↑↓	↑ ↑ ↑			$1s^2 2s^2 2p^6 3s^2 3p^3$	3
16	S	↑↓	↑↓	↑↓ ↑↓ ↑↓	↑↓	↑↓ ↑ ↑			$1s^2 2s^2 2p^6 3s^2 3p^4$	2
17	Cl	↑↓	↑↓	↑↓ ↑↓ ↑↓	↑↓	↑↓ ↑↓ ↑			$1s^2 2s^2 2p^6 3s^2 3p^5$	1
18	Ar	↑↓	↑↓	↑↓ ↑↓ ↑↓	↑↓	↑↓ ↑↓ ↑↓			$1s^2 2s^2 2p^6 3s^2 3p^6$	0
19	K	↑↓	↑↓	↑↓ ↑↓ ↑↓	↑↓	↑↓ ↑↓ ↑↓		↑	$1s^2 2s^2 2p^6 3s^2 3p^6 4s^1$	1
20	Ca	↑↓	↑↓	↑↓ ↑↓ ↑↓	↑↓	↑↓ ↑↓ ↑↓		↑↓	$1s^2 2s^2 2p^6 3s^2 3p^6 4s^2$	0

[전자 배치의 원리]
- 전자는 에너지 준위가 낮은 오비탈부터 차례로 들어간다. ➡ 쌓음 원리
- 한 오비탈에는 전자가 2개까지 들어갈 수 있다. 이때 스핀 방향은 반대이다. ➡ 파울리 배타 원리
- 에너지 준위가 같은 오비탈에 전자를 배치할 때는 가능하면 홀전자 수가 많아지게 배치한다. ➡ 훈트 규칙
- 원자의 전자 배치가 쌓음 원리, 파울리 배타 원리, 훈트 규칙을 모두 따르면 에너지가 가장 낮은 바닥상태이다.

3 원자가 전자 개념 브릿지 유형 3

1. **원자가 전자** 바닥상태 전자 배치에서 가장 바깥 전자 껍질에 존재하여, 외부와 상호작용하며 화학 결합에 참여할 수 있는 전자를 말한다.
   - 1~17족은 최외각 전자 수와 원자가 전자 수가 동일하다.
   - 18족 원소는 옥텟 규칙을 만족하여 안정하므로 원자가 전자 수가 0이다.

2. **원자가 전자와 주기성** 전자 배치 규칙에 따라서 원자가 전자 수의 변화가 규칙적으로 반복되고, 이에 따라 비슷한 화학적 성질을 가지는 원소가 주기적으로 나타난다.
   ➡ 같은 족 원소는 원자가 전자 수가 같으므로 비슷한 화학적 성질을 지닌다.

3. 이온의 전자 배치

① 원자가 전자를 잃어 양이온이 될 때 에너지가 가장 높은 오비탈의 전자를 잃는다.

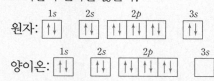

② 원자가 전자를 얻어 음이온이 될 때 전자가 채워지지 않은 오비탈 중 가장 에너지가 낮은 오비탈에 전자가 들어간다.

원자:
$1s$	$2s$	$2p$	
↑↓	↑↓	↑↓ ↑ ↑	

음이온:
$1s$	$2s$	$2p$	
↑↓	↑↓	↑↓ ↑↓ ↑↓	

1 한 오비탈에 최대로 채워질 수 있는 전자는 □개이다.

2 전자는 에너지 준위가 □□ 오비탈부터 순서대로 채워져야 한다.

3 1개의 오비탈에는 전자가 최대 □개까지 채워질 수 있으며, 스핀 방향은 (같아야, 달라야) 한다.

4 에너지 준위가 같은 오비탈에 전자가 들어갈 때 홀전자 수가 (많을수록, 적을수록) 안정하며, 이를 □□ 규칙이라 한다.

5 18족 원소는 원자가 전자 수가 □이다.

6 같은 족 원소는 □□□ □□ 수가 같으므로 비슷한 화학적 성질을 가진다.

7 바닥상태 원자의 전자 배치 그리기
(1) $_6$C
(2) $_8$O
(3) $_{14}$Si

8 다음 원자가 안정한 이온이 되었을 때의 바닥상태 전자 배치를 쓰시오.
(1) $_{11}$Na
(2) $_{17}$Cl

9 질소($_7$N)의 바닥상태 전자 배치에서 홀전자의 개수는 □개이다.

답 1 2 2 낮은 3 2, 달라야 4 많을수록, 훈트 5 0 6 원자가 전자
7 (1)   (2)
(3)
8 (1) $1s^2 2s^2 2p^6$ (2) $1s^2 2s^2 2p^6 3s^2 3p^6$ 9 3

---

1 전자 배치 표시

표는 원소 A~C의 원자 또는 이온의 전자 배치를 나타낸 것이다.

	$1s$	$2s$	$2p_x$	$2p_y$	$2p_z$	$3s$
A	↑↓	↑↓	↑	↑	↑	
B$^+$	↑↓	↑↓	↑↓	↑↓	↑↓	↑
C$^-$	↑↓	↑↓	↑↓	↑	↑↓	↑

이에 대한 설명으로 옳은 것만을 〈보기〉에서 있는 대로 고른 것은? (단, A~C는 임의의 원소 기호이다.)

┤ 보기 ├
ㄱ. A의 원자가 전자 수는 4이다.
ㄴ. B와 C는 같은 주기의 원소이다.
ㄷ. 위의 전자 배치는 파울리 배타 원리를 모두 만족한다.

① ㄱ   ② ㄷ   ③ ㄱ, ㄴ
④ ㄴ, ㄷ   ⑤ ㄱ, ㄴ, ㄷ

개념으로 문제 접근하기

• 주 양자수가 같으면 같은 주기의 원소이다.
• 파울리 배타 원리: 1개의 오비탈에는 전자가 최대 2개까지 채워질 수 있으며, 이때 두 전자의 스핀 방향은 달라야 한다.

| 보기 분석 |
ㄱ. A의 원자가 전자 수는 4이다.
➡ A는 2주기 원소로 원자가 전자 수는 두 번째 전자 껍질에 있는 전자 수이다. 따라서 원자가 전자 수는 6이다.
ㄴ. B와 C는 같은 주기의 원소이다.
➡ B$^+$의 전자 수 10이므로 원자 B는 전자 수가 11인 3주기 원소이고, C$^-$의 전자 수가 10이므로 원자 C는 전자 수가 9인 2주기 원소이다. 따라서 B와 C의 주기가 다르다.
ㄷ. 위의 전자 배치는 파울리 배타 원리를 모두 만족한다.
➡ 파울리 배타 원리에 따르면 하나의 오비탈에는 최대 2개의 전자가 채워질 수 있으며, 두 전자의 스핀 방향이 서로 달라야 한다. 세 전자 배치 모두 이를 만족한다.

답 ②

2 원자와 이온의 전자 배치

그림은 원자 X와 이온 Y^{2-}, Z^+의 바닥상태 전자 배치를 나타낸 것이다.

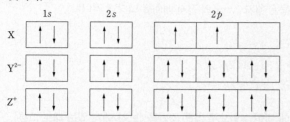

이에 대한 설명으로 옳은 것만을 〈보기〉에서 있는 대로 고른 것은? (단, X~Z는 임의의 원소 기호이다.)

┤ 보기 ├
ㄱ. X의 원자가 전자 수는 2이다.
ㄴ. Y의 원자 번호는 8이다.
ㄷ. 원자가 전자가 들어 있는 오비탈의 주 양자수는 Y와 Z가 같다.

① ㄱ　　② ㄴ　　③ ㄷ　　④ ㄱ, ㄴ　　⑤ ㄱ, ㄷ

개념으로 문제 접근하기

• 이온 Y, Z의 바닥상태 전자 배치

중성 원자 Y는 현재 전자 개수에서 2개를 빼야 한다.　　전자 2개

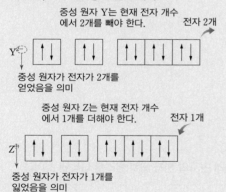

중성 원자가 전자가 2개를 얻었음을 의미

중성 원자 Z는 현재 전자 개수에서 1개를 더해야 한다.　　전자 1개

중성 원자가 전자가 1개를 잃었음을 의미

| 보기 분석 |
ㄱ. X의 원자가 전자 수는 2이다. ➡ X는 전자 수가 6개이다. 두 번째 전자 껍질에 전자가 4개 들어 있으므로 원자가 전자 수는 4이다.
ㄴ. Y의 원자 번호는 8이다. ➡ Y^{2-}은 전자 수가 10이며, 이것은 Y가 전자 2개를 얻어서 형성된 것이다. 따라서 Y의 전자 수는 8이므로 Y는 원자 번호 8인 O이다.
ㄷ. 원자가 전자가 들어 있는 오비탈의 주 양자수는 Y와 Z가 같다. ➡ Y의 원자가 들어 있는 오비탈의 주 양자수는 2이다. Z^+은 Z가 전자 1개를 잃어서 형성된 것이므로 Z의 전자 수는 11이고, Z는 원자 번호 11인 Na이다. 따라서 Z의 원자가 전자가 들어 있는 오비탈의 주 양자수는 3이다. 　답 ②

---

3 원자가 전자와 주기성

다음은 3주기 원소 A와 B에 대한 자료이다.

• A와 B의 바닥상태 전자 배치에서 홀전자 수는 각각 1이다.
• A는 금속 원소, B는 비금속 원소이다.
• A는 바닥상태 전자 배치에서
$\dfrac{\text{전자가 들어있는 } p \text{ 오비탈 수}}{\text{전자가 들어있는 } s \text{ 오비탈 수}}$ 가 1보다 크다.
• A와 B의 안정한 이온은 모두 18족 원소와 같은 전자 배치를 갖는다.

이에 대한 설명으로 옳은 것만을 〈보기〉에서 있는 대로 고른 것은? (단, A, B는 임의의 원소 기호이다.)

┤ 보기 ├
ㄱ. A의 원자가 전자 수는 1이다.
ㄴ. 안정한 A 이온과 B 이온의 전자 배치는 같다.
ㄷ. 안정한 이온의 반지름은 B 이온이 A 이온보다 크다.

① ㄱ　　　　② ㄷ　　　　③ ㄱ, ㄴ
④ ㄴ, ㄷ　　　⑤ ㄱ, ㄴ, ㄷ

개념으로 문제 접근하기

• 바닥상태 전자 배치에서 홀전자 수가 1인 원소는 Na, Al, Cl 이다. A는 금속 원소이므로 Na과 Al 중 하나이고, B는 비금속 원소이므로 Cl이다. A는 바닥상태 전자 배치에서 $\dfrac{\text{전자가 들어있는 } p \text{ 오비탈 수}}{\text{전자가 들어있는 } s \text{ 오비탈 수}}$ 가 1보다 크므로 A는 Al이다.

| 보기 분석 |
ㄱ. A의 원자가 전자 수는 1이다.
➡ A의 바닥상태 전자 배치는 K(2) L(8) M(3)이므로 원자가 전자 수는 3이다.
ㄴ. 안정한 A 이온과 B 이온의 전자 배치는 같다.
➡ A의 안정한 이온은 Al^{3+}이므로 네온(Ne)과 전자 배치가 같고, B의 안정한 이온은 Cl^-이므로 아르곤(Ar)과 전자 배치가 같다.
ㄷ. 안정한 이온의 반지름은 B 이온이 A 이온보다 크다.
➡ 안정한 A 이온의 전자 배치는 K(2) L(8)로 전자 껍질 수가 2이고, 안정한 B 이온의 전자 배치는 K(2) L(8) M(8)로 전자 껍질 수가 3이다. 따라서 안정한 이온의 반지름은 B 이온이 A 이온보다 크다. 　답 ②

1 전자 배치　　　　　　　　　　　　대표 기출

01

그림은 수소 원자의 전자 배치를 나타낸 것이다.

이에 대한 설명으로 옳은 것만을 〈보기〉에서 있는 대로 고른 것은?

| 보기 |
ㄱ. 들뜬 상태의 전자 배치이다.
ㄴ. $1s$ 오비탈로 전자가 전이될 때 가시광선 영역의 빛이 방출된다.
ㄷ. $2p_z$ 오비탈은 원자핵으로부터의 거리가 같으면 방향에 관계 없이 전자가 발견될 확률이 같다.

① ㄱ　　　　　② ㄷ　　　　　③ ㄱ, ㄴ
④ ㄴ, ㄷ　　　　⑤ ㄱ, ㄴ, ㄷ

기출 포인트 | 원자의 전자 배치가 뜻하는 바를 아는지, 전자 배치의 모양과 오비탈을 연관지을 수 있는지 묻는 문제가 자주 출제된다.

02

그림은 탄소($_6$C) 원자의 전자 배치를 나타낸 것이다.

  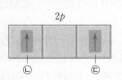

이에 대한 설명으로 옳은 것만을 〈보기〉에서 있는 대로 고른 것은?

| 보기 |
ㄱ. 방위 양자수(l)는 ㉠이 ㉡보다 작다.
ㄴ. 자기 양자수(m_l)는 ㉡과 ㉢이 동일하다.
ㄷ. 위의 전자 배치는 바닥상태의 전자 배치이다.

① ㄱ　　　　　② ㄴ　　　　　③ ㄱ, ㄷ
④ ㄴ, ㄷ　　　　⑤ ㄱ, ㄴ, ㄷ

2 전자 배치 규칙　　　　　　　　　대표 기출

03

다음은 원자 X~Z의 전자 배치를 나타낸 것이다.

- X: $1s^2 2s^2 3s^2$
- Y: $1s^2 2s^2 2p^3 3s^2$
- Z: $1s^2 2s^2 2p^6 3s^2$

이에 대한 설명으로 옳은 것만을 〈보기〉에서 있는 대로 고른 것은? (단, X~Z는 임의의 원소 기호이다.)

| 보기 |
ㄱ. X는 들뜬상태이다.
ㄴ. Y는 쌓음 원리를 만족한다.
ㄷ. X~Z는 모두 같은 족 원소이다.

① ㄱ　　② ㄷ　　③ ㄱ, ㄴ　　④ ㄴ, ㄷ　　⑤ ㄱ, ㄴ, ㄷ

기출 포인트 | 여러 가지 전자 배치 규칙을 이해하고 적용할 수 있어야 한다.

04 　서술형

다음은 바닥 상태 원자의 전자 배치 원리를 나타낸 것이다.

- 전자는 에너지 준위가 낮은 오비탈부터 채워진다.
- 한 오비탈에는 스핀 방향이 반대인 최대 2개의 전자가 채워진다.
- 에너지 준위가 같은 오비탈이 2개 이상 있을 때 전자는 최대한 쌍을 이루지 않도록 배치된다.

(1) 위 원리에 따른 $_6$C 원자의 바닥상태 전자 배치를 오비탈 기호를 이용하여 쓰시오.

(2) 위 원리에 따른 $_6$C 원자의 바닥상태 전자 배치를 오비탈 상자 모형으로 그려 보시오.

05

그림은 원자 X, Y의 전자 배치를 나타낸 것이다.

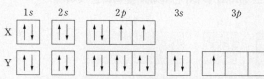

X, Y가 안정한 이온으로 될 때, 공통적으로 감소하는 것만을 〈보기〉에서 있는 대로 고른 것은? (단, X, Y는 임의의 원소 기호이다.)

┤ 보기 ├
ㄱ. 반지름   ㄴ. 홀전자 수   ㄷ. 전자 껍질 수

① ㄱ   ② ㄴ   ③ ㄷ   ④ ㄱ, ㄴ   ⑤ ㄴ, ㄷ

06 서술형

그림은 원자 X의 세 가지 전자 배치를 나타낸 것이다.

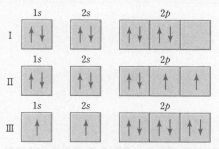

Ⅰ~Ⅲ 중 들뜬상태의 전자 배치를 모두 고르고, 전자 배치가 불안정한 까닭을 전자 배치 규칙과 함께 서술하시오.

07

그림은 임의의 원자 A의 오비탈 에너지 준위를 나타낸 것이다.

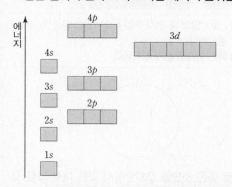

이에 대한 설명으로 옳은 것만을 〈보기〉에서 있는 대로 고른 것은?

┤ 보기 ├
ㄱ. 오비탈의 에너지 준위는 주 양자수에 의해서만 결정된다.
ㄴ. 수소 원자는 원자 A와 같은 오비탈의 에너지 준위를 가진다.
ㄷ. 오비탈의 종류가 같으면 주 양자수가 클수록 에너지 준위는 높아진다.

① ㄱ   ② ㄷ   ③ ㄱ, ㄷ   ④ ㄴ, ㄷ   ⑤ ㄱ, ㄴ, ㄷ

08 고난도

그림 (가)는 수소 원자의 주 양자수(n)에 따른 에너지 준위와 전자 전이 A, B를, (나)는 수소 원자에서 오비탈의 에너지 준위를 나타낸 것이다.

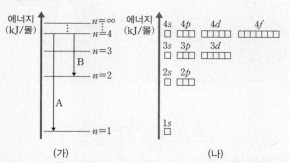

이에 대한 설명으로 옳지 않은 것은? (단, 수소 원자의 에너지 준위 $E_n = -\dfrac{1312}{n^2}$ kJ/mol이다.)

① 수소 원자의 에너지 준위는 불연속적이다.

② B에서 방출되는 빛은 가시광선 영역에 해당한다.

③ 방출되는 빛에너지는 A가 B의 5배이다.

④ n번째 전자 껍질에 있는 오비탈 수는 n^2이다.

⑤ 전자가 $4s$에서 $2s$로 전이될 때 방출되는 빛의 파장은 $4s$에서 $2p$로 전이될 때보다 짧다.

09

그림은 A^{2-}의 전자 배치를 보어의 원자 모형으로 나타낸 것이다.

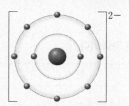

현대 원자 모형에 따른 원자 A의 바닥상태 전자 배치로 옳은 것은? (단, A는 임의의 원소 기호이다.)

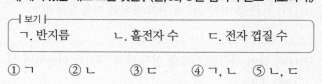

10

그림은 탄소($_6$C) 원자의 가능한 전자 배치 중 4가지 전자 배치 (가)~(라)를 주어진 기준에 따라 분류한 것이다.

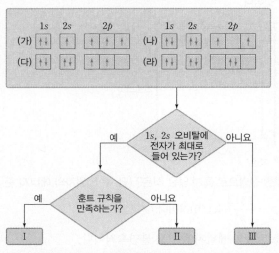

이에 대한 설명으로 옳은 것만을 〈보기〉에서 있는 대로 고른 것은?

┤ 보기 ├
ㄱ. (가)는 Ⅱ에 해당한다.
ㄴ. Ⅰ에 해당하는 전자 배치는 2가지이다.
ㄷ. Ⅲ에 해당하는 전자 배치는 들뜬상태이다.

① ㄱ ② ㄷ ③ ㄱ, ㄴ
④ ㄴ, ㄷ ⑤ ㄱ, ㄴ, ㄷ

11

표는 2주기 바닥상태 원자 A, B에 대한 자료이다.

원자	A	B
$\dfrac{p \text{ 오비탈의 총 전자 수}}{s \text{ 오비탈의 총 전자 수}}$	$\dfrac{1}{2}$	1

이에 대한 설명으로 옳은 것만을 〈보기〉에서 있는 대로 고른 것은? (단, A, B는 임의의 원소 기호이다.)

┤ 보기 ├
ㄱ. 원자 번호는 B가 A보다 크다.
ㄴ. 홀전자 수는 B가 A보다 크다.
ㄷ. 전자가 들어 있는 오비탈 수는 A와 B가 같다.

① ㄱ ② ㄴ ③ ㄷ
④ ㄱ, ㄷ ⑤ ㄴ, ㄷ

12 서술형

다음은 질소 원자의 2가지 전자 배치를 나타낸 것이다.

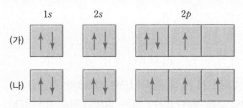

(1) (가), (나) 중 바닥상태의 전자 배치인 것을 고르시오.

_____

(2) (1)과 같이 생각한 이유를 전자 배치 규칙을 이용하여 서술하시오.

_____

_____

13 고난도

다음은 3가지 원자의 전자 배치 X~Z를 기준 (가), (나)에 따라 분류하여 벤 다이어그램에 배치한 것이다.

전자 배치		$1s$	$2s$	$2p_x$	$2p_y$	$2p_z$
	X	↑↓	↑	↑		
	Y	↑↓	↑↓	↑↓		
	Z	↑↓	↑↓	↑↓	↑	↑

분류 기준	(가) s 오비탈의 총 전자 수와 p 오비탈의 총 전자 수가 동일하다. (나) 들뜬 상태의 전자 배치이다.

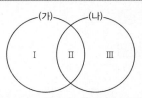

이에 대한 설명으로 옳은 것만을 〈보기〉에서 있는 대로 고른 것은? (단, 각 원자의 전자는 모두 표시되었다.)

┤ 보기 ├
ㄱ. Ⅰ 영역에 속하는 전자 배치는 Z이다.
ㄴ. Ⅱ 영역에 속하는 전자 배치는 쌓음 원리를 만족한다.
ㄷ. Ⅲ 영역에 속하는 전자 배치는 훈트 규칙을 만족한다.

① ㄱ ② ㄷ ③ ㄱ, ㄴ
④ ㄴ, ㄷ ⑤ ㄱ, ㄴ, ㄷ

14 고난도

표는 바닥상태 원자 W~Z에서 전자가 들어 있는 오비탈 수와 홀전자 수를 나타낸 것이다.

원자	W	X	Y	Z
오비탈 수	4	5	5	6
홀전자 수	a	1	2	1

이에 대한 설명으로 옳은 것만을 〈보기〉에서 있는 대로 고른 것은? (단, W~Z는 임의의 원소 기호이다.)

┤보기├
ㄱ. a는 2이다.
ㄴ. 원자 번호는 W<X<Y<Z이다.
ㄷ. Z의 홀전자의 방위 양자수(l)는 1이다.

① ㄱ   ② ㄷ   ③ ㄱ, ㄴ
④ ㄴ, ㄷ   ⑤ ㄱ, ㄴ, ㄷ

---

3 원자가 전자   대표 기출

15

표는 바닥상태 원자 X~Z의 p 오비탈에 들어 있는 전자 수를 나타낸 것이다.

원자	X	Y	Z
p 오비탈에 들어 있는 전자 수	2	5	8

이에 대한 설명으로 옳은 것만을 〈보기〉에서 있는 대로 고른 것은? (단, X~Z는 임의의 원소 기호이다.)

┤보기├
ㄱ. 원자가 전자 수는 Z가 가장 크다.
ㄴ. X와 Y는 같은 주기 원소이다.
ㄷ. X와 Z는 같은 족 원소이다.

① ㄱ   ② ㄴ   ③ ㄱ, ㄷ
④ ㄴ, ㄷ   ⑤ ㄱ, ㄴ, ㄷ

기출 포인트 | 원자가 전자의 정의를 알고 전자 배치에서 원자가 전자를 찾을 수 있는지 묻는 문제가 자주 출제된다.

16

그림은 원자 A~C의 전자 배치를 나타낸 것이다.

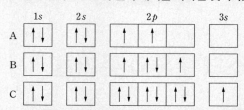

이에 대한 설명으로 옳은 것은? (단, A~C는 임의의 원소 기호이다.)

① A는 원자가 전자 수가 2개이다.
② B는 바닥상태이다.
③ C는 전자가 채워진 전자 껍질 수가 4개이다.
④ 원자 반지름은 A가 B보다 작다.
⑤ 홀전자 수는 C가 A보다 많다.

17

표는 각 전자 껍질에 수용할 수 있는 최대 전자 수를, 그림은 다전자 원자에서 오비탈의 에너지 준위를 나타낸 것이다.

전자 껍질	K	L	M
주 양자수(n)	1	2	3
최대 수용 전자 수	2	8	18

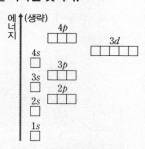

이에 대한 설명으로 옳은 것만을 〈보기〉에서 있는 대로 고른 것은?

┤보기├
ㄱ. 1개의 오비탈에는 전자가 최대 2개까지 들어간다.
ㄴ. $_7$N의 바닥상태 전자 배치에서 홀전자 수는 1개이다.
ㄷ. $_{20}$Ca의 원자가 전자 수는 2개이다.

① ㄱ   ② ㄴ   ③ ㄷ
④ ㄱ, ㄷ   ⑤ ㄴ, ㄷ

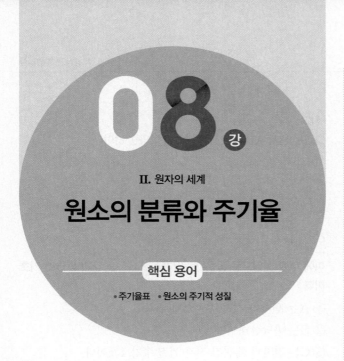

08 강

Ⅱ. 원자의 세계

원소의 분류와 주기율

─── 핵심 용어 ───

• 주기율표 • 원소의 주기적 성질

---

1 주기율표

1. 주기율과 주기율표 개념 브릿지 유형 **1**

① **주기율** 원소를 원자 번호 순으로 배열할 때, 성질이 비슷한 원소가 주기적으로 나타나는 것

② **주기율표** 주기율에 따라 원소를 배열한 표

2. 주기율표가 만들어지기까지의 과정 현대의 주기율표가 만들어지기까지 여러 과학자들은 주기율을 발견하기 위해 많은 노력을 하였다. 대표적인 과학자들은 다음과 같다.

되베라이너 (1828년)	뉴랜즈 (1864년)	멘델레예프 (1869년)	모즐리 (1913년)
세 쌍 원소설	옥타브설	최초의 주기율표	현대의 주기율표의 틀 완성

① **되베라이너(1828년)** 화학적 성질이 비슷하고 물리적 성질은 규칙적으로 변하는 세 원소가 있다는 것을 알고, 성질이 비슷한 원소를 3개씩 묶어 세 쌍 원소라고 하였다.

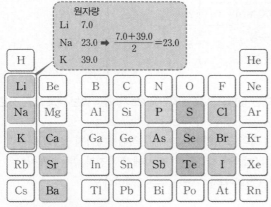

▲ 되베라이너의 세 쌍 원소설

---

② **뉴랜즈(1864년)** 원소를 원자량 순서로 나열하면 화학적 성질이 비슷한 원소가 8번째마다 나타나는 규칙성을 발견하고, 이를 옥타브설이라고 하였다.

③ **멘델레예프(1869년)** 1869년 멘델레예프는 당시까지 발견된 63종의 원소들을 원자량 순으로 나열하여 성질이 비슷한 원소가 주기적으로 나타나는 것을 발견하였다.

④ **모즐리(1913년)** 모즐리는 원소들을 양성자수, 즉 원자 번호 순서대로 나열하여 현재 사용하고 있는 것과 비슷한 주기율표를 완성하였다.

탐구 클리닉 ➕ 주기율표가 만들어지기까지의 과정

(표)

(가) 리튬(Li), 나트륨(Na), 칼륨(K)의 쌍은 화학적 성질이 비슷하며, 가운데 원소인 나트륨의 원자량은 리튬과 칼륨의 원자량의 평균값과 같다. (세 쌍 원소설)

	I	II	III	IV	V	VI	VII	VIII		
I	H 1									
II	Li 7	Be 9.4	B 11	C 12	N 14	O 16	F 19			
III	Na 23	Mg 24	Al 27.3	Si 28	P 31	S 32	Cl 35.5			
IV	K 39	Ca 40	? 44	Ti 48	V 51	Cr 52	Mn 55	Fe 56	Co 58.9	Ni 58.7
V	Cu 63	Zn 65.2	? 68	? 72	As 75	Se 78	Br 80			
VI	Rb 85	Sr 87	Yt 88	Zr 90	Nb 94	Mo 96	? 100	Ru 104.2	Rh 104.4	Pd 106
VII	Ag 108	Cd 112	In 113	Sn 118	Sb 122	Te 125	I 127			
VIII	Cs 133	Ba 137	Di 138	Ce 140						

(나) 멘델레예프는 원소들을 원자량 순으로 배열하면 성질이 비슷한 원소가 주기적으로 나타나는 것을 발견하였다. 그러나 원자량 순서대로 배열하였을 때 18족 원소와 같은 몇몇 원소들은 화학적 성질이 크게 달라 주기율표에 넣을 수 없었다.

족	0	1 a b	2 a b	3 a b	4 a b	5 a b	6 a b	7 a b	8
		H 1							
He 2		Li 3	Be 4	B 5	C 6	N 7	O 8	F 9	
Ne 10		Na 11	Mg 12	Al 13	Si 14	P 15	S 16	Cl 17	
Ar 18		K 19	Ca 20	Sc 21	Ti 22	V 23	Cr 24	Mn 25	Fe 26, Co 27, Ni 28
		Cu 29	Zn 30	Ga 31	Ge 32	As 33	Se 34	Br 35	
Kr 36		Rb 37	Sr 38	Y 39	Zr 40	Nb 41	Mo 42	─	Ru 44, Rh 45, Pd 46
		Ag 47	Cd 48	In 49	Sn 50	Sb 51	Te 52	153	
Xe 54		Cs 55	Ba 56	57~71*	Hf 72	Ta 73	W 74	─	Os 76, Ir 77, Pt 78
		Au 79							

(다) 모즐리는 원소들을 원자 번호 순서로 배열하였으며 18족 비활성 기체도 배열하여 멘델레예프가 만든 주기율표의 문제점을 해결할 수 있었다.

---

2 현대의 주기율표

1. 현대의 주기율표 현대의 주기율표는 원소들을 원자 번호 순으로 나열하여 화학적 성질이 비슷한 원소가 같은 세로줄에 오도록 배열한 표이다.

① 주기
- 주기율표의 가로줄로, 1~7주기가 있다.
- 주기는 전자가 들어 있는 전자 껍질 수와 같으며, 같은 주기 원소는 바닥상태에서 전자가 들어 있는 전자 껍질 수가 같다.

② 족
- 주기율표의 세로줄로, 1~18족이 있다.
- 1족 원소는 알칼리 금속(H 제외), 17족 원소는 할로젠 원소, 18족 원소는 비활성 기체라고 한다.
- 같은 족 원소(동족 원소)는 원자가 전자 수가 같아서 화학적 성질이 비슷하다. 단, 수소(H)는 1족에 위치하고 있지만 비금속 원소로, 1족에 속한 나머지 원소들과 화학적 성질이 다르다.
- 1, 2, 13~17족 원소의 경우 원자가 전자 수는 족의 끝자리 수와 같다.

3 원소의 분류 개념 브릿지 유형 2

1. 원소의 분류 주기율표의 원소들은 금속 원소, 비금속 원소, 준금속 원소로 분류할 수 있다.

족 주기	1	2	3~12	13	14	15	16	17	18
1	H								He
2	Li	Be		B	C	N	O	F	Ne
3	Na	Mg		Al	Si	P	S	Cl	Ar
4	K	Ca		Ga	Ge	As	Se	Br	Kr
5	Rb	Sr		In	Sn	Sb	Te	I	Xe
6	Cs	Ba		Tl	Pb	Bi	Po	At	Rn
7	Fr	Ra		Nh	Fl	Mc	Lv	Ts	Og

▢ 금속 ▢ 준금속 ▢ 비금속

① 금속 원소 주기율표의 주로 왼쪽에 위치한다.
- 전자를 잃고 양이온이 되기 쉽다.
- 실온에서 액체인 수은(Hg)을 제외하고 모두 고체이다.
- 열전도성, 전기 전도성이 크며, 금속 광택 및 연성과 전성이 있다.

② 비금속 원소 주기율표의 주로 오른쪽에 위치한다.
- 전자를 얻어 음이온이 되기 쉽다. 단, 18족 원소는 음이온이 되지 않는다.
- 실온에서 액체인 브로민(Br_2)을 제외하고 기체나 고체로 존재한다.

③ 준금속 원소
- 주기율표에서 금속과 비금속의 경계에 위치한다.
  예 붕소(B), 규소(Si), 저마늄(Ge), 비소(As) 등
- 금속과 비금속의 중간 정도의 성질을 가지거나 금속 원소와 비금속 원소의 성질을 모두 가진다.

4 원소의 전자 배치와 주기율 개념 브릿지 유형 3

1. 전자 배치의 주기성 바닥상태 원자의 전자 배치에서 가장 바깥 전자 껍질의 전자 배치는 주기성을 나타낸다.
- 가장 바깥 전자 껍질의 전자 배치: 전자가 들어 있는 가장 바깥 전자 껍질의 주 양자수는 주기와 같다.

족 주기	1	2	13	14	15	16	17	18
1	$1s^1$							$1s^2$
2	$2s^1$	$2s^2$	$2s^2 2p^1$	$2s^2 2p^2$	$2s^2 2p^3$	$2s^2 2p^4$	$2s^2 2p^5$	$2s^2 2p^6$
3	$3s^1$	$3s^2$	$3s^2 3p^1$	$3s^2 3p^2$	$3s^2 3p^3$	$3s^2 3p^4$	$3s^2 3p^5$	$3s^2 3p^6$
4	$4s^1$	$4s^2$	$4s^2 4p^1$	$4s^2 4p^2$	$4s^2 4p^3$	$4s^2 4p^4$	$4s^2 4p^5$	$4s^2 4p^6$
가장 바깥 전자 껍질의 전자 배치	ns^1	ns^2	$ns^2 np^1$	$ns^2 np^2$	$ns^2 np^3$	$ns^2 np^4$	$ns^2 np^5$	$ns^2 np^6$
원자가 전자 수	1	2	3	4	5	6	7	0

2. 전자 배치와 원자가 전자

① 원자가 전자 원소의 화학적 성질을 결정하는 전자이다. 원자가 전자 수는 최외각 전자 수와 같으며, 예외로 다른 원소와 반응하지 않는 18족 원소는 원자가 전자 수가 0이다.

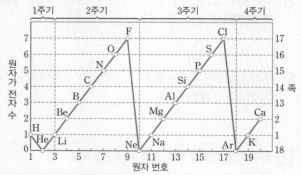

▲ 원자가 전자 수의 주기적 경향

② 족에 따른 최외각 전자 수와 원자가 전자 수

구분	1족	2족	13족	14족	15족	16족	17족	18족
최외각 전자 수	1	2	3	4	5	6	7	8 (He은 2)
원자가 전자 수	1	2	3	4	5	6	7	0

1 원소를 배열할 때 비슷한 성질의 원소들이 주기적으로 나타나는 것을 □□□이라고 한다.

2 되베라이너는 화학적 성질이 비슷한 원소를 3개씩 묶어 □□□□라고 하였다.

3 멘델레예프는 원소들을 (원자량 , 원자 번호) 순으로 배열하여 주기율표를 만들었다.

4 멘델레예프는 새로운 원소의 발견을 예측하였다.
··· (○, ×)

5 주기율표에서 왼쪽 아래로 갈수록 □□□이 증가하고, 오른쪽 위로 갈수록 □□□□이 증가한다. (18족 제외)

6 주기율표의 가로줄을 (주기 , 족)이라고 하고, 세로줄을 (주기 , 족)이라고 한다.

7 같은 주기의 원소는 바닥상태에서 전자가 들어 있는 □□ □□ 수가 같다.

8 같은 족의 원소는 □□□ □□ 수가 같아서 화학적 성질이 비슷하다.

9 주기율표의 왼쪽에는 주로 □□ 원소가, 오른쪽에는 □□ □ 원소가 존재한다.

10 족에 따른 최외각 전자 수와 원자가 전자 수

구분	1족	2족	13족	14족	15족	16족	17족	18족
최외각 전자 수	1	⊙	3	4	ⓒ	6	7	8 (He은 2)
원자가 전자 수	1	2	ⓒ	4	5	6	7	ⓔ

1 주기율표

다음은 과거의 주기율표를 나타낸 것이다.

	I	II	III	IV	V	VI	VII	VIII		
I	H 1									
II	Li 7	Be 9.4	B 11	C 12	N 14	O 16	F 19			
III	Na 23	Mg 24	Al 27.3	Si 28	P 31	S 32	Cl 35.5			
IV	K 39	Ca 40	? 44	Ti 48	V 51	Cr 52	Mn 55	Fe 56	Co 58.9	Ni 58.7
V	Cu 63	Zn 65.2	? 68	? 72	As 75	Se 78	Br 80			
VI	Rb 85	Sr 88	Yt 89	Zr 90	Nb 94	Mo 96	? 100	Ru 104.2	Rh 104.4	Pd 106
VII	Ag 108	Cd 112	In 113	Sn 118	Sb 122	Te 125	I 127			
VIII	Cs 133	Ba 137	Di 138	Ce 140						

이에 대한 설명으로 옳은 것만을 〈보기〉에서 있는 대로 고른 것은?

┤ 보기 ├
ㄱ. 현대의 주기율표와 같다.
ㄴ. 원소들을 원자량 순으로 배열하였다.
ㄷ. 모든 원소들이 주기성에 맞게 배열되었다.

① ㄱ   ② ㄴ   ③ ㄱ, ㄴ
④ ㄴ, ㄷ   ⑤ ㄱ, ㄴ, ㄷ

개념으로 문제 접근하기

- 멘델레예프는 당시까지 발견된 63종의 원소들을 원자량 순으로 나열하여 성질이 비슷한 원소가 주기적으로 나타나는 것을 발견하였다.
- 같은 주기의 원소들은 가로로, 같은 족의 원소들은 세로로 배열하였다.

| 보기 분석 |
ㄱ. 현대의 주기율표와 같다.
➡ 1869년 멘델레예프가 발견한 주기율표로 현대의 주기율표와 다르다.
ㄴ. 원소들을 원자량 순으로 배열하였다.
➡ 원소들을 원자량 순으로 배열하여 성질이 비슷한 원소가 주기적으로 나타나는 것을 발견하였다.
ㄷ. 모든 원소들이 주기성에 맞게 배열되었다.
➡ 18족 원소와 같은 몇몇 원소들은 화학적 성질이 달랐기 때문에 주기율표에 넣지 못하였다.

답 ②

답 1 주기율 2 세쌍 원소 3 원자량 4 ○ 5 금속성, 비금속성
6 주기, 족 7 전자 껍질 8 원자가 전자 9 금속, 비금속 10 ⊙2ⓒ3ⓒ5ⓔ0

2 원소의 분류

다음은 주기율표에 색칠된 부분에 위치하는 원소 A~E에 대한 자료이다.

족 주기	1	2	13	14	15	16	17	18
2								
3								

- A의 원자 반지름이 가장 크다.
- A와 B는 같은 족 원소이고, B와 C는 같은 주기 원소이다.
- 바닥상태 원자의 홀전자 수는 D가 E보다 크다.

A~E에 대한 설명으로 옳은 것만을 〈보기〉에서 있는 대로 고른 것은? (단, A~E는 임의의 원소 기호이다.)

> **보기**
> ㄱ. E는 17족 원소이다.
> ㄴ. B와 D는 같은 주기 원소이다.
> ㄷ. A~E 중 금속 원소는 2개이다.

① ㄱ   ② ㄴ   ③ ㄱ, ㄷ
④ ㄴ, ㄷ   ⑤ ㄱ, ㄴ, ㄷ

개념으로 문제 접근하기

- 같은 주기에서는 원자 번호가 작을수록, 같은 족에서는 원자 번호가 클수록 원자 반지름이 크다.
- 전기 음성도: 공유 결합으로 생성된 분자에서 원자들이 공유 전자쌍을 끌어당기는 정도를 상대적으로 나타낸 값

| **개념 적용하기** |
원자 반지름은 주기가 클수록, 족이 작을수록 크므로 제시된 자료에서 3주기 1족 원소가 가장 크고, 이 원소가 A이다. A와 B는 같은 족 원소이므로 B는 2주기 1족 원소이다. B와 C는 같은 주기 원소이므로 C는 2주기 원소이다. 바닥상태 원자의 홀전자 수는 D가 E보다 크므로 D는 16족, E는 17족이다. 따라서 C는 2주기 17족, D는 2주기 16족, E는 3주기 17족이다.

| **보기 분석** |
ㄱ. E는 17족 원소이다. ➡ E는 3주기 17족 원소이다.
ㄴ. B와 D는 같은 주기 원소이다. ➡ B와 D는 모두 2주기 원소이다.
ㄷ. A~E 중 금속 원소는 2개이다. A와 B는 금속 원소, C, D, E는 비금속 원소이므로, A~E 중 금속 원소는 2개이다.

답 ⑤

3 원소의 전자 배치와 주기율

다음은 2, 3주기 원소 A~C에 대한 자료이다.

> - A의 바닥상태 전자 배치는 다음과 같다.
> $$1s^2 2s^2 2p^1$$
> - A와 B는 원자가 전자 수가 같다.
> - C는 바닥상태 전자 배치에서 전자가 들어 있는 전자 껍질 수가 A와 같고, 홀전자 수는 3이다.

이에 대한 설명으로 옳은 것만을 〈보기〉에서 있는 대로 고른 것은? (단 A~C는 임의의 원소 기호이다.)

> **보기**
> ㄱ. A는 준금속 원소이다.
> ㄴ. C가 -3의 음이온이 되면 Ar과 같은 전자 배치를 갖는다.
> ㄷ. 원자 번호는 C가 B보다 크다.

① ㄱ   ② ㄴ   ③ ㄱ, ㄷ
④ ㄴ, ㄷ   ⑤ ㄱ, ㄴ, ㄷ

개념으로 문제 접근하기

- 바닥상태: 전자가 핵에서 가장 가까운 상태에 있어 에너지가 가장 낮은 안정한 상태

| **개념 적용하기** |
A는 전자 수가 5이므로 원자 번호 5인 붕소(B)이다. A는 2주기 13족 원소이므로 B는 3주기 13족 원소인 알루미늄(Al)이다. C는 전자가 들어 있는 전자 껍질 수가 A와 같은 2이고, 홀전자 수가 3이므로 전자 배치는 $1s^2 2s^2 2p^3$이다. 따라서 C는 원자 번호 7인 질소(N)이다.

| **보기 분석** |
ㄱ. A는 준금속 원소이다.
➡ A는 붕소이므로 준금속 원소이다.
ㄴ. C가 -3의 음이온이 되면 Ar과 같은 전자 배치를 갖는다.
➡ C가 -3의 음이온이 되면 전자 수가 10이 되므로 네온(Ne)과 같은 전자 배치를 갖는다.
ㄷ. 원자 번호는 C가 B보다 크다.
➡ 원자 번호는 B가 13, C가 7이므로 원자 번호는 B가 C보다 크다.

답 ①

1 주기율표   대표 기출

01

다음은 주기율과 관련된 설명 (가)~(라)를 시대 순서에 관계 없이 나타낸 것이다.

> (가) 당시까지 발견된 63종의 원소를 원자량 순으로 나열하였다.
> (나) 화학적 성질이 비슷한 원소를 3개씩 묶어 세 쌍 원소라고 하였다.
> (다) 원소들을 원자량 순서로 배열하면 8번째마다 성질이 비슷한 원소가 주기적으로 나타난다는 것을 발견하였다.
> (라) 원소들을 원자 번호 순으로 배열하여 멘델레예프 가 만든 주기율표의 문제점을 해결할 수 있었다.

(가)~(라)를 시대 순으로 옳게 배열한 것은?

① (가)→(나)→(다)→(라) ② (가)→(다)→(나)→(라)
③ (나)→(가)→(다)→(라) ④ (나)→(다)→(가)→(라)
⑤ (다)→(나)→(가)→(라)

기출 포인트 | 주기율표가 발견되기까지의 과정에 대해 알고 있어야 한다.

02

다음은 되베라이너가 주장한 세 쌍 원소에 해당하는 원소들의 원자량을 나타낸 것이다.

(가)
원소 기호	원자량
Li	7
Na	23
K	39

(나)
원소 기호	원자량
Ca	40
Sr	88
Ba	137

이에 대한 설명으로 옳지 않은 것은?

① 세 쌍 원소는 화학적 성질이 비슷하다.
② 중간 원소의 원자량은 나머지 두 원소의 원자량의 평균값과 비슷하다.
③ (가)와 (나)의 각 원소 쌍에서 원자량이 커짐에 따라 물리적 성질이 규칙적으로 변한다.
④ 현대 주기율표에서 같은 주기 원소에 해당한다.
⑤ Cl-Br-I도 세 쌍 원소에 해당한다.

2 현대의 주기율표   대표 기출

03

주기율과 주기율표에 대한 설명으로 옳지 <u>않은</u> 것은?

① 주기율은 성질이 비슷한 원소가 주기적으로 나타나는 것이다.
② 뉴랜즈는 옥타브설을 주장하였다.
③ 멘델레예프는 새로운 원소의 발견을 예측하였다.
④ 되베라이너는 성질이 비슷한 원소를 3개씩 묶어 세 쌍 원소라고 하였다.
⑤ 모즐리는 원소들을 원자량 순으로 배열하여 멘델레예프가 만든 주기율표의 문제점을 해결할 수 있었다.

기출 포인트 | 현대 주기율표의 발전 과정과 특성에 대해 알아야 한다.

04   서술형

(가)~(다)는 학생 A가 서술한 현대적인 주기율표에 대한 설명이다.

> [현대적인 주기율표]
> (가) 원소를 원자량 크기 순으로 배열하였다.
> (나) 같은 족 원소는 양성자수가 같아 화학적 성질이 비슷하다.
> (다) 같은 주기 원소는 바닥 상태에서 전자가 들어 있는 전자 껍질 수가 같다.

학생 A가 옳지 않게 서술한 것을 있는 대로 고르고, 옳게 고쳐 쓰시오.

3 원소의 분류 대표 기출

05

그림은 주기율표의 일부를 나타낸 것이다.

족 주기	1	2	13	14	15	16	17	18
1	A							
2							B	
3	C						D	E

A~E에 대한 설명으로 옳은 것만을 〈보기〉에서 있는 대로 고른 것은? (단, A~E는 임의의 원소 기호이다.)

┤ 보기 ├
ㄱ. A와 C는 모두 알칼리 금속이다.
ㄴ. 비금속성은 B가 가장 크다.
ㄷ. 음이온이 되기 쉬운 원소는 3가지이다.

① ㄱ ② ㄴ ③ ㄱ, ㄷ
④ ㄴ, ㄷ ⑤ ㄱ, ㄴ, ㄷ

기출 포인트 | 주기율표에서 원소의 위치에 따른 설질을 알아야 한다.

06 고난도

다음은 몇 가지 원소들의 특징과 주기율표의 일부이다.

• A: 원자 번호가 가장 작다.
• B: 총 전자 수는 8개이다.
• C: E보다 양성자의 수가 1개 적다.
• D: B와 원자가 전자 수가 같다.
• E: 전자 껍질이 2개이며 단원자 분자이다.

족 주기	1	2	13	14	15	16	17	18
1								
2								
3								

원소 A~E를 주기율표에 표시할 때 연속적으로 세 개가 배열되는 원소로 옳은 것은? (단, A~E는 1~3주기 임의의 원소 기호이다.)

① A, B, C ② A, B, D ③ B, C, E
④ B, D, E ⑤ C, D, E

07

다음은 주기율표의 일부를 나타낸 것이다.

족 주기	1	2	13	14	15	16	17	18
2				A		B		
3	C						D	E

그림은 원소 A~E를 3가지 기준에 따라 분류한 벤 다이어그램이다.

[기준]
(가) 원자가 전자 수가 4개 이상이다.
(나) 전자가 채워진 전자 껍질 수가 3개이다.
(다) 칼륨과 이온 결합 물질을 형성할 수 있다.

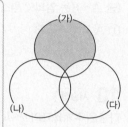

그림의 빗금 친 부분에 해당하는 원소만을 있는 대로 고른 것은? (단, A~E는 임의의 원소 기호이다.)

① A ② D ③ A, D
④ C, E ⑤ A, B, D

08

그림은 주기율표의 일부를 나타낸 것이다.

족 주기	1	2	13	14	15	16	17	18
1								
2	A	B					C	
3	D					E		

원소 A~E에 대한 설명으로 옳지 <u>않은</u> 것은? (단, A~E는 임의의 원소 기호이다.)

① A는 금속 원소이다.
② 원자 B의 양성자수는 2개이다.
③ 원자가 전자 수는 C가 가장 많다.
④ 원자 반지름은 D가 A보다 크다.
⑤ 안정한 이온 반지름은 E가 D보다 크다.

09

그림은 주기율표의 일부를 나타낸 것이다.

주기＼족	1	2	13	14	15	16	17	18
2	A						B	C
3	D						E	

A~E 중 −1가의 음이온이 되었을 때, 이온의 바닥상태 전자 배치에서 가장 바깥 전자 껍질의 전자 배치가 $2s^2 2p^6$인 원소는? (단, A~E는 임의의 원소 기호이다.)

① A   ② B   ③ C   ④ D   ⑤ E

10 서술형

다음은 주기율표의 a~h 위치에 들어갈 어떤 원소 (가), (나)의 특징을 정리한 자료이다.

주기＼족	1	2	⋯	16	17
2	a	b		c	d
3	e	f		g	h

- 바닥상태에서 전자 껍질 수는 (나)가 (가)보다 많다.
- 바닥상태에서 홀전자 수는 (가)가 (나)의 2배이다.
- 안정한 이온의 전자 배치는 (가)와 (나)가 같다.

a~h 중 (가), (나)의 위치를 골라 쓰시오.

11

그림은 주기율표의 일부를 나타낸 것이다.

주기＼족	1	2	13	14	15	16	17	18
1	A							
2	B			C		D		
3	E	F						

이에 대한 설명으로 옳은 것만을 〈보기〉에서 있는 대로 고른 것은? (단, A~F는 임의의 원소 기호이다.)

┤ 보기 ├
ㄱ. B는 E보다 금속성이 크다.
ㄴ. A와 C는 비금속 원소이다.
ㄷ. D는 F보다 원자가 전자 수가 많다.

① ㄱ   ② ㄷ   ③ ㄱ, ㄴ
④ ㄴ, ㄷ   ⑤ ㄱ, ㄴ, ㄷ

12

다음은 원자 A와 B의 전자 배치를 나타낸 것이다.

- A: $1s^2 2s^2 2p^3$
- B: $1s^2 2s^2 2p^6 3s^1 3p^4$

이에 대한 설명으로 옳은 것만을 〈보기〉에서 있는 대로 고른 것은? (단, A, B는 임의의 원소 기호이다.)

┤ 보기 ├
ㄱ. B는 바닥상태이다.
ㄴ. A와 B는 같은 족의 원소이다.
ㄷ. A와 B는 같은 주기의 원소이다.

① ㄱ   ② ㄴ   ③ ㄱ, ㄷ
④ ㄴ, ㄷ   ⑤ ㄱ, ㄴ, ㄷ

기출 포인트 | 원소의 전자 배치를 보고 원소의 주기와 족을 유추할 수 있어야 한다.

13

그림은 원자 A~D의 바닥상태 전자 배치에서 원자가 전자가 들어 있는 전자 껍질의 주 양자수와 원자가 전자 수를 나타낸 것이다.

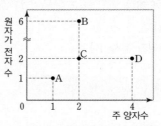

A~D에 대한 설명으로 옳지 <u>않은</u> 것은? (단, A~D는 원자 번호 1~20의 원소 중 하나이다.)

① A는 전자를 잃고 양이온이 되기 쉽다.
② B는 2주기에 속하는 원소이다.
③ 금속 원소는 2가지이다.
④ C와 D는 원자가 전자 수가 같다.
⑤ 바닥상태 전자 배치에서 홀전자 수는 D가 가장 크다.

14

표는 Ne 원자의 서로 다른 전자 배치 (가), (나)에서 각 전자 껍질에 있는 전자 수를 나타낸 것이다.

전자 배치	전자 껍질		
	K	L	M
(가)	2	8	0
(나)	2	7	1

이에 대한 설명으로 옳은 것만을 〈보기〉에서 있는 대로 고른 것은?

┤ 보기 ├
ㄱ. (가)에서 전자 껍질 L의 모든 오비탈은 에너지 준위가 같다.
ㄴ. (나)에서 전자가 들어 있는 오비탈의 수는 6개이다.
ㄷ. 전자 1개를 떼어 내는 데 필요한 최소 에너지는 (나)에서가 (가)에서보다 크다.

① ㄱ ② ㄴ ③ ㄷ
④ ㄱ, ㄴ ⑤ ㄴ, ㄷ

15 고난도

그림은 바닥상태 원자 (가)~(라)에 대해 전자가 들어 있는 오비탈 수와 홀전자 수를 나타낸 것이다.

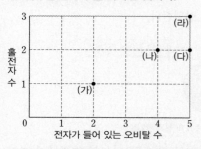

(가)~(라)에 대한 옳은 설명만을 〈보기〉에서 있는 대로 고른 것은?

┤ 보기 ├
ㄱ. (가)의 전자 배치는 $1s^2 2s^1$이다.
ㄴ. (나)와 (다)는 원자가 전자 수가 같다.
ㄷ. 원자 번호가 가장 큰 것은 (라)이다.

① ㄱ ② ㄴ ③ ㄱ, ㄴ
④ ㄴ, ㄷ ⑤ ㄱ, ㄴ, ㄷ

16

표는 원자 번호가 연속이고 2주기에 속한 바닥상태 원자 A~C에 대한 자료이다.

원자	A	B	C
원자가 전자 수 / 전자가 들어 있는 오비탈 수	1	1.2	1.4

A~C에 대한 설명으로 옳은 것만을 〈보기〉에서 있는 대로 고른 것은?

┤ 보기 ├
ㄱ. 전자가 들어 있는 오비탈 수는 모두 같다.
ㄴ. 홀전자 수는 B가 A보다 많다.
ㄷ. 원자 반지름은 C가 가장 크다.

① ㄱ ② ㄴ ③ ㄱ, ㄷ
④ ㄴ, ㄷ ⑤ ㄱ, ㄴ, ㄷ

[17~18] 표는 원자 A~D의 바닥상태 전자 배치에서 전자가 들어 있는 오비탈 수와 홀전자 수를 나타낸 것이다.

원자	s 오비탈 수	p 오비탈 수	홀전자 수
A	2	3	1
B	3	3	1
C	2	2	2
D	3	6	2

17 서술형

원자 A~D의 전자 배치를 오비탈 기호를 이용하여 나타내시오.

_____

_____

18

이에 대한 설명으로 옳은 것만을 〈보기〉에서 있는 대로 고른 것은?

┤ 보기 ├
ㄱ. A와 B는 같은 족 원소이다.
ㄴ. 원자 반지름은 C가 A보다 크다.
ㄷ. D의 안정한 이온은 D^{2+}이다.

① ㄴ ② ㄷ ③ ㄱ, ㄴ
④ ㄱ, ㄷ ⑤ ㄴ, ㄷ

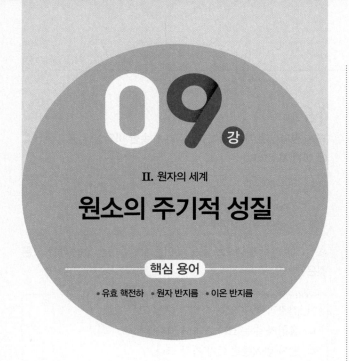

09 강

II. 원자의 세계

원소의 주기적 성질

핵심 용어

• 유효 핵전하 • 원자 반지름 • 이온 반지름

1 유효 핵전하

1. 유효 핵전하 원자 내의 전자들은 원자핵에 의해 끌리는 인력을 받고 있으며, 다전자 원자들은 원자핵과의 인력뿐 아니라 원자 내부 전자들 사이의 반발력을 동시에 받는다. 따라서 전자가 받는 핵전하는 실제 원자핵의 핵전하보다 작아지는데, 이를 유효 핵전하라고 한다.

[수소 원자의 유효 핵전하]

보어 원자 모형에 따르면 수소 원자의 전자는 K 전자 껍질에 1개밖에 없으므로 전자들 사이의 반발력은 없고 원자핵과 전자 사이의 인력만 존재한다. 따라서 수소 원자에서 전자에 작용하는 유효 핵전하는 양성자수에 의한 핵전하와 같은 +1이다.

> 핵전하를 가리는 전자가 없으므로 유효 핵전하는 +1이다.

[다전자 원자의 유효 핵전하]

전자가 2개 이상인 다전자 원자에서는 전자들 사이의 반발력이 작용하여 원자핵과 전자 사이의 인력이 약해진다. 따라서 다전자 원자에서 전자에 작용하는 유효 핵전하는 양성자수에 의한 핵전하보다 작다.

> 바깥 전자 껍질의 전자에 작용하는 유효 핵전하는 +8보다 작다.

2. 가려막기 효과 다전자 원자에서 다른 전자들에 의해 원자핵이 가려져서 전자에 작용하는 유효 핵전하가 양성자수에 의한 핵전하보다 작아지는 현상

• 가려막기 효과는 안쪽 전자 껍질에 있는 전자들뿐만 아니라, 같은 전자 껍질에 있는 다른 전자들에 의해서도 나타난다.

• 같은 전자 껍질에 있는 전자들에 의한 가려막기 효과보다 안쪽 전자 껍질에 있는 전자들에 의한 가려막기 효과가 더 크다.

3. 유효 핵전하의 주기성

• 같은 주기: 원자 번호가 커질수록 전자에 작용하는 유효 핵전하가 증가한다.

• 핵전하가 1 증가하면서 주기가 바뀔 때: 전자에 작용하는 유효 핵전하가 크게 감소한다.

자료 클리닉 ➕ 유효 핵전하의 주기성

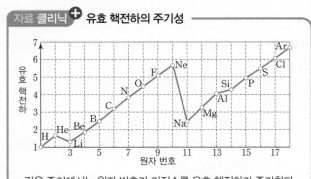

• 같은 주기에서는 원자 번호가 커질수록 유효 핵전하가 증가한다.
• 주기가 바뀔 때 유효 핵전하가 급격히 감소한다.

2 원자 반지름과 이온 반지름 개념 브릿지 유형 1

1. 원자 반지름

① **원자 반지름의 정의** 현대적 원자 모형에 따르면 원자의 경계가 분명하지 않으므로 원자 반지름의 크기를 정확하게 알 수 없다. 따라서 일반적으로 같은 종류의 두 원자가 결합되어 있을 때 두 원자핵 간 거리의 반을 원자 반지름으로 정의한다.

• 수소의 원자 반지름: 수소 분자(H_2)에서 수소 원자핵 간 거리의 $\frac{1}{2}$로 정의한다.

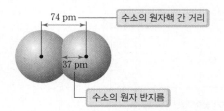

74 pm → 수소의 원자핵 간 거리
37 pm → 수소의 원자 반지름

• 금속 나트륨의 원자 반지름: 나트륨 결정에서 가장 가까운 원자핵 간 거리의 $\frac{1}{2}$로 정의한다.

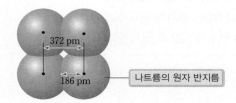

372 pm
186 pm → 나트륨의 원자 반지름

② 원자 반지름에 영향을 주는 요인
- 전자 껍질 수: 전자 껍질 수가 증가할수록 원자핵과 원자가 전자 사이의 거리가 멀어지므로 원자 반지름이 증가한다.
- 유효 핵전하: 유효 핵전하가 증가할수록 원자핵과 원자가 전자 사이의 정전기적 인력이 증가하므로 원자 반지름이 감소한다.

③ 원자 반지름의 주기성
- 같은 주기: 원자 번호가 커질수록 원자가 전자에 작용하는 유효 핵전하가 증가하므로 원자 반지름이 감소한다.
  예 $Li > Be > B$

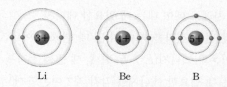

Li   Be   B

$Li \rightarrow Be \rightarrow B$로 갈수록 전자 껍질 수는 같고 양성자 수 증가 ➡ 유효 핵전하 증가 ➡ 원자핵과 전자 사이의 인력 증가 ➡ 원자 반지름 감소

- 같은 족: 원자 번호가 커질수록 전자 껍질 수가 증가하므로 원자 반지름이 증가한다.
  예 $Li < Na < K$

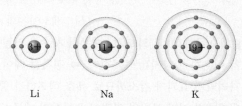

Li   Na   K

$Li - Na - K$으로 갈수록 전자 껍질 수 증가 ➡ 원자 핵과 전자 사이의 거리 멀어짐 ➡ 원자핵과 전자 사이의 인력 감소 ➡ 원자 반지름 증가

자료 클리닉 ➕ 원자 반지름의 주기성

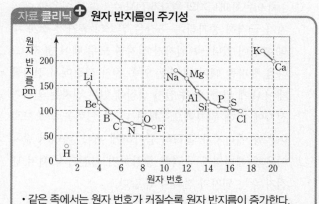

- 같은 족에서는 원자 번호가 커질수록 원자 반지름이 증가한다.
- 같은 주기에서는 원자 번호가 커질수록 원자 반지름이 감소한다.

2. 이온 반지름

① 양이온 반지름 금속 원소의 원자가 안정한 양이온이 되면 전자 껍질 수가 감소하므로 양이온 반지름은 원자 반지름보다 작아진다.
  예 $Na > Na^+, Ca > Ca^{2+}$

② 음이온 반지름 비금속 원소의 원자가 안정한 음이온이 되면 전자 수가 증가하여 전자 사이의 반발력이 증가하므로 음이온 반지름은 원자 반지름보다 커진다.
  예 $Cl < Cl^-, O < O^{2-}, F < F^-$

염소(Cl) 원자가 염화 이온(Cl^-)이 될 때, M 전자 껍질의 전자 수가 7에서 8로 증가하여 전자 사이의 반발력이 증가하고, 유효 핵전하가 감소한다. 따라서 반지름은 $Cl < Cl^-$이다.

Cl   Cl⁻

③ 이온 반지름의 주기성
- 금속 양이온은 같은 주기에서 원자 번호가 커질수록 유효 핵전하가 증가하므로 이온 반지름이 작아진다. 이러한 경향은 비금속 음이온에서도 나타난다.
- 같은 족에서 양이온과 음이온은 원자 번호가 커질수록 전자 껍질 수가 증가하므로 이온 반지름이 커진다.

④ 등전자 이온의 반지름 비교 등전자 이온은 전자 껍질 수와 전자 수가 같으므로 가려막기 효과의 크기가 같다. 따라서 등전자 이온은 양성자수에 의한 핵전하가 클수록, 즉 원자 번호가 커질수록 유효 핵전하가 증가하므로 이온 반지름이 작아진다.
  예 • $O^{2-} > F^- > Na^+ > Mg^{2+}$ ➡ 전자 배치가 Ne과 같은 이온들
  • $S^{2-} > Cl^- > K^+ > Ca^{2+}$ ➡ 전자 배치가 Ar와 같은 이온들

탐구 클리닉 ➕ 유효 핵전하와 원자 반지름의 주기성

- 2주기와 3주기 원소들의 유효 핵전하와 원자 반지름

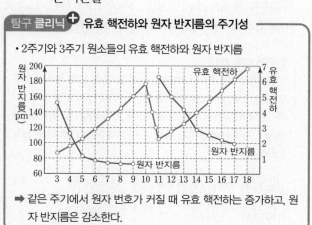

➡ 같은 주기에서 원자 번호가 커질 때 유효 핵전하는 증가하고, 원자 반지름은 감소한다.

3 이온화 에너지 개념 브릿지 유형 2

1. 이온화 에너지 기체 상태의 원자 1몰에서 전자 1몰을 떼어 내는 데 필요한 에너지

$$M(g) + E \longrightarrow M^+(g) + e^- \quad (E: \text{이온화 에너지})$$

2. 이온화 에너지의 주기성 원자핵과 전자 사이의 인력이 강할수록 이온화 에너지가 증가한다.

① 같은 주기 원자 번호가 커질수록 이온화 에너지가 대체로 증가한다. ➡ 원자 번호가 커질수록 유효 핵전하가 증가하여 원자핵과 전자 사이의 인력이 커지기 때문이다.

② 같은 족 원자 번호가 커질수록 이온화 에너지가 감소한다. ➡ 원자 번호가 커질수록 전자 껍질 수가 커져 원자핵과 전자 사이의 인력이 작아지기 때문이다.

탐구 클리닉 ➕ 이온화 에너지의 주기성

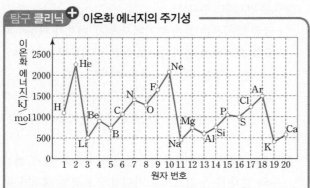

- 같은 주기에서 원자 번호가 커질수록 이온화 에너지가 대체로 증가한다. (예외: 2족과 13족, 15족과 16족)
- 같은 족에서 원자 번호가 커질수록 이온화 에너지는 감소한다.

3. 이온화 에너지의 주기성 예외 같은 주기에서 원자 번호가 커질수록 대체로 증가하지만, 2족과 13족 사이, 15족과 16족 사이에서는 예외적인 경향이 나타난다.

[2족과 13족 사이]
2주기에서 2족 원소인 베릴륨(Be)은 $1s^2 2s^2$, 13족 원소인 붕소(B)는 $1s^2 2s^2 2p^1$의 전자 배치를 갖는다. 이때 $2p$ 오비탈의 에너지가 $2s$ 오비탈의 에너지보다 높으므로 $2s$ 오비탈보다 $2p$ 오비탈에서 전자를 떼어 내기가 더 쉽다. 따라서 이온화 에너지는 B가 Be보다 작다.

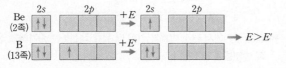

[15족과 16족 사이]
2주기에서 15족 원소인 질소(N)는 $1s^2 2s^2 2p_x^1 2p_y^1$, $2p_z^1$, 16족 원소인 산소(O)는 $1s^2 2s^2 2p_x^2 2p_y^1 2p_z^1$의 전자 배치를 갖는다. 이때 16족 원소는 $2p_x$ 오비탈의 전자가 쌍을 이루고 있어 전자 사이의 반발력 때문에 15족 원소보다 전자를 떼어 내기가 더 쉽다. 따라서 이온화 에너지는 O가 N보다 작다.

N
(15족) ![] 2s ![↑↓] 2p ![↑ ↑ ↑] $\xrightarrow{+E}$ 2s ![↑↓] 2p ![↑ ↑]
O
(16족) ![] 2s ![↑↓] 2p ![↑↓ ↑ ↑] $\xrightarrow{+E'}$ 2s ![↑↓] 2p ![↑ ↑ ↑]   ➡ $E > E'$

4. 순차 이온화 에너지 개념 브릿지 유형 3

① 순차 이온화 에너지 기체 상태의 원자에서 전자를 1몰씩 차례로 떼어 내는 데 필요한 에너지
- 첫 번째 전자를 떼어 내는 데 필요한 에너지를 제1 이온화 에너지(E_1), 두 번째, 세 번째 전자를 떼어 내는 데 필요한 에너지를 각각 제2 이온화 에너지(E_2), 제3 이온화 에너지(E_3)라고 한다.

$$M(g) + E_1 \longrightarrow M^+(g) + e^-$$
$$(E_1: \text{제1 이온화 에너지})$$
$$M^+(g) + E_2 \longrightarrow M^{2+}(g) + e^-$$
$$(E_2: \text{제2 이온화 에너지})$$
$$M^{2+}(g) + E_3 \longrightarrow M^{3+}(g) + e^-$$
$$(E_3: \text{제3 이온화 에너지})$$

② 순차 이온화 에너지의 크기 이온화 차수가 커질수록 순차 이온화 에너지는 증가한다. ➡ 전자를 떼어 낼수록 가려막기 효과가 감소하므로 유효 핵전하가 증가하여 원자핵과 전자 사이의 인력이 증가하기 때문이다.

순차 이온화 에너지의 크기: $E_1 < E_2 < E_3 < E_4 < \cdots$

③ 순차 이온화 에너지와 원자가 전자 수 순차 이온화 에너지가 급격히 증가하는 구간은 원소의 원자가 전자 수와 관련이 있다. ➡ 원자가 전자를 모두 떼어 낸 후, 그 다음 전자를 떼어 낼 때는 안쪽 전자 껍질에서 전자를 떼어 내게 된다. 안쪽 전자 껍질에 있는 전자는 원자가 전자에 비해 원자핵으로부터 더 큰 인력을 받으므로 이온화 에너지가 급격히 증가하게 된다. 따라서 순차 이온화 에너지가 급격히 증가하기 직전까지 떼어 낸 전자 수는 원자가 전자 수와 같다.

5. 주기율표에서 원소의 주기적 경향 주기율표에서 왼쪽 아래로 갈수록 원자 반지름은 증가하고 이온화 에너지는 대체로 감소하며, 오른쪽 위로 갈수록 원자 반지름은 감소하고 이온화 에너지는 대체로 증가하는 경향이 있다.

내신 기초

1 수소 원자에서 전자에 작용하는 유효 핵전하는 +1이다. ……
…………………………………………………………… (○, ×)

2 헬륨 원자에서 전자에 작용하는 유효 핵전하는 +2이다. ……
…………………………………………………………… (○, ×)

3 같은 주기에서 원자 번호가 커질수록 전자에 작용하는 유효
핵전하가 증가한다. ……………………………………… (○, ×)

4

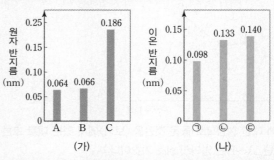

F → Ne → Na

유효 핵전하 [   ]   유효 핵전하 크게 [   ]

5 원자 반지름의 크기 비교하기
(1) Li [   ] Be [   ] B
(2) Li [   ] Na [   ] K

6 원자 반지름과 이온 반지름의 크기 비교하기
(1) Na [   ] Na$^+$
(2) Cl [   ] Cl$^-$
(3) O [   ] O^{2-}

7 같은 족에서는 원자 번호가 커질수록 [ ] [ ] 수가 증가
하므로 원자 반지름이 [ ]한다.

8 같은 주기에서는 원자 번호가 커질수록 원자가 전자에 작용
하는 [ ] [ ] 가 증가하므로 원자 반지름이 [ ]한다.

9 원자가 안정한 양이온이 되면 반지름이 증가하고, 안정한 음
이온이 되면 반지름이 감소한다. …………………… (○, ×)

10 전자 수가 같은 이온의 경우, 원자 번호가 클수록 이온 반지
름이 크다. ………………………………………………… (○, ×)

11 등전자 이온의 반지름 비교하기
(1) O^{2-} [   ] F$^-$ [   ] Na$^+$ [   ] Mg^{2+}
(2) S^{2-} [   ] Cl$^-$ [   ] K$^+$ [   ] Ca^{2+}

답 1 ○ 2 × 3 ○ 4 증가, 감소 5 (1) >, > (2) <, < 6 (1) > (2) < (3) <
7 전자 껍질, 증가 8 유효 핵전하, 감소 9 × 10 ×
11 (1) >, >, >, > (2) >, >, >, >

개념 브릿지 유형

개념과 문제의 연결고리 찾기!!

1 원자 반지름과 이온 반지름

그림 (가)는 2, 3주기 원소 A~C의 원자 반지름을, (나)는 A~C
가 이온화되어 네온(Ne)의 전자 배치를 갖는 이온 ㉠~㉢이 되
었을 때의 이온 반지름을 크기 순으로 나타낸 것이다.

원자 반지름 (nm)	A: 0.064, B: 0.066, C: 0.186 (0.25, 0.15, 0.10, 0.05)	이온 반지름 (nm) ㉠: 0.098, ㉡: 0.133, ㉢: 0.140 (0.15, 0.10, 0.05)
	(가)	(나)

이에 대한 설명으로 옳은 것만을 〈보기〉에서 있는 대로 고른 것
은? (단, A~C는 임의의 원소 기호이다.)

┤ 보기 ├
ㄱ. (가)에서 2주기 원소는 2개이다.
ㄴ. B 원자의 이온은 ㉡이다.
ㄷ. 양성자수는 ㉠이 ㉢보다 크다.

① ㄴ   ② ㄷ   ③ ㄱ, ㄴ
④ ㄱ, ㄷ   ⑤ ㄱ, ㄴ, ㄷ

개념으로 문제 접근하기

- 같은 주기에서: 원자 번호가 클수록 원자 반지름 감소
- 같은 족에서: 원자 번호가 클수록 원자 반지름 증가
- 2, 3주기 원소 A, B, C가 이온화될 때 원자 반지름과 이온 반
지름을 비교하면 C의 원자 반지름보다 큰 이온 반지름이 존재
하지 않으므로 C의 이온은 양이온이어야 한다. A와 B의 원
자 반지름보다 작은 이온 반지름이 존재하지 않으므로 A와
B의 이온은 음이온이다. A, B, C의 이온은 모두 네온의 전자
배치를 가지므로 A와 B는 2주기 원소, C는 3주기 원소이다.

┈┈┈┈┈┈┈┈┈┈┈┈┈┈┈┈

| 보기 분석 |
ㄱ. (가)에서 2주기 원소는 2개이다. ➡ (가)에서 2주기 원소는 A와
B, 2개이다.
ㄴ. B 원자의 이온은 ㉡이다. ➡ B 원자의 이온은 ㉢이다.
ㄷ. 양성자수는 ㉠이 ㉢보다 크다. ➡ A~C의 이온은 전자 수가 같
은 등전자 이온으로 이온의 반지름 크기는 양성자수가 큰 이온
이 양성자수가 작은 이온보다 작다. 따라서 양성자수는 ㉠이 가
장 크다.

답 ④

2 이온화 에너지의 주기성

그림은 원자 번호가 연속인 2, 3주기 원소의 이온화 에너지를 나타낸 것이다.

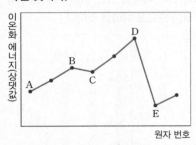

A~E에 대한 설명으로 옳은 것만을 〈보기〉에서 있는 대로 고른 것은? (단, A~E는 임의의 원소 기호이다.)

┤ 보기 ├
ㄱ. A와 E는 같은 족 원소이다.
ㄴ. 바닥상태 전자 배치에서 홀전자 수는 C가 B보다 크다.
ㄷ. B와 C가 D와 같은 전자 배치를 갖는 이온이 되면, 이온 반지름은 B 이온이 C 이온보다 크다.

① ㄱ   ② ㄷ   ③ ㄱ, ㄴ
④ ㄴ, ㄷ   ⑤ ㄱ, ㄴ, ㄷ

개념으로 문제 접근하기

• 같은 주기: 원자 번호가 커질수록 이온화 에너지 대체로 증가 (예외: 2족과 13족, 15족과 16족)
• 같은 족: 원자 번호가 커질수록 이온화 에너지 감소
• 원자 번호가 연속이므로 이온화 에너지가 가장 큰 D는 18족 원소인 네온(Ne)이고, 가장 작은 E는 3주기 1족 원소인 나트륨(Na)이다. 따라서 A는 붕소(B), B는 질소(N), C는 산소(O)이다.

| 보기 분석 |
ㄱ. A와 E는 같은 족 원소이다. ➡ A(B)는 13족 원소, E(Na)는 1족 원소로 서로 다른 족 원소이다.
ㄴ. 바닥상태 전자 배치에서 홀전자 수는 C가 B보다 크다. ➡ B의 홀전자 수는 3, C의 홀전자 수는 2이다.
ㄷ. B와 C가 D와 같은 전자 배치를 갖는 이온이 되면, 이온 반지름은 B 이온이 C 이온보다 크다. ➡ B와 C가 D와 같은 전자 배치를 갖는 이온이 되면 등전자 이온이 된다. 등전자 이온은 원자 번호가 클수록 이온 반지름이 작으므로 이온 반지름은 B 이온이 C 이온보다 크다.

답 ②

3 순차 이온화 에너지

그림은 3주기 원소 A~C에 대해 각각의 제4 이온화 에너지를 100으로 하여 순차 이온화 에너지의 상대값을 나타낸 것이다.

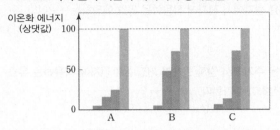

A~C에 대한 설명으로 옳은 것만을 〈보기〉에서 있는 대로 고른 것은? (단, A~C는 임의의 원소 기호이다.)

┤ 보기 ├
ㄱ. 원자가 전자 수는 A가 가장 많다.
ㄴ. 원자 반지름은 B가 가장 크다.
ㄷ. 제1 이온화 에너지는 C가 A보다 크다.

① ㄱ   ② ㄴ   ③ ㄱ, ㄷ
④ ㄴ, ㄷ   ⑤ ㄱ, ㄴ, ㄷ

개념으로 문제 접근하기

• 순차 이온화 에너지: 기체 상태의 원자에서 전자를 1몰씩 차례로 떼어 내는 데 필요한 에너지
• 순차 이온화 에너지의 크기: $E_1 < E_2 < E_3 < E_4 < \cdots$
• A는 제3 이온화 에너지와 제4 이온화 에너지의 크기 차이가 크므로 13족, B는 제1 이온화 에너지와 제2 이온화 에너지의 크기 차이가 크므로 1족, C는 제2 이온화 에너지와 제3 이온화 에너지의 크기 차이가 크므로 2족 원소이다.

| 보기 분석 |
ㄱ. 원자가 전자 수는 A가 가장 많다. ➡ 원자가 전자 수는 A가 3개, B가 1개, C가 2개로 A가 가장 많다.
ㄴ. 원자 반지름은 B가 가장 크다. ➡ 같은 주기에서 원자 번호가 증가할수록 원자 반지름이 감소하므로 1족 원소가 원자 반지름이 가장 크다. B가 1족 원소이므로 원자 반지름은 B가 가장 크다.
ㄷ. 제1 이온화 에너지는 C가 A보다 크다. ➡ C의 제1 이온화 에너지는 $3s$ 오비탈에서 전자를 떼어 낼 때 필요한 에너지이고, A의 제1 이온화 에너지는 $3s$ 오비탈보다 에너지 준위가 높은 $3p$ 오비탈에서 전자를 떼어 낼 때 필요한 에너지이다. 따라서 제1 이온화 에너지는 C가 A보다 크다.

답 ⑤

1 유효 핵전하 　　　　　　　　　　대표 기출

01

그림은 2주기와 3주기 원소의 족에 따른 유효 핵전하를 순서없이 나타낸 것이다.

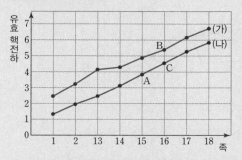

이에 대한 설명으로 옳은 것만을 〈보기〉에서 있는 대로 고른 것은? (단, A~C는 임의의 원소 기호이다.)

┤ 보기 ├
ㄱ. (가)는 2주기 원소이다.
ㄴ. 원자 반지름은 A가 C보다 크다.
ㄷ. 이온화 에너지는 B가 C보다 크다.

① ㄱ　　　　② ㄴ　　　　③ ㄱ, ㄷ
④ ㄴ, ㄷ　　　⑤ ㄱ, ㄴ, ㄷ

기출 포인트 | 같은 족에서 유효 핵전하의 주기성을 알고, 이를 원소들의 다른 경향과 연관지을 수 있어야 한다.

02

그림은 원자 A~D의 이온 반지름을 나타낸 것이다. A~D의 이온은 모두 Ne의 전자 배치를 가지며, 원자 번호는 각각 8, 9, 11, 12 중 하나이다.

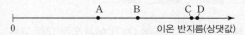

이에 대한 설명으로 옳은 것만을 〈보기〉에서 있는 대로 고른 것은?

┤ 보기 ├
ㄱ. 원자 반지름은 C가 가장 작다.
ㄴ. 원자가 전자가 느끼는 유효 핵전하는 D가 C보다 크다.
ㄷ. A와 C는 1 : 1로 결합하여 안정한 화합물을 형성한다.

① ㄱ　　　　② ㄴ　　　　③ ㄱ, ㄷ
④ ㄴ, ㄷ　　　⑤ ㄱ, ㄴ, ㄷ

03

그림은 원자 번호가 연속적으로 증가하는 2, 3주기 원소 A~D의 유효 핵전하를 나타낸 것이다.

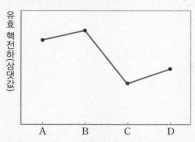

A~D에 대한 설명으로 옳은 것만을 〈보기〉에서 있는 대로 고른 것은? (단, A~D는 임의의 원소 기호이다.)

┤ 보기 ├
ㄱ. 금속 원소는 2가지이다.
ㄴ. 원자 반지름은 C가 가장 크다.
ㄷ. 이온화 에너지는 B가 가장 크다.

① ㄱ　　　　② ㄷ　　　　③ ㄱ, ㄴ
④ ㄴ, ㄷ　　　⑤ ㄱ, ㄴ, ㄷ

04

그림은 원자 A~D가 Ne과 같은 전자 배치를 갖는 이온이 되었을 때의 이온 반지름을 나타낸 것이다. A~D는 각각 O, F, Na, Mg 중 하나이다.)

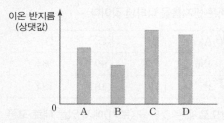

이에 대한 설명으로 옳은 것만을 〈보기〉에서 있는 대로 고른 것은?

┤ 보기 ├
ㄱ. C는 Na이다.
ㄴ. 원자가 전자가 느끼는 유효 핵전하는 B > A이다.
ㄷ. C와 D는 같은 주기 원소이다.

① ㄱ　　　　② ㄴ　　　　③ ㄷ
④ ㄱ, ㄴ　　　⑤ ㄴ, ㄷ

2 원자 반지름과 이온 반지름　　　대표 기출

05

그림은 몇 가지 원소들의 원자 반지름과 안정한 이온의 반지름 크기를 나타낸 것이다.

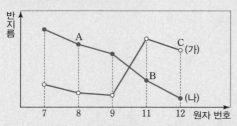

이에 대한 설명으로 옳은 것만을 〈보기〉에서 있는 대로 고른 것은? (단, A∼C는 원자나 이온을 나타낸 기호이다.)

┤ 보기 ├
ㄱ. (가)는 이온 반지름, (나)는 원자 반지름이다.
ㄴ. A와 B로 이루어진 화합물의 화학식은 B_2A이다.
ㄷ. A와 C의 전자 껍질 수는 같다.

① ㄱ　　　　　② ㄴ　　　　　③ ㄱ, ㄴ
④ ㄱ, ㄷ　　　　⑤ ㄴ, ㄷ

┌─────────────────────────────
기출 포인트 | 이온 반지름과 원자 반지름의 그래프를 분석하여 이온 반지름과 원자 반지름의 특징을 비교하고, 원자와 이온의 특성과도 연관지어 생각할 수 있어야 한다.
└─────────────────────────────

06 고난도

표는 같은 주기의 원소 A∼D의 원자 반지름과 이들이 안정한 이온이 되었을 때의 이온 반지름을 나타낸 것이다.

원소	A	B	C	D
원자 반지름(pm)	186	160	99	104
이온 반지름(pm)	x	72	181	184

A∼D에 대한 설명으로 옳은 것만을 〈보기〉에서 있는 대로 고른 것은? (단, A∼D는 임의의 원소 기호이다.)

┤ 보기 ├
ㄱ. 원자 번호는 A가 가장 크다.
ㄴ. x는 72보다 크다.
ㄷ. 금속 원소는 2가지이다.

① ㄱ　　　　　② ㄴ　　　　　③ ㄱ, ㄷ
④ ㄴ, ㄷ　　　　⑤ ㄱ, ㄴ, ㄷ

07 서술형

그림에서 (가)∼(다)는 몇 가지 원소의 원자 반지름, 원자가 전자의 유효 핵전하, Ne의 전자 배치를 갖는 이온의 반지름 중 하나를 각각 나타낸 것이다.

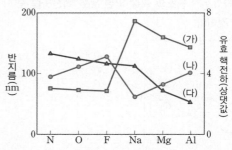

(1) (가)∼(다)에 해당하는 것을 각각 쓰시오.

(2) (가)의 그래프가 감소하다가 중간에 증가하는 까닭을 서술하시오.

08

그림은 원소 A∼D의 상대적인 원자 반지름과 이온 반지름을 나타낸 것이다. 이온의 전자 배치는 모두 네온 원자와 같다.

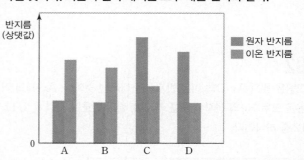

A∼D에 대한 설명으로 옳은 것만을 〈보기〉에서 있는 대로 고른 것은? (단, A∼D는 임의의 원소 기호이다.)

┤ 보기 ├
ㄱ. A와 B는 금속 원소이다.
ㄴ. B와 C는 같은 주기 원소이다.
ㄷ. 원자 번호가 가장 큰 것은 D이다.

① ㄱ　　　　　② ㄷ　　　　　③ ㄱ, ㄴ
④ ㄴ, ㄷ　　　　⑤ ㄱ, ㄴ, ㄷ

09 고난도

그림은 3주기 원소 A~C의 안정한 이온의 반지름과 원자 반지름의 비를 나타낸 것이다.

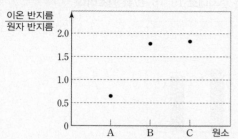

이에 대한 설명으로 옳은 것만을 〈보기〉에서 있는 대로 고른 것은? (단, A~C는 임의의 원소 기호이다.)

┤ 보기 ├
ㄱ. B는 비금속 원소이다.
ㄴ. 안정한 이온의 전자 배치는 A와 C가 같다.
ㄷ. 중성 원자에서 원자가 전자가 느끼는 유효 핵전하는 A>B이다.

① ㄱ   ② ㄷ   ③ ㄱ, ㄴ
④ ㄴ, ㄷ   ⑤ ㄱ, ㄴ, ㄷ

10

다음 중 플루오린(F), 나트륨(Na), 마그네슘(Mg)의 원자 반지름과 이온 반지름을 옳게 나타낸 것은? (단, 이온의 전자 배치는 모두 Ne과 같다.)

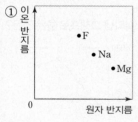
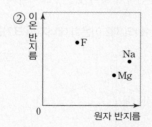
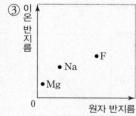
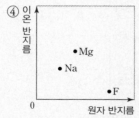
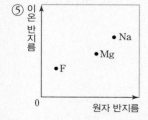

11

다음은 철수가 원자 반지름의 주기적 변화를 학습한 후, 이를 토대로 가설을 세우고 자료 분석을 수행한 결과이다.

[학습 내용]
• 원자 반지름은 같은 주기에서 원자 번호가 클수록 작아진다.
• 그 까닭은 원자가 전자에 작용하는 유효 핵전하가 커지기 때문이다.

[가설]

[자료 분석 결과]
• 이온 반지름: $_8O^{2-} > _9F^- > _{11}Na^+ > _{12}Mg^{2+}$
• 이온 반지름: $_{16}S^{2-} > _{17}Cl^- > _{19}K^+ > _{20}Ca^{2+}$

철수가 자료 분석을 통해 검증하고자 했던 가설로 가장 적절한 것은?
① 중성자가 많을수록 원자 반지름은 커진다.
② 분자량이 클수록 원자 반지름은 작아진다.
③ 전자들 사이의 반발력이 클수록 원자 반지름은 커진다.
④ p 오비탈의 수가 클수록 전자 수가 같은 이온의 반지름은 작아진다.
⑤ 전자 수가 같은 이온의 경우 원자핵의 전하량이 클수록 이온 반지름은 작아진다.

12 서술형

그림은 원자 번호 1~20인 원소의 주기율표를 나타낸 것이다.

족 주기	1	2	13	14	15	16	17	18
1	H							He
2	Li	Be	B	C	N	O	F	Ne
3	Na	Mg	Al	Si	P	S	Cl	Ar
4	K	Ca						

위의 원소 중 원자 반지름이 가장 큰 원소는 무엇인지 쓰고, 그렇게 생각한 까닭을 서술하시오.

3 이온화 에너지 · 대표 기출

13

그림은 2, 3주기 원소 A~E의 순차 이온화 에너지를 상댓값으로 나타낸 것이다. A~E는 각각 F, Ne, Na, Mg, Al 중 하나이다.

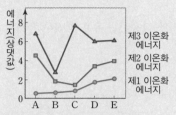

이에 대한 설명으로 옳은 것만을 〈보기〉에서 있는 대로 고른 것은?

| 보기 |
ㄱ. 원자가 전자 수는 A<B<C이다.
ㄴ. 원자 반지름은 A가 D보다 크다.
ㄷ. C와 E는 같은 주기 원소이다.

① ㄱ ② ㄴ ③ ㄱ, ㄷ
④ ㄴ, ㄷ ⑤ ㄱ, ㄴ, ㄷ

기출 포인트 | 순차 이온화 에너지를 나타낸 그래프를 분석하여 원소의 특성을 유추할 수 있어야 한다.

14 고난도

그림은 3, 4주기 원소 A~D의 순차적 이온화 에너지(E_n)를 나타낸 것이다. A~D는 원자 번호 11~20의 원소 중 하나이다.

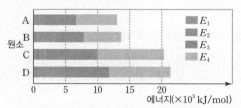

이에 대한 설명으로 옳은 것만을 〈보기〉에서 있는 대로 고른 것은? (단, A~D는 임의의 원소 기호이다.)

| 보기 |
ㄱ. A와 B는 3주기 원소이다.
ㄴ. B와 D의 원자가 전자 수는 같다.
ㄷ. 안정한 이온의 반지름은 C가 D보다 크다.

① ㄱ ② ㄴ ③ ㄱ, ㄷ
④ ㄴ, ㄷ ⑤ ㄱ, ㄴ, ㄷ

15

그림은 2, 3주기 원소 A~C의 제1 이온화 에너지를 나타낸 것이다. A, B, C는 순서대로 15, 16, 17족 원소이다.

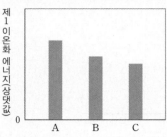

이에 대한 설명으로 옳은 것만을 〈보기〉에서 있는 대로 고른 것은? (단, A~C는 임의의 원소 기호이다.)

| 보기 |
ㄱ. A는 3주기 원소이다.
ㄴ. 제2 이온화 에너지는 B가 A보다 크다.
ㄷ. B와 C가 안정한 이온일 때 전자 배치는 같다.

① ㄱ ② ㄴ ③ ㄷ
④ ㄱ, ㄴ ⑤ ㄴ, ㄷ

16

다음은 원자 번호가 연속인 2주기 바닥 상태 원자 A~D의 자료이며, 원자 번호는 D>C>B>A이다.

· 원자 A~D의 홀전자 수의 합은 8이다.
· 전자가 들어 있는 p 오비탈의 수는 원자 C가 B보다 크다.

A~D의 제2 이온화 에너지의 크기를 나타낸 그래프로 옳은 것은?

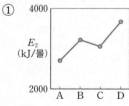 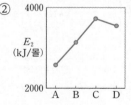
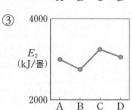 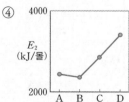
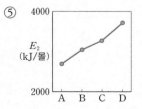

17 고난도

표는 원자 X, Y의 전자 배치를, 그림은 2~3주기 원소 A~C의 순차 이온화 에너지를 나타낸 것이다.

원자	전자 배치
X	$1s^2 2s^2 2p^6 3s^1$
Y	$1s^2 2s^2$

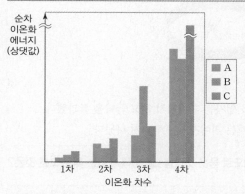

이에 대한 설명으로 옳은 것만을 〈보기〉에서 있는 대로 고른 것은? (단, A~C, X, Y는 임의의 원소 기호이다.)

┤ 보기 ├
ㄱ. 원자 반지름은 X가 A보다 크다.
ㄴ. $\dfrac{\text{제3 이온화 에너지}}{\text{제2 이온화 에너지}}$는 Y가 C보다 크다.
ㄷ. 바닥 상태의 X와 B는 전자가 들어 있는 오비탈 수가 같다.

① ㄱ   ② ㄷ   ③ ㄱ, ㄴ
④ ㄴ, ㄷ   ⑤ ㄱ, ㄴ, ㄷ

18 서술형

그림은 원자 번호가 연속인 2주기 원자 X~Z의 제1, 제2 이온화 에너지를 나타낸 것이다. 원자 번호는 X < Y < Z이다.

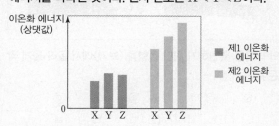

X~Z의 원소 기호를 쓰시오.

19

표는 2, 3주기 원소 A~C의 순차 이온화 에너지(E_n)를 나타낸 것이다.

원소	순차 이온화 에너지(E_n, 10^3 kJ/몰)			
	E_1	E_2	E_3	E_4
A	0.58	1.82	2.74	11.58
B	0.74	1.45	7.73	10.54
C	0.80	2.43	3.68	25.03

A~C에 대한 설명으로 옳은 것만을 〈보기〉에서 있는 대로 고른 것은? (단, A~C는 임의의 원소 기호이다.)

┤ 보기 ├
ㄱ. B는 원자가 전자 수가 2이다.
ㄴ. A와 B는 같은 주기 원소이다.
ㄷ. A와 C는 같은 족 원소이다.

① ㄱ   ② ㄴ   ③ ㄱ, ㄷ
④ ㄴ, ㄷ   ⑤ ㄱ, ㄴ, ㄷ

20

다음은 2, 3주기 원소 A~C의 바닥상태 원자에 대한 자료이다.

- A~C의 홀전자 수의 합은 8이다.
- A~C의 전자가 들어 있는 오비탈 수의 합은 23이다.
- 제1 이온화 에너지는 A > B > C이다.

이에 대한 설명으로 옳은 것만을 〈보기〉에서 있는 대로 고른 것은? (단, A~C는 임의의 원소 기호이다.)

┤ 보기 ├
ㄱ. A는 16족 원소이다.
ㄴ. 원자 반지름은 B가 A보다 크다.
ㄷ. 원자가 전자가 느끼는 유효 핵전하는 B가 C보다 크다.

① ㄱ   ② ㄴ   ③ ㄱ, ㄷ
④ ㄴ, ㄷ   ⑤ ㄱ, ㄴ, ㄷ

01

다음은 원자의 구성 입자들을 발견한 실험이다.

[톰슨의 음극선 실험]
진공 방전관의 양쪽 전극에 높은 전압을 걸어 주면 (−)극에서 (+)극으로 향하는 음극선이 관찰되며, 외부에서 전기장을 걸어 주면 음극선이 휘어진다. 이것으로 음극선은 (−)전하를 띤 입자의 흐름이며, 이 입자는 원자로부터 튀어나온 것임이 밝혀졌다.

[러더퍼드의 α 입자 산란 실험]
α 입자를 얇은 금박에 충돌시키면 대부분의 입자는 금박을 통과하지만 소수는 옆으로 휘고 극소수는 정반대편으로 튕겨 나온다. 이것으로 원자의 중심에는 크기가 매우 작지만 원자 질량의 대부분을 차지하는 (+)전하를 띤 입자가 존재한다는 것이 밝혀졌다.

두 실험으로 각각 발견된 입자들이 모두 표현된 원자 모형만을 〈보기〉에서 있는 대로 고른 것은?

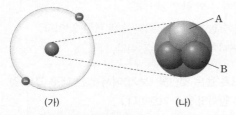

┤ 보기 ├
ㄱ. ... 전자   ㄴ. ... 원자핵   ㄷ. ...

① ㄱ   ② ㄷ   ③ ㄱ, ㄴ   ④ ㄴ, ㄷ   ⑤ ㄱ, ㄴ, ㄷ

02

그림은 우주에 존재하는 헬륨 원자($^3_2$He)의 구성 입자를 모형으로 나타낸 것이다.

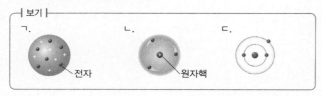

(가)   (나)

이에 대한 설명으로 옳은 것만을 〈보기〉에서 있는 대로 고른 것은?

┤ 보기 ├
ㄱ. 위 헬륨 원자의 질량수는 3이다.
ㄴ. (나)에서 A와 B는 강한 힘에 의해 결합되어 있다.
ㄷ. (나)에서 A는 양성자이다.

① ㄱ   ② ㄷ   ③ ㄱ, ㄴ   ④ ㄴ, ㄷ   ⑤ ㄱ, ㄴ, ㄷ

03

다음은 러더퍼드의 α 입자 산란 실험이다.

[실험 장치]

α 입자
산란된 α 입자
α 입자원
금박
형광 스크린

[실험 결과]
• 대부분의 α 입자는 휘어지지 않고 금박을 통과했다.
• 일부 α 입자는 휘어지거나 튕겨져 나왔다.

이에 대한 설명으로 옳은 것만을 〈보기〉에서 있는 대로 고른 것은?

┤ 보기 ├
ㄱ. α 입자는 전기적으로 중성이다.
ㄴ. 원자의 (+)전하는 원자핵에 밀집되어 있다.
ㄷ. 원자 내부에 질량이 크고 부피가 매우 작은 입자가 존재함을 알 수 있다.

① ㄱ   ② ㄴ   ③ ㄷ   ④ ㄱ, ㄴ   ⑤ ㄴ, ㄷ

04

다음은 원자를 구성하는 입자에 대한 자료이다.

TV의 영상 표시 장치에 활용되기도 하는 이 입자의 흐름은 ⓐ직진하는 성질이 있으며, ⓑ전기장에서는 (+)극 쪽으로 휘어진다. ⓒ수소 스펙트럼을 해석하여 이 입자가 불연속적인 에너지 준위를 가진다는 것을 알게 되었고, 이는 새로운 원자 모형을 제시하는 근거가 되었다.

┤ 보기 ├

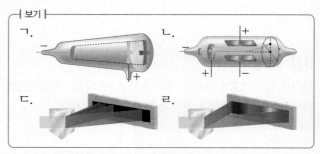

ㄱ.   ㄴ.   ㄷ.   ㄹ.

ⓐ~ⓒ의 내용을 확인하기 위한 실험을 〈보기〉에서 골라 옳게 짝지은 것은?

	ⓐ	ⓑ	ⓒ		ⓐ	ⓑ	ⓒ
①	ㄱ	ㄴ	ㄷ	②	ㄱ	ㄴ	ㄹ
③	ㄴ	ㄱ	ㄷ	④	ㄹ	ㄴ	ㄷ
⑤	ㄹ	ㄷ	ㄱ				

05 서술형

표는 X의 동위 원소의 원자량과 평균 원자량을, 그림은 Y_2의 분자량에 따른 존재비를 상댓값으로 나타낸 것이다.

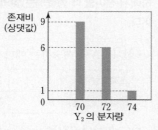

동위 원소	원자량	평균 원자량
^1X	1.00	1.01
^2X	2.00	

(1) ^1X와 ^2X의 존재 비율을 계산 과정과 함께 서술하시오.

_____

_____

_____

(2) 존재할 수 있는 XY의 분자량의 종류를 모두 쓰시오.

_____

06 고난도

다음은 수소 원자에서 일어나는 4가지 전자 전이에 대한 자료이다.

- 표의 $a \sim d$는 4가지 전자 전이($n_{전이 전} \rightarrow n_{전이 후}$)에서 흡수 또는 방출되는 빛의 에너지이다. n은 주 양자수이고, $n \leq 4$이다.

$n_{전이 후}$ \ $n_{전이 전}$	x	$x+2$
y	a	b
$y-2$	c	d

- 빛이 방출되는 전자 전이는 3가지이다.
- $a \sim d$에 해당하는 파장은 각각 $\lambda_a \sim \lambda_d$이다.

이에 대한 설명으로 옳은 것만을 〈보기〉에서 있는 대로 고른 것은? (단, 수소 원자의 에너지 준위 $E_n \propto -\dfrac{1}{n^2}$이다.)

┤보기├
ㄱ. λ_d에 해당하는 빛은 자외선이다.
ㄴ. $\lambda_b > \lambda_c$이다.
ㄷ. $n_{전이 전} = (x+2) \rightarrow n_{전이 후} = (y-1)$ 전자 전이에서 방출되는 빛의 에너지는 $d-c$이다.

① ㄱ   ② ㄷ   ③ ㄱ, ㄴ
④ ㄴ, ㄷ   ⑤ ㄱ, ㄴ, ㄷ

07

그림은 수소 원자의 선 스펙트럼에서 가시광선 영역을 나타낸 것이다.

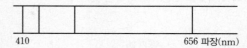

이에 대한 설명으로 옳은 것만을 〈보기〉에서 있는 대로 고른 것은? (단, 수소 원자의 에너지 준위 $E_n = -\dfrac{k}{n^2}$이고, n은 주 양자수, k는 상수이다.)

┤보기├
ㄱ. 410 nm 선에 해당하는 빛은 라이먼 계열에 속한다.
ㄴ. $3p$ 오비탈에 전자가 있는 수소 원자가 이온화될 때 필요한 최소 에너지는 656 nm 선에 해당하는 빛에너지보다 작다.
ㄷ. $n=2$에서 $n=4$로 전자가 전이될 때 흡수하는 에너지는 656 nm 선에 해당하는 빛의 에너지의 $\dfrac{27}{20}$배이다.

① ㄱ   ② ㄴ   ③ ㄷ
④ ㄱ, ㄴ   ⑤ ㄴ, ㄷ

08

그림 (가)는 수소 원자의 $1s$ 오비탈 모형을, (나)는 $1s$ 오비탈에서 원자핵으로부터의 거리에 따른 전자 발견 확률을 나타낸 것이다.

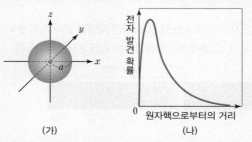

이에 대한 설명으로 옳은 것만을 〈보기〉에서 있는 대로 고른 것은? (단, 오비탈의 경계는 전자의 존재 확률이 90 %인 공간의 크기이다.)

┤보기├
ㄱ. 원자핵에서 멀어질수록 전자 발견 확률은 감소한다.
ㄴ. 원자핵으로부터의 거리가 같으면 방향에 관계없이 전자 발견 확률은 같다.
ㄷ. (가)의 a는 (나)에서 원자핵으로부터 전자 발견 확률이 가장 높은 지점까지의 거리다.

① ㄱ   ② ㄴ   ③ ㄷ
④ ㄱ, ㄴ   ⑤ ㄱ, ㄷ

09

그림 (가)는 수소 원자를 보어의 원자 모형으로 나타낸 것이고, (나)는 수소 원자의 오비탈을 모형으로 나타낸 것이다.

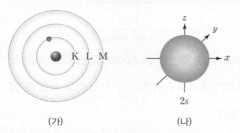

이에 대한 설명으로 옳은 것만을 〈보기〉에서 있는 대로 고른 것은?

┤ 보기 ├
ㄱ. (가)에서 수소 원자의 에너지 준위는 연속적이다.
ㄴ. (나)에서 오비탈 경계면 밖에서 전자 발견 확률은 0이다.
ㄷ. (가)에서 전자 껍질 L의 에너지 준위는 (나)에서 $2s$ 오비탈의 에너지 준위와 같다.

① ㄴ   ② ㄷ   ③ ㄱ, ㄴ
④ ㄱ, ㄷ   ⑤ ㄱ, ㄴ, ㄷ

10

그림은 수소 원자의 선 스펙트럼 중 라이먼 계열과 발머 계열을 나타낸 것이다. λ_a, λ_b에 해당하는 빛에너지는 각각 $E(a)$, $E(b)$이다.

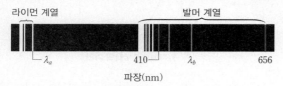

이에 대한 설명으로 옳은 것만을 〈보기〉에서 있는 대로 고른 것은? (단, 수소 원자의 에너지 준위 $E_n = -\dfrac{1}{n^2}$이고, n은 주 양자수이다.)

┤ 보기 ├
ㄱ. λ_a에 해당하는 빛은 자외선이다.
ㄴ. λ_b는 전자가 $n=4$에서 $n=2$로 전자 전이할 때 방출하는 빛의 파장이다.
ㄷ. $E(a) : E(b) = 4 : 1$이다.

① ㄱ   ② ㄷ   ③ ㄱ, ㄴ
④ ㄴ, ㄷ   ⑤ ㄱ, ㄴ, ㄷ

11 고난도

다음은 들뜬 상태에 있는 수소 원자의 전자가 주 양자수(n) 4 이하에서 전이할 때 방출되는 빛의 스펙트럼 선 Ⅰ~Ⅳ에 대한 설명이다.

- 선 Ⅰ~Ⅳ에 해당하는 에너지

스펙트럼 선	Ⅰ	Ⅱ	Ⅲ	Ⅳ
에너지(kJ/몰)	a	b	c	d

- $a = b + c + d$이다.
- 선 Ⅲ은 라이먼 계열에 속한다.
- 빛의 파장은 선 Ⅱ에서가 선 Ⅳ에서보다 길다.

이에 대한 설명으로 옳은 것만을 〈보기〉에서 있는 대로 고른 것은? (단, 수소 원자의 에너지 준위 $E_n \propto -\dfrac{1}{n^2}$이다.)

┤ 보기 ├
ㄱ. 선 Ⅰ에 해당하는 빛은 자외선 영역에 속한다.
ㄴ. 선 Ⅱ는 $n=3$에서 $n=2$로의 전자 전이에 해당한다.
ㄷ. $c : d = 27 : 5$이다.

① ㄱ   ② ㄴ   ③ ㄷ
④ ㄱ, ㄴ   ⑤ ㄱ, ㄷ

12

다음은 질소 원자의 전자를 임의로 배치한 것이다.

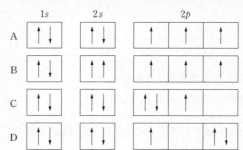

이에 대한 설명으로 옳은 것만을 〈보기〉에서 있는 대로 고른 것은?

┤ 보기 ├
ㄱ. 바닥상태의 전자 배치는 2가지이다.
ㄴ. A에서 C로 될 때 에너지를 흡수한다.
ㄷ. 에너지 변화량은 A에서 C로 변할 때와 A에서 D로 변할 때가 서로 같다.

① ㄱ   ② ㄴ   ③ ㄱ, ㄴ
④ ㄴ, ㄷ   ⑤ ㄱ, ㄴ, ㄷ

[13~14] 그림은 원자 X, Y의 전자 배치를 나타낸 것이다.

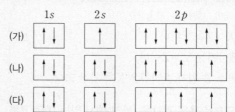

13

X, Y가 안정한 이온으로 될 때, 공통적으로 감소하는 것만을 〈보기〉에서 있는 대로 고른 것은? (단, X, Y는 임의의 원소 기호이다.)

┤ 보기 ├
ㄱ. 반지름   ㄴ. 홀전자 수   ㄷ. 전자 껍질 수

① ㄱ   ② ㄴ   ③ ㄷ
④ ㄱ, ㄴ   ⑤ ㄴ, ㄷ

14 서술형

원자 X, Y가 안정한 이온이 되었을 때의 전자 배치를 오비탈 상자 모형으로 나타내시오.

15 서술형

그림은 다전자 원자의 $2s$와 $2p$ 오비탈을 모형으로 나타낸 것이다.

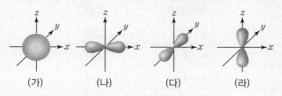

(가)~(라)의 에너지 준위를 비교하시오.

16 고난도

표는 원자 A~C의 바닥상태 전자 배치에서 전자가 들어 있는 오비탈 수와 홀전자 수를 나타낸 것이다.

원자	A	B	C
전자가 들어 있는 오비탈 수	5	5	5
홀전자 수	2	1	0

이에 대한 설명으로 옳은 것만을 〈보기〉에서 있는 대로 고른 것은? (단, A~C는 임의의 원소 기호이다.)

┤ 보기 ├
ㄱ. B의 전자 배치는 $1s^2 2s^2 2p^4$이다.
ㄴ. 전자가 들어 있는 전자 껍질 수는 A와 C가 같다.
ㄷ. 안정한 이온의 반지름은 A가 B보다 크다.

① ㄱ   ② ㄷ   ③ ㄱ, ㄴ
④ ㄴ, ㄷ   ⑤ ㄱ, ㄴ, ㄷ

17

그림 (가)~(다)는 $_9F$, $_9F^+$, $_9F^{2+}$의 전자 배치를 나타낸 것이다.

이에 대한 설명으로 옳은 것만을 〈보기〉에서 있는 대로 고른 것은?

┤ 보기 ├
ㄱ. (가)는 바닥 상태 전자 배치이다.
ㄴ. (나)에서 (다)로 될 때 에너지가 방출된다.
ㄷ. (다)는 훈트 규칙을 만족하는 전자 배치이다.

① ㄴ   ② ㄷ   ③ ㄱ, ㄴ
④ ㄱ, ㄷ   ⑤ ㄴ, ㄷ

18

다음은 4가지 이온의 전자 배치를 나타낸 것이다.

A^+: $1s^2$ 　　　　　B^-: $1s^2 2s^2 2p^6$
C^{2-}: $1s^2 2s^2 2p^6$　　D^+: $1s^2 2s^2 2p^6 3s^2 3p^6$

이에 대한 설명으로 옳은 것만을 〈보기〉에서 있는 대로 고른 것은? (단, A~D는 임의의 원소 기호이다.)

┤ 보기 ├
ㄱ. A~D 중 원자가 전자 수가 가장 큰 원소는 B이다.
ㄴ. A와 D는 같은 족 원소이다.
ㄷ. CB_2는 이온 결합 물질이다.

① ㄱ　　　　② ㄷ　　　　③ ㄱ, ㄴ
④ ㄴ, ㄷ　　　⑤ ㄱ, ㄴ, ㄷ

19 고난도

다음은 주기율표의 일부와 원소 X~Z에 대한 자료이다. 원소 X, Y, Z는 순서대로 주기율표의 (가), (나), (다) 영역에 속한다.

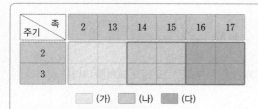

□ (가) □ (나) ■ (다)

• 원자 번호는 X > Z > Y이다.
• 제1 이온화 에너지는 Y > Z이다.
• (가) 영역의 원소 중 원자 반지름은 X가 가장 크다.

X~Z에 대한 설명으로 옳은 것만을 〈보기〉에서 있는 대로 고른 것은? (단, X~Z는 임의의 원소 기호이다.)

┤ 보기 ├
ㄱ. X는 3주기 2족 원소이다.
ㄴ. 바닥상태의 홀전자 수는 Y와 Z가 같다.
ㄷ. Ne의 전자 배치를 갖는 이온의 반지름은 X > Z이다.

① ㄱ　　　　② ㄴ　　　　③ ㄱ, ㄴ
④ ㄱ, ㄷ　　　⑤ ㄴ, ㄷ

20

다음은 학생 A가 원소의 주기적 성질을 학습한 후, 이를 토대로 수행한 탐구 활동이다.

[가설]
• 바닥상태의 2주기 원자에서 가장 바깥 전자 껍질에 있는 전자 수가 x일 때 제(㉠) 이온화 에너지는 급격히 증가한다.

[탐구 활동]
(가) 2주기 원자의 순차 이온화 에너지를 모두 찾는다.
(나) Li의 순차 이온화 에너지로 $\dfrac{E_{n+1}}{E_n}$를 구하여 그 중 최댓값을 찾는다. (E_n은 제n 이온화 에너지이다.)
(다) 나머지 원자에 대해 (나)를 반복한다.

[탐구 결과]

원자	Li	Be	B	C	N	O	F	Ne
$\dfrac{E_{n+1}}{E_n}$가 최대인 n	1	2	3	4	5	6	7	8

A의 가설이 옳다는 결론을 얻었을 때, 이에 대한 설명으로 옳은 것만을 〈보기〉에서 있는 대로 고른 것은?

┤ 보기 ├
ㄱ. ㉠은 $x+1$이다.
ㄴ. Be은 $E_3 > E_2$이다.
ㄷ. $\dfrac{E_{n+1}}{E_n}$가 최대인 n이 6인 원자의 원자가 전자 수는 7이다.

① ㄱ　　　　② ㄷ　　　　③ ㄱ, ㄴ
④ ㄴ, ㄷ　　　⑤ ㄱ, ㄴ, ㄷ

21 서술형

표는 2주기 원소의 바닥 상태 원자 (가)~(다)에 대한 자료이다.

원자	원자 번호	홀전자
(가)	n	있음
(나)	$n+2$	있음
(다)	$n+4$	없음

(가)~(다)의 원소 기호를 쓰시오.

22

표는 원소 A, B의 순차 이온화 에너지를 나타낸 것이다. A, B는 2, 3주기 원소 중 하나이다.

원소	순차 이온화 에너지($\times 10^4$ kJ/몰)			
	E_1	E_2	E_3	E_4
A	0.71	1.45	7.73	10.54
B	0.80	2.42	3.66	25.02

이에 대한 설명으로 옳은 것만을 〈보기〉에서 있는 대로 고른 것은? (단, A, B는 임의의 원소 기호이다.)

┤ 보기 ├
ㄱ. A는 2족 원소이다.
ㄴ. 원자 번호는 A가 B보다 크다.
ㄷ. 기체 상태에서 B가 B^{3+}이 되는 데 3.66×10^3 kJ/몰의 에너지가 필요하다.

① ㄱ   ② ㄷ   ③ ㄱ, ㄴ
④ ㄴ, ㄷ   ⑤ ㄱ, ㄴ, ㄷ

23

그림은 원자 번호가 연속인 2주기 원자 A~D의 제1 이온화 에너지와 원자 반지름을 나타낸 것이다. A~D는 임의의 원소 기호이며, 원자 번호 순서가 아니다.

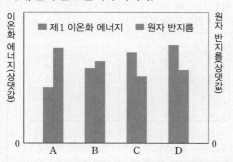

A~D에 대한 설명으로 옳은 것만을 〈보기〉에서 있는 대로 고른 것은?

┤ 보기 ├
ㄱ. A의 원자 번호가 D보다 작다.
ㄴ. 원자가 전자의 유효 핵전하는 C가 D보다 크다.
ㄷ. 제2 이온화 에너지는 B가 A보다 크다.

① ㄴ   ② ㄷ   ③ ㄱ, ㄴ
④ ㄱ, ㄷ   ⑤ ㄴ, ㄷ

24

그림은 2주기 원소 A~D의 제1 이온화 에너지와 바닥상태 전자 배치의 홀전자 수를 나타낸 것이다.

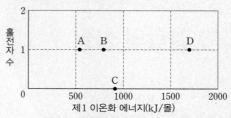

A~D에 대한 설명으로 옳은 것만을 〈보기〉에서 있는 대로 고른 것은? (단, A~D는 임의의 원소 기호이다.)

┤ 보기 ├
ㄱ. 제2 이온화 에너지는 A가 가장 크다.
ㄴ. 원자가 전자의 유효 핵전하는 C>B이다.
ㄷ. 안정한 이온의 반지름은 C>D이다.

① ㄱ   ② ㄴ   ③ ㄱ, ㄷ
④ ㄴ, ㄷ   ⑤ ㄱ, ㄴ, ㄷ

25 고난도

그림은 원소 A~D의 원자 반지름(X)과 안정한 이온의 반지름(Y)의 합(X+Y)과 차(X−Y)를 나타낸 것이다. A~D는 각각 Mg, Al, P, S 중 하나이다.

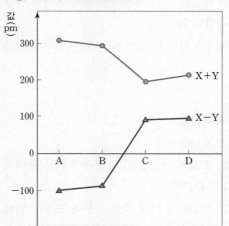

이에 대한 설명으로 옳은 것만을 〈보기〉에서 있는 대로 고른 것은?

┤ 보기 ├
ㄱ. A는 황(S)이다.
ㄴ. B와 C의 안정한 이온은 전자가 들어 있는 전자 껍질 수가 같다.
ㄷ. 안정한 이온의 반지름은 D>C이다.

① ㄱ   ② ㄷ   ③ ㄱ, ㄴ
④ ㄴ, ㄷ   ⑤ ㄱ, ㄴ, ㄷ

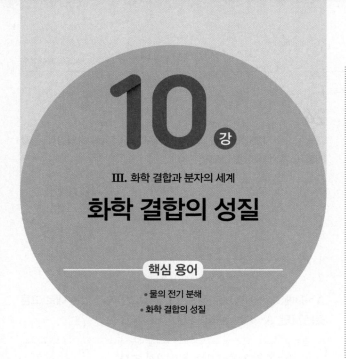

화학 결합의 성질

─── 핵심 용어 ───

• 물의 전기 분해
• 화학 결합의 성질

1 화학 결합

1. 화학 결합과 화합물의 종류 자연계에는 주기율표에 나타나 있는 120여 종의 원소보다 훨씬 더 많은 수의 화합물이 존재한다. 이는 원자들이 다양한 화학 결합을 형성하여 물질을 이루기 때문이다.

2. 화학 결합의 형성

① 화학 결합에는 두 원자가 전자쌍을 공유하여 형성되는 공유 결합과, 한 원자에서 다른 원자로 전자가 이동하여 생성된 이온들 간의 정전기적 인력에 의해 형성되는 이온 결합이 있다.

② 화학 결합이 형성되는 데에는 모두 원자 속의 전자가 관여한다.

3. 물을 형성하는 화학 결합

① 라부아지에의 물 분해 실험

• 실험 과정: 뜨겁게 가열한 긴 주철관에 물을 흘려보내고 변화를 관찰한다.

• 실험 결과: 주철관을 타고 흐르는 물이 뜨거운 열에 의해 산소 기체와 수소 기체로 분해되고, 주철관은 산소와 결합한다.

$$3H_2O(l) + 2Fe(s) \longrightarrow Fe_2O_3(s) + 3H_2(g)$$

구분	실험 결과	까닭
화로 위의 주철관	주철관이 부식된다. 주철관의 전체 질량이 증가한다.	물이 분해되면서 발생한 산소 기체가 주철관과 반응한다.
주철관에 연결된 냉각 호스	기체가 발생한다.	물이 분해되면서 발생한 수소 기체가 모인다.

• 실험 전 주철관과 물의 질량 합은 실험 후 부식된 주철관과 반응 후 발생한 수소 기체의 질량 합과 같다. 즉, 질량 보존 법칙이 성립한다.

③ 18세기 중반까지는 물을 물질의 기본 원소로 생각하였으나, 라부아지에는 물이 원소가 아니라는 것을 이 실험으로 밝혀내었다.

4. 물의 전기 분해 〔개념 브릿지 유형 1〕

① 순수한 물은 전기가 잘 통하지 않으므로 전해질을 소량 녹여서 직류 전류를 흘려 주면, 물이 분해되어 (−)극에서 수소 기체가, (+)극에서 산소 기체가 발생한다.

② 전체 반응식은 $2H_2O(l) \longrightarrow 2H_2(g) + O_2(g)$이며, 각 전극에서 다른 반응이 일어난다.

〔탐구 클리닉➕〕 물의 전기 분해 실험

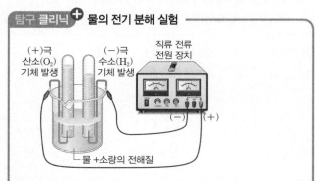

구분	(−)극	(+)극
발생한 물질	수소(H_2) 기체	산소(O_2) 기체
기체의 상대적 부피	2	1
기체의 확인	불을 가까이하면 폭음이 나며 탄다.	꺼져가는 불씨를 다시 살린다.
화학 반응식	$4H_2O + 4e^- \longrightarrow 2H_2 + 4OH^-$	$2H_2O \longrightarrow O_2 + 4H^+ + 4e^-$
반응 모형	(−)극에서는 전자가 공급되어 물 분자와 전자가 결합한다. 물은 전자를 얻으면서 수산화 이온(OH^-)과 수소 기체(H_2)가 된다.	(+)극에서는 물 분자가 전극으로 전자를 내놓으면서 수소 이온(H^+)과 산소 기체(O_2)가 된다.
전체 반응식	$2H_2O(l) \longrightarrow 2H_2(g) + O_2(g)$	

• 물에 전류가 흐르면 각 전극에서 전자를 잃거나 얻는 화학 반응이 일어나 물이 분해되어 성분 물질이 얻어진다. 이로부터 물을 구성하는 원소들의 화학 결합에 전자가 관여한다는 것을 알 수 있다.

5. 염화 나트륨을 형성하는 화학 결합

① 염화 나트륨 용융액의 전기 분해
- 실험 과정: 고체 염화 나트륨을 가열하여 용융액을 만든 다음, 전극을 꽂아 전류를 흘려보내면서 (+)극과 (−)극의 변화를 관찰한다.

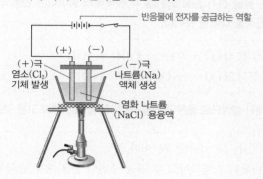
반응물에 전자를 공급하는 역할

(+)극 (−)극
(+)극 염소(Cl_2) 기체 발생
(−)극 나트륨(Na) 액체 생성
염화 나트륨($NaCl$) 용융액

② 실험 결과
- (−)극에서는 금속 나트륨이 액체로 생성되고, (+)극에서는 염소 기체가 발생한다. ➡ 염화 나트륨 용융액에 존재하는 Na^+이 (−)극으로 이동하여 전자를 얻고, Cl^-이 (+)극으로 이동하여 전자를 잃는 반응이 일어나기 때문이다.
- 염화 나트륨을 구성하는 원소들의 화학 결합에 전자가 관여함을 알 수 있다.

자료 클리닉➕ 염화 나트륨 용융액의 전기 분해

구분	(+)극	(−)극
발생한 물질	염소(Cl_2) 기체	나트륨(Na) 금속
화학 반응식	$2Cl^- \longrightarrow Cl_2 + 2e^-$	$Na^+ + e^- \longrightarrow Na$
반응 모형	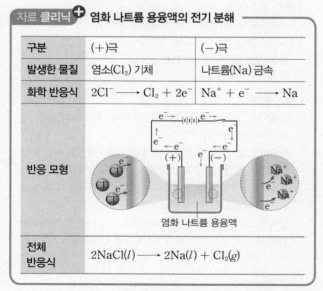	
전체 반응식	$2NaCl(l) \longrightarrow 2Na(l) + Cl_2(g)$	

염화 나트륨 용융액

- 염화 나트륨 용융액을 전기 분해하는 까닭: 고체 상태의 염화 나트륨은 전류가 흐르지 않는다. 하지만 염화 나트륨이 액체 상태가 되면 양이온과 음이온이 자유롭게 이동할 수 있으므로 양이온과 음이온이 서로 반대 전하를 띤 전극으로 이동하면서 전류가 흐르기 때문이다.

---

2 화학 결합의 원리

1. 옥텟 규칙(octet rule, 여덟 전자 규칙) 원자는 비활성 기체와 같이 가장 바깥 전자 껍질에 전자 8개가 완전히 채워져 있을 때 가장 안정하다. 이와 같이 비활성 기체 이외의 원자들이 가장 바깥 전자 껍질에 8개의 전자를 가져 안정한 전자 배치를 이루려는 경향을 옥텟 규칙이라고 한다. (단, He은 제외) **개념 브릿지 유형 2**

2. 비활성 기체 주기율표의 18족 원소로, 가장 바깥 전자 껍질에 전자가 모두 채워져 있기 때문에 다른 원자와 전자를 주고받기 어려워 화학 결합을 하지 않는다. (예외로, Xe(제논)은 산소, 할로젠 등과 반응한다.)

① 비활성 기체의 전자 배치

원소	헬륨($_2$He)	네온($_{10}$Ne)	아르곤($_{18}$Ar)
전자 배치	2+ $1s^2$	10+ $1s^2 2s^2 2p^6$	18+ $1s^2 2s^2 2p^6 3s^2 3p^6$
최외각 전자	2	8	8
원자가 전자	0	0	0

3. 이온의 형성 **개념 브릿지 유형 3**

① 금속 원소와 이온의 전자 배치 금속 원소는 옥텟 규칙을 만족하기 위해 전자를 잃는다. 금속의 이온은 잃은 전자 수만큼 (+)전하를 띠는 양이온이 된다.

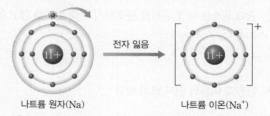
전자 잃음
나트륨 원자(Na)   나트륨 이온(Na^+)

② 비금속 원소와 이온의 전자 배치 비금속 원소는 옥텟 규칙을 만족하기 위해 전자를 얻는다. 비금속 원소의 이온은 얻은 전자 수만큼의 (−)전하를 띠는 음이온이 된다.

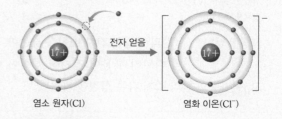
전자 얻음
염소 원자(Cl)   염화 이온(Cl^-)

③ 이온의 전하량 결정

양성자수 − 이온의 전자 수 = 전하량

내신 기초

1 라부아지에의 물 분해 실험에서 주철관의 질량은 ☐☐한다.

2 물을 전기 분해하면 (−)극에서 ☐☐ 기체, (+)극에서 ☐☐ 기체가 발생한다.

3 물의 전기 분해 실험으로 물을 구성하는 원소들의 화학 결합에 ☐☐가 관여한다는 것을 알 수 있다.

4 고체 염화 나트륨은 전류가 흐르지 않지만, ☐☐ 상태가 되면 전류가 흐른다.

5 염화 나트륨 용융액의 전기 분해 실험으로 염화 나트륨을 구성하는 원소들의 화학 결합에 ☐☐가 관여한다는 것을 알 수 있다.

6 옥텟 규칙은 가장 바깥 전자 껍질에 전자 ☐개를 채워 안정해지려는 경향(단, He은 제외)이다.

7 ☐☐☐☐ ☐☐는 화학적으로 안정하여 화학 반응을 하지 않고, 다른 원소와 결합하여 화합물을 만들지 않는다.

8 금속 원소는 옥텟 규칙을 만족하기 위해 전자를 얻고 음이온이 된다. ·· (○ , ×)

9 등전자 이온의 전자 배치 비교

플루오린화 이온   네온 원자   나트륨 이온

- 공통점: (   )의 안정한 전자 배치를 갖는다.
- ☐☐☐☐☐가 다르기 때문에 전기적 성질이 다르고, 원자량도 달라 각기 다른 성질을 가진다.

개념 브릿지 유형

개념과 문제의 연결고리 찾기!!

1 물의 전기 분해

다음은 물을 전기 분해했을 때 각 전극에서 일어나는 반응의 화학 반응식을 나타낸 것이다.

- (−)극: $4H_2O + $ (가) $\longrightarrow 2H_2 + 4OH^-$
- (+)극: $2H_2O \longrightarrow O_2 + 4H^+ + $ (나)

이에 대한 설명으로 옳은 것만을 ⟨보기⟩에서 있는 대로 고른 것은?

┤ 보기 ├
ㄱ. (가)는 $4e^-$, (나)는 $2e^-$이다.
ㄴ. 반응이 진행되어도 두 전극 주변의 물은 모두 중성을 유지한다.
ㄷ. 전체적으로 물 2분자가 수소 2분자와 산소 1분자로 분해되는 반응이다.

① ㄱ   ② ㄷ   ③ ㄱ, ㄴ
④ ㄴ, ㄷ   ⑤ ㄱ, ㄴ, ㄷ

개념으로 문제 접근하기

- 물의 전기 분해
  (−)극: $4H_2O + 4e^- \longrightarrow 2H_2 + 4OH^-$
  (+)극: $2H_2O \longrightarrow O_2 + 4H^+ + 4e^-$
- 전체 반응: $2H_2O \longrightarrow 2H_2 + O_2$

- -

| 보기 분석 |
ㄱ. (가)는 $4e^-$, (나)는 $2e^-$이다. ➡ (가)와 (나)는 $4e^-$로, 이동하는 전자 수가 서로 같아야 한다.
ㄴ. 반응이 진행되어도 두 전극 주변의 물은 모두 중성을 유지한다.
  ➡ 반응이 진행되면 수소가 발생하는 (−)극은 OH^-이 생성되어 염기성으로 변하고, 산소가 발생하는 (+)극은 H^+이 생성되어 산성으로 변하게 된다.
ㄷ. 전체적으로 물 2분자가 수소 2분자와 산소 1분자로 분해되는 반응이다. ➡ 물을 전기 분해하는 실험의 전체 반응식은 $2H_2O \longrightarrow 2H_2 + O_2$이다.

⟨답⟩ ②

2 옥텟 규칙

그림은 산화 이온(O^{2-})과 네온(Ne) 원자의 전자 배치를 나타낸 것이다.

산화 이온(O^{2-})   네온 원자(Ne)

두 입자에 대한 설명으로 옳은 것만을 〈보기〉에서 있는 대로 고른 것은?

┤ 보기 ├

ㄱ. 모두 옥텟 규칙을 만족하고 있다.

ㄴ. 최외각 전자 수는 네온이 더 많다.

ㄷ. 산화 이온과 네온의 반응성은 같다.

① ㄱ   ② ㄷ   ③ ㄱ, ㄴ

④ ㄴ, ㄷ   ⑤ ㄱ, ㄴ, ㄷ

개념으로 문제 접근하기

• 옥텟 규칙: 비활성 기체 이외의 원자들이 가장 바깥 전자 껍질에 8개의 전자를 가져 안정한 전자 배치를 이루려는 경향

• 산화 이온(O^{2-})의 전자 배치: $1s^2 2s^2 2p^6$

• 네온(Ne)의 전자 배치: $1s^2 2s^2 2p^6$

─────────────

│ 보기 분석 │

ㄱ. 모두 옥텟 규칙을 만족하고 있다.

➡ 산화 이온과 네온 원자는 양성자수가 다르고 중성자수도 다르지만, 전자 배치가 똑같이 옥텟 규칙을 만족하고 있다.

ㄴ. 최외각 전자 수는 네온이 더 많다.

➡ 산화 이온과 네온 원자의 최외각 전자 수는 8로 동일하며, 총 전자 수도 10으로 동일하다.

ㄷ. 산화 이온과 네온의 반응성은 같다.

➡ 산화 이온은 옥텟 규칙을 만족하고 있으나 (−)전하를 띠고 있어 (+)전하를 띠고 있는 물질과 잘 반응한다. 네온은 옥텟 규칙을 만족하고 전기적으로 중성이므로 다른 물질과 거의 반응하지 않는다.

답 ①

3 이온의 형성

그림은 중성 원자 X, Y의 전자 배치 모형을 나타낸 것이다.

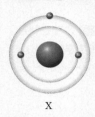 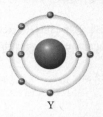

X   Y

이에 대한 설명으로 옳은 것만을 〈보기〉에서 있는 대로 고른 것은? (단, X, Y는 임의의 원소 기호이다.)

┤ 보기 ├

ㄱ. X는 반응성이 없어 Y와 반응하지 않는다.

ㄴ. X와 Y가 안정한 이온이 되면 같은 전자 배치를 가진다.

ㄷ. 안정한 이온이 될 때 X 이온의 전하는 Y 이온의 전하와 부호가 반대이다.

① ㄱ   ② ㄷ   ③ ㄱ, ㄴ

④ ㄴ, ㄷ   ⑤ ㄱ, ㄴ, ㄷ

개념으로 문제 접근하기

• 금속 원소와 이온의 전자 배치: 금속 원자는 옥텟 규칙을 만족하기 위해 전자를 잃는다.

• 비금속 원소와 이온의 전자 배치: 비금속 원자는 옥텟 규칙을 만족하기 위해 전자를 얻는다.

• 중성 원자 X는 총 전자 수가 3이므로 원자 번호 3번인 리튬(Li)이고, 중성 원자 Y는 총 전자 수가 8이므로 원자 번호 8번인 산소(O)이다.

─────────────

│ 보기 분석 │

ㄱ. X는 반응성이 없어 Y와 반응하지 않는다.

➡ X는 금속 원소이므로 비금속 원소인 Y와 이온 결합을 형성한다.

ㄴ. X와 Y가 안정한 이온이 되면 같은 전자 배치를 가진다.

➡ X는 전자 1개를 잃어 첫 번째 전자 껍질에 전자가 2개 채워진 He과 같은 전자 배치를 가지고, Y는 전자 2개를 얻어 두 번째 전자 껍질에 전자가 8개 채워진 Ne과 같은 전자 배치를 가진다.

ㄷ. 안정한 이온이 될 때 X 이온의 전하는 Y 이온의 전하와 부호가 반대이다. ➡ X의 안정한 이온은 X^+이고, Y의 안정한 이온은 Y^{2-}이므로 이온이 띠는 전하의 부호가 서로 반대이다.

답 ②

1 화학 결합 · 대표 기출

01

표는 물(H_2O)과 염화 나트륨($NaCl$) 용융액을 전기 분해할 때 각 전극에서 생성되는 물질에 관한 자료의 일부이다.

구분 \ 생성물	A_2	B_2	C
생성 전극	(＋)극	(＋)극	(－)극
실온에서의 상태	기체	기체	고체
원자 간 결합 상태	단일 결합	다중 결합	

이에 대한 설명으로 옳은 것만을 〈보기〉에서 있는 대로 고른 것은? (단, A~C는 임의의 원소 기호이다.)

┤보기├
ㄱ. B_2는 산소(O_2)이다.
ㄴ. A와 C는 $NaCl$의 성분 원소이다.
ㄷ. B와 C로 이루어진 화합물은 액체 상태에서 전기 전도성이 있다.

① ㄱ   ② ㄴ   ③ ㄱ, ㄷ
④ ㄴ, ㄷ   ⑤ ㄱ, ㄴ, ㄷ

┄┄┄┄┄┄┄┄┄┄┄┄┄┄┄┄┄┄┄┄┄
기출 포인트 | 이온 결합 물질의 특성에 대해 묻는 문제가 종종 출제된다.
┄┄┄┄┄┄┄┄┄┄┄┄┄┄┄┄┄┄┄┄┄

02

다음은 물(H_2O)의 합성과 분해 실험이다.

실험	실험 과정 및 결과
I	수소(H_2)와 산소(O_2)를 반응시켰더니 H_2O이 생성되었다.
II	H_2O을 전기 분해시켰더니 H_2와 O_2가 생성되었다.

이에 대한 설명으로 옳은 것만을 〈보기〉에서 있는 대로 고른 것은?

┤보기├
ㄱ. 실험 I에서 생성된 물질은 이온 결합 물질이다.
ㄴ. 실험 II에서 생성된 기체의 부피는 H_2가 O_2의 2배이다.
ㄷ. 실험 II의 (－)극에서 생성된 기체 분자에는 2중 결합이 있다.

① ㄱ   ② ㄴ   ③ ㄱ, ㄷ
④ ㄴ, ㄷ   ⑤ ㄱ, ㄴ, ㄷ

03

표는 Na_2A 용융액과 물을 각각 전기 분해하였을 때 (－)극에서 생성된 물질을 나타낸 것이다. (＋)극에서 생성된 물질의 종류는 같다.

물질	(－)극
Na_2A 용융액	고체 Na
물	기체 B_2

이에 대한 설명으로 옳은 것만을 〈보기〉에서 있는 대로 고른 것은? (단, A와 B는 임의의 원소 기호이다.)ㅍ

┤보기├
ㄱ. B_2는 수소(H_2)이다.
ㄴ. Na_2A는 이온 결합 물질이다.
ㄷ. 같은 양(mol)의 Na_2A와 물을 각각 전기 분해할 때 (－)극에서 생성되는 Na과 B_2의 양(mol)은 같다.

① ㄱ   ② ㄷ   ③ ㄱ, ㄴ
④ ㄴ, ㄷ   ⑤ ㄱ, ㄴ, ㄷ

04 서술형

다음은 물의 구성 원소 비를 알아보기 위한 실험 과정이다.

[실험 과정]
(가) 증류수 Na_2SO_4을 조금 넣은 수용액 A와 그림과 같은 실험 장치를 준비한다.
(나) A를 유리관 양쪽에 가득 채운 후 콕을 닫는다.
(다) [   ]
(라) 유리관 내 수면의 높이 변화를 측정한다.
(마) 각 유리관에 모인 기체의 종류를 확인한다.

(콕 / 수용액 A를 넣는 곳 / 유리관 / 전원 장치)

(다)에 들어갈 실험 과정을 서술하시오.

05 고난도

그림은 LiA 용융액과 물을 각각 전기 분해하는 과정을 모식적으로 나타낸 것이다. 물을 전기 분해할 때 A_2는 (−)극에서 생성된다.

이에 대한 설명으로 옳은 것만을 〈보기〉에서 있는 대로 고른 것은? (단, A와 B는 원자나 이온을 나타낸 기호이다.)

┤보기├
ㄱ. LiA는 이온 결합 물질이다.
ㄴ. B_2는 수소(H_2)이다.
ㄷ. LiA 용융액을 전기 분해할 때 A_2는 (+)극에서 생성된다.

① ㄱ   ② ㄴ   ③ ㄱ, ㄷ
④ ㄴ, ㄷ   ⑤ ㄱ, ㄴ, ㄷ

06

다음은 학생 A가 작성한 실험 보고서의 일부이다.

- 실험 제목: _____(가)_____
- 실험 목적: 공유 결합 물질이 구성 원소로 나누어질 때 전자가 관여하는 것을 확인한다.
- 실험 장치

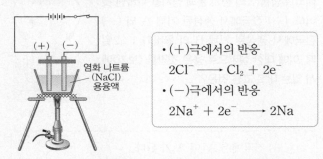

다음 중 (가)에 해당하는 것으로 가장 적절한 것은?
① 물의 전기 분해
② 탄산 칼슘의 열분해
③ 탄화수소의 원소 분석
④ 염산과 수산화 나트륨의 중화
⑤ 염화 나트륨 용융액의 전기 분해

07

다음은 염화 나트륨 용융액의 전기 분해 실험 장치와 각 극에서 일어나는 반응을 나타낸 것이다.

- (+)극에서의 반응
$$2Cl^- \longrightarrow Cl_2 + 2e^-$$
- (−)극에서의 반응
$$2Na^+ + 2e^- \longrightarrow 2Na$$

위 실험에 대한 설명으로 옳은 것만을 〈보기〉에서 있는 대로 고른 것은?

┤보기├
ㄱ. 가열을 하는 것은 전기 분해를 빠르게 진행하기 위해서이다.
ㄴ. 염화 나트륨 2몰을 전기 분해하면 염소 기체 1몰이 발생한다.
ㄷ. 염화 나트륨의 이온 결합에 전자가 관여하고 있음을 알 수 있다.

① ㄱ   ② ㄴ   ③ ㄱ, ㄷ
④ ㄴ, ㄷ   ⑤ ㄱ, ㄴ, ㄷ

08

표는 X 용융액과, 소량의 X를 첨가한 물을 각각 전기 분해할 때 두 전극에서 생성되는 물질을 나타낸 것이다.

물질 전극	(−)극	(+)극
X 용융액	고체 A	기체 B_2
소량의 X를 첨가한 물	기체 C_2	기체 D_2

이에 대한 설명으로 옳은 것만을 〈보기〉에서 있는 대로 고른 것은? (단, A~D는 임의의 원소 기호이다.)

┤보기├
ㄱ. X는 이온 결합 물질이다.
ㄴ. X를 구성하는 원소는 A와 B이다.
ㄷ. 생성되는 C_2와 D_2의 몰비는 1 : 1이다.

① ㄱ   ② ㄴ   ③ ㄱ, ㄴ
④ ㄴ, ㄷ   ⑤ ㄱ, ㄴ, ㄷ

09

그림은 임의의 원소 A, B로 구성된 액체 상태의 화합물 X의 전기 분해 장치를 나타낸 것이다. (+) 전극에서 생성된 기체 A₂와 (−) 전극에서 생성된 기체 B₂의 몰비가 1 : 2일 때, 이에 대한 설명으로 옳은 것만을 〈보기〉에서 있는 대로 고른 것은?

┤ 보기 ├
ㄱ. (+) 전극에서 A^-이 A_2가 된다.
ㄴ. X에서 A와 B 사이의 결합은 공유 결합이다.
ㄷ. X에서 성분 원소의 비 $\dfrac{B\ 원자\ 수}{A\ 원자\ 수}=2$이다.

① ㄱ   ② ㄴ   ③ ㄱ, ㄴ
④ ㄱ, ㄷ   ⑤ ㄱ, ㄴ, ㄷ

10

그림 (가)는 고체 염화 나트륨(NaCl)을 가열하여 녹인 것을, (나)는 고체 염화 나트륨을 증류수에 녹인 것을 나타낸 것이다.

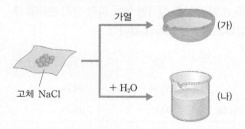

이에 대한 설명으로 옳은 것만을 〈보기〉에서 있는 대로 고른 것은?

┤ 보기 ├
ㄱ. (가)와 (나)에는 염화 이온(Cl^-)이 존재한다.
ㄴ. (가)를 전기 분해하면 (−)극에서 금속이 생성된다.
ㄷ. (가), (나)로 되는 과정에는 NaCl을 구성하는 입자 사이에서 전자가 이동한다.

① ㄱ   ② ㄷ   ③ ㄱ, ㄴ
④ ㄴ, ㄷ   ⑤ ㄱ, ㄴ, ㄷ

11

그림은 원자 A~D의 전자 배치를 모형으로 나타낸 것이다.

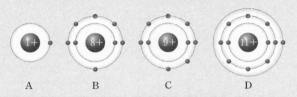

이에 대한 설명으로 옳은 것만을 〈보기〉에서 있는 대로 고른 것은? (단, A~D는 임의의 원소 기호이다.)

┤ 보기 ├
ㄱ. 원자가 전자 수는 D가 A보다 많다.
ㄴ. 공유 결합 수는 C_2가 B_2보다 많다.
ㄷ. 화합물 DC는 이온 결합 물질이다.

① ㄴ   ② ㄷ   ③ ㄱ, ㄴ
④ ㄱ, ㄷ   ⑤ ㄴ, ㄷ

기출 포인트 | 이온이 결합할 때 전자의 이동이나 결합의 수에 대해 알아야 한다.

12 고난도

그림은 원자 A~D의 전자 배치 모형을 나타낸 것이다.

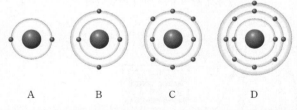

이에 대한 설명으로 옳은 것만을 〈보기〉에서 있는 대로 고른 것은? (단, A~D는 임의의 원소 기호이다.)

┤ 보기 ├
ㄱ. A는 B, C, D와 화학 결합을 형성하지 않는다.
ㄴ. B와 D는 양이온이 되려는 경향이 강하다.
ㄷ. C와 D는 안정한 이온이 되었을 때 같은 전자 배치를 갖는다.

① ㄱ   ② ㄷ   ③ ㄱ, ㄴ
④ ㄴ, ㄷ   ⑤ ㄱ, ㄴ, ㄷ

13 서술형

그림은 네온(Ne) 원자의 전자 배치 모형을 나타낸 것이다. 다음에서 네온(Ne) 원자와 같은 전자 배치를 갖는 이온을 모두 골라 쓰시오.

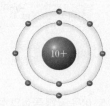

| Ca^{2+} | Na^+ | F^- | O^{2-} |

14

그림은 비활성 기체의 전자 배치 모형을 나타낸 것이다.

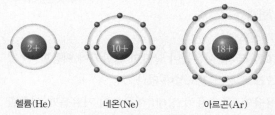

헬륨(He)　　　　네온(Ne)　　　　아르곤(Ar)

이 원자들의 공통점으로 옳은 것만을 〈보기〉에서 있는 대로 고른 것은?

┤보기├
ㄱ. 원자가 전자 수가 같다.
ㄴ. 물질의 반응성이 비슷하다.
ㄷ. 실온에서 물질의 상태가 같다.

① ㄱ　　　　② ㄷ　　　　③ ㄱ, ㄴ
④ ㄴ, ㄷ　　　　⑤ ㄱ, ㄴ, ㄷ

15

다음은 원자 A~D의 전자 배치를 나타낸 것이다.

· A: $1s^2 2s^2 2p^4$
· B: $1s^2 2s^2 2p^6 3s^2 3p^1$
· C: $1s^2 2s^2 2p^6 3s^2$
· D: $1s^2 2s^2 2p^6 3s^2 3p^5$

위의 원자들이 모두 옥텟 규칙을 만족하기 위해 각각 잃거나 얻는 전자의 개수를 모두 합한 값은? (단, A~D는 임의의 원소 기호이고, 전자의 개수는 출입에 상관없이 모두 더한다.)

① 4　　② 5　　③ 6　　④ 7　　⑤ 8

16

그림은 원자 A~C의 전자 배치를 모형으로 나타낸 것이다.

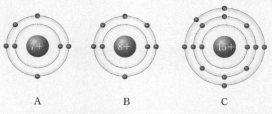

A　　　　B　　　　C

이에 대한 설명으로 옳은 것만을 〈보기〉에서 있는 대로 고른 것은? (단, A~ C는 임의의 원소 기호이다.)

┤보기├
ㄱ. A와 B는 같은 주기 원소이다.
ㄴ. A와 C는 화학적 성질이 비슷하다.
ㄷ. 원자가 전자 수는 C가 B보다 크다.

① ㄱ　　　　② ㄷ　　　　③ ㄱ, ㄴ
④ ㄴ, ㄷ　　　　⑤ ㄱ, ㄴ, ㄷ

17

그림은 원자 A, B의 전자 배치 모형을 나타낸 것이다.

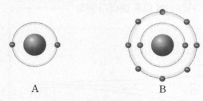

A　　　　　　B

A와 B에 대한 설명으로 옳은 것만을 〈보기〉에서 있는 대로 고른 것은?

┤보기├
ㄱ. 원자가 전자 수가 같다.
ㄴ. 전자를 얻어 음이온이 되기 쉽다.
ㄷ. 실온에서 안정한 액체로 존재한다.

① ㄱ　　　　② ㄷ　　　　③ ㄱ, ㄴ
④ ㄴ, ㄷ　　　　⑤ ㄱ, ㄴ, ㄷ

III. 화학 결합과 분자의 세계

화학 결합의 종류

11강

핵심 용어

- 이온 결합 • 공유 결합
- 금속 결합

1 이온 결합 개념 브릿지 유형 1

1. 이온 결합 금속 원소의 양이온과 비금속 원소의 음이온 사이의 정전기적 인력으로 형성되는 결합

2. 이온 결합의 형성 금속 원소와 비금속 원소는 서로 전자를 주고받아 각각 옥텟 규칙을 만족하면서 금속 원소는 안정한 양이온, 비금속 원소는 안정한 음이온이 된다. 이 두 이온이 정전기적 인력으로 결합하여 화합물을 형성한다.

3. 이온 결합의 형성과 에너지 중성 원자에서 양이온이 될 때 필요한 에너지와 중성 원자에서 음이온이 될 때 방출되는 에너지를 고려하면, 이온이 형성되는 과정은 에너지 면에서 불리하다. 하지만 생성된 양이온과 음이온이 이온 결합을 형성하면서 큰 에너지를 방출하기 때문에 안정한 상태가 된다.

자료 클리닉 ➕ 이온 간 거리(r)에 따른 에너지 변화

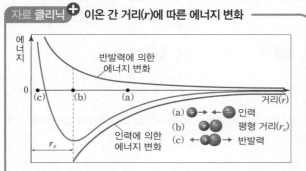

- (a): 이온 간의 인력이 반발력보다 우세하여 거리가 가까워질수록 에너지가 낮아진다.
- (b): 이온 간의 인력과 반발력이 균형을 이루어 에너지가 가장 낮은 상태로, 이온 결합이 형성된다.
- (c): 이온 간의 반발력이 우세하여 거리가 가까워질수록 에너지가 높아지고 불안정해진다.

4. 이온 결합 물질의 예와 이용

물질	염화 나트륨	염화 칼슘	탄산수소 나트륨	수산화 마그네슘
화학식	NaCl	$CaCl_2$	$NaHCO_3$	$Mg(OH)_2$
이용	소금의 주성분	습기 제거제, 제설제	베이킹파우더의 주성분	제산제의 주성분

5. 이온 결합 물질의 성질

① 결정형 고체
- 수많은 양이온과 음이온이 연속적으로 결합된 반복적 구조의 결정으로 이루어져 있다.
- 입자 간의 인력이 강하여 녹는점과 끓는점이 높으므로 대부분 실온에서 고체 상태이다.

② 물에 대한 용해성 대부분 물에 잘 녹으며, 물속에서 양이온과 음이온이 물 분자에 둘러싸여 존재(수화)한다.

③ 전기 전도성
- 고체 상태: 이온들이 단단히 결합되어 이동할 수 없으므로 전기 전도성이 없다.
- 용융액 및 수용액 상태: 이온들이 자유롭게 이동할 수 있으므로 전기 전도성이 있다.

④ 깨짐과 쪼개짐 외부에서 힘을 가하면 쉽게 깨지거나 쪼개진다. 양이온과 음이온이 교차 결합되어 있는 상태에서 힘을 가하면 같은 전하의 이온끼리 마주하게 되어 반발력이 작용하기 때문이다.

6. 이온 결합력의 세기 비교

① 이온 결합력 양이온과 음이온 사이에는 정전기적 힘이 작용한다.

② 이온 결합력의 세기 양이온과 음이온의 전하량과 이온 간 거리의 영향을 받는다.
- 이온의 전하량이 클수록 결합력이 세다.
  예 MgO > NaF
- 이온의 전하량이 같은 경우, 이온 간 거리가 짧을수록 결합력이 세다. 예 LiCl > NaCl > KCl

③ 이온 결합력과 녹는점, 끓는점 이온 결합력이 클수록 녹는점, 끓는점이 높다.

화학식	이온 간 거리 (pm)	녹는점 (℃)	화학식	이온 간 거리 (pm)	녹는점 (℃)
NaF	235	996	MgO	212	2825
NaCl	283	801	CaO	240	2613
NaBr	298	747	BaO	275	1973

2 공유 결합 개념 브릿지 유형 2

1. 공유 결합 비금속 원소의 원자 사이에 전자쌍을 공유하여 형성되는 화학 결합

① 비금속 원자의 전자 배치

원소	전자 배치	안정한 전자 배치 조건
수소	1+	전자 1개 부족
질소	7+	전자 3개 부족
산소	8+	전자 2개 부족
플루오린	9+	전자 1개 부족

② 공유 결합의 형성 비금속 원소의 원자들은 비활성 기체와 같은 전자 배치를 이루기 위해 자신의 전자를 내놓아 전자쌍을 만들고, 그 전자쌍을 공유하여 결합한다.

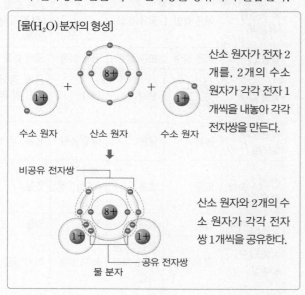

[물(H_2O) 분자의 형성]

수소 원자 + 산소 원자 + 수소 원자

산소 원자가 전자 2개를, 2개의 수소 원자가 각각 전자 1개씩을 내놓아 각각 전자쌍을 만든다.

비공유 전자쌍

공유 전자쌍
물 분자

산소 원자와 2개의 수소 원자가 각각 전자쌍 1개씩을 공유한다.

2. 단일 결합과 다중 결합

① 단일 결합 두 원자가 1개의 전자쌍을 공유하는 결합

② 다중 결합 두 원자가 2개의 전자쌍을 공유하는 결합을 2중 결합, 두 원자가 3개의 전자쌍을 공유하는 결

합을 3중 결합이라고 하며, 2중 결합과 3중 결합을 다중 결합이라고 한다.

③ 일반적으로 다중 결합의 결합 수가 많아질수록 결합 길이는 짧아지고, 결합력이 강해진다.

예 결합 길이: $C-C > C=C > C≡C$

➡ 결합력: $C-C < C=C < C≡C$

3. 수소의 공유 결합 형성과 에너지 2개의 수소 원자가 결합할 때에는 에너지를 방출하여 원자 상태보다 안정한 상태의 수소 분자를 형성한다.

자료 클리닉 ➕ **수소 원자의 핵 간 거리에 따른 에너지 변화**

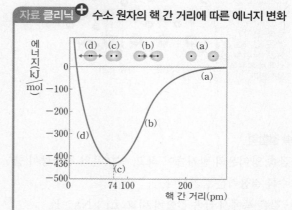

• (a): 두 수소 원자 사이의 거리가 멀어 인력과 반발력이 거의 작용하지 않으므로 에너지는 0이다.

• (b): 두 수소 원자가 가까워질수록 인력이 증가하여, 에너지는 낮아진다.

• (c): 두 수소 원자 사이의 인력과 반발력이 균형을 이루어 에너지가 가장 낮은 안정한 상태에서 공유 결합이 형성된다. ➡ 수소 분자(H_2) 1몰이 형성될 때 436 kJ/mol의 에너지가 방출되고, 수소 분자의 결합 길이는 74 pm이다.

• (d): 두 수소 원자가 더 가까워지면 원자핵 간, 전자 간 반발력이 강하여 에너지가 높아지고, 불안정해진다.

4. 공유 결합 물질의 성질

① 실온에서의 상태 공유 결합으로 이루어진 물질은 상태가 다양하게 존재한다. 실온에서 기체로 존재하는 물질은 비활성 기체를 제외하면 대부분 공유 결합 물질이다.

② 전기 전도성 고체와 액체 상태에서 일반적으로 전기 전도성이 없다. 단, 고체 흑연(C) 등은 예외로 전기 전도성이 있다.

③ 녹는점과 끓는점 분자 결정은 분자 사이의 인력이 약해 녹는점과 끓는점이 비교적 낮고, 공유 결정은 원자들이 강하게 결합되어 있어 녹는점과 끓는점이 매우 높다.

④ 물에 대한 용해성 일반적으로 물에 잘 녹지 않으나, 암모니아(NH_3), 설탕($C_{12}H_{22}O_{11}$) 등과 같이 물에 잘 녹는 물질도 있다.

3 금속 결합 개념 브릿지 유형 3

1. 금속 결합
① 자유 전자 금속에서 원자가 전자는 쉽게 떨어져 나가 금속 양이온 사이를 자유롭게 이동하는데, 이를 자유 전자라고 한다.
② 금속 결합 자유 전자와 금속 양이온 사이에 정전기적 인력으로 형성되는 결합

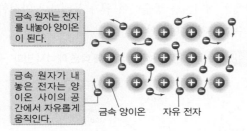

금속 원자는 전자를 내놓아 양이온이 된다.

금속 원자가 내놓은 전자는 양이온 사이의 공간에서 자유롭게 움직인다.

금속 양이온   자유 전자

2. 금속 결합력
① 금속 양이온의 반지름이 작고, 양이온의 전하량이 클수록 결합력은 증가한다.
• 같은 족에서 금속 결합력 비교: $Li > Na > K$
• 같은 주기에서 금속 결합력 비교: $Na < Mg < Al$
② 금속 결합력이 클수록 녹는점이 높다. ➡ 녹는점: $Mg(650\,℃) > Li(180.54\,℃) > Na(97.7\,℃) > K(63.65\,℃)$

3. 금속 결합 물질의 성질
① 광택 대부분의 금속은 은백색 광택을 띤다.
② 실온에서의 상태 녹는점이 높아 실온에서 대부분 고체 상태로 존재한다. 단, 수은은 실온에서 액체 상태이다.
③ 열전도성 금속을 가열하면 높은 온도에서 큰 운동 에너지를 가진 자유 전자가 자유롭게 이동하고, 양이온의 진동 운동이 쉽게 전달되므로 열전도성이 좋다.
④ 전기 전도성 금속에 전압을 걸어 주면 자유 전자가 (+)극으로 이동하므로 금속은 고체나 액체 상태에서 전기가 잘 통한다.

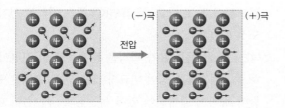

(−)극   전압   (+)극

⑤ 펴짐성(전성)과 뽑힘성(연성) 금속에 힘을 가하면 양이온들의 층은 미끄러져 이동하지만 자유 전자들이 층 사이의 결합을 유지시켜 주므로 금속은 얇게 펴거나 길게 뽑을 수 있다.

4. 금속 결합 물질의 장점과 이용

금속	장점	이용
구리(Cu)	연성, 전성, 전기 전도성, 열전도성, 내식성	전선, 회로, 기판 등
철(Fe)	연성, 전성, 열전도성, 전기 전도성, 가공성, 경제성	철사, 철판, 건축 자재 등
알루미늄(Al)	가벼움, 연성, 전성, 전기 전도성, 열전도성, 내식성	알루미늄박, 캔, 건물 창틀 등
금(Au)	연성, 전성, 전기 전도성, 열전도성, 내식성	회로 기판, 금박, 귀금속, 장식용, 치과 의료용, 화폐

4 화학 결합과 물질의 성질

1. 화학 결합에 따른 결합력 비교
① 이온 결합 물질, 공유 결합 물질 중 공유 결정, 금속 결합 물질 모두 녹는점이 높은 편으로 결합력이 강하다.
② 공유 결정은 녹는점이 매우 높으므로 일반적으로 공유 결합이 다른 결합에 비해 더 강한 결합이라고 할 수 있다.

2. 화학 결합의 종류에 따른 결정의 성질

화학 결합 (결합력)	이온 결합	공유 결합		금속 결합 (정전기적 인력)
결정	이온 결정	분자 결정	공유 결정	금속 결정
결정 입자	양이온, 음이온	분자	원자	금속 양이온, 자유 전자
녹는점과 끓는점	높음	낮음	매우 높음	높음
전기 전도성 고체	없음	없음	없음 (예외: 흑연 등)	있음
전기 전도성 액체	있음	없음	없음	있음
물에 대한 용해성	잘 녹음	물질의 종류에 따라 다름	녹지 않음	녹지 않음
그 외의 특성	힘을 가하면 쉽게 부서짐	승화성을 띠는 물질이 많음	매우 단단함	힘을 가하면 넓게 펴지거나 길게 뽑힘
예	염화 나트륨, 염화 칼슘	드라이아이스, 얼음, 나프탈렌	다이아몬드, 흑연	철, 구리, 금, 알루미늄

1 중성 원자가 전자를 잃거나 얻어 ☐☐ 규칙을 만족하는 전자 배치를 가지면서 안정한 이온이 된다.

2 금속 양이온과 비금속 음이온의 정전기적 인력에 의해 형성되는 화학 결합은 ☐☐ 결합이다.

3

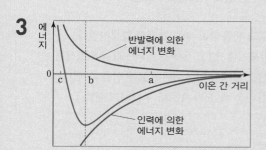

• 이온 간의 인력이 반발력보다 우세한 지점:

• 이온 간의 인력과 반발력이 균형을 이루는 지점:

• 이온 간의 반발력이 인력보다 우세한 지점:

4 이온 결합 물질은 고체 상태와 액체 상태일 때 모두 전기 전도성이 있다. ⋯⋯⋯⋯⋯⋯⋯⋯⋯⋯⋯⋯⋯⋯ (○, ×)

5 이온 결합 물질은 외부에서 힘을 가하면 쉽게 깨지거나 쪼개진다. ⋯⋯⋯⋯⋯⋯⋯⋯⋯⋯⋯⋯⋯⋯⋯⋯⋯ (○, ×)

6 공유 결합 물질은 원자 간 결합은 강하나 분자 간 결합은 매우 약해 녹는점과 끓는점이 비교적 낮다. ⋯⋯⋯⋯ (○, ×)

7 결합 에너지 크기 비교
(1) $N-N$ ☐ $N=N$ ☐ $N≡N$
(2) $H-F$ ☐ $H-Cl$ ☐ $H-Br$

답 1 옥텟 2 이온 3 a, b, c 4 ×
5 ○ 6 ○ 7 (1) <, < (2) >, >

> 개념과 문제의
> 연결고리 찾기!!

1 이온 결합

그림은 화합물 AB와 BC_2의 화학 결합을 모형으로 나타낸 것이다.

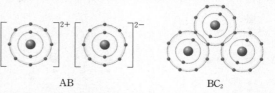

AB BC_2

이에 대한 설명으로 옳은 것만을 〈보기〉에서 있는 대로 고른 것은? (단, A∼C는 임의의 원소 기호이다.)

┤ 보기 ├
ㄱ. AB는 이온 사이의 전기적 인력에 의해 형성된다.
ㄴ. BC_2에서 중심 원자의 공유 전자쌍 수와 비공유 전자쌍 수는 같다.
ㄷ. AB와 BC_2에서 구성 입자는 모두 옥텟 규칙을 만족한다.

① ㄱ   ② ㄷ   ③ ㄱ, ㄴ
④ ㄴ, ㄷ   ⑤ ㄱ, ㄴ, ㄷ

개념으로 문제 접근하기

• 양이온과 음이온의 정전기적 인력에 의해 형성되는 결합을 이온 결합이라 한다.
• 옥텟 규칙은 비활성 기체 이외의 원자들이 전자를 잃거나, 전자를 얻거나, 전자를 서로 공유함으로써 비활성 기체와 같이 가장 바깥 전자 껍질에 8개의 전자를 가져 안정해지려는 경향이며(단, 헬륨은 2개), 물질을 구성하는 요소들은 화학 결합을 함으로써 옥텟 규칙을 만족하여 가장 안정한 전자 배치 상태를 만들거나 유지한다.

┄┄┄┄┄┄┄┄┄┄┄┄┄┄┄┄┄┄┄┄┄┄

│ 보기 분석 │
ㄱ. AB는 이온 사이의 전기적 인력에 의해 형성된다.
  ➡ AB는 양이온과 음이온의 전기적 인력에 의해 형성된 이온 결합 물질이다.
ㄴ. BC_2에서 중심 원자의 공유 전자쌍 수와 비공유 전자쌍 수는 같다. ➡ BC_2에서 중심 원자 B에는 공유 전자쌍이 2쌍, 비공유 전자쌍이 2쌍 있다.
ㄷ. AB와 BC_2에서 구성 입자는 모두 옥텟 규칙을 만족한다.
  ➡ AB와 BC_2의 구성 입자는 가장 바깥 전자 껍질에 8개의 전자를 가지고 있으므로 모두 옥텟 규칙을 만족한다.

답 ⑤

2 공유 결합

그림은 물질 XY_4와 Z_2의 화학 결합을 모형으로 나타낸 것이다.

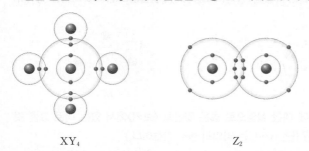

XY_4 Z_2

이에 대한 설명으로 옳은 것을 〈보기〉에서 있는 대로 고른 것은? (단, X~Z는 임의의 원소 기호이다.)

┤ 보기 ├
ㄱ. 원자 번호는 X가 Z보다 크다.
ㄴ. XY_4와 Z_2는 모두 비금속 원소로만 이루어져 있다.
ㄷ. ZY_3에는 다중 결합이 존재한다.

① ㄱ   ② ㄴ   ③ ㄱ, ㄷ
④ ㄴ, ㄷ   ⑤ ㄱ, ㄴ, ㄷ

개념으로 문제 접근하기

- 공유 결합의 형성: 비금속 원자들은 비활성 기체와 같은 전자 배치를 이루기 위해 자신의 전자를 내놓아 전자쌍을 만들고, 그 전자쌍을 공유하여 결합한다.
- X의 전자 수는 6, Y의 전자 수는 1, Z의 전자 수는 7이므로 X는 C, Y는 H, Z는 N이다. 따라서 XY_4는 CH_4, Z_2는 N_2 이다.

| 보기 분석 |
ㄱ. 원자 번호는 X가 Z보다 크다.
　➡ X(C)는 원자 번호가 6, Z(N)는 원자 번호가 7이므로 원자 번호는 X가 Z보다 작다.
ㄴ. XY_4와 Z_2는 모두 비금속 원소로만 이루어져 있다.
　➡ X, Y, Z는 모두 비금속 원소이므로 XY_4, Z_2는 비금속 원소로만 이루어져 있다.
ㄷ. ZY_3에는 다중 결합이 존재한다.
　➡ ZY_3은 NH_3로 단일 결합만 존재한다.

답 ②

3 금속 결합

그림은 물질 A와 B의 결정 구조를 모형으로 나타낸 것이다.

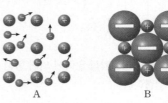

A   B

이에 대한 설명으로 옳은 것만을 〈보기〉에서 있는 대로 고른 것은? (단, A와 B는 염화 나트륨과 나트륨 중 하나이다.)

┤ 보기 ├
ㄱ. A는 물과 반응하여 수소 기체를 발생시킨다.
ㄴ. B의 수용액에 BTB 용액을 떨어뜨리면 노란색을 띤다.
ㄷ. A와 염소 기체를 반응시키면 B를 얻을 수 있다.
ㄹ. 힘을 가했을 때, B가 A보다 부서지기 쉽다.

① ㄱ, ㄴ   ② ㄴ, ㄷ   ③ ㄷ, ㄹ
④ ㄱ, ㄴ, ㄷ   ⑤ ㄱ, ㄷ, ㄹ

개념으로 문제 접근하기

- 금속 결합: 자유 전자와 금속 양이온 사이의 정전기적 인력으로 형성되는 결합
- 물질 A의 결정 구조는 금속, 물질 B의 결정 구조는 이온 결합을 나타낸 것이므로 A는 금속인 나트륨, B는 이온 결합 물질인 염화 나트륨이다.

| 보기 분석 |
ㄱ. A는 물과 반응하여 수소 기체를 발생시킨다.
　➡ A인 나트륨은 금속으로 물과 반응하면 수소 기체를 발생시킨다.
ㄴ. B의 수용액에 BTB 용액을 떨어뜨리면 노란색을 띤다.
　➡ B의 수용액은 염화 나트륨 수용액으로 중성이므로 BTB 용액을 떨어뜨리면 초록색을 띤다.
ㄷ. A와 염소 기체를 반응시키면 B를 얻을 수 있다.
　➡ A인 나트륨과 염소 기체를 반응시키면 염화 나트륨이 생성된다.
ㄹ. 힘을 가했을 때, B가 A보다 부서지기 쉽다.
　➡ 이온 결합 물질은 고체 상태에서 쉽게 쪼개지거나 부서진다. 금속은 자유 전자가 있으므로 강한 정전기적 인력이 작용해 힘을 가해도 이온 결합 물질처럼 잘 부서지지 않는다. 따라서 힘을 가했을 때 이온 결합 물질인 B가 금속인 A보다 부서지기 쉽다.

답 ⑤

1 이온 결합
대표 기출

01

그림은 $NaCl(g)$이 생성될 때 두 이온 사이의 핵 간 거리에 따른 에너지를 나타낸 것이다.

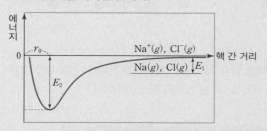

이에 대한 설명으로 옳은 것만을 〈보기〉에서 있는 대로 고른 것은?

┤ 보기 ├

ㄱ. Na^+의 반지름은 $\dfrac{r_0}{2}$이다.

ㄴ. $LiCl(g)$이 생성될 때 E_1는 커진다.

ㄷ. $KCl(g)$이 생성될 때 E_2는 작아진다.

① ㄱ ② ㄴ ③ ㄱ, ㄷ
④ ㄴ, ㄷ ⑤ ㄱ, ㄴ, ㄷ

기출 포인트 | 이온 결합이 생성될 때 두 이온 사이의 핵 간 거리와 에너지를 나타낸 그래프의 각 요소들이 갖는 의미를 알아야 한다.

02 서술형

표는 세 가지 물질의 녹는점을 나타낸 것이며, 물질 (가)~(다)는 각각 NaF, NaBr, MgO 중의 하나이다.

물질	(가)	(나)	(다)
녹는점(℃)	747	996	2825

물질 (가)~(다)의 화학식을 각각 쓰시오.

03

그림은 원자 A~C의 전자 배치를 모형으로 나타낸 것이다.

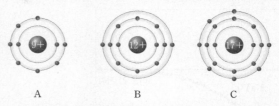

이에 대한 설명으로 옳은 것만을 〈보기〉에서 있는 대로 고른 것은? (단, A~C는 임의의 원소 기호이다.)

┤ 보기 ├

ㄱ. B와 C로 이루어진 안정한 화합물의 화학식은 BC_2이다.

ㄴ. 원자가 전자의 유효 핵전하는 B가 C보다 크다.

ㄷ. 이온 반지름은 A^-이 B^{2+}보다 작다.

① ㄱ ② ㄷ ③ ㄱ, ㄴ
④ ㄴ, ㄷ ⑤ ㄱ, ㄴ, ㄷ

04

표는 몇 가지 이온의 반지름을, 그림은 이온 화합물에서 핵 간 거리(r)에 따른 에너지를 나타낸 것이다.

이온	반지름(nm)	이온	반지름(nm)
K^+	0.133	Cl^-	0.181
Mg^{2+}	0.065	Br^-	0.195
Ca^{2+}	0.099	O^{2-}	0.140

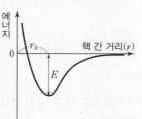

이에 대한 설명으로 옳은 것만을 〈보기〉에서 있는 대로 고른 것은?

┤ 보기 ├

ㄱ. r_0는 KCl이 KBr보다 작다.

ㄴ. E는 CaO이 MgO보다 크다.

ㄷ. 녹는점은 KCl이 CaO보다 낮다.

① ㄱ ② ㄴ ③ ㄱ, ㄷ
④ ㄴ, ㄷ ⑤ ㄱ, ㄴ, ㄷ

05 고난도

그림은 두 가지 이온 결합 화합물의 이온 간 거리에 따른 에너지를 나타낸 것이다.

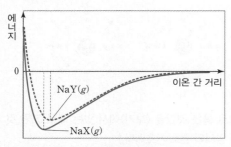

이에 대한 설명으로 옳은 것만을 〈보기〉에서 있는 대로 고른 것은? (단, X, Y는 임의의 할로젠 원소 기호이다.)

┤ 보기 ├
ㄱ. 원자 번호는 X가 Y보다 작다.
ㄴ. 녹는점은 $NaX(s)$가 $NaY(s)$보다 높다.
ㄷ. 이온 간의 반발력이 인력보다 우세하게 작용하는 이온 간 거리 구간은 $NaX(g)$가 $NaY(g)$보다 짧다.

① ㄱ   ② ㄴ   ③ ㄱ, ㄷ
④ ㄴ, ㄷ   ⑤ ㄱ, ㄴ, ㄷ

06

그림은 염화 나트륨 ($NaCl$) 결정을 가열하여 용융시킨 것을 나타낸 것이다.

NaCl 결정   가열   NaCl 용융액

염화 나트륨($NaCl$) 결정을 가열하여 용융시킬 때 그 값이 변하는 것만을 〈보기〉에서 있는 대로 고른 것은?

┤ 보기 ├
ㄱ. 질량
ㄴ. 전기 전도도
ㄷ. 전하량의 총합
ㄹ. 이온 사이의 거리

① ㄱ, ㄴ   ② ㄱ, ㄷ   ③ ㄴ, ㄷ
④ ㄴ, ㄹ   ⑤ ㄷ, ㄹ

---

2 공유 결합   대표 기출

07

그림은 물질 AB, C_2의 화학 결합을 모형으로 나타낸 것이다.

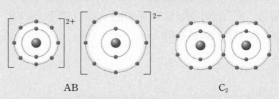

AB C_2

이에 대한 설명으로 옳은 것만을 〈보기〉에서 있는 대로 고른 것은? (단, A~C는 임의의 원소 기호이다.)

┤ 보기 ├
ㄱ. AB는 액체 상태에서 전기 전도성이 있다.
ㄴ. 공유 전자쌍의 수는 B_2와 C_2가 같다.
ㄷ. A와 C의 안정한 화합물은 AC_2이다.

① ㄱ   ② ㄴ   ③ ㄱ, ㄴ
④ ㄱ, ㄷ   ⑤ ㄴ, ㄷ

기출 포인트 | 화학 결합 모형을 보고 결합의 종류와 물질의 특성을 유추할 수 있어야 한다.

08 서술형

그림은 물질 ABC의 화학 결합을 모형으로 나타낸 것이다.

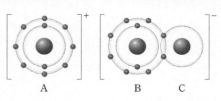

A   B   C

(1) 물질 ABC 내에 존재하는 화학 결합의 종류를 모두 쓰시오.

_____

(2) 물질 ABC의 전기적 성질에 대해 서술하시오.

_____
_____
_____

09

그림은 화합물 ABC의 화학 결합 모형을, 표는 화합물 X, Y의 화학식의 구성 원자 수를 나타낸 것이다.

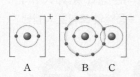

화합물	구성 원자 수		
	A	B	C
X	2	1	0
Y	0	1	2

이에 대한 설명으로 옳은 것만을 〈보기〉에서 있는 대로 고른 것은? (단, A~C는 임의의 원소 기호이다.)

┤ 보기 ├
ㄱ. Y는 공유 결합 화합물이다.
ㄴ. 전기 전도성은 Y(l)가 X(l)보다 크다.
ㄷ. Y에서 B는 옥텟 규칙을 만족한다.

① ㄱ   ② ㄴ   ③ ㄱ, ㄷ
④ ㄴ, ㄷ   ⑤ ㄱ, ㄴ, ㄷ

10

그림 (가)는 CO_2 분자의 전자 배치 모형을, (나)는 드라이아이스(CO_2)의 결정 구조를 나타낸 것이다.

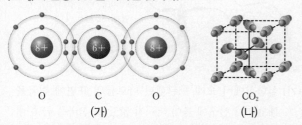

이에 대한 설명으로 옳은 것만을 〈보기〉에서 있는 대로 고른 것은?

┤ 보기 ├
ㄱ. (가)에서 탄소와 산소는 모두 옥텟 규칙을 만족한다.
ㄴ. (나)는 고체 상태에서 전기 전도성을 가진다.
ㄷ. (나)에서 분자와 분자 사이에는 공유 결합이 형성된다.

① ㄱ   ② ㄷ   ③ ㄱ, ㄴ
④ ㄴ, ㄷ   ⑤ ㄱ, ㄴ, ㄷ

11

그림은 할로젠 원소 X, Y, Z가 기체 상태의 이원자 분자를 형성할 때 핵 간 거리에 따른 에너지를 나타낸 것이다.

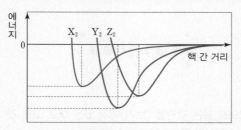

이에 대한 설명으로 옳은 것만을 〈보기〉에서 있는 대로 고른 것은? (단, X~Z는 임의의 원소 기호이다.)

┤ 보기 ├
ㄱ. X, Y, Z 순서로 주기가 점점 증가한다.
ㄴ. 결합 에너지는 X_2가 Y_2보다 크다.
ㄷ. 할로젠 원소가 이원자 분자를 형성할 때 에너지를 흡수한다.

① ㄱ   ② ㄷ   ③ ㄱ, ㄴ
④ ㄴ, ㄷ   ⑤ ㄱ, ㄴ, ㄷ

12 고난도

그림은 물질 ABC와 CD가 반응하여 AD와 X가 생성되는 반응에서 반응물과 생성물을 화학 결합 모형으로 나타낸 것이다.

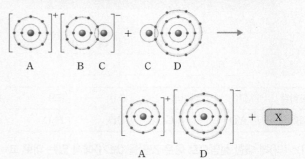

이에 대한 설명으로 옳지 않은 것은? (단, A~D는 임의의 원소 기호이다.)

① X는 C_2B이다.
② ABC에서 A는 옥텟 규칙을 만족한다.
③ CD는 공유 결합 물질이다.
④ AD는 액체 상태에서 전기 전도성이 있다.
⑤ X와 B_2는 비공유 전자쌍 수가 같다.

13

그림은 화합물 ABC의 결합을 모형으로 나타낸 것이다. 원자 번호는 B<C이다.

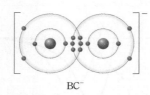

A⁺   BC⁻

이에 대한 설명으로 옳은 것만을 〈보기〉에서 있는 대로 고른 것은? (단, A~C는 임의의 원소 기호이다.)

┤보기├
ㄱ. A와 B는 같은 주기 원소이다.
ㄴ. 액체 상태의 ABC는 전기 전도성이 있다.
ㄷ. C_2의 공유 전자쌍 수는 3이다.

① ㄱ   ② ㄴ   ③ ㄱ, ㄷ
④ ㄴ, ㄷ   ⑤ ㄱ, ㄴ, ㄷ

14 고난도

그림은 주기율표의 일부를, 표는 안정한 화합물 (가)~(라)의 화학식을 나타낸 것이다.

주기＼족	1	2	13	14	15	16	17	18
1	A							
2				B		C	D	
3		E						

화합물	(가)	(나)	(다)	(라)
화학식	AD	A_2C	BD_4	E_xD_y

(가)~(라)에 대한 설명으로 옳은 것만을 〈보기〉에서 있는 대로 고른 것은? (단, A~E는 임의의 원소 기호이다.)

┤보기├
ㄱ. 공유 결합 화합물은 3가지이다.
ㄴ. (나)는 이온 결합 화합물이다.
ㄷ. (라)에서 x는 y보다 크다.

① ㄱ   ② ㄷ   ③ ㄱ, ㄴ
④ ㄴ, ㄷ   ⑤ ㄱ, ㄴ, ㄷ

---

3 금속 결합 대표 기출

15

그림 (가)는 칼륨(K)의 결정 모형, (나)는 염화 칼륨(KCl)의 결정 모형, (다)는 염화 칼륨(KCl) 수용액의 모형을 나타낸 것이다.

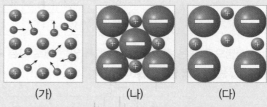

(가)   (나)   (다)

(가)~(다) 물질에 대한 설명으로 옳은 것만을 〈보기〉에서 있는 대로 고른 것은?

┤보기├
ㄱ. (가)는 (나)보다 열전도성이 크다.
ㄴ. (다)에 전원 장치를 연결하면 양이온은 (−)극으로 이동한다.
ㄷ. (가)~(다)에서 (−)전하를 띤 입자는 모두 같다.

① ㄱ   ② ㄷ   ③ ㄱ, ㄴ
④ ㄴ, ㄷ   ⑤ ㄱ, ㄴ, ㄷ

┌─────────────────────────────────┐
기출 포인트 | 금속 결합 물질과 이온 결합 물질의 구조를 알고, 화학 결합의 종류와 관련되어 물질의 특성을 설명할 수 있어야 한다.
└─────────────────────────────────┘

16 서술형

다음은 금속 나트륨과 염화 나트륨의 전기 전도성을 알아보기 위한 실험이다.

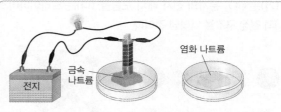

(가) 실험실에서 오래 보관했던 나트륨의 표면에 전극을 대었더니 전구에 불이 켜지지 않았고, 전극을 금속 내부에 찔러 넣었더니 전구에 불이 켜졌다.
(나) 전극을 고체 염화 나트륨에 대어 보았더니 전구에 불이 켜지지 않았다.

실험 결과로 알 수 있는 금속 나트륨과 고체 염화 나트륨의 전기 전도성을 비교하여 서술하시오.

_____

_____

17 서술형

그림 (가)와 (나)는 서로 다른 화학 결합 모형을, 표는 물질 A~C의 성질을 나타낸 것이다.

(가)

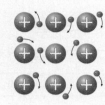

(나)

물질	녹는점(℃)	전기 전도성	
		고체 상태	용융 상태
A	801	없음	있음
B	1083	있음	있음
C	148	없음	없음

(1) (가)와 (나)에 해당하는 물질을 쓰시오.

_____

(2) (1)과 같이 생각한 이유를 서술하시오.

_____

_____

_____

18

그림은 어떤 금속(M)과 그 금속 산화물(MO)의 결정을 모형으로 나타낸 것이다.

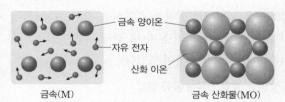

금속(M)　　　　　　　金속 산화물(MO)

이에 대한 설명으로 옳은 것만을 〈보기〉에서 있는 대로 고른 것은? (단, M은 임의의 금속 원소이다.)

┤ 보기 ├
ㄱ. M의 이온은 2가 양이온이다.
ㄴ. M에 전류를 흘려 주면 금속 양이온이 (−)극 쪽으로 이동한다.
ㄷ. MO는 M보다 연성과 전성이 크다.

① ㄱ　　　② ㄷ　　　③ ㄱ, ㄴ
④ ㄴ, ㄷ　　　⑤ ㄱ, ㄴ, ㄷ

19 고난도

그림은 3주기 원소인 금속 A와 B를 모형으로 나타낸 것이다.

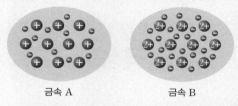

금속 A　　　　　　　금속 B

고체 상태의 금속 A와 B에 대한 설명으로 옳은 것만을 〈보기〉에서 있는 대로 고른 것은? (단 A, B는 임의의 원소 기호이다.)

┤ 보기 ├
ㄱ. 금속 A의 녹는점은 금속 B보다 낮다.
ㄴ. 1몰의 산소(O_2)와 반응하는 금속의 양(mol)은 A와 B가 같다.
ㄷ. 전류를 흘려 주면 A, B 모두 양이온은 (−)극 쪽으로, 전자는 (+)극 쪽으로 이동한다.

① ㄱ　　　② ㄷ　　　③ ㄱ, ㄴ
④ ㄴ, ㄷ　　　⑤ ㄱ, ㄴ, ㄷ

20

그림은 고체로 존재하는 네 가지 물질을 주어진 기준에 따라 구분한 것이다.

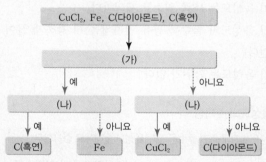

(가)와 (나)에 들어갈 기준으로 옳은 것만을 〈보기〉에서 각각 고른 것은?

┤ 보기 ├
ㄱ. 공유 결합 물질인가?
ㄴ. 녹는점이 매우 높은가?
ㄷ. 고체일 때 전류가 흐르는가?
ㄹ. 힘을 가하면 쉽게 부스러지는가?

	(가)	(나)		(가)	(나)
①	ㄱ	ㄴ	②	ㄴ	ㄱ
③	ㄷ	ㄴ	④	ㄷ	ㄹ
⑤	ㄹ	ㄱ			

12. 강

III. 화학 결합과 분자의 세계

결합의 극성

핵심 용어

• 전기 음성도　• 쌍극자 모멘트

---

1 전기 음성도 　개념 브릿지 유형 1

1. 전기 음성도　원자가 전자쌍을 공유하여 결합할 때 원자마다 전자쌍을 끌어당기는 힘이 다르면 전자쌍이 한쪽으로 치우친다. 이와 같이, 공유 결합을 이루고 있는 두 원자가 전자쌍을 끌어당기는 힘의 크기를 상대적인 값으로 나타낸 것을 전기 음성도라고 한다.

① 전기 음성도의 기준　폴링은 플루오린(F)의 전기 음성도를 4.0으로 정하고, 이 값을 기준으로 다른 원소들의 전기 음성도를 상대적으로 정하였다.

② 18족 원소는 다른 원자와 결합을 형성하지 않으므로 전기 음성도는 18족 원소를 제외한다.

③ 전기 음성도가 클수록 공유 전자쌍을 더 강하게 끌어당긴다.

④ 전기 음성도는 단위가 없다.

2. 전기 음성도의 주기성

• 같은 주기: 원자 번호가 클수록 전기 음성도가 대체로 증가한다.

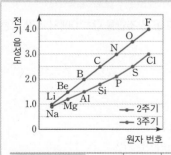

➡ 원자 번호가 커질수록 유효 핵전하가 증가하여 원자핵과 전자 사이의 인력이 증가하므로 다른 원자와의 결합에서 공유 전자쌍을 끌어당기는 힘이 더 강하다.

2주기 원소	C	N	O	F
원자 번호	6	7	8	9
양성자수	6	7	8	9
전기 음성도	2.5	3.0	3.5	4.0

• 같은 족: 원자 번호가 클수록 전기 음성도가 대체로 감소한다.

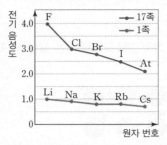

➡ 원자 번호가 커질수록 전자 껍질 수가 증가하여 원자핵과 전자 사이의 인력이 감소하므로 다른 원자와의 결합에서 공유 전자쌍을 끌어당기는 힘이 약하다.

17족 원소	F	Cl	Br	I
원자 번호	9	17	35	53
주기	2	3	4	5
전기 음성도	4.0	3.0	2.8	2.5

자료 클리닉 ➕ 전기 음성도의 주기적 경향

금속 원소는 대부분 2.0 이하의 값을 가지고, 비금속 원소는 대부분 2.0 이상의 값을 가진다.

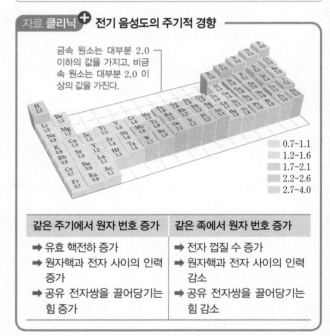

■ 0.7~1.1
■ 1.2~1.6
■ 1.7~2.1
■ 2.2~2.6
■ 2.7~4.0

같은 주기에서 원자 번호 증가	같은 족에서 원자 번호 증가
➡ 유효 핵전하 증가 ➡ 원자핵과 전자 사이의 인력 증가 ➡ 공유 전자쌍을 끌어당기는 힘 증가	➡ 전자 껍질 수 증가 ➡ 원자핵과 전자 사이의 인력 감소 ➡ 공유 전자쌍을 끌어당기는 힘 감소

2 결합의 극성 　개념 브릿지 유형 2

1. 결합의 극성　두 개의 원자가 결합하는 경우, 두 원자의 전기 음성도 차이에 따라 분자 내 전자 분포가 한쪽으로 쏠리는 현상에 의해 극성이 생긴다.

2. 무극성 공유 결합과 극성 공유 결합

① 무극성 공유 결합

• 같은 원자 사이에 형성되는 공유 결합으로, 두 원자의 전기 음성도가 같아 공유 전자쌍의 치우침이 없다.

• 결합하는 원자들은 부분적인 전하를 띠지 않는다.

결합	H−H	N≡N	O=O
결합 모형	H H	N N	O O
전기 음성도 차이	0 = 2.1(H) − 2.1(H)	0 = 3.0(N) − 3.0(N)	0 = 3.5(O) − 3.5(O)

② 극성 공유 결합
  • 서로 다른 원자 사이에 형성되는 공유 결합으로, 전기 음성도 차이에 의해 공유 전자쌍이 한쪽으로 치우치는 결합이다.
  • 전기 음성도가 큰 원자는 공유 전자쌍을 강하게 끌어당겨 부분적인 음전하(δ^-)를 띠고, 전기 음성도가 작은 원자는 공유 전자쌍을 약하게 끌어당겨 부분적인 양전하(δ^+)를 띠게 된다.

3 쌍극자 모멘트

1. **쌍극자 극성** 공유 결합을 하고 있는 이원자 분자의 양끝이 부분적인 전하를 띠고 있는 상태로, 한 쌍의 부분적인 양전하(δ^+)와 부분적인 음전하(δ^-)를 갖는 것을 쌍극자라고 한다.

2. **쌍극자 모멘트** 공유 결합에서 극성의 정도를 나타내는 척도
  ① 쌍극자 모멘트(μ)의 크기 결합하는 두 원자의 전하량(q)과 두 전하 사이의 거리(r)를 곱한 값으로 나타낸다.

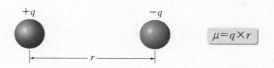

$$\mu = q \times r$$

  • 무극성 공유 결합의 쌍극자 모멘트는 0이다.
  • 극성 공유 결합에서 쌍극자 모멘트 값이 클수록 극성이 강하다.
  • 전하량이 클수록, 두 전하 사이의 거리가 멀수록 쌍극자 모멘트 값은 증가한다.
  • 이원자 분자의 경우, 전하량의 크기는 두 원자의 전기 음성도 차이를, 두 전하 사이의 거리는 두 원자 간 결합 길이를 사용하여 분자의 상대적인 쌍극자 모멘트 크기를 비교할 수 있다.
  ② 쌍극자 모멘트의 방향 (+)전하로부터 (−)전하 쪽으로 향한다.
  • 전기 음성도가 더 큰 원자가 부분적인 음전하(δ^-)를 띠고, 전기 음성도가 더 작은 원자가 부분적인 양전하(δ^+)를 띤다.
  • 같은 원자라도 결합하는 원자의 종류에 따라 쌍극자 모멘트의 방향이 달라진다.
  ③ 쌍극자 모멘트의 표시 쌍극자 모멘트는 크기와 방향을 가지는 벡터량이며, (+) 전하에서 (−) 전하 쪽으로 향하는 화살표로 나타낸다.

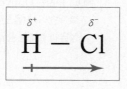

  • 쌍극자 모멘트의 방향: 화살표의 방향으로 나타낸다.
  • 쌍극자 모멘트의 크기: 화살표의 길이로 나타낸다.

3. **전기 음성도 차이와 결합의 극성** 개념 브릿지 유형 3
  ① 극성 공유 결합을 형성하고 있는 분자에서 두 원자 사이의 전기 음성도 차이가 클수록 대체로 공유 결합의 극성이 증가하며, 더 강한 결합을 형성한다.

공유 결합	H−H	C−H	N−H	O−H	F−H
전기 음성도 차이	0	0.4	0.9	1.4	1.9
극성 비교	무극성	극성이 약함 → 극성이 강함			

  ② 할로젠화 수소 화합물의 전기 음성도 차이와 결합 길이 비교

화합물	전기 음성도 차이	쌍극자 모멘트 ($\times 10^{-30}$ C·m)	결합 길이 (pm)	결합 에너지 (kJ/mol)
HF	1.9	6.37	93	565
HCl	0.9	3.60	128	429
HBr	0.7	2.67	142	363
HI	0.4	1.40	162	295

  할로젠화 수소 화합물 중에서 전기 음성도 차이가 가장 큰 것은 플루오린화 수소(HF)이므로 플루오린화 수소의 극성이 가장 크다. ➡ 플루오린화 수소가 가장 강한 결합을 하고 있기 때문에 결합 길이는 가장 짧고, 결합 에너지는 가장 크다.

4. **전기 음성도 차이와 결합의 형성**
  ① 전기 음성도 차이가 약 2.0보다 큰 원자 사이에는 전자가 이동하여 이온 결합이 형성된다.
  ② 전기 음성도 차이가 약 2.0보다 작은 원자 사이에는 극성 공유 결합이 형성된다.
  ③ 같은 원자 사이에는 전기 음성도 차이가 0이므로 무극성 공유 결합이 형성된다.

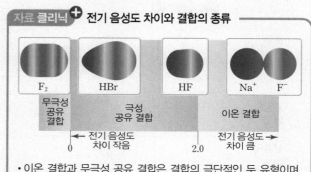

자료 클리닉⁺ 전기 음성도 차이와 결합의 종류

  • 이온 결합과 무극성 공유 결합은 결합의 극단적인 두 유형이며, 극성 공유 결합은 원자가 전자를 완전히 이동시키는 것은 아니고, 두 원자가 공유 전자쌍을 완전히 동등하게 공유하는 것도 아닌 중간적인 결합이다.

1 주기율표에서 같은 족 원소들은 원자 번호가 커질수록 전기 음성도가 대체로 [ ][ ]한다.

2 전기 음성도 차이가 없는 두 원자 사이에 이루어지는 결합은 무극성 공유 결합이다. ································· (○, ×)

3 H−H, C−C, H−C는 모두 무극성 공유 결합을 한다.
································· (○, ×)

4 전기 음성도는 대체로 주기율표의 오른쪽 위로 갈수록 [ ][ ]한다.

5

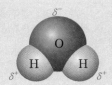

- 전자쌍이 [ ]쪽으로 치우침.
- O: 부분적으로 (양 / 음) 전하
- H: 부분적으로 (양 / 음) 전하

6 극성 공유 결합은 서로 다른 원자 사이에 형성되며, 전기 음성도 차이에 의해 공유 전자쌍이 한쪽으로 치우치는 공유 결합이다. ································· (○, ×)

7 극성 공유 결합에서 전기 음성도가 큰 원소는 부분적인 양전하를 띤다. ································· (○, ×)

8 전하량의 크기가 클수록, 두 전하 사이의 거리가 멀수록 쌍극자 모멘트 값은 증가한다. ································· (○, ×)

9 무극성 공유 결합의 쌍극자 모멘트는 [ ]이다.

10

분자				
결합의 극성	C=O	㉠	H−Cl	㉡
	C−H	㉢	O−H	㉣
분자의 극성	㉤		㉥	

답 **1** 감소 **2** ○ **3** × **4** 증가 **5** O, 음, 양 **6** ○
7 × **8** ○ **9** 0
10 ㉠극성 ㉡극성 ㉢극성 ㉣극성 ㉤무극성 ㉥극성

---

1 전기 음성도

그림은 임의의 원소 A~D의 전기 음성도를 상댓값으로 나타낸 것이다. A~D는 각각 O, F, Na, Mg 중 하나이다.

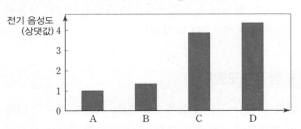

이에 대한 설명으로 옳은 것만을 〈보기〉에서 있는 대로 고른 것은?

┤ 보기 ├
ㄱ. A와 D가 결합한 화합물의 화학식은 AD이다.
ㄴ. B와 D가 결합한 화합물은 공유 결합 화합물이다.
ㄷ. C_2 분자에는 1개의 공유 전자쌍이 있다.

① ㄱ   ② ㄷ   ③ ㄱ, ㄴ
④ ㄴ, ㄷ   ⑤ ㄱ, ㄴ, ㄷ

개념으로 문제 접근하기

- 전기 음성도는 같은 주기에서 원자 번호가 클수록 대체로 커지고, 같은 족에서 원자 번호가 클수록 대체로 작아진다. 따라서 주기율표의 왼쪽이나 아래로 갈수록 감소하고, 주기율표의 오른쪽이나 위로 갈수록 증가한다.
- 전기 음성도는 금속 원소가 비금속 원소보다 작다. 따라서 A는 Na, B는 Mg, C는 O, D는 F이다.

| 보기 분석 |

ㄱ. A와 D가 결합한 화합물의 화학식은 AD이다.
➡ A(Na)는 1족 원소로 전자 1개를 잃어 +1가의 양이온이 된다. D(F)는 17족 원소로 전자 1개를 얻어 −1가의 음이온이 된다. 따라서 A와 D가 결합하면 NaF이 되므로 화학식은 AD이다.
ㄴ. B와 D가 결합한 화합물은 공유 결합 화합물이다.
➡ B는 Mg으로 금속 원소이고, D는 F으로 비금속 원소이다. 금속 양이온과 비금속 음이온이 결합한 화합물은 이온 결합 화합물이다.
ㄷ. C_2 분자에는 1개의 공유 전자쌍이 있다.
➡ C_2 분자는 O_2이다. 16족 원소인 O는 원자가 전자 수가 6개로, 옥텟 규칙을 만족하려면 전자 2개가 부족하므로 O_2가 형성될 때 2개의 공유 전자쌍이 필요하다.

답 ①

2 결합의 극성과 쌍극자 모멘트

그림은 염소(Cl_2)의 분자 모형을 나타낸 것이다.

염소 (Cl_2)에 대한 설명으로 옳은 것만을 〈보기〉에서 있는 대로 고른 것은?

│ 보기 │
ㄱ. 무극성 공유 결합을 한다.
ㄴ. 결합의 쌍극자 모멘트가 0이다.
ㄷ. 한쪽 원자는 부분적인 양전하(δ^+)를 띠고, 다른 한쪽 원자는 부분적인 음전하(δ^-)를 띤다.

① ㄱ   ② ㄷ   ③ ㄱ, ㄴ
④ ㄴ, ㄷ   ⑤ ㄱ, ㄴ, ㄷ

개념으로 문제 접근하기

- 결합의 극성: 두 개의 원자가 결합하는 경우, 두 원자의 전기 음성도 차이에 따라 분자 내 전자 분포가 한쪽으로 쏠리는 현상에 의해 극성이 생긴다.
- 같은 원자가 결합하는 경우, 두 원자의 전기 음성도가 같아 공유 전자쌍의 치우침이 없고, 결합하는 원자들은 부분적인 전하를 띠지 않는다.

┆ 보기 분석 ┆
ㄱ. 무극성 공유 결합을 한다.
➡ Cl_2는 같은 종류의 원자끼리 공유 결합하므로 무극성 공유 결합을 한다.
ㄴ. 결합의 쌍극자 모멘트가 0이다.
➡ 무극성 공유 결합의 경우 결합의 쌍극자 모멘트가 0이다.
ㄷ. 한쪽 원자는 부분적인 양전하(δ^+)를 띠고, 다른 한쪽 원자는 부분적인 음전하(δ^-)를 띤다.
➡ 한쪽 원자는 부분적인 양전하(δ^+)를, 다른 한쪽 원자는 부분적인 음전하(δ^-)를 띠는 것은 극성 공유 결합의 특성이다.

답 ③

---

3 전기 음성도 차이와 결합의 극성

그림은 주기율표의 일부를 나타낸 것이다.

주기＼족	1	12	13	14	15	16	17	18
1								A
2				B		C		
3	D						E	

원소 A~E에 대한 설명으로 옳은 것만을 〈보기〉에서 있는 대로 고른 것은? (단, A~E는 임의의 원소 기호이다.)

│ 보기 │
ㄱ. A의 전기 음성도가 가장 크다.
ㄴ. B와 C는 무극성 공유 결합을 한다.
ㄷ. D와 E의 전기 음성도 차이는 B와 C의 전기 음성도 차이보다 클 것이다.

① ㄱ   ② ㄷ   ③ ㄱ, ㄴ
④ ㄴ, ㄷ   ⑤ ㄱ, ㄴ, ㄷ

개념으로 문제 접근하기

- 전기 음성도는 주기율표의 왼쪽이나 아래로 갈수록 감소하고, 주기율표의 오른쪽이나 위로 갈수록 증가한다.
- A, B, C, D, E는 각각 He, C, O, Na, Cl이다.

┆ 보기 분석 ┆
ㄱ. A의 전기 음성도가 가장 크다.
➡ A(He)는 비활성 기체로 다른 원자와 결합을 형성하지 않으므로 전기 음성도 값이 없다.
ㄴ. B와 C는 무극성 공유 결합을 한다.
➡ B(C)와 C(O)는 비금속 원소이며 서로 다른 원소로 전기 음성도 값이 다르므로 극성 공유 결합을 한다.
ㄷ. D와 E의 전기 음성도 차이는 B와 C의 전기 음성도 차이보다 클 것이다.
➡ 같은 주기에서 원자 번호가 클수록 전기 음성도가 대체로 점점 증가하므로 3주기의 1족(D)과 17족 원소(E)가 2주기의 14족(B)과 16족(C)보다 전기 음성도 차이가 더 클 것이다.

답 ②

1 전기 음성도 대표 기출

01

그림은 화합물 AB_4C의 화학 결합을 전자 배치 모형으로 나타낸 것이다.

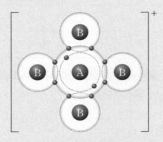

이에 대한 설명으로 옳은 것만을 〈보기〉에서 있는 대로 고른 것은? (단, A~C는 임의의 원소 기호이다.)

┤ 보기 ├
ㄱ. 이 화합물을 이루는 모든 결합은 공유 결합이다.
ㄴ. A는 C보다 전기 음성도가 작다.
ㄷ. BC는 공유 결합 화합물이다.

① ㄱ   ② ㄴ   ③ ㄱ, ㄷ
④ ㄴ, ㄷ   ⑤ ㄱ, ㄴ, ㄷ

기출 포인트 | 전자 배치 모형을 보고 결합의 종류와 특성을 알아야 한다.

02 고난도

그림은 2, 3주기 원자 W~Z에 대한 자료이다. W~Z 각각의 원자가 전자 수는 3 이상 6 이하이고, X는 13족 원소이다.

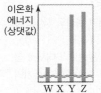

이에 대한 설명으로 옳은 것만을 〈보기〉에서 있는 대로 고른 것은? (단, W~Z는 임의의 원소 기호이다.)

┤ 보기 ├
ㄱ. X는 2주기 원소이다.
ㄴ. 원자가 전자 수는 Y > Z이다.
ㄷ. W는 15족 원소이다.

① ㄱ   ② ㄷ   ③ ㄱ, ㄴ   ④ ㄴ, ㄷ   ⑤ ㄱ, ㄴ, ㄷ

03 서술형

표는 몇 가지 원소의 전기 음성도를 나타낸 것이다.

원소	A	B	C	D
전기 음성도	2.0	3.5	0.9	2.5

위의 원소로 이루어진 화합물에서 (가) 극성이 가장 작은 결합과 (나) 극성이 가장 큰 결합으로 예측되는 것을 쓰시오. (단, A~D는 임의의 원소 기호이다.)

04

표는 2주기 원소의 전기 음성도를 나타낸 것이다.

원소	Li	Be	B	C	N	O	F
전기 음성도	1.0	1.5	2.0	2.5	3.0	3.5	4.0

N−H 결합보다 극성이 큰 공유 결합만을 〈보기〉에서 있는 대로 고른 것은? (단, H의 전기 음성도는 2.1이다.)

┤ 보기 ├
ㄱ. N−F   ㄴ. O−H   ㄷ. Li−F

① ㄱ   ② ㄷ   ③ ㄱ, ㄴ   ④ ㄴ, ㄷ   ⑤ ㄱ, ㄴ, ㄷ

05

다음은 분자 (가)~(다)에 대한 자료이다.

• W~Z는 임의의 원소 기호이며, 각각 H, C, N, O 중 하나이고, H, C, N, O의 전기 음성도는 각각 2.1, 2.5, 3.0, 3.5이다.

분자	(가)	(나)	(다)
구성 원소	W, X	X, Z	Y, Z
전기 음성도 차	1.0	1.4	0.9
분자당 원자 수	3	3	4

• (다)의 무극성 공유 결합의 수는 0이다.

이에 대한 옳은 설명만을 〈보기〉에서 있는 대로 고른 것은?

┤ 보기 ├
ㄱ. Z는 수소(H)이다.
ㄴ. (가)에서 X는 부분적인 양전하(δ^+)를 띤다.
ㄷ. X는 Y보다 전기 음성도가 작다.

① ㄱ   ② ㄷ   ③ ㄱ, ㄴ   ④ ㄴ, ㄷ   ⑤ ㄱ, ㄴ, ㄷ

2 결합의 극성   대표 기출

06

그림은 탄소와 수소, 탄소와 플루오린의 결합을 모형으로 나타낸 것이다.

(가)   (나)

이에 대한 설명으로 옳은 것만을 〈보기〉에서 있는 대로 고른 것은?

┤ 보기 ├
ㄱ. (가)와 (나)는 모두 극성 공유 결합이다.
ㄴ. (가)의 탄소와 (나)의 탄소는 전기 음성도가 다르다.
ㄷ. (가)의 탄소와 (나)의 탄소는 부분 전하의 부호가 반대이다.

① ㄱ   ② ㄴ   ③ ㄱ, ㄷ
④ ㄴ, ㄷ   ⑤ ㄱ, ㄴ, ㄷ

기출 포인트 | 극성 공유 결합에서의 전기 음성도의 차이와 부분 전하에 대해 알아야 한다.

07

그림은 화합물 ABC와 DE의 결합 모형을 각각 나타낸 것이다.

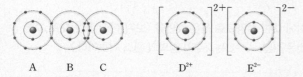

A   B   C D^{2+} E^{2-}

이에 대한 옳은 설명만을 〈보기〉에서 있는 대로 고른 것은? (단, A~E는 임의의 원소 기호이다.)

┤ 보기 ├
ㄱ. DA_2는 이온 결합 물질이다.
ㄴ. BE_2에는 극성 공유 결합이 있다.
ㄷ. C_2와 CA_3는 공유 전자쌍 수가 같다.

① ㄱ   ② ㄷ   ③ ㄱ, ㄴ
④ ㄴ, ㄷ   ⑤ ㄱ, ㄴ, ㄷ

---

08 고난도

그림은 화합물 (가)~(다)를 구성하는 원소의 종류와 물질의 양(mol) 비율을 각각 나타낸 것이다. X~Z는 2주기 원소이다.

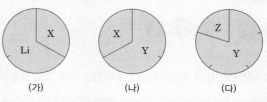

(가)   (나)   (다)

이에 대한 설명으로 옳은 것만을 〈보기〉에서 있는 대로 고른 것은? (단, X~Z는 임의의 원소 기호이다.)

┤ 보기 ├
ㄱ. (가)는 이온 결합 물질이다.
ㄴ. (나)에서 X와 Y는 옥텟 규칙을 만족한다.
ㄷ. (다)는 ZY_4이다.

① ㄱ   ② ㄴ   ③ ㄱ, ㄴ
④ ㄴ, ㄷ   ⑤ ㄱ, ㄴ, ㄷ

09

그림은 분자 (가)와 (나)를 화학 결합 모형으로 나타낸 것이다. (가)와 (나)의 분자식은 각각 XY_2와 ZX_2이다.

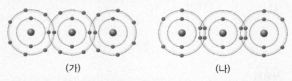

(가)   (나)

이에 대한 설명으로 옳은 것만을 〈보기〉에서 있는 대로 고른 것은? (단, X~Z는 임의의 원소 기호이고, 분자 내에서 옥텟 규칙을 만족한다.)

┤ 보기 ├
ㄱ. (가)는 극성 분자이다.
ㄴ. (나)의 분자 모양은 직선형이다.
ㄷ. ZY_4에는 2중 결합이 있다.

① ㄱ   ② ㄴ   ③ ㄱ, ㄴ
④ ㄴ, ㄷ   ⑤ ㄱ, ㄴ, ㄷ

10 고난도

그림은 사이안화 수소(HCN)과 에타인(C_2H_2)의 분자 모형을 나타낸 것이다.

HCN C_2H_2

이에 대한 설명으로 옳은 것만을 〈보기〉에서 있는 대로 고른 것은?

┤ 보기 ├
ㄱ. HCN에는 무극성 공유 결합이 있다.
ㄴ. 공유 전자쌍의 수는 C_2H_2이 HCN보다 많다.
ㄷ. 물에 대한 용해도는 HCN이 C_2H_2보다 크다.

① ㄱ   ② ㄴ   ③ ㄱ, ㄷ
④ ㄴ, ㄷ   ⑤ ㄱ, ㄴ, ㄷ

11

그림은 다이아몬드(C)와 메테인(CH_4)의 구조를 모형으로 나타낸 것이다.

(가)   (나)

이에 대한 설명으로 옳은 것만을 〈보기〉에서 있는 대로 고른 것은?

┤ 보기 ├
ㄱ. (가)에서 탄소 원자는 4개의 인접한 원자와 결합한다.
ㄴ. (가)와 (나)에서 원자들은 무극성 공유 결합을 한다.
ㄷ. 1몰의 질량은 (가)가 (나)보다 크다.

① ㄱ   ② ㄷ   ③ ㄱ, ㄴ
④ ㄴ, ㄷ   ⑤ ㄱ, ㄴ, ㄷ

12 서술형

다음은 극성 공유 결합에 대한 설명이다.

극성 공유 결합에서는 결합하는 원자들 사이에 (㉠) 차이가 존재하여 공유 전자쌍의 쏠림 현상으로 부분 전하가 나타난다. 전기 음성도가 더 큰 원자가 부분적인 (㉡)를 띠고, 전기 음성도가 더 작은 원자가 부분적인 (㉢)를 띤다.

㉠~㉢에 들어갈 말을 쓰시오.

13

표는 물과 이산화 탄소의 분자 모형과 25 °C에서의 상태를 나타낸 것이다.

구분	물	이산화 탄소
분자 모형	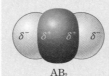	
25 °C에서의 상태	액체	기체

이에 대한 설명으로 옳은 것만을 〈보기〉에서 있는 대로 고른 것은?

┤ 보기 ├
ㄱ. 이산화 탄소는 무극성 분자이다.
ㄴ. 분자 사이의 인력은 이산화 탄소가 물보다 크다.
ㄷ. 물 분자의 산소 원자에는 공유 결합에 참여하지 않은 전자가 있다.

① ㄱ   ② ㄴ   ③ ㄱ, ㄷ
④ ㄴ, ㄷ   ⑤ ㄱ, ㄴ, ㄷ

3 쌍극자 모멘트   대표 기출

14

그림은 두 분자의 구조를 모형으로 나타낸 것이다.

$$\delta^- \quad \delta^+ \quad \delta^+ \quad \delta^-$$
AB_2 BC_2

이에 대한 설명으로 옳은 것만을 〈보기〉에서 있는 대로 고른 것은? (단, A~C는 2주기 임의의 원소 기호이다.)

┤ 보기 ├
ㄱ. 전기 음성도는 A가 C보다 크다.
ㄴ. AB_2의 쌍극자 모멘트의 합은 0이다.
ㄷ. 중심 원자의 비공유 전자쌍 수는 AB_2가 BC_2보다 많다.

① ㄱ   ② ㄴ   ③ ㄱ, ㄷ   ④ ㄴ, ㄷ⑤ ㄱ, ㄴ, ㄷ

기출 포인트 | 분자 모형으로 분자의 극성과 결합의 극성을 유추할 수 있어야 한다.

15

쌍극자 모멘트에 대한 설명으로 옳은 것은?

① 방향은 갖지 않고 크기만 갖는 양이다.
② 결합의 쌍극자 모멘트 값이 0이면 그 결합은 극성 공유 결합이다.
③ 화살표가 향하는 방향이 부분적인 양전하(δ^+)를 띤다.
④ 쌍극자 모멘트 값이 클수록 결합의 극성은 작아진다.
⑤ 쌍극자 모멘트의 크기는 전하량과 두 전하 사이의 거리의 곱으로 나타낸다.

16

그림은 이산화 탄소(CO_2)와 삼염화 붕소(BCl_3)의 분자 모형을 나타낸 것이다.

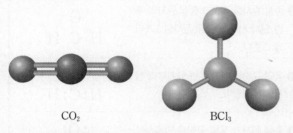

CO_2 BCl_3

이에 대한 설명으로 옳은 것만을 〈보기〉에서 있는 대로 고른 것은?

| 보기 |
ㄱ. 분자 내 모든 결합의 쌍극자 모멘트가 0이 아니다.
ㄴ. 분자 내 모든 원자가 옥텟 규칙을 만족한다.
ㄷ. 분자 내에 무극성 공유 결합이 있다.

① ㄱ   ② ㄴ   ③ ㄱ, ㄷ
④ ㄱ, ㄷ   ⑤ ㄱ, ㄴ, ㄷ

17

그림은 어떤 탄소 화합물의 분자 모형을 나타낸 것이다.

이 탄소 화합물 내의 결합 중 쌍극자 모멘트 값이 가장 큰 결합은?

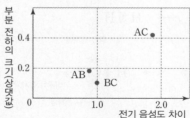

① C−H 결합   ② C−F 결합
③ C−Cl 결합   ④ C−Br 결합
⑤ 모두 같다.

18 서술형

그림은 3가지 물질을 몇 가지 기준에 따라 분류한 것이다.

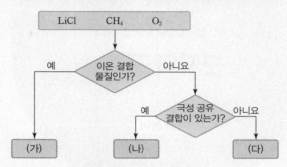

(가)~(다)에 들어갈 물질을 각각 쓰시오.

19 고난도

다음은 이원자 화합물 AB, AC, BC에 대한 자료이다. A~C는 각각 H, F, Cl 중 하나이다.

화합물	분자량
AB	36.5
AC	20
BC	54.5

위 자료에 대한 설명으로 옳은 것만을 〈보기〉에서 있는 대로 고른 것은? (단, A~C는 임의의 원소 기호이다.)

| 보기 |
ㄱ. 세 화합물 중 쌍극자 모멘트는 AB가 가장 크다.
ㄴ. 세 화합물 중 비공유 전자쌍은 BC가 가장 많다.
ㄷ. 전기 음성도는 C>B>A이다.

① ㄱ   ② ㄷ   ③ ㄱ, ㄴ
④ ㄴ, ㄷ   ⑤ ㄱ, ㄴ, ㄷ

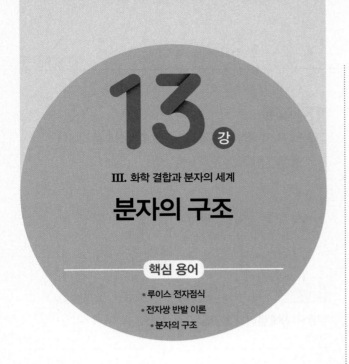

13강

Ⅲ. 화학 결합과 분자의 세계

분자의 구조

핵심 용어

- 루이스 전자점식
- 전자쌍 반발 이론
- 분자의 구조

---

1 루이스 전자점식과 구조식 _{개념 브릿지 유형 1}

1. 루이스 전자점식 원자 사이의 결합을 나타내기 위하여 원소 기호 주위에 원자가 전자를 점으로 표시하여 나타낸 식

족 주기	1	2	13	14	15	16	17	18
1	H·							·He·
2	Li·	·Be·	·B·	·C·	·N·	:O·	:F·	:Ne:
3	Na·	·Mg·	·Al·	·Si·	·P·	:S·	:Cl·	:Ar:

① **공유 전자쌍** 두 원자 사이에 공유되어 공유 결합을 하는 전자쌍

② **비공유 전자쌍** 공유 결합에는 참여하지 않고 한 원자에만 속해 있는 전자쌍

H· + ·H → H:H
홀전자 · · · 공유 전자쌍

H· + ·Cl: → H:Cl:
홀전자 · · · 비공유 전자쌍 / 공유 전자쌍

2. 루이스 구조식 루이스 전자점식으로 표현한 공유 결합 분자의 전자 배치를 간단하게 나타낸 것으로, 공유 전자쌍을 결합선(−)으로 나타낸 분자의 구조식이다.

① **단일 결합** 두 원자 사이에 공유 전자쌍이 1개인 공유 결합을 단일 결합이라고 하며, 1개의 결합선(−)으로 나타낸다.

H:Cl: H−Cl:
▲ 루이스 전자점식   ▲ 루이스 구조식

---

② **다중 결합** 두 원자 사이에 공유 전자쌍이 2개와 3개인 결합을 각각 2중 결합과 3중 결합이라고 하며, 각각 결합선 2개(=)와 3개(≡)로 나타낸다.

2중 결합
:O::O: :Ö=Ö:
루이스 전자점식   ▲ 루이스 구조식
▲ 2중 결합 (예 O_2)

3중 결합
:N⋮⋮N: :N≡N:
루이스 전자점식   ▲ 루이스 구조식
▲ 3중 결합 (예 O_2)

3. 분자의 루이스 전자점식 그리기 루이스 전자점식은 옥텟 규칙에 따라 전자를 배치하는 것을 기본 원칙으로 한다.

> **탐구 클리닉 ⊕ 루이스 전자점식 그리기**

루이스 전자점식 그리는 순서	예 CH_2O분자
❶ 분자, 이온, 화합물을 구성하는 모든 원자의 원자가 전자 수의 합을 구한다.	원자가 전자 수의 합 $=4+(1×2)+6=12$
❷ 중심 원자를 정하고 중심 원자와 주변 원자 사이에 공유 전자쌍 1개씩을 그린다.	O H C H
❸ 옥텟 규칙에 따라 주변 원자부터 전자를 배치한다.	O H:C:H
❹ 중심 원자가 옥텟 규칙을 만족하도록 남은 전자를 배치한다.	:Ö: H:C:H
❺ 중심 원자의 전자 수가 8개 미만이면 주변 원자의 비공유 전자쌍을 공유 전자쌍으로 바꾸어 옥텟 규칙을 만족하도록 한다.	:Ö: H:C:H

---

2 분자의 구조 _{개념 브릿지 유형 2}

1. 전자쌍 반발 이론(VSEPR 이론)

① **전자쌍 반발 이론** 영국의 화학자 시지윅에 의해 제안된 이론으로, 분자에서 중심 원자를 둘러싸고 있는 전자쌍들은 정전기적 반발력을 최소화하기 위해 서로 멀리 떨어져 있으려고 한다는 이론이다. ➡ 비금속 원자들 사이의 공유 결합으로 이루어진 분자의 구조를 예측하기에 매우 유용하다.

② **전자쌍 반발 이론에 따른 전자쌍의 배치** 중심 원자 주위에 존재하는 전자쌍의 수에 따라 전자쌍 배치와 분자 구조가 달라진다.

전자쌍의 수	2개	3개	4개
풍선 모형			
전자쌍 배치 구조	180°	120°	109.5°
분자 구조	직선형	평면 삼각형	정사면체형
	평면 구조		입체 구조
결합각	180°	120°	109.5°

③ 공유 전자쌍과 비공유 전자쌍의 반발력 크기 비교

비공유 전자쌍 사이의 반발력 > 비공유 전자쌍과 공유 전자쌍 사이의 반발력 > 공유 전자쌍 사이의 반발력

2. 분자의 구조

① 이원자 분자의 구조 이원자 분자는 2개의 원자가 결합되어 형성되므로 분자 구조가 항상 직선형이며, 결합각은 180°이다.

분자식	H_2	HCl	O_2	N_2
루이스 구조식	$H-H$	$H-\ddot{\underset{..}{Cl}}$	$\ddot{\underset{..}{O}}=\ddot{\underset{..}{O}}$	$:N \equiv N:$
분자 모형				
분자 구조	직선형	직선형	직선형	직선형

② 중심 원자에 공유 전자쌍만 존재하는 분자의 구조 중심 원자 주위의 공유 전자쌍 수에 따라 분자 구조가 달라진다.

공유 전자쌍의 수	2개	3개	4개
루이스 구조식	$H-Be-H$	B와 Cl 삼각	$H-C-H$ (위아래 H)
분자 모형			
분자 구조	직선형	평면 삼각형	정사면체형
	평면 구조		입체 구조
결합각	180°	120°	109.5°
화합물의 예	BeH_2, BeF_2, $BeCl_2$	BCl_3	CH_4, CCl_4, SiH_4, SiF_4

③ 중심 원자에 비공유 전자쌍이 존재하는 분자의 구조 비공유 전자쌍에 의한 반발력이 더 크므로 중심 원자에 비공유 전자쌍이 많을수록 결합각이 작다.

공유 전자쌍의 수	4개	3개	2개
비공유 전자쌍의 수	0개	1개	2개
루이스 구조식	$H-C-H$ (위아래 H)	$\overset{..}{N}$, H H H	$\ddot{\underset{..}{O}}$ H H
분자 모형	109.5°	107°	104.5°
분자 구조	정사면체형	삼각뿔형	굽은 형
결합각	109.5°	107°	104.5°
화합물의 예	CH_4, CF_4, NH_4^+	NH_3, PH_3	H_2O, H_2S, OF_2

④ 중심 원자에 다중 결합이 포함된 분자의 구조 다중 결합을 단일 결합으로 간주하여 분자 구조를 예측한다.

구분	2중 결합	
분자	이산화 탄소(CO_2)	에텐(C_2H_4)
루이스 구조식	$\ddot{O}=C=\ddot{O}$	$\overset{H}{\underset{H}{}}C=C\overset{H}{\underset{H}{}}$
분자 모형	180°	120°
분자 구조	직선형	평면형
결합각	180°	120°

구분	3중 결합	
분자	에타인(C_2H_2)	사이안화 수소(HCN)
루이스 구조식	$H-C \equiv C-H$	$H-C \equiv N:$
분자 모형	180°	180°
분자 구조	직선형	직선형
결합각	180°	180°

⑤ 중심 원자 주위의 전자쌍이 5개와 6개인 분자 구조 분자의 중심 원자가 2주기 원소일 때에는 비교적 옥텟 규칙을 잘 따르지만, 3주기 이상의 원소에서는 d 오비탈이 존재하여 옥텟 규칙을 따르지 않는 경우가 있다.
예 PH_5: 삼각쌍뿔형, SF_6: 정팔면체형

3 분자의 극성 개념 브릿지 유형 3

1. 무극성 분자 분자 내 전하가 고르게 분포되어 있어서 부분 전하를 갖지 않는 분자

① 같은 원소로 이루어진 이원자 분자 같은 원소끼리는 무극성 공유 결합을 하여 결합의 쌍극자 모멘트가 0이므로 무극성 분자이다.

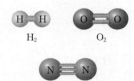

예 H_2, O_2, N_2, F_2 등

② 대칭 구조의 다원자 분자 서로 다른 원자끼리는 극성 공유 결합을 하지만, 대칭 구조를 이루어 결합의 쌍극자 모멘트 합이 0이 되므로 무극성 분자이다.

예 CO_2, BCl_3, CH_4 등

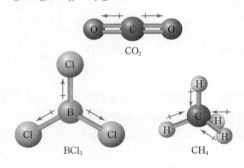

2. 극성 분자 분자 내 전하의 분포가 고르지 않아 부분 전하를 갖는 분자

① 서로 다른 원소로 이루어진 이원자 분자 서로 다른 원자끼리는 극성 공유 결합을 하여 결합의 쌍극자 모멘트가 0이 아니므로 극성 분자이다. 예 HCl, CO, NO 등

② 비대칭 구조의 다원자 분자 서로 다른 원자끼리 극성 공유 결합을 하며, 비대칭 구조를 이루어 결합의 쌍극자 모멘트 합이 0이 아니므로 극성 분자이다.

예 NH_3, H_2O, HCN, CH_3Cl 등

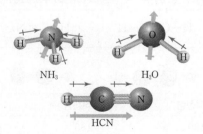

4 분자 구조와 물질의 성질

1. 분자 구조와 물질의 성질 분자 구조로 알 수 있는 분자의 극성은 분자의 물리적, 화학적 성질에 영향을 미친다.

① 분자량이 비슷할 때 무극성 분자보다 극성 분자의 녹는점이나 끓는점이 높다.

② 분자의 극성에 따라 물질의 용해도가 달라진다.

• 극성 물질은 극성 용매에 잘 용해되고, 무극성 물질은 무극성 용매에 잘 용해된다.

• 극성 물질과 무극성 물질은 서로 섞이지 않는다.

2. 극성 분자의 전기적 성질

① 기체 상태의 극성 분자는 부분적인 전하를 가지므로 전기장에서 일정하게 배열된다.

[전기장 속에서 극성 분자와 무극성 분자의 배열]

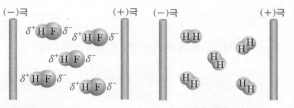

▲ HF 분자의 배열 　　　▲ H_2 분자의 배열

• 부분적인 양전하를 띠는 H 원자는 (−)극 쪽으로, 부분적인 음전하를 띠는 F 원자는 (+)극 쪽으로 향한다.

• 극성 분자인 HF는 전기장 안에서 일정하게 배열되지만, 무극성 분자인 H_2는 전기장의 영향을 받지 않아 무질서하게 배열된다.

탐구 클리닉➕ 물질의 극성 확인하기

과정

❶ 뷰렛의 꼭지를 열어 물줄기가 가늘게 흐르게 하고, 털가죽으로 문지른 고무풍선과 명주 헝겊으로 문지른 유리 막대를 물줄기 가까이에 대어 본다.

❷ 물 대신 에탄올과 노말헥세인으로 ❶의 과정을 반복한다.

결과 및 정리

• 액체 줄기의 변화

구분	물	에탄올	노말헥세인
고무풍선 ((−)로 대전)	대전체 쪽으로 휜다.	대전체 쪽으로 휜다.	변화 없다.
유리 막대 ((+)로 대전)	대전체 쪽으로 휜다.	대전체 쪽으로 휜다.	변화 없다.

• 액체 줄기에 변화가 생긴 까닭: 극성 물질인 물과 에탄올의 경우 대전체가 띠고 있는 전하에 의해 정전기적 인력이 발생하여 대전체 쪽으로 액체 줄기가 끌려가기 때문

[가는 물줄기에 대전체를 대었을 때 분자의 배열]

가는 물줄기 　　가는 물줄기

• 가는 물줄기에 (−)대전체를 가까이 하면 부분적인 양전하를 띠는 H 원자가 대전체 쪽으로 끌리면서 물줄기가 휜다.

• 가는 물줄기에 (+)대전체를 가까이 하면 부분적인 음전하를 띠는 O 원자가 대전체 쪽으로 끌리면서 물줄기가 휜다.

내신 기초

1 루이스 구조식에서 2중 결합은 결합선 ☐개, 3중 결합은 결합선 ☐개로 나타낸다.

2 루이스 구조식을 그릴 때 대부분의 구성 원자들은 ☐☐ ☐☐을 만족해야 한다.

3 탄소는 ☐족 원소이고, ☐개의 공유 결합이 가능하다.

4 루이스 전자점식 그리기
　(1) HCl　　　　　　　　(2) CCl_4

5 분자의 구조

분자 모형	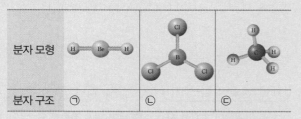		
분자 구조	㉠	㉡	㉢

6 이원자 분자는 항상 직선형 구조를 가진다. ·········· (○, ×)

7 BeH_2, BCl_3, CH_4는 구성 원자가 모두 한 평면에 존재하는 분자들이다. ················ (○, ×)

8 비공유 전자쌍의 반발력에 의해 물의 H－O－H 결합각은 메테인의 H－C－H 결합각보다 크다. ·········· (○, ×)

9 BeH_2, CO_2, C_2H_2의 분자 구조는 모두 직선형이다.
　·········· (○, ×)

답 **1** 2, 3　**2** 옥텟 규칙　**3** 14, 4　**4** (1) H:C̈l: (2) :C̈l: C̈ :C̈l:
:C̈l:

5 ㉠ 직선형 ㉡ 평면 삼각형 ㉢ 정사면체형
6 ○　**7** ×　**8** ×　**9** ○

개념 브릿지 유형

개념과 문제의 연결고리 찾기!!!

1 루이스 전자점식과 구조식

그림은 몇 가지 분자를 루이스 전자점식으로 나타낸 것이다.

Ö: H:C̈:H	:C̈l: B:C̈l: :C̈l:	H:N̈:H H
(가)	(나)	(다)

이에 대한 설명으로 옳은 것만을 〈보기〉에서 있는 대로 고른 것은?

┤ 보기 ├
ㄱ. 모두 중심 원자에 전자쌍이 3개 존재한다.
ㄴ. (가)와 (나)는 평면 구조이다.
ㄷ. 극성 분자는 두 가지이다.

① ㄱ　　　　② ㄷ　　　　③ ㄱ, ㄴ
④ ㄴ, ㄷ　　　⑤ ㄱ, ㄴ, ㄷ

개념으로 문제 접근하기

Ö: H:C̈:H	:C̈l: B:C̈l: :C̈l:	H:N̈:H H
평면 삼각형	평면 삼각형	삼각뿔형

| 보기 분석 |

ㄱ. 모두 중심 원자에 전자쌍이 3개 존재한다.
　➡ (나)의 중심 원자에는 전자쌍이 3개 존재하지만, (가)와 (다)의 중심 원자에는 전자쌍이 4개 존재한다.
ㄴ. (가)와 (나)는 평면 구조이다.
　➡ (가)와 (나)는 평면 구조이고, (다)는 입체 구조이다.
ㄷ. 극성 분자는 두 가지이다.
　➡ (가)와 (다)는 극성 분자이고, (나)는 대칭 구조로 결합의 쌍극자 모멘트 합이 0이 되는 무극성 분자이다.

답 ④

2 분자의 구조

다음은 2주기에 속하는 임의의 원소 A~D의 루이스 전자점식을 나타낸 것이다.

$$\cdot \overset{\cdot}{A} \cdot \qquad \cdot \overset{\cdot \cdot}{B} \cdot \qquad : \overset{\cdot}{C} \cdot \qquad : \overset{\cdot \cdot}{D} \cdot$$

이에 대한 설명으로 옳은 것만을 〈보기〉에서 있는 대로 고른 것은?

┤ 보기 ├
ㄱ. 공유 전자쌍의 수는 $B_2 > C_2$이다.
ㄴ. BD_3의 분자 모양은 평면 삼각형이다.
ㄷ. AD_3 분자는 쌍극자 모멘트의 합이 0이다.

① ㄱ   ② ㄷ   ③ ㄱ, ㄴ
④ ㄱ, ㄷ   ⑤ ㄴ, ㄷ

개념으로 문제 접근하기

- 원자가 전자 수를 통해 A는 붕소, B는 질소, C는 산소, D는 플루오린임을 알 수 있다.
- BF_3의 쌍극자 모멘트 구하기
❶ BF_3의 루이스 전자점식을 그려 중심 원자인 B 주위의 공유 전자쌍 수와 비공유 전자쌍 수를 구한다.

❷ 분자의 구조를 예측한다.
❸ 극성 공유 결합의 쌍극자 모멘트를 표시하고, 쌍극자 모멘트의 합을 구한다.

│ 보기 분석 │
ㄱ. 공유 전자쌍의 수는 $B_2 > C_2$이다.
  ➡ B_2의 공유 전자쌍의 수는 3개, C_2의 공유 전자쌍 수는 2개이다. 따라서 공유 전자쌍 수는 $B_2 > C_2$이다.
ㄴ. BD_3의 분자 모양은 평면 삼각형이다.
  ➡ BD_3는 NF_3로 비공유 전자쌍이 한 쌍 있으므로 분자 모양은 삼각뿔형이다.
ㄷ. AD_3 분자는 쌍극자 모멘트의 합이 0이다.
  ➡ AD_3 분자는 BF_3이며, 평면 삼각형 구조로 무극성 분자이므로 쌍극자 모멘트의 합은 0이다.

답 ④

3 분자의 극성

표는 2주기 원소 A~C의 수소 화합물 (가)~(다)에 대한 자료이다.

수소 화합물	(가)	(나)	(다)
분자 모형			
중심 원자의 원자가 전자 수	6	5	㉠

이에 대한 설명으로 옳은 것만을 〈보기〉에서 있는 대로 고른 것은? (단, A~C는 임의의 원소 기호이다.)

┤ 보기 ├
ㄱ. ㉠은 4이다.
ㄴ. 한 분자당 비공유 전자쌍 수는 (가)가 (나)보다 많다.
ㄷ. (가)~(다) 중 극성 분자는 1가지이다.

① ㄱ   ② ㄷ   ③ ㄱ, ㄴ
④ ㄴ, ㄷ   ⑤ ㄱ, ㄴ, ㄷ

개념으로 문제 접근하기

- 중심 원자의 원자가 전자 수를 보면 원소 종류를 알 수 있다. 2주기 원소 중 원자가 전자가 6개인 원소 A는 O, 5개인 원소 B는 N, 4개인 원소 C는 C이다.

공유 전자쌍: 2쌍 비공유 전자쌍: 2쌍	공유 전자쌍: 3쌍 비공유 전자쌍: 1쌍	공유 전자쌍: 4쌍 비공유 전자쌍: 없음

│ 보기 분석 │
ㄱ. ㉠은 4이다. ➡ 수소(H)는 한 개의 공유 결합을 형성한다. 수소 4개가 탄소(C)와 단일 결합을 형성하므로 C의 원자가 전자 수는 4개이다.
ㄴ. 한 분자당 비공유 전자쌍 수는 (가)가 (나)보다 많다.
  ➡ 한 분자당 비공유 전자쌍 수는 (가)(2개)가 (나)(1개)보다 많다.
ㄷ. (가)~(다) 중 극성 분자는 1가지이다. ➡ (가)~(다) 중 극성 분자는 비공유 전자쌍이 있는 (가)와 (나)로 2개이다.

답 ③

1 루이스 전자점식과 구조식 — 대표 기출

01

그림은 1, 2주기 비금속 원소 W~Z로 이루어진 분자의 루이스 전자점식이다.

$$X\!:\!\ddot{W}\!:\!\ddot{W}\!:\!X \qquad X\!:\!Y\!:\!:\!Y\!:\!X \qquad X\!:\!\ddot{Z}\!:\!:\!\ddot{Z}\!:\!X$$

이에 대한 설명으로 옳은 것만을 〈보기〉에서 있는 대로 고른 것은? (단, W~Z는 임의의 원소 기호이다.)

┤보기├
ㄱ. 전기 음성도는 W > Z > Y이다.
ㄴ. 공유 전자쌍 수는 Z_2가 W_2보다 많다.
ㄷ. 분자 XYZ의 중심 원자에는 비공유 전자쌍이 없다.

① ㄱ　　　　② ㄷ　　　　③ ㄱ, ㄴ
④ ㄴ, ㄷ　　　⑤ ㄱ, ㄴ, ㄷ

기출 포인트 | 루이스 전자점식을 보고 분자의 특성과 구성 원소의 성격을 알 수 있어야 한다.

02

그림은 폼알데하이드(HCHO)의 루이스 전자점식을 나타낸 것이다. 이에 대한 설명으로 옳지 않은 것은?

$$\overset{\displaystyle \ddot{O}\,:}{\underset{\displaystyle }{\overset{\displaystyle ::}{H\!:\!C\!:\!H}}}$$

① 2중 결합을 포함하고 있다.
② 구성 원자는 총 4개이다.
③ 중심 원자는 탄소이다.
④ 모든 원자들이 한 평면에 존재한다.
⑤ H−C−H 결합각은 180°이다.

03

다음은 어떤 분자의 특성을 나타낸 것이다.

• 구성 원자들이 한 평면에 존재하지 않는다.
• 결합의 쌍극자 모멘트 합이 0이다.

위 특성을 갖는 분자에 해당하는 것은?

① N_2　　　　② OF_2　　　　③ NH_2
④ BCl_3　　　⑤ CH_4

04 고난도

다음은 분자 X에 대한 자료이다.

• 2주기 원소 A, B, C로 구성된 3원자 분자이다.
• 구성하는 원자들의 루이스 전자점식은 다음과 같다.

$$\dot{\ddot{A}}\cdot \qquad :\dot{\ddot{B}}\cdot \qquad :\dot{\ddot{C}}\cdot$$

• 분자 내에서 원자들은 모두 옥텟 규칙을 만족한다.

X에 대한 설명으로 옳은 것만을 〈보기〉에서 있는 대로 고른 것은? (단, A~C는 임의의 원소 기호이고, X에서 B의 산화수는 −2이다.)

┤보기├
ㄱ. 중심 원자는 B이다.
ㄴ. 극성 공유 결합이 있다.
ㄷ. 분자 내 공유 전자쌍은 3개이다.

① ㄱ　　　　② ㄷ　　　　③ ㄱ, ㄴ
④ ㄴ, ㄷ　　　⑤ ㄱ, ㄴ, ㄷ

05

그림 (가)와 (나)는 CO_2와 BF_3를 루이스 전자점식으로 나타낸 것이다.

$$:\ddot{O}\!:\!:\!C\!:\!:\!\ddot{O}: \qquad\qquad \overset{\displaystyle :\ddot{F}:}{:\ddot{F}\!:\!B\!:\!\ddot{F}:}$$

(가)　　　　　　　(나)

(가)와 (나)의 공통점으로 옳은 것만을 〈보기〉에서 있는 대로 고른 것은?

┤보기├
ㄱ. 극성 공유 결합이 있다.
ㄴ. 중심 원자는 옥텟 규칙을 만족한다.
ㄷ. 무극성 분자이다.

① ㄴ　　　　② ㄷ　　　　③ ㄱ, ㄴ
④ ㄱ, ㄷ　　　⑤ ㄱ, ㄴ, ㄷ

06

표는 옥텟 규칙을 만족하는 3원자 분자 (가), (나)를 구성하는 원자의 루이스 전자점식을 나타낸 것이다.

3원자 분자	구성 원자의 루이스 전자점식
(가)	·Ẍ· :Ÿ·
(나)	:Ÿ· :Z̈·

이에 대한 설명으로 옳은 것만을 〈보기〉에서 있는 대로 고른 것은? (단, X~Z는 2주기 임의의 원소 기호이다.)

┤보기├
ㄱ. 한 분자를 구성하는 Y원자의 수는 (가)가 (나)보다 많다.
ㄴ. (나)에 있는 비공유 전자쌍은 2개이다.
ㄷ. 결합각은 (가)가 (나)보다 작다.

① ㄱ   ② ㄴ   ③ ㄷ   ④ ㄱ, ㄴ   ⑤ ㄱ, ㄷ

---

2 분자의 구조   대표 기출

07

다음은 2주기 원소로 이루어진 분자 (가)~(다)에 대한 자료이다.

• 분자의 구성
 – 3개 이상의 원자로 구성된다.
 – 중심 원자가 1개이고 나머지 원자는 모두 중심 원자와 결합한다.
 – 분자 내 모든 원자는 옥텟 규칙을 만족한다.
• 분자의 구성 원소 수와 결합각 및 전자쌍 수 비

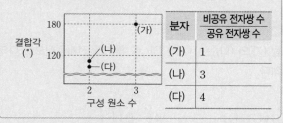

분자	비공유 전자쌍 수 / 공유 전자쌍 수
(가)	1
(나)	3
(다)	4

이에 대한 설명으로 옳은 것만을 〈보기〉에서 있는 대로 고른 것은? (단, W~Z는 임의의 원소 기호이다.)

┤보기├
ㄱ. (가)의 공유 전자쌍 수는 4이다.
ㄴ. (나)의 쌍극자 모멘트는 0이다.
ㄷ. (다)의 분자 모양은 삼각뿔형이다.

① ㄱ   ② ㄷ   ③ ㄱ, ㄴ   ④ ㄴ, ㄷ   ⑤ ㄱ, ㄴ, ㄷ

기출 포인트 | 자료를 통해 분자의 구조를 유추할 수 있어야 한다.

08

그림은 물, 암모니아, 이산화 탄소의 분자 모형을 나타낸 것이다.

물   암모니아   이산화 탄소

이에 대한 설명으로 옳은 것만을 〈보기〉에서 있는 대로 고른 것은?

┤보기├
ㄱ. 물 분자는 공유 전자쌍 수와 비공유 전자쌍 수가 같다.
ㄴ. 이산화 탄소 분자는 대칭 구조이다.
ㄷ. 물에 대한 용해도는 이산화 탄소가 암모니아보다 크다.

① ㄴ   ② ㄷ   ③ ㄱ, ㄴ
④ ㄱ, ㄷ   ⑤ ㄱ, ㄴ, ㄷ

09

그림은 3가지 분자를 주어진 기준에 따라 분류하는 과정을 나타낸 것이다.

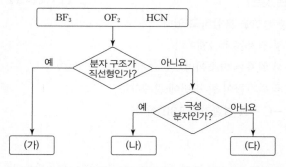

(가)~(다)에 대한 설명으로 옳은 것만을 〈보기〉에서 있는 대로 고른 것은?

┤보기├
ㄱ. (가)에는 3중 결합이 있다.
ㄴ. 중심 원자에 존재하는 전체 전자쌍 수는 (다)가 가장 작다.
ㄷ. 결합각은 (나)가 (다)보다 크다.

① ㄱ   ② ㄷ   ③ ㄱ, ㄴ
④ ㄴ, ㄷ   ⑤ ㄱ, ㄴ, ㄷ

10 서술형

표는 4가지 분자 C_2H_2, HCN, CH_2O, CF_4를 4가지 기준에 따라 각각 구분한 결과를 나타낸 것이다.

분류 기준	예	아니오
다중 결합이 있는가?	㉠	㉡
(가)	CF_4	C_2H_2, HCN, CH_2O
극성 분자인가?	㉢	㉣

(1) ㉠~㉣에 해당하는 분자식을 쓰시오.

_____

(2) (가)에 적용할 수 있는 분류 기준을 서술하시오.

_____

11 서술형

그림은 NH_3 분자가 가질 수 있는 두 가지 가능한 구조를 모형으로 나타낸 것이다.

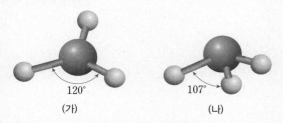

(가) 120°   (나) 107°

(가)와 (나)의 차이점을 2가지 이상 서술하시오.

_____

12

그림은 세 가지 분자를 모형으로 나타낸 것이다.

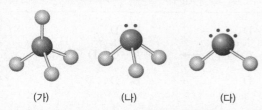

(가)   (나)   (다)

이에 대한 설명으로 옳은 것만을 〈보기〉에서 있는 대로 고른 것은? (단, (가)~(다)는 물, 암모니아, 메테인 중 하나이다.)

┤ 보기 ├
ㄱ. (가)는 비대칭 구조이다.
ㄴ. (나)는 암모니아의 분자 모형이다.
ㄷ. 중심 원자의 비공유 전자쌍이 가장 많은 것은 (다)이다.

① ㄱ   ② ㄴ   ③ ㄱ, ㄷ
④ ㄴ, ㄷ   ⑤ ㄱ, ㄴ, ㄷ

---

3 분자의 극성   대표 기출

13

표는 수소(H_2), 메테인(CH_4), 물(H_2O)의 분자 모형과 끓는점을 나타낸 것이다.

분자	수소	메테인	물
분자 모형	H—H	H, C, H, H, H (메테인 분자 모형)	O, H, H (물 분자 모형)
끓는점 (1 기압)	$-253\ ℃$	$-164\ ℃$	$100\ ℃$

이에 대한 설명으로 옳은 것만을 〈보기〉에서 있는 대로 고른 것은?

┤ 보기 ├
ㄱ. 수소(H_2)는 무극성 분자이다.
ㄴ. 메테인(CH_4)은 실온(25 ℃)에서 기체이다.
ㄷ. 액체 상태에서 분자 사이의 인력이 가장 큰 물질은 물(H_2O)이다.

① ㄱ   ② ㄴ   ③ ㄱ, ㄷ   ④ ㄴ, ㄷ   ⑤ ㄱ, ㄴ, ㄷ

기출 포인트 | 분자 모형으로 극성 분자를 유추하고, 극성 분자의 성질과 연관지을 수 있어야 한다.

14 고난도

표는 1, 2주기의 1~16족 원소 중 하나인 A~D로 이루어진 3가지 분자에 대한 자료이다.

분자식	ADC	DB_2	DA_4
공통점	중심 원자는 옥텟 규칙을 만족함		

이에 대한 설명으로 옳은 것만을 〈보기〉에서 있는 대로 고른 것은? (단, A~D는 임의의 원소 기호이다.)

┤ 보기 ├
ㄱ. 무극성 분자는 2가지이다.
ㄴ. 비공유 전자쌍이 있는 분자는 2가지이다.
ㄷ. 분자를 구성하는 모든 원자들이 동일 평면에 존재하는 것은 1가지이다.

① ㄱ   ② ㄷ   ③ ㄱ, ㄴ
④ ㄴ, ㄷ   ⑤ ㄱ, ㄴ, ㄷ

15

그림은 요소 분자의 구조식을 나타낸 것이다.

$$H-\underset{\underset{H}{|}}{N}\overset{\alpha}{\diagdown}\overset{\overset{\displaystyle O}{\|}}{C}\overset{\beta}{\diagdown}\underset{\underset{H}{|}}{N}-H$$

요소 분자에 대한 설명으로 옳은 것만을 〈보기〉에서 있는 대로 고른 것은?

┤ 보기 ├
ㄱ. 평면 구조이다.
ㄴ. 비공유 전자쌍이 4개 존재한다.
ㄷ. 결합각은 α가 β보다 작다.

① ㄱ   ② ㄴ   ③ ㄱ, ㄷ
④ ㄴ, ㄷ   ⑤ ㄱ, ㄴ, ㄷ

16 고난도

다음은 분자 (가)~(다)에 대한 자료이다.

- (가)~(다)의 분자식

분자	(가)	(나)	(다)
분자식	WX$_2$Y	YZ$_2$	WY$_2$

- W~Z는 각각 H, C, O, F 중 하나이고, 전기 음성도는 X가 가장 작다.
- (가)~(다)의 중심 원자는 옥텟 규칙을 만족한다.

(가)~(다)에 대한 설명으로 옳은 것만을 〈보기〉에서 있는 대로 고른 것은?

┤ 보기 ├
ㄱ. (가)의 분자 모양은 평면 삼각형이다.
ㄴ. (나)의 중심 원자는 부분적인 (+)전하를 띤다.
ㄷ. 극성 분자는 1가지이다.

① ㄱ   ② ㄴ   ③ ㄱ, ㄴ
④ ㄴ, ㄷ   ⑤ ㄱ, ㄴ, ㄷ

17

표는 분자 (가)~(다)에 대한 자료이다. X, Y는 2주기 원소이며 (가)~(다)에서 모두 옥텟 규칙을 만족한다.

분자	실험식	분자 내 공유 전자쌍의 수
(가)	XH$_3$	3
(나)	HYX	4
(다)	YH	5

이에 대한 설명으로 옳은 것만을 〈보기〉에서 있는 대로 고른 것은? (단, X와 Y는 임의의 원소 기호이다.)

┤ 보기 ├
ㄱ. (가)는 극성 분자이다.
ㄴ. (가)와 (다)는 분자당 구성 원자 수가 같다.
ㄷ. (나)와 (다)의 모양은 모두 직선형이다.

① ㄱ   ② ㄷ   ③ ㄱ, ㄴ
④ ㄴ, ㄷ   ⑤ ㄱ, ㄴ, ㄷ

18

표는 1, 2주기 원소 A~D로 이루어진 화합물 (가), (나)에 대한 자료이고, 그림은 (가)와 (나)가 반응하여 (다)를 생성하는 반응을 나타낸 것이다.

화합물	분자식	분자당 비공유 전자쌍 수
(가)	AB$_3$	1
(나)	CD$_3$	9

$$\underset{(가)}{\underset{\overset{|}{B}}{\overset{\overset{\displaystyle B}{|}}{B-A}}} + \underset{(나)}{\underset{\overset{|}{D}}{\overset{\overset{\displaystyle D}{|}}{C\overset{\alpha}{-}D}}} \longrightarrow \underset{(다)}{\underset{\overset{|}{B}\quad\overset{|}{D}}{\overset{\overset{\displaystyle B\quad D}{|\quad|}}{B-A-C\overset{\beta}{-}D}}}$$

이에 대한 설명으로 옳은 것만을 〈보기〉에서 있는 대로 고른 것은? (단, A~D는 임의의 원소 기호이다.)

┤ 보기 ├
ㄱ. (가)에서 A는 옥텟 규칙을 만족한다.
ㄴ. α가 β보다 크다.
ㄷ. AD$_3$ 분자는 평면 구조이다.

① ㄱ   ② ㄴ   ③ ㄱ, ㄴ
④ ㄴ, ㄷ   ⑤ ㄱ, ㄴ, ㄷ

4 분자 구조와 물질의 성질 　대표 기출

19

표는 3가지 물질의 분자 모형과 분자량을 나타낸 것이다.

물질	(가)	(나)	(다)
분자 모형	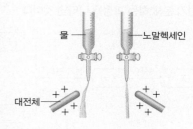		
분자량	16	17	18

(가)~(다)에 대한 설명으로 옳은 것만을 〈보기〉에서 있는 대로 고른 것은?

┤보기├
ㄱ. 물질 (가)의 끓는점이 가장 낮다.
ㄴ. (나)는 이온 결합 물질이다.
ㄷ. 한 분자를 구성하는 원자 수가 가장 작은 것은 (다)이다.

① ㄴ　　　　　② ㄷ　　　　　③ ㄱ, ㄴ
④ ㄱ, ㄷ　　　　⑤ ㄱ, ㄴ, ㄷ

기출 포인트 | 분자의 구조를 보고 극성을 판단하여 분자의 성질을 유추할 수 있어야 한다.

20

그림은 분자량이 비슷한 세 가지 분자의 구조를 모형으로 나타낸 것이다.

메테인(CH_4)　　암모니아(NH_3)　　물(H_2O)

이에 대한 설명으로 옳은 것만을 〈보기〉에서 있는 대로 고른 것은?

┤보기├
ㄱ. 분자 구조가 대칭인 것은 메테인이다.
ㄴ. 암모니아의 끓는점이 가장 낮다.
ㄷ. 메테인이 물보다 분자 사이의 인력이 크다.

① ㄱ　　　　　② ㄴ　　　　　③ ㄷ
④ ㄱ, ㄴ　　　　⑤ ㄴ, ㄷ

21 　서술형

다음은 물질의 성질에 관한 실험을 나타낸 것이다.

[과정]
❶ 뷰렛에 물을 채운 후 꼭지를 열어 물줄기가 가늘게 흐르게 하고, 털가죽으로 문지른 고무 풍선을 물줄기 가까이에 대어 본다.

❷ 뷰렛의 꼭지를 열어 물줄기가 가늘게 흐르게 하고, 명주 형겊으로 문지른 유리막대를 물줄기 가까이에 대어 본다.

❸ 물 대신 에탄올과 노말헥세인으로 위의 과정을 반복한다.

[결과]
물과 에탄올은 대전체 쪽으로 휘었고, 노말헥세인은 변화 없다.

이 실험에서 물과 에탄올은 대전체 쪽으로 휘었으나 노말헥세인은 휘지 않은 까닭을 서술하시오.

_____

_____

22 　서술형

그림 (가)와 (나)는 C_3H_9N의 두 가지 분자 구조를 나타낸 것이다. 끓는점이 더 높을 것으로 예상되는 분자를 쓰고, 그 까닭을 서술하시오.

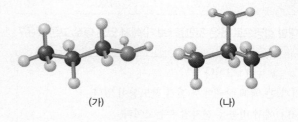

(가)　　　　　　　　　　(나)

_____

01

그림은 고체 상태에서 전류가 흐르지 않는 물질 X를 용융시켜 전기 분해 하는 과정을 나타낸 것이다.

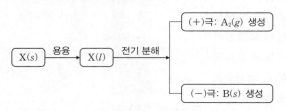

이에 대한 설명으로 옳은 것만을 〈보기〉에서 있는 대로 고른 것은? (단, A와 B는 임의의 원소 기호이다.)

┤ 보기 ├
ㄱ. X는 이온 결합 물질이다.
ㄴ. X의 구성 원소는 A와 B이다.
ㄷ. 전기 분해할 때 A 이온은 (+)극으로 이동하여 전자를 잃고 기체가 된다.

① ㄱ   ② ㄴ   ③ ㄱ, ㄷ
④ ㄴ, ㄷ   ⑤ ㄱ, ㄴ, ㄷ

02

표는 임의의 원소 A~C로 이루어진 화합물 (가), (나)의 화학식을 나타낸 것이다. A~C의 안정한 이온은 각각 A^{2+}, B^{2-}, C^-이며, 모두 Ne의 전자 배치를 갖는다.

화합물	(가)	(나)
화학식	A_xC_y	B_2C_2

이에 대한 설명으로 옳은 것만을 〈보기〉에서 있는 대로 고른 것은?

┤ 보기 ├
ㄱ. $x : y = 1 : 2$이다.
ㄴ. (가)는 액체 상태에서 전기 전도성이 있다.
ㄷ. (나)에서 비공유 전자쌍 수는 4이다.

① ㄱ   ② ㄷ   ③ ㄱ, ㄴ   ④ ㄴ, ㄷ   ⑤ ㄱ, ㄴ, ㄷ

03

그림은 화합물 A_2B의 결합 모형을 나타낸 것이다.

이에 대한 설명으로 옳은 것만을 〈보기〉에서 있는 대로 고른 것은?

┤ 보기 ├
ㄱ. B는 16족 원소이다.
ㄴ. A와 B는 같은 주기 원소이다.
ㄷ. A_2B는 액체 상태에서 전류가 흐른다.

① ㄱ   ② ㄴ   ③ ㄱ, ㄷ   ④ ㄴ, ㄷ   ⑤ ㄱ, ㄴ, ㄷ

04

그림은 1, 2주기 비금속 원소들로 구성된 분자 ABC와 DAE를 루이스 전자점식으로 나타낸 것이다.

$$: A :: B : C \qquad : \ddot{D} : \ddot{A} :: \ddot{E} :$$

이에 대한 설명으로 옳은 것만을 〈보기〉에서 있는 대로 고른 것은? (단, A~E는 임의의 원소 기호이다.)

┤ 보기 ├
ㄱ. 바닥 상태인 B 원자의 p 오비탈에 들어 있는 전자 수는 2이다.
ㄴ. 두 분자 모두 극성 공유 결합이 있다.
ㄷ. 두 분자에서 A는 모두 부분적인 음전하를 띤다.

① ㄱ   ② ㄷ   ③ ㄱ, ㄴ   ④ ㄴ, ㄷ   ⑤ ㄱ, ㄴ, ㄷ

05 서술형

다음은 물질 A와 B_2가 반응하여 AB를 생성하는 반응의 화학 반응식이고, 표는 물질 AB의 몇 가지 성질을 나타낸 것이다.

$$2A + B_2 \longrightarrow 2AB$$

녹는점(℃)	끓는점(℃)	전기 전도성	
		고체	액체
801	1413	없음	있음

AB에 존재하는 결합의 종류를 쓰고, 그렇게 생각한 까닭을 서술하시오.

_____

_____

06

다음은 물질 A_2B와 C_2B가 반응하여 ABC를 생성하는 반응의 화학 반응식과 A_2B와 C_2B의 화학 결합 모형이다.

$$A_2B + C_2B \longrightarrow 2ABC$$

A_2B C_2B

이에 대한 설명으로 옳은 것을 〈보기〉에서 있는 대로 고른 것은? (단, A~C는 임의의 원소 기호이다.)

┤보기├
ㄱ. A_2B는 이온 결합 물질이다.
ㄴ. C_2B에서 B는 옥텟 규칙을 만족한다.
ㄷ. 액체 상태에서 전기 전도성은 ABC가 C_2B보다 크다.

① ㄱ   ② ㄷ   ③ ㄱ, ㄴ
④ ㄴ, ㄷ   ⑤ ㄱ, ㄴ, ㄷ

07 고난도

표는 분자 (가)와 (나)에 대한 자료이다. (가)와 (나)에서 C, O는 옥텟 규칙을 만족한다.

분자	(가)	(나)
구성 원소의 루이스 전자점식	·Ċ· ·H	·Ö· ·H
구성 원소의 질량비	C : H = 3 : 1	O : H = 16 : 1

이에 대한 설명으로 옳은 것을 〈보기〉에서 있는 대로 고른 것은? (단, H, C, O의 원자량은 각각 1, 12, 16이다.)

┤보기├
ㄱ. (가)에서 결합의 쌍극자 모멘트의 합은 0이다.
ㄴ. (나)의 분자식은 H_2O_2이다.
ㄷ. (가)와 (나)에는 극성 공유 결합이 있다.

① ㄱ   ② ㄷ   ③ ㄱ, ㄴ
④ ㄴ, ㄷ   ⑤ ㄱ, ㄴ, ㄷ

08 고난도

표는 2주기 원소 A~C로 이루어진 분자 (가), (나)에 대한 자료이다. (가), (나)에서 구성 원자는 모두 옥텟 규칙을 만족한다.

분자	분자식	비공유 전자쌍 수
(가)	AB_2	4
(나)	BC_2	8

이에 대한 설명으로 옳은 것만을 〈보기〉에서 있는 대로 고른 것은? (단, A~C는 임의의 원소 기호이다.)

┤보기├
ㄱ. 공유 전자쌍 수는 (가)가 (나)의 2배이다.
ㄴ. 결합각은 (가)가 (나)보다 크다.
ㄷ. 분자의 쌍극자 모멘트는 (가)가 (나)보다 크다.

① ㄱ   ② ㄷ   ③ ㄱ, ㄴ
④ ㄴ, ㄷ   ⑤ ㄱ, ㄴ, ㄷ

09

그림은 이온 (가)와 분자 (나), (다)의 구조식을 나타낸 것이다.

$$\left[\begin{array}{c} H \\ | \alpha \\ H-N-H \\ | \\ H \end{array} \right]^{+} \qquad \begin{array}{c} H \\ | \beta \\ H-N-H \end{array} \qquad \begin{array}{c} F \\ | \gamma \\ F-B-F \end{array}$$

(가)   (나)   (다)

이에 대한 설명으로 옳은 것만을 〈보기〉에서 있는 대로 고른 것은?

┤보기├
ㄱ. (가)의 모양은 정사면체형이다.
ㄴ. 결합각은 $\gamma > \alpha > \beta$이다.
ㄷ. 분자의 쌍극자 모멘트는 (다)가 (나)보다 크다.

① ㄱ   ② ㄴ   ③ ㄱ, ㄴ
④ ㄴ, ㄷ   ⑤ ㄱ, ㄴ, ㄷ

10

그림은 분자 (가)와 (나)의 루이스 전자점식이다.

$$:\!\overset{..}{\underset{..}{O}}\!:\!:\!C\!:\!:\!\overset{..}{\underset{..}{O}}\!: \qquad H\!:\!\overset{..}{N}\!:\!\overset{..}{N}\!:\!H$$
$$\qquad\qquad\qquad\qquad\;\; H\;\; H$$
$$\quad\;\;\text{(가)} \qquad\qquad\qquad \text{(나)}$$

이에 대한 설명으로 옳은 것만을 〈보기〉에서 있는 대로 고른 것은?

┤ 보기 ├
ㄱ. (가)는 무극성 분자이다.
ㄴ. (나)에서 모든 원자는 동일 평면에 있다.
ㄷ. 공유 전자쌍의 수는 (가)와 (나)가 같다.

① ㄱ　　② ㄷ　　③ ㄱ, ㄴ　　④ ㄴ, ㄷ　　⑤ ㄱ, ㄴ, ㄷ

11

다음은 과산화 수소(H_2O_2)가 분해되는 화학 반응을 나타낸 것이다.

$$2H_2O_2 \longrightarrow 2H_2O + (\quad \text{(가)} \quad)$$

이 반응의 물질에 대한 설명으로 옳은 것만을 〈보기〉에서 있는 대로 고른 것은?

┤ 보기 ├
ㄱ. H_2O에는 비공유 전자쌍이 2개 있다.
ㄴ. (가)에서 모든 원자는 옥텟 규칙을 만족한다.
ㄷ. 반응물과 생성물 중 극성 공유 결합이 존재하는 물질은 2가지이다.

① ㄱ　　② ㄴ　　③ ㄱ, ㄴ　　④ ㄱ, ㄷ　　⑤ ㄱ, ㄴ, ㄷ

12

표는 수소 화합물 AH_3와 BH_4의 분자 구조를 나타낸 것이다.

수소 화합물	AH_3	BH_4
분자 구조	삼각뿔형	정사면체형

이에 대한 설명으로 옳은 것만을 〈보기〉에서 있는 대로 고른 것은? (단, A와 B는 임의의 원소 기호로 2주기 원소이다.)

┤ 보기 ├
ㄱ. AH_3의 중심 원자에 있는 전자쌍 간 반발력의 크기는 모두 같다.
ㄴ. BH_4에서 결합의 쌍극자 모멘트의 합은 0이다.
ㄷ. AH_4^+의 구조는 BH_4와 같다.

① ㄱ　　　　② ㄷ　　　　③ ㄱ, ㄴ
④ ㄴ, ㄷ　　　⑤ ㄱ, ㄴ, ㄷ

13 서술형

다음은 5가지 분자를 주어진 기준에 따라 분류한 것이다.

[분자]
$$H_2O \quad NH_3 \quad BF_3 \quad CCl_4 \quad CH_2O$$

[분류]

기준	예	아니오
모든 원자가 동일한 평면에 있는가?	(가)	(나)
극성 분자인가?	(다)	(라)
중심 원자가 옥텟 규칙을 만족하는가?	(마)	(바)

(가)~(바)에 들어갈 분자를 쓰시오.

14

그림은 3가지 분자를 분류하는 과정이다.

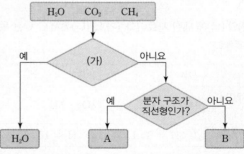

이에 대한 설명으로 옳은 것만을 〈보기〉에서 있는 대로 고른 것은? (단, 원자량은 O가 H의 16배이다.)

┤ 보기 ├
ㄱ. (가)는 '극성 분자인가?'가 될 수 있다.
ㄴ. B는 CO_2이다.
ㄷ. 분자량은 A가 B보다 작다.

① ㄱ　　　　② ㄷ　　　　③ ㄱ, ㄴ
④ ㄴ, ㄷ　　　⑤ ㄱ, ㄴ, ㄷ

15 서술형

표는 4가지 분자 H_2O, CO_2, HCN, CF_4를 주어진 기준에 따라 각각 분류한 결과를 나타낸 것이다.

분류 기준	예	아니오
(가)	CF_4	H_2O, CO_2, HCN
다중 결합이 있는가?	㉠	㉡
극성 분자인가?	㉢	㉣

(1) (가)에 들어갈 수 있는 분류 기준을 쓰시오.

(2) ㉠~㉣에 들어갈 분자를 쓰시오.

16 고난도

표는 서로 다른 2주기 원소의 수소 화합물 A~C에서 중심 원자에 존재하는 전자쌍의 수를 나타낸 것이다.

수소 화합물	A	B	C
공유 전자쌍의 수	4	3	2
비공유 전자쌍의 수	0	1	2

이에 대한 설명으로 옳은 것만을 〈보기〉에서 있는 대로 고른 것은?

┤ 보기 ├
ㄱ. A 분자의 모양은 정사면체 형이다.
ㄴ. C는 무극성 물질이다.
ㄷ. 결합각의 크기는 C>B>A이다.

① ㄱ ② ㄴ ③ ㄱ, ㄷ
④ ㄴ, ㄷ ⑤ ㄱ, ㄴ, ㄷ

17 고난도

그림은 2주기 원소 W~Z로 이루어진 분자 (가)~(다)의 구조식을 나타낸 것이다. (가)~(다)의 모든 원자는 옥텟 규칙을 만족한다.

$$\begin{array}{ccc} & Y & W \\ & | & \| \\ W=X=W & Y-Z-Y & Y-X-Y \\ \text{(가)} & \text{(나)} & \text{(다)} \end{array}$$

이에 대한 설명으로 옳은 것만을 〈보기〉에서 있는 대로 고른 것은? (단, W~Z는 임의의 원소 기호이다.)

┤ 보기 ├
ㄱ. (나)는 극성 분자이다.
ㄴ. (다)의 분자 모양은 삼각뿔형이다.
ㄷ. WY_2의 분자 모양은 직선형이다.

① ㄱ ② ㄷ ③ ㄱ, ㄴ ④ ㄴ, ㄷ ⑤ ㄱ, ㄴ, ㄷ

18

다음은 풍선으로 전자쌍 모형을 만들어 분자 구조를 알아보는 탐구 활동이다.

[탐구 목적]
풍선으로 만든 전자쌍 모형에서 풍선의 배열 모습을 통해 중심 원자의 전자쌍이 각각 2개인 분자와 3개인 분자의 구조를 예측한다.

[탐구 과정 및 결과]
같은 크기의 풍선 2개와 3개를 각각 매듭끼리 묶었더니 풍선이 그림과 같이 각각 직선형과 평면 삼각형 모양으로 배열되었다.

[결론]
• 분자에서 중심 원자의 전자쌍은 풍선의 배열과 마찬가지로 ㉠
• $BeCl_2$의 분자 구조는 직선형, ㉡ 의 분자 구조는 평면 삼각형임을 예측할 수 있다.

이에 대한 설명으로 옳은 것만을 〈보기〉에서 있는 대로 고른 것은?

┤ 보기 ├
ㄱ. '가능한 한 서로 멀리 떨어져 있으려 한다.'는 ㉠으로 적절하다.
ㄴ. 'BCl_3'는 ㉡으로 적절하다.
ㄷ. CH_4의 분자 구조를 예측하기 위해 매듭끼리 묶어야 하는 풍선은 5개이다.

① ㄱ ② ㄷ ③ ㄱ, ㄴ ④ ㄴ, ㄷ ⑤ ㄱ, ㄴ, ㄷ

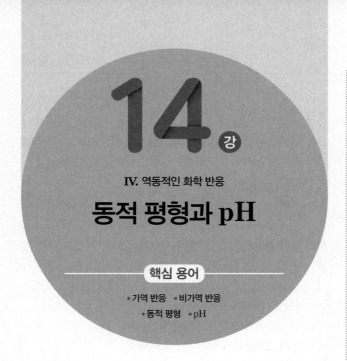

14강

IV. 역동적인 화학 반응

동적 평형과 pH

핵심 용어

• 가역 반응   • 비가역 반응
• 동적 평형   • pH

---

1 가역 반응과 비가역 반응 개념 브릿지 유형 1

1. 가역 반응   반응 조건에 따라 정반응과 역반응이 모두 일어날 수 있는 반응

① 정반응(→) : 화학 반응식에서 반응물이 생성물로 변하는 반응

② 역반응(←) : 화학 반응식에서 생성물이 반응물로 변하는 반응

자료 클리닉 ➕ 가역 반응의 예

• 물의 증발과 응축

$$H_2O(l) \rightleftharpoons H_2O(g)$$

┌ 정반응: 물이 증발하여 기체 상태의 수증기가 된다.
└ 역반응: 기체 상태의 수증기가 응축하여 액체 상태의 물이 된다.

• 황산 구리(Ⅱ) 오수화물의 분해와 생성

$$CuSO_4 \cdot 5H_2O \rightleftharpoons CuSO_4 + 5H_2O$$

┌ 정반응: 파란색 황산 구리(Ⅱ) 오수화물($CuSO_4 \cdot 5H_2O$)을 가열하면 황산 구리(Ⅱ) 오수화물이 물을 잃고 흰색 황산 구리(Ⅱ) ($CuSO_4$)가 된다.
└ 역반응: 흰색 황산 구리(Ⅱ)에 물을 떨어뜨리면 파란색 황산 구리(Ⅱ) 오수화물이 된다.

• 석회 동굴의 형성과 종유석, 석순의 생성

$$CaCO_3(s) + CO_2(g) + H_2O(l) \rightleftharpoons Ca(HCO_3)_2(aq)$$

┌ 정반응: 석회암의 주성분인 탄산 칼슘($CaCO_3$)이 이산화 탄소(CO_2)가 녹아 있는 지하수와 오랜 세월 동안 반응하여 물에 녹는 탄산수소 칼슘($Ca(HCO_3)_2$)을 생성하므로 석회 동굴이 만들어진다.
└ 역반응: 탄산수소 칼슘 수용액에서 물이 증발하고 이산화 탄소가 빠져 나가면서 탄산 칼슘이 석출되면, 석회 동굴 천장에 종유석이, 바닥에 석순이 만들어진다.

---

2. 비가역 반응   정반응만 일어나거나 역반응이 거의 일어나지 않는 반응

① 연소 반응 $CH_4(g) + 2O_2(g)$
$$\longrightarrow CO_2(g) + 2H_2O(l)$$

② 기체 발생 반응 $Zn(s) + 2HCl(aq)$
$$\longrightarrow ZnCl_2(aq) + H_2(g)$$

③ 강산과 강염기의 중화 반응 $HCl(aq) + NaOH(aq)$
$$\longrightarrow NaCl(aq) + H_2O(l)$$

④ 앙금 생성 반응 $AgNO_3(aq) + NaCl(aq)$
$$\longrightarrow NaNO_3(aq) + AgCl(s)$$

---

2 동적 평형 개념 브릿지 유형 2

1. 동적 평형   가역 반응에서 정반응 속도와 역반응 속도가 같아서 겉보기에는 변화가 없는 것처럼 보이는 상태 ➡ 동적 평형 상태에서는 반응물과 생성물이 함께 존재하며, 농도가 일정하게 유지된다.

2. 상평형   물질의 세 가지 상태 중 두 가지 이상의 상태가 동적 평형을 유지하는 것

예 밀폐된 용기에서 물의 증발과 응축: $H_2O(l) \underset{응축}{\overset{증발}{\rightleftharpoons}} H_2O(g)$

탐구 클리닉 ➕ 브로민의 증발과 응축

그림 (가)와 같이 일정한 온도에서 밀폐 용기에 액체 브로민($Br_2(l)$)을 넣었더니, 용기 내부의 색깔이 점점 진해지다가 어느 순간((다))부터 더 이상 색 변화가 없었다.

$$Br_2(l) \rightleftharpoons Br_2(g)$$

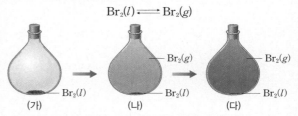

• (가)와 (나): 동적 평형 상태 도달 전 ➡ 증발 속도 > 응축 속도
• (다): 동적 평형 상태 ➡ 증발 속도 = 응축 속도

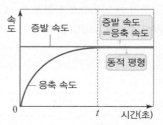

• 온도가 일정하므로 증발 속도는 일정하다. 응축 속도는 용기 속에 브로민 기체가 증가할수록 빨라지다가 동적 평형 상태에서는 증발 속도와 같아지며, 일정하게 유지된다.
• 증발 속도와 응축 속도가 같아지면 동적 평형 상태가 되므로 더 이상의 색 변화가 없다.
• (가)와 (나)는 동적 평형에 도달하기 전이므로 0에서 t초 사이에 해당하고, 색 변화가 없는 (다)는 동적 평형 상태이므로 t초 이후의 지점이다.

---

3. **용해 평형** 용질이 용매에 용해될 때 용질의 용해 속도와 석출 속도가 같아서 겉보기에는 변화가 일어나지 않는 것처럼 보이는 동적 평형 상태이다.

[염화 나트륨 포화 수용액 속의 용해와 석출]

- 현상: 물이 담긴 비커에 염화 나트륨($NaCl$)을 충분히 녹인 후 바닥에 가라앉은 고체 $NaCl$의 양이 더 이상 줄어들지 않을 때, 동위 원소 ^{24}Na이 포함된 $^{24}NaCl$을 한 숟가락 넣어 준다.

$$NaCl \underset{\text{석출}}{\overset{\text{용해}}{\rightleftharpoons}} NaCl(aq)(Na^+(aq) + Cl^-(aq))$$

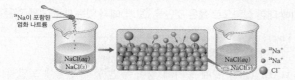

- 결과: 바닥에 가라앉은 염화 나트륨 고체와 수용액에서 모두 ^{24}Na이 발견된다.
- 분석: 반응이 멈춘 것처럼 보이는 포화 수용액에서도 염화 나트륨이 용해되는 반응과 석출되는 반응이 끊임없이 일어난다는 사실을 알 수 있다.

---

[3] 물의 자동 이온화와 pH 개념 브릿지 유형 3

1. **물의 자동 이온화** 순수한 물에서 매우 적은 양의 물 분자끼리 수소 이온(H^+)을 주고받아 하이드로늄 이온(H_3O^+)과 수산화 이온(OH^-)으로 이온화하는 현상이다.

$$H_2O(l) + H_2O(l) \rightleftharpoons H_3O^+(aq) + OH^-(aq)$$

2. **물의 이온화 상수(K_w)** 물의 자동 이온화 과정에서 생성된 하이드로늄 이온(H_3O^+)의 몰 농도와 수산화 이온(OH^-)의 몰 농도 곱을 물의 이온화 상수라고 한다.

$$K_w = [H_3O^+][OH^-]$$
$$([H_3O^+]: H_3O^+\text{의 몰 농도}, [OH^-]: OH^-\text{의 몰 농도})$$

① 물의 이온화 상수(K_w)는 온도가 일정하면 물뿐만 아니라 수용액에서도 일정하고, 온도가 높을수록 커진다.
② 순수한 물에는 H_3O^+과 OH^- 이외에 어떤 이온도 들어 있지 않으며, 전체적으로 전기적인 중성을 띠므로 H_3O^+과 OH^-은 같은 수로 존재한다.
➡ 25 ℃의 순수한 물에서
$K_w = [H_3O^+][OH^-] = 1.0 \times 10^{-14}$이므로
$[H_3O^+] = [OH^-] = 1.0 \times 10^{-7}$ M이다.

---

3. **용액의 pH**

① **수소 이온 농도 지수(pH)** 수용액 속에 들어 있는 H_3O^+의 농도를 간단히 나타낸 것

$$pH = \log\frac{1}{[H_3O^+]} = -\log[H_3O^+]$$

- pH 값이 작을수록 산성이 강하고, pH 값이 클수록 염기성이 강하다.
- 수용액의 pH가 1씩 작아질수록 수용액 속의 $[H_3O^+]$는 10배씩 커진다.

② **수산화 이온 농도 지수(pOH)** 수용액 속에 들어 있는 OH^-의 농도를 간단히 나타낸 것

$$pOH = \log\frac{1}{[OH^-]} = -\log[OH^-]$$

③ **pH와 pOH의 관계** 25 ℃에서 물의 이온화 상수 $K_w = [H_3O^+][OH^-] = 1.0 \times 10^{-14}$로 일정하므로 다음의 관계가 성립한다.

$$pH + pOH = 14 \,(25\,℃)$$

④ 수용액의 액성과 pH, pOH의 관계 (25 ℃)

액성	H_3O^+과 OH^-의 농도	pH와 pOH
산성	$[H_3O^+] > 1.0 \times 10^{-7}$ M, $[OH^-] < 1.0 \times 10^{-7}$ M	pH < 7, pOH > 7
중성	$[H_3O^+] = [OH^-]$ $= 1.0 \times 10^{-7}$ M	pH = pOH = 7
염기성	$[H_3O^+] < 1.0 \times 10^{-7}$ M, $[OH^-] > 1.0 \times 10^{-7}$ M	pH > 7, pOH < 7

자료 클리닉 ➕ pH, pOH의 관계(25 ℃)

- 토마토의 pH가 4.0이고, 우유의 pH가 6.0일 때, 토마토의 $[H_3O^+]$는 우유의 100배이다.

---

⑤ **용액의 pH 측정** 지시약을 사용하거나, pH 시험지 또는 pH 측정기를 사용하여 측정한다.
- 만능 지시약: 몇 가지 지시약을 적당한 비율로 혼합하여 만든 것으로, 에탄올에 티몰 블루, 메틸 레드, 브로모티몰 블루(BTB), 페놀프탈레인 용액을 함께 녹인 것이 많이 사용된다.
- pH 시험지: 만능 지시약을 종이에 적셔 만든 것이다.
- pH 측정기: 수소 이온 농도(H_3O^+)에 따른 전기 전도도 차이를 이용한다.

1 반응 조건에 따라 정반응과 역반응이 모두 일어날 수 있는 반응을 ☐☐ 반응이라고 한다.

2 연소 반응, 앙금 생성 반응 등과 같이 한 방향으로만 진행되는 반응을 ☐☐☐ 반응이라고 한다.

3 물과 수증기의 동적 평형처럼 한 물질의 두 가지 이상의 상태 사이의 평형을 ☐☐☐이라고 한다.

4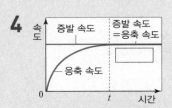

5 물의 이온화 상수 $K_w = [H_3O^+][OH^-]$이며, ☐☐가 일정하면 항상 일정한 값을 가진다.

6 25 °C에서 탄산음료에 들어 있는 H_3O^+의 농도가 0.00001 M일 때, 이 탄산음료의 pH는 ☐이다.

7 수용액의 $[H_3O^+]$가 커지면 pH는 (커 , 작아)진다.

8

액성	pH	pOH
(1) 산성	pH ☐ 7	pOH ☐ 7
(2) 중성	pH ☐ 7	pOH ☐ 7
(3) 염기성	pH ☐ 7	pOH ☐ 7

📋 **1** 가역 **2** 비가역 **3** 상평형 **4** 동적 평형 **5** 온도 **6** 5
7 작아 **8** (1) <, > (2) =, = (3) >, <

1 가역 반응과 비가역 반응

다음은 두 가지 화학 반응식을 나타낸 것이다.

> (가) $HCl(aq) + NaOH(aq) \longrightarrow NaCl(aq) + H_2O(l)$
> (나) $Br_2(l) \rightleftharpoons Br_2(g)$

이에 대한 설명으로 옳은 것만을 〈보기〉에서 있는 대로 고른 것은?

┤ 보기 ├
ㄱ. (가)는 역반응이 일어날 수 있다.
ㄴ. $Br_2(g)$를 밀폐 용기에 넣어 두면 동적 평형에 도달할 수 있다.
ㄷ. 밀폐 용기에 $Br_2(l)$을 넣고 오래 두면 용기 속에 $Br_2(l)$과 $Br_2(g)$이 함께 존재한다.

① ㄱ   ② ㄴ   ③ ㄱ, ㄷ
④ ㄴ, ㄷ   ⑤ ㄱ, ㄴ, ㄷ

개념으로 문제 접근하기

• 가역 반응: 반응 조건에 따라 정반응과 역반응이 모두 일어날 수 있는 반응
• 비가역 반응: 정반응만 일어나거나 역반응이 거의 일어나지 않는 반응
• 브로민의 증발과 응축: $Br_2(l) \rightleftharpoons Br_2(g)$
 – 처음에는 $Br_2(l)$가 증발하여 적갈색의 $Br_2(g)$로 되는 반응이 일어나 적갈색이 점점 진해진다.
 – 충분한 시간이 지나면 $Br_2(l)$가 $Br_2(g)$로 증발하는 속도와 $Br_2(g)$가 $Br_2(l)$로 응축하는 속도가 같아져 동적 평형에 도달한다.
 – 증발 속도와 응축 속도가 같아지면 색 변화가 더 이상 일어나지 않는다.

┄┄┄┄┄┄┄┄┄┄┄┄┄┄┄┄┄┄┄┄┄┄┄

| 보기 분석 |
ㄱ. (가)는 역반응이 일어날 수 있다.
 ➡ (가)는 중화 반응으로 비가역 반응이므로 역반응이 일어나기 어렵다.
ㄴ. $Br_2(g)$를 밀폐 용기에 넣어 두면 동적 평형에 도달할 수 있다.
 ➡ Br_2의 상변화는 가역적으로 일어난다. 밀폐 용기에 기체 상태의 $Br_2(g)$을 넣어 두면 충분한 시간이 지나 동적 평형에 도달한다.
ㄷ. 밀폐 용기에 $Br_2(l)$을 넣고 오래 두면 용기 속에 $Br_2(l)$과 $Br_2(g)$이 함께 존재한다.
 ➡ 밀폐 용기에 액체 상태의 $Br_2(l)$을 넣어도 가역 반응이 일어나 용기 속에는 $Br_2(l)$과 $Br_2(g)$이 함께 존재한다.

답 ④

2 동적 평형

다음은 NO_2와 N_2O_4의 반응을 나타낸 반응식이다.

$$2NO_2(g) \Longleftrightarrow N_2O_4(g)$$
적갈색 　　　　　 무색

이에 대한 설명으로 옳은 것만을 〈보기〉에서 있는 대로 고른 것은?

┤ 보기 ├
ㄱ. N_2O_4의 생성과 분해는 가역 반응이다.
ㄴ. 동적 평형 상태에서 역반응은 일어나지 않는다.
ㄷ. 색 변화가 더 이상 일어나지 않을 때가 동적 평형 상태
　　이다.

① ㄱ　　　　　② ㄴ　　　　　③ ㄱ, ㄷ
④ ㄴ, ㄷ　　　　⑤ ㄱ, ㄴ, ㄷ

개념으로 문제 접근하기

- 처음에는 적갈색의 NO_2가 결합하여 무색의 N_2O_4로 되는 반응이 일어나 적갈색이 점점 옅어진다.
- 충분한 시간이 지나면 NO_2가 N_2O_4를 생성하는 반응과 N_2O_4가 NO_2로 분해되는 반응이 같은 속도로 일어나 동적 평형에 도달한다.
- 동적 평형 상태에서는 NO_2와 N_2O_4의 농도가 일정하게 유지되므로 색 변화가 더 이상 일어나지 않는다.

| 보기 분석 |

ㄱ. N_2O_4의 생성과 분해는 가역 반응이다.
　➡ NO_2와 N_2O_4 사이의 반응은 적갈색의 NO_2가 결합하여 무색의 N_2O_4로 되는 반응과 N_2O_4가 분해되어 NO_2로 되는 반응이 모두 일어나는 가역 반응이다.
ㄴ. 동적 평형 상태에서 역반응은 일어나지 않는다.
　➡ 동적 평형 상태에서도 정반응과 역반응은 계속 일어나고 있다.
ㄷ. 색 변화가 더 이상 일어나지 않을 때가 동적 평형 상태이다.
　➡ 동적 평형 상태에서는 정반응 속도와 역반응 속도가 같으므로 NO_2와 N_2O_4의 농도가 일정하게 유지되며, 따라서 색 변화도 더 이상 일어나지 않는다.

답 ③

3 pH

다음은 물의 자동 이온화 반응식과 온도에 따른 물의 이온화 상수(K_w)를 나타낸 것이다.

$$2H_2O(l) \longrightarrow H_3O^+(aq) + OH^-(aq)$$

온도(℃)	0	10	25	60
K_w	1.1×10^{-15}	2.9×10^{-15}	1.0×10^{-14}	9.6×10^{-14}

이에 대한 설명으로 옳은 것만을 〈보기〉에서 있는 대로 고른 것은?

┤ 보기 ├
ㄱ. 25 ℃ 순수한 물의 pH=7이다.
ㄴ. 온도가 높아지면 순수한 물의 pH는 작아진다.
ㄷ. 60 ℃ 순수한 물의 $[H_3O^+]$와 $[OH^-]$는 같다.

① ㄱ　　　　　② ㄷ　　　　　③ ㄱ, ㄴ
④ ㄴ, ㄷ　　　　⑤ ㄱ, ㄴ, ㄷ

개념으로 문제 접근하기

- 물의 이온화 상수(K_w): 물의 자동 이온화 과정에서 생성된 하이드로늄 이온(H_3O^+)의 몰 농도와 수산화 이온(OH^-)의 몰 농도 곱을 물의 이온화 상수라고 한다.
- 물의 이온화 상수는 온도가 일정하면 물뿐만 아니라 수용액에서도 일정하고, 온도가 높을수록 커진다.
- 순수한 물에는 H_3O^+과 OH^- 이외에 어떤 이온도 들어 있지 않으며, 전체적으로 전기적인 중성을 띠므로 H_3O^+과 OH^-은 같은 수로 존재한다.

| 보기 분석 |

ㄱ. 25 ℃ 순수한 물의 pH=7이다.
　➡ 25 ℃에서 $K_w=[H_3O^+][OH^-]=1.0 \times 10^{-14}$이므로, $[H_3O^+]$와 $[OH^-]$는 1.0×10^{-7} M로 같고, pH=7이 된다.
ㄴ. 온도가 높아지면 순수한 물의 pH는 작아진다.
　➡ 온도가 높아지면 순수한 물의 K_w가 커져 $[H_3O^+]$도 커진다. 그러나 pH=$-\log[H_3O^+]$이므로 $[H_3O^+]$가 커지면 pH는 작아진다.
ㄷ. 60 ℃ 순수한 물의 $[H_3O^+]$와 $[OH^-]$는 같다.
　➡ 순수한 물은 중성이므로 모든 온도에서 $[H_3O^+]=[OH^-]$이다.

답 ⑤

1 가역 반응과 비가역 반응　　대표 기출

01

다음은 실생활과 관련된 현상 2가지를 나타낸 것이다.

> (가) 물이 증발하여 수증기가 된다.
> (나) 가스레인지에서 연료인 메테인이 연소한다.

이에 대한 설명으로 옳은 것만을 〈보기〉에서 있는 대로 고른 것은?

┤ 보기 ├
ㄱ. (가)는 가역 반응이다.
ㄴ. 얼음이 녹는 것은 (나)와 같은 종류의 반응이다.
ㄷ. (나)는 역반응이 쉽게 일어난다.

① ㄱ　　　　　② ㄴ　　　　　③ ㄱ, ㄷ
④ ㄴ, ㄷ　　　　⑤ ㄱ, ㄴ, ㄷ

기출 포인트 | 일상생활 속 가역 반응과 비가역 반응의 예를 알고 구분할 수 있다.

02

가역 반응과 비가역 반응에 대한 설명으로 옳은 것을 〈보기〉에서 있는 대로 고른 것은?

┤ 보기 ├
ㄱ. 염산과 마그네슘의 반응은 가역 반응이다.
ㄴ. 화학 반응식에서 가역 반응은 $\rightleftharpoons$ 로 표시한다.
ㄷ. 염화 나트륨 수용액과 질산 은 수용액의 앙금 생성 반응은 역반응이 쉽게 일어난다.

① ㄱ　　　　　② ㄴ　　　　　③ ㄱ, ㄷ
④ ㄴ, ㄷ　　　　⑤ ㄱ, ㄴ, ㄷ

2 동적 평형　　대표 기출

03

그림은 용기에 물을 넣고 밀폐한 후 충분한 시간이 지나 수면의 높이가 더 이상 변하지 않는 상태를 나타낸 것이다. 이에 대한 설명으로 옳은 것만을 〈보기〉에서 있는 대로 고른 것은? (단, 온도는 일정하다.)

┤ 보기 ├
ㄱ. 용기 안 기체 입자의 수는 일정하게 유지된다.
ㄴ. 물의 증발 속도와 수증기의 응축 속도가 같다.
ㄷ. 용기 안에서는 증발과 응축이 더 이상 일어나지 않는다.

① ㄱ　　　　　② ㄴ　　　　　③ ㄱ, ㄴ
④ ㄱ, ㄷ　　　　⑤ ㄱ, ㄴ, ㄷ

기출 포인트 | 동적 평형 상태에서의 특징을 묻는 문제가 자주 출제된다.

04　고난도

그림은 일정한 온도에서 밀폐된 용기에 물을 넣었을 때, 시간에 따른 물의 증발 속도와 수증기의 응축 속도를 나타낸 것이다. 단, (가)와 (나)는 각각 증발 속도와 응축 속도 중 하나이다.

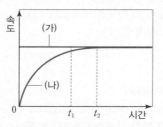

이에 대한 설명으로 옳은 것만을 〈보기〉에서 있는 대로 고른 것은? (단, 온도는 일정하다.)

┤ 보기 ├
ㄱ. (가)는 증발 속도이다.
ㄴ. t_1보다 t_2에서 물의 양이 더 많다.
ㄷ. t_2 이후에는 용기 속 수증기의 분자 수가 일정하게 유지된다.

① ㄱ　　　　　② ㄴ　　　　　③ ㄱ, ㄷ
④ ㄴ, ㄷ　　　　⑤ ㄱ, ㄴ, ㄷ

05

그림과 같이 일정한 온도에서 밀폐 용기에 액체 브로민($Br_2(l)$)을 넣었더니, 용기 내부의 색깔이 점점 진해지다가 어느 순간부터 더 이상 색 변화가 없었다.

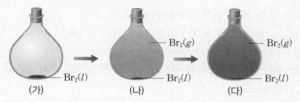

(가)　　　(나)　　　(다)

이에 대한 설명으로 옳은 것만을 〈보기〉에서 있는 대로 고른 것은? (단, 온도는 일정하다.)

┤ 보기 ├
ㄱ. Br_2의 증발과 응축은 가역 반응이다.
ㄴ. (가)에서는 증발 속도가 응축 속도보다 빠르다.
ㄷ. (다)에서 정반응은 더 이상 일어나지 않는다.

① ㄱ　　　② ㄴ　　　③ ㄱ, ㄴ
④ ㄴ, ㄷ　　　⑤ ㄱ, ㄴ, ㄷ

06 서술형

아이오딘(I_2)은 밀폐된 용기에서 고체와 기체 사이에 평형을 이룬다. 그림은 $^{127}I_2$과 동위 원소인 $^{131}I_2$이 각각 들어 있는 용기를 나타낸 것이다. 꼭지를 열고 시간이 흐른 뒤 $^{131}I_2$은 어디에서 발견될지 그 까닭과 함께 서술하시오.

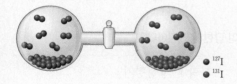

$\bullet$ ^{127}I
$\bullet$ ^{131}I

07

다음 중 동적 평형에 도달한 것으로 볼 수 있는 것은?
① 나무에 불을 붙였더니 모두 탔다.
② 그릇에 담긴 물이 모두 증발하였다.
③ 오래 둔 간장 종지의 바닥에 소금 결정만 남았다.
④ 시계에 넣은 건전지가 모두 방전되어 시계가 멈췄다.
⑤ 물에 소금을 넣어 녹였더니 더 이상 녹지 않고 바닥에 가라앉았다.

08 고난도

그림은 25 ℃에서 일정량의 물에 용질을 계속 넣었을 때, 충분한 시간이 지난 후 더 이상 용질이 녹지 않는 순간까지의 변화를 모형으로 나타낸 것이다.

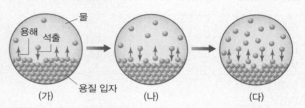

(가)　　　(나)　　　(다)

이에 대한 설명으로 옳은 것만을 〈보기〉에서 있는 대로 고른 것은?

┤ 보기 ├
ㄱ. 용질의 용해 속도는 (가)가 (다)보다 빠르다.
ㄴ. 용질의 석출 속도는 (다)>(나)>(가)이다.
ㄷ. (다)에서 용액의 농도는 일정하게 유지된다.

① ㄱ　　　② ㄷ　　　③ ㄱ, ㄴ
④ ㄴ, ㄷ　　　⑤ ㄱ, ㄴ, ㄷ

09

다음은 황산 구리(Ⅱ) 오수화물의 분해와 생성에 대한 실험이다.

(가) 파란색 황산 구리(Ⅱ) 오수화물($CuSO_4 \cdot 5H_2O$)을 증발 접시에 넣고 가열하면 흰색으로 변한다.

(나) 흰색 결정에 물을 떨어뜨리면 다시 파란색으로 변한다.

이에 대한 설명으로 옳은 것만을 〈보기〉에서 있는 대로 고른 것은?

┤ 보기 ├
ㄱ. (가)의 흰색 결정은 $CuSO_4$이다.
ㄴ. (나)에서 파랗게 변한 결정을 가열하면 다시 흰색으로 변한다.
ㄷ. $CuSO_4 \cdot 5H_2O$의 분해와 생성은 가역 반응이다.

① ㄱ　　　② ㄴ　　　③ ㄱ, ㄷ
④ ㄴ, ㄷ　　　⑤ ㄱ, ㄴ, ㄷ

3 물의 자동 이온화와 pH　대표 기출

10

표는 25 °C에서 수용액 A~D에 대한 자료이다.

수용액	A	B	C	D
$[H_3O^+]$ (M)			1.0×10^{-6}	
$[OH^-]$ (M)		1.0×10^{-6}		
pH				2
pOH	10			12

수용액 A~D에 대한 설명으로 옳은 것만을 〈보기〉에서 있는 대로 고른 것은?

┤보기├
ㄱ. A의 $[H_3O^+]$는 1.0×10^{-4} M이다.
ㄴ. B와 C는 중성 용액이다.
ㄷ. C의 pOH 값은 6이다.
ㄹ. D에서 $[H_3O^+] > [OH^-]$이다.

① ㄱ, ㄴ　　　② ㄱ, ㄹ　　　③ ㄴ, ㄷ
④ ㄴ, ㄹ　　　⑤ ㄱ, ㄷ, ㄹ

기출 포인트 | 수소 이온 농도 혹은 수산화 이온 농도로부터 pH와 pOH를 계산하는 문제가 자주 출제된다.

11

25 °C 수용액의 pH에 대한 설명으로 옳은 것만을 〈보기〉에서 있는 대로 고른 것은?

┤보기├
ㄱ. pH=2인 수용액은 강한 산성을 띤다.
ㄴ. pOH=9인 수용액의 $[H_3O^+]$는 1.0×10^{-9} M이다.
ㄷ. pH=3인 수용액의 $[H_3O^+]$는 pH=4인 수용액의 2배이다.

① ㄱ　　　② ㄴ　　　③ ㄱ, ㄷ
④ ㄴ, ㄷ　　　⑤ ㄱ, ㄴ, ㄷ

12 서술형

다음은 25 °C에서 (가)~(다) 수용액에 대한 자료이다.

(가) 0.0001 M 식초
(나) 0.01 M 수산화 나트륨(NaOH) 수용액
(다) pOH가 3인 수산화 바륨($Ba(OH)_2$) 수용액

(가)~(다) 수용액의 pH를 구하고, pH가 큰 것부터 순서대로 옳게 나열하시오.
(단, 25 °C에서 물의 이온화 상수 $K_w = 1.0 \times 10^{-14}$이다.)

13 고난도

다음은 어떤 학생이 답한 평가지이다.

화학 I 형성평가
[1~5] 다음은 pH에 관한 내용이다. 맞으면 'O', 틀리면 '×'를 괄호 안에 쓰시오. (문제당 2점)
1. 수용액의 $[H_3O^+]$가 커지면 pH는 작아진다. ……… (O)
2. pH가 2.0인 수용액은 pH가 3.0인 수용액에 비해 $[H_3O^+]$가 2배 크다. ……………… (O)
3. 물의 이온화 상수 K_w는 온도에 의해 영향을 받지 않는다. ……………………… (×)
4. 25 °C에서 pOH가 7보다 크면 산성이다. ……… (×)
5. 토마토의 pH가 4.0, 우유의 pH가 6.0일 때 토마토의 $[H_3O^+]$는 우유의 100배이다. ……………… (×)

위의 평가지를 채점하면 몇 점인가?

① 2　　　② 4　　　③ 6
④ 8　　　⑤ 10

14

다음은 순수한 물의 자동 이온화 반응 모형과 25 °C에서 순수한 물의 이온화 상수(K_w)를 나타낸 것이다.

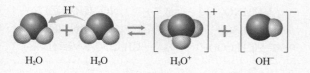

$$K_w = 1.0 \times 10^{-14} \ (25 \ °C)$$

이에 대한 설명으로 옳은 것만을 〈보기〉에서 있는 대로 고른 것은?

┤ 보기 ├
ㄱ. 물의 자동 이온화는 가역 반응이다.
ㄴ. 25 °C 순수한 물에서 [H_3O^+]는 1.0×10^{-7} M이다.
ㄷ. 물의 자동 이온화 반응에서 반응물의 양(mol)은 생성물의 양(mol)보다 매우 적다.

① ㄱ   ② ㄷ   ③ ㄱ, ㄴ
④ ㄴ, ㄷ   ⑤ ㄱ, ㄴ, ㄷ

15 서술형

25 °C, 0.1 M 수산화 나트륨(NaOH) 수용액에서 H_3O^+의 농도를 구하는 과정을 서술하시오.

16

표는 세 지역에 내린 빗물의 pH를 나타낸 것이다.

빗물	(가)	(나)	(다)
pH	6.4	6.2	4.2

이에 대한 설명으로 옳은 것만을 〈보기〉에서 있는 대로 고른 것은? (단, 깨끗한 빗물의 pH는 5.6이다.)

┤ 보기 ├
ㄱ. 세 지역에 내린 비는 모두 산성비에 해당한다.
ㄴ. (가)에 BTB 용액을 떨어뜨리면 푸른색으로 변한다.
ㄷ. H^+의 농도는 (다)가 (나)의 100배이다.

① ㄱ   ② ㄷ   ③ ㄱ, ㄴ
④ ㄴ, ㄷ   ⑤ ㄱ, ㄴ, ㄷ

17

〈보기〉에서 (가) 수소 이온 농도가 가장 큰 것과 (나) 수산화 이온의 농도가 가장 큰 것을 옳게 짝지은 것은?

┤ 보기 ├
ㄱ. pH=1   ㄴ. pH=3   ㄷ. pH=7
ㄹ. pH=11   ㅁ. pH=14

	(가)	(나)			(가)	(나)
①	ㄱ	ㄴ		②	ㄱ	ㄹ
③	ㄱ	ㅁ		④	ㄷ	ㄹ
⑤	ㅁ	ㅁ				

18 고난도

그림은 25 °C 수용액 (가)~(다)에 녹아 있는 양이온과 음이온을 모형으로 나타낸 것이다. (가)~(다) 중 산 수용액은 2가지이다.

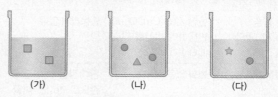

이에 대한 설명으로 옳은 것만을 〈보기〉에서 있는 대로 고른 것은? (단, (가)~(다)의 부피는 같고, 25 °C에서 물의 이온화 상수 $K_w = 1.0 \times 10^{-14}$이다.)

┤ 보기 ├
ㄱ. 수용액의 pH는 (나)가 가장 작다.
ㄴ. (가)의 [OH^-]>1.0×10^{-7}이다.
ㄷ. 푸른색 리트머스 종이는 (다)에서 붉게 변한다.

① ㄱ   ② ㄷ   ③ ㄱ, ㄴ
④ ㄴ, ㄷ   ⑤ ㄱ, ㄴ, ㄷ

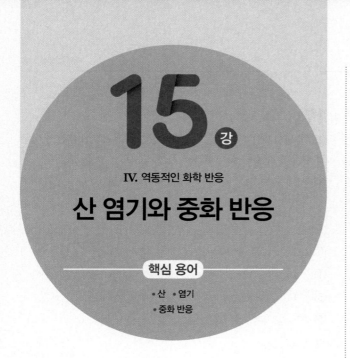

15강

IV. 역동적인 화학 반응

산 염기와 중화 반응

핵심 용어
- 산 · 염기
- 중화 반응

---

1 산과 염기

1. 산과 염기의 성질

① 산과 염기의 공통적인 성질
- 산: 수용액에서 수소 이온(H^+)을 내놓는 물질
  예 염산(HCl), 질산(HNO_3), 황산(H_2SO_4) 등
- 염기: 수용액에서 수산화 이온(OH^-)을 내놓는 물질
  예 수산화 나트륨($NaOH$), 수산화 칼륨(KOH) 등

성질	산의 공통적인 성질 (산성)	염기의 공통적인 성질 (염기성)
맛	신맛	쓴맛
전기 전도성	수용액 상태에서 전류가 흐름	수용액 상태에서 전류가 흐름
금속과의 반응	마그네슘(Mg), 철(Fe) 등의 금속과 반응하여 수소 기체 발생 $Mg + 2HCl \rightarrow MgCl_2 + H_2\uparrow$	대부분의 금속과 반응하지 않음
탄산 칼슘 ($CaCO_3$)과의 반응	탄산 칼슘($CaCO_3$)과 반응하여 이산화 탄소(CO_2) 기체 발생	반응하지 않음
단백질과의 반응	변화 없음	단백질을 녹이므로 손으로 만지면 미끌거림

- 지시약: 용액의 액성을 구별하는 데 사용하는 물질로, 액성에 따라 색깔이 달라진다.

지시약	리트머스 종이	페놀프탈레인 용액	메틸 오렌지 용액	BTB 용액
산성	푸른색 → 붉은색	무색	빨간색	노란색
염기성	붉은색 → 푸른색	붉은색	노란색	파란색

② 산성과 염기성이 나타나는 까닭
- 산의 이온화: 산(HA)을 물에 녹이면 수소 이온(H^+)과 음이온(A^-)으로 나누어진다.

산(HA)	$\rightarrow$	H^+ +	A^-
염산(HCl)	$\rightarrow$	H^+ +	Cl^-(염화 이온)
질산(HNO_3)	$\rightarrow$	H^+ +	NO_3^-(질산 이온)
황산(H_2SO_4)	$\rightarrow$	$2H^+$ +	SO_4^-(황산 이온)
아세트산(CH_3COOH)	$\rightarrow$	H^+ +	CH_3COO^-(아세트산 이온)

– 산의 공통적 성질은 산이 이온화하여 공통으로 수소 이온(H^+)을 내놓기 때문에 나타난다.
- 염기의 이온화: 염기(BOH)를 물에 녹이면 양이온(B^+)과 수산화 이온(OH^-)으로 나누어진다.

염기(BOH)	$\rightarrow$	B^+	+	OH^-
수산화 나트륨($NaOH$)	$\rightarrow$	Na^+(나트륨 이온)	+	OH^-
수산화 칼륨(KOH)	$\rightarrow$	K^+(칼륨 이온)	+	OH^-
수산화 칼슘($Ca(OH)_2$)	$\rightarrow$	Ca^{2+}(칼슘 이온)	+	$2OH^-$

– 염기의 공통적 성질은 염기가 이온화하여 공통으로 수산화 이온(OH^-)을 내놓기 때문에 나타난다.

탐구 클리닉 ➕ 산과 염기의 공통적 성질

과정

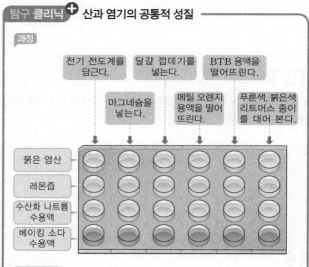

결과 및 정리
- 모든 용액에서 전류가 흘렀다. ➡ 산과 염기는 수용액에서 이온화하므로 모두 전기 전도성이 있다.
- 마그네슘을 넣었을 때 기체가 발생하는 용액
  ➡ 묽은 염산과 레몬즙으로, 수소 기체가 발생한다.
- 달걀 껍데기를 넣었을 때 기체가 발생하는 용액
  ➡ 묽은 염산과 레몬즙으로, 이산화 탄소 기체가 발생한다.
- 산성과 염기성에서 메틸 오렌지 용액의 색 변화
  ➡ 산성에서 빨간색, 염기성에서 노란색을 띤다.
- 산성과 염기성에서 BTB 용액의 색 변화
  ➡ 산성에서 노란색, 염기성에서 파란색을 띤다.
- 산성과 염기성에서 리트머스 종이의 색 변화
  ➡ 산성에서 푸른색 리트머스 종이는 붉게, 염기성에서 붉은색 리트머스 종이는 푸르게 변한다.

2. 산과 염기의 정의 개념 브릿지 유형 1

① 아레니우스 정의
- 산: 수용액에서 수소 이온(H^+)을 내놓는 물질
  - 예 $HCl(aq) \longrightarrow H^+(aq) + Cl^-(aq)$
    $CH_3COOH(aq) \longrightarrow H^+(aq) + CH_3COO^-(aq)$
- 염기: 수용액에서 수산화 이온(OH^-)을 내놓는 물질
  - 예 $NaOH(aq) \longrightarrow Na^+(aq) + OH^-(aq)$
    $Ca(OH)_2(aq) \longrightarrow Ca^{2+}(aq) + 2OH^-(aq)$
- 아레니우스 정의의 한계
  - 수용액에서 일어나는 반응에만 적용 가능하다.
  - 수소 이온(H^+)은 수용액에서 물과 결합하여 하이드로늄 이온(H_3O^+)으로 존재한다.
  - 수용액에서 수소 이온(H^+)이나 수산화 이온(OH^-)을 직접 내놓지 않는 물질에는 적용할 수 없다. 예 암모니아(NH_3)

② 브뢴스테드·로리 정의
- 산: 다른 물질에게 양성자(H^+)를 내놓는 물질
  - ➡ 양성자(H^+) 주개
- 염기: 다른 물질로부터 양성자(H^+)를 받는 물질
  - ➡ 양성자(H^+) 받개
- 브뢴스테드·로리 정의의 장점
  - 수용액에서 일어나지 않는 반응에도 적용된다.
  - 하이드로늄 이온(H_3O^+)으로 존재하는 현상을 설명할 수 있다.
  - 암모니아가 OH^-을 가지고 있지 않아도 염기성을 띠는 까닭을 설명할 수 있다.
- 양쪽성 물질: 조건에 따라 산으로 적용할 수 있고, 염기로 작용할 수도 있는 물질
  - 예 H_2O, HCO_3^-, $H_2PO_4^-$, HSO_3^-

> $NH_3(g) + H_2O(g) \xrightarrow{\text{H}^+} NH_4^+(aq) + OH^-(aq)$ ······ ㉠
>
> $HCl(g) + H_2O(l) \xrightarrow{\text{H}^+} H_3O^+(aq) + Cl^-(aq)$ ······ ㉡
>
> ➡ 물(H_2O)은 ㉠에서는 산으로 작용하고, ㉡에서는 염기로 작용한다. 따라서 물은 양쪽성 물질이다.

- 짝산─짝염기: 양성자(H^+)의 이동으로 산과 염기가 되는 한 쌍의 물질 ➡ 정반응에서의 산─역반응에서의 염기, 정반응에서의 염기─역반응에서의 산의 관계

짝산 ─ 짝염기

$HF + H_2O \Longleftrightarrow F^- + H_3O^+$
산1   염기2   염기1   산2

짝산 ─ 짝염기

---

2 산 염기의 중화 반응

1. 중화 반응

① 중화 반응 산과 염기가 반응하여 물과 염이 생성되는 반응

> 산 + 염기 ⟶ 물 + 염

② 중화 반응 모형과 화학 반응식

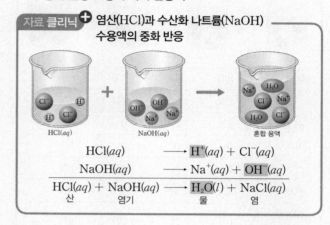

자료 클리닉 ➕ **염산(HCl)과 수산화 나트륨($NaOH$) 수용액의 중화 반응**

$HCl(aq)$ ⟶ $H^+(aq) + Cl^-(aq)$
$NaOH(aq)$ ⟶ $Na^+(aq) + OH^-(aq)$
─────────────────────────
$HCl(aq) + NaOH(aq)$ ⟶ $H_2O(l) + NaCl(aq)$
산   염기   물   염

③ 알짜 이온 반응식 실제 반응에 참여한 이온만으로 나타낸 화학 반응식
- 중화 반응의 알짜 이온 반응: 산의 수소 이온(H^+)과 염기의 수산화 이온(OH^-)이 1 : 1의 몰비로 반응하여 물(H_2O)을 생성한다.

> $H^+(aq) + OH^-(aq) \longrightarrow H_2O(l)$

  - ➡ 산이나 염기의 종류에 관계없이 중화 반응의 알짜 이온 반응식은 동일하다.
- 구경꾼 이온: 실제 반응에 참여하지 않고 반응 후에도 용액에 그대로 남아 있는 이온
  - 예 염산과 수산화 나트륨 수용액의 중화 반응에서 구경꾼 이온은 Na^+과 Cl^-이다.

④ 중화 반응의 이용(− 산성, − 염기성)
- 곤충(개미나 꿀벌)에 물렸을 때 암모니아수를 바른다.
- 생선 요리에 레몬즙을 뿌리면 생선 비린내가 줄어든다.
- 산성화된 호수나 토양에 석회(CaO) 가루를 뿌려 중화시킨다.
- 위산이 지나치게 분비되어 속이 쓰릴 때 제산제를 복용한다.
- 신 김치에 달걀 껍데기나 조개껍데기를 넣어 주면 신맛이 줄어든다.
- 탈황 시설에서는 공장 배기 가스에 포함된 이산화황(SO_2)을 염기성 물질인 석회석으로 중화시켜 제거한다.

2. 중화 반응에서 수용액 속의 이온 수 및 액성의 변화

자료 클리닉 ➕ 중화 반응에서 수용액 속의 이온 수 및 액성의 변화

[0.1 M 수산화 나트륨(NaOH) 수용액 20 mL에 0.1 M 묽은 염산(HCl)을 10 mL씩 가하는 경우]

$$NaOH(aq) + HCl(aq) \longrightarrow H_2O(l) + NaCl(aq)$$

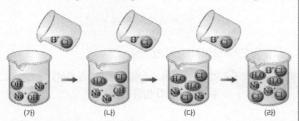

용액		(가)	(나)	(다)	(라)
이온 수	Na^+	2N	2N	2N	2N
	OH^-	2N	N	0	0
	H^+	0	0	0	N
	Cl^-	0	N	2N	3N
전체 이온 수		4N	4N	4N	6N
생성된 물 분자 수		0	N	2N	2N
액성		염기성	염기성	중성	산성
BTB 용액		파란색	파란색	초록색	노란색

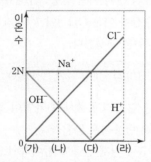

- (가)~(다)에서 전체 이온 수는 일정하지만, (가)에서 (다)로 진행될수록 용액의 부피가 증가하므로 단위 부피당 전체 이온 수가 가장 많은 것은 (가)이다.
- (다)가 중화점이므로 혼합 용액의 액성은 (다) 이전에 염기성, (다)에서 중성, (다) 이후에 산성이다.

3. 중화 반응의 양적 관계 [개념 브릿지 유형 **2**]

① **중화 반응의 양적 관계** 산의 H^+과 염기의 OH^-은 항상 1 : 1의 몰비로 반응한다.

산 수용액	염기 수용액
산의 가수 n, 몰 농도 M, 부피 V	염기의 가수 n', 몰 농도 M', 부피 V'
산이 내놓은 H^+의 양(mol) $= nMV$	염기가 내놓은 OH^-의 양(mol) $= n'M'V'$

산과 염기가 완전히 중화되려면

$$nMV = n'M'V'$$

---

② 중화 반응의 양적 관계 계산

[예제] 0.1 M 염산(HCl) 100 mL를 완전히 중화하려면 0.1 M 수산화 나트륨(NaOH) 수용액이 얼마나 필요할까?

[풀이] 중화 반응이 완전히 일어나려면 H^+의 양(mol)과 OH^-의 양(mol)이 같아야 한다.

$$HCl(aq) + NaOH(aq) \longrightarrow H_2O(l) + NaCl(aq)$$

HCl(aq)	NaOH(aq)	
0.1 M	0.1 M	◀ 몰 농도
100 mL	100 mL	◀ 부피
1×0.1 M $\times 0.1$ L $= 0.01$ mol	1×0.1 M $\times 0.1$ L $= 0.01$ mol	◀ H^+이나 OH^-의 양(mol)

0.1 M HCl(aq) 100 mL에 들어 있는 H^+은 0.01몰이므로 OH^- 0.01몰을 넣어 주어야 완전 중화된다. 따라서 0.1 M NaOH 수용액 100 mL가 필요하다.

$$0.1 \text{ M} \times 100 \text{ mL} = 0.1 \text{ M} \times x, \, x = 100 \text{ mL}$$

[예제] 0.1 M 황산(H_2SO_4) 100 mL를 완전히 중화하려면 0.1 M 수산화 나트륨(NaOH) 수용액이 얼마나 필요할까?

[풀이] $H_2SO_4(aq) + 2NaOH(aq)$

$$\longrightarrow Na_2SO_4(aq) + 2H_2O(l)$$

$H_2SO_4(aq)$	NaOH(aq)
0.1 M	0.1 M
100 mL	200 mL
2×0.1 M $\times 0.1$ L $= 0.02$ mol	2×0.1 M $\times 0.2$ L $= 0.02$ mol

H_2SO_4 분자 1개는 물에 녹아 H^+을 2개 내놓으므로 0.1 M $H_2SO_4(aq)$ 100 mL에 들어 있는 H^+은 0.02몰이다. 따라서 OH^- 0.02몰을 넣어 주어야 하므로 0.1 M NaOH 수용액 200 mL가 필요하다.

$$2 \times 0.1 \text{ M} \times 100 \text{ mL} = 1 \times 0.1 \text{ M} \times x$$
$$x = 200 \text{ mL}$$

3 중화 적정 [개념 브릿지 유형 **3**]

1. **중화 적정** 중화 반응의 양적 관계를 이용하여 농도를 모르는 산 또는 염기의 농도를 알아내는 방법

① **표준 용액** 중화 적정에서 농도를 알고 있는 산 수용액이나 염기 수용액

② 중화점 중화 적정에서 산이 내놓은 H^+의 양(mol)과 염기가 내놓은 OH^-의 양(mol)이 같아져 완전히 중화되는 지점

2. 중화점의 확인

① 지시약의 색 변화 중화점을 확인하는 대표적인 방법으로, 지시약을 떨어뜨린 용액의 색이 변하는 지점이 중화점이다. 지시약의 종류에 따라 색이 변하는 pH 범위가 다르므로 중화점 부근에서 색이 변하는 지시약을 사용해야 한다.

② 혼합 용액의 온도 변화 중화점에서 중화열이 가장 많이 발생하므로 혼합 용액의 온도가 가장 높은 지점이 중화점이다.

③ 중화 적정에 필요한 실험 기구
• 피펫: 액체의 부피를 정확히 취하여 옮길 때 사용
• 뷰렛: 가해지는 표준 용액의 부피를 측정할 때 사용
• 부피 플라스크: 정확한 몰 농도의 표준 용액을 만들 때 사용
• 삼각 플라스크: 농도를 모르는 용액을 넣은 후 반응시키는 용기로 사용

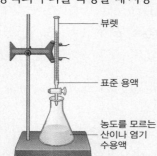

뷰렛
표준 용액
농도를 모르는 산이나 염기 수용액

3. 중화 적정 과정

자료 클리닉 ➕ 농도를 모르는 염산 (HCl)을 수산화 나트륨 (NaOH) 표준 용액으로 중화 적정하기

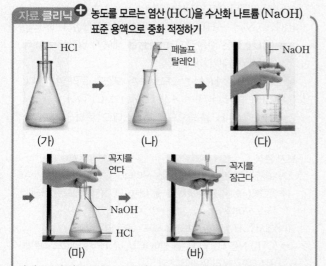

(가) 농도(M)를 모르는 $HCl(aq)$을 피펫으로 일정량(V) 정확하게 취하여 삼각 플라스크에 넣는다.
(나) $HCl(aq)$에 페놀프탈레인 지시약을 2~3방울 떨어뜨린다.
(다) 뷰렛에 농도가 M'인 $NaOH(aq)$ 표준 용액을 넣고, $NaOH(aq)$을 조금 흘려 뷰렛의 꼭지 아랫 부분에도 용액이 채워지도록 한다.
(라) $NaOH(aq)$의 처음 부피를 정확하게 측정하여 기록한다.

(마) $HCl(aq)$이 들어 있는 삼각 플라스크에 $NaOH(aq)$을 천천히 떨어뜨린다. 이때 삼각 플라스크를 흔들어 준다.
(바) 삼각 플라스크를 흔들어도 분홍색이 사라지지 않는 순간 뷰렛의 꼭지를 잠그고 $NaOH(aq)$의 나중 부피를 측정한 후, 적정에 사용한 $NaOH(aq)$의 부피(V')를 구한다.
(사) $nMV = n'M'V'$를 이용하여 $HCl(aq)$의 몰 농도(M)를 구한다.

탐구 클리닉 ➕ 식초 속 아세트산의 함량 구하기

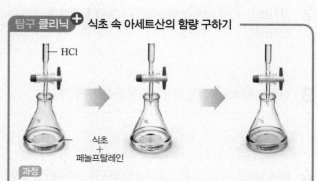

HCl
식초 + 페놀프탈레인

과정
❶ 피펫으로 식초 10 mL를 취하여 삼각 플라스크에 넣는다.
❷ 과정 ❶의 식초에 페놀프탈레인 용액을 2~3 방울 떨어뜨린다.
❸ 0.1 M 수산화 나트륨(NaOH) 수용액을 뷰렛에 넣고, 꼭지를 열어 용액을 흘려 보내 뷰렛의 꼭지 아랫 부분에도 용액이 채워지도록 한다.
❹ 뷰렛 꼭지를 열어 아랫 부분의 공기를 내보낸 후, 뷰렛의 눈금(V_1)을 읽는다.
❺ 삼각 플라스크의 바닥에 흰 종이를 깐 다음, 과정 ❹의 뷰렛에 들어 있는 수산화 나트륨 수용액을 조금씩 떨어뜨리면서 삼각 플라스크를 천천히 흔들어 준다.
❻ 삼각 플라스크 속 용액이 완전히 붉은색으로 변하는 순간 뷰렛의 꼭지를 잠그고, 뷰렛의 눈금(V_2)을 읽는다.
❼ 과정 ❶~❻을 2번 더 반복하여 적정에 사용한 NaOH 수용액 부피의 평균값을 구한다.

결과
적정에 사용한 NaOH 수용액 부피의 평균값: 90 mL

정리
• 식초 속 아세트산의 몰 농도 구하기(단, 식초 속에 산 성분은 아세트산(CH_3COOH)만 들어 있다고 가정한다.)
➡ 화학 반응식: $CH_3COOH(aq) + NaOH(aq)$
$\longrightarrow CH_3COONa(aq) + H_2O(l)$
식초 속 아세트산의 몰 농도를 x라고 하면, $nMV = n'M'V'$에서 $1 \times x \times 10$ mL $= 1 \times 0.1$ M $\times 90$ mL이므로 $x = 0.9$이다. 즉, 식초 속 CH_3COOH의 몰 농도는 0.9 M이다.
• 식초 1병(500 mL) 속 아세트산의 양(mol) 구하기
➡ 식초 속 $CH_3COOH(aq)$의 몰 농도는 0.9 M이므로 식초 500 mL에 들어 있는 CH_3COOH의 양(mol)은 0.9 mol/L $\times 0.5$ L $= 0.45$ mol이다.
• 식초 1병(500 mL) 속 아세트산의 함량(%) 구하기(단, CH_3COOH의 분자량은 60이며, 식초의 밀도는 1 g/mL라고 가정한다.)
➡ 식초 속 아세트산의 함량은
$\dfrac{CH_3COOH의 질량}{식초의 질량} \times 100 = \dfrac{27 \text{ g}}{500 \text{ g}} \times 100 = 5.4$ %이다.

1 산은 금속 마그네슘과 반응하여 □□ 기체를 발생한다.

2 염기는 □□□□을 녹이는 성질이 있어 피부에 묻으면 미끈거린다.

3 산의 공통적인 성질은 산이 내놓는 음이온 때문이다.
.... (○, ×)

4 물에 녹아 □□ □□을 내놓는 물질을 아레니우스 산이라고 한다.

5 산과 염기의 이온화
(1) $HCl(aq) \longrightarrow$ □$(aq) + Cl^-(aq)$
(2) $H_2SO_4(aq) \longrightarrow$ □$(aq) + SO_4^{2-}(aq)$
(3) $KOH(aq) \longrightarrow K^+(aq) +$ □(aq)

6 산과 염기가 반응하여 물이 생성되는 반응을 □□ 반응이라 한다.

$$HCl(aq) \longrightarrow H^+(aq) + Cl^-(aq)$$
$$NaOH(aq) \longrightarrow Na^+(aq) + OH^-(aq)$$
$$\overline{HCl(aq) + NaOH(aq) \longrightarrow \boxed{} + NaCl(aq)}$$

7 중화 반응에서 (산 수용액의 몰 농도×부피)와 (염기 수용액의 몰 농도×부피)가 같으면 산과 염기의 종류에 관계없이 항상 완전 중화된다. .... (○, ×)

8 중화 적정에서 농도를 알고 있는 산이나 염기의 수용액을 ( )(이)라고 한다.

9 중화 적정에 사용하는 실험 기구 중 액체의 부피를 정확히 취하여 옮길 때 사용하는 것은 □□이고, 가해 주는 표준 용액의 부피를 측정할 때 사용하는 것은 □□이다.

답 1 수소 2 단백질 3 × 4 수소 이온 5 (1)H^+ (2)$2H^+$ (3)OH^-
6 중화, $H_2O(l)$ 7 × 8 표준 용액 9 피펫, 뷰렛

개념 브릿지 유형

> 개념과 문제의 연결고리 찾기!!

1 산과 염기

다음은 산 염기 반응의 화학 반응식이다.

(가) $HCN(g) + H_2O(l) \longrightarrow H_3O^+(aq) + CN^-(aq)$
(나) $(CH_3)_3N(g) + HF(aq)$
$\longrightarrow (CH_3)_3NH^+(aq) + F^-(aq)$
(다) $HCl(g) + H_2O(l) \longrightarrow H_3O^+(aq) + Cl^-(aq)$

이에 대한 설명으로 옳은 것만을 〈보기〉에서 있는 대로 고른 것은?

보기
ㄱ. (가)에서 $HCN(g)$는 아레니우스 산이다.
ㄴ. (나)에서 $(CH_3)_3N(g)$은 브뢴스테드·로리 염기이다.
ㄷ. (다)에서 $H_2O(l)$은 브뢴스테드·로리 염기이다.

① ㄱ   ② ㄷ   ③ ㄱ, ㄴ
④ ㄴ, ㄷ   ⑤ ㄱ, ㄴ, ㄷ

개념으로 문제 접근하기 중화 반응의 양적 관계

(가) $HCN(g) + H_2O(l) \longrightarrow H_3O^+(aq) + CN^-(aq)$
➡ HCN는 수용액에서 H^+을 내놓으므로 아레니우스 산이고, 브뢴스테드·로리 산이다.
(나) $(CH_3)_3N(g) + HF(aq) \longrightarrow (CH_3)_3NH^+(aq) + F^-(aq)$
➡ $(CH_3)_3N$은 수용액에서 OH^-을 내놓지 않으므로 아레니우스 염기가 아니다.
➡ $(CH_3)_3N$은 H^+을 받으므로 브뢴스테드·로리 염기이다.
(다) $HCl(g) + H_2O(l) \longrightarrow H_3O^+(aq) + Cl^-(aq)$
➡ $H_2O(l)$은 H^+을 받으므로 브뢴스테드·로리 염기이다.

보기 분석
ㄱ. (가)에서 $HCN(g)$는 아레니우스 산이다.
➡ $HCN(g)$는 수용액에서 H^+을 내놓아 CN^-이 되므로 아레니우스 산이다.
ㄴ. (나)에서 $(CH_3)_3N(g)$은 브뢴스테드·로리 염기이다.
➡ $(CH_3)_3N$은 HF의 H^+을 받아 $(CH_3)_3NH^+$가 되었으므로 브뢴스테드·로리 염기이다.
ㄷ. (다)에서 $H_2O(l)$은 브뢴스테드·로리 염기이다.
➡ (다)에서 $H_2O(l)$은 H^+을 받아 H_3O^+이 되었으므로 브뢴스테드·로리 염기이다.

답 ⑤

2 중화 반응의 양적 관계

그림은 HCl(aq)에 A(aq), B(aq)을 순서대로 넣었을 때 용액 속의 양이온만을 모형으로 나타낸 것이다. A, B는 각각 NaOH, Ca(OH)$_2$ 중 하나이다.

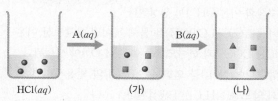

이에 대한 설명으로 옳은 것만을 〈보기〉에서 있는 대로 고른 것은?

| 보기 |
ㄱ. ■는 Na$^+$이다.
ㄴ. (나)는 염기성이다.
ㄷ. 용액 속의 전체 음이온 수는 (나)가 (가)보다 많다.

① ㄱ   ② ㄷ   ③ ㄱ, ㄴ
④ ㄱ, ㄷ   ⑤ ㄱ, ㄴ, ㄷ

개념으로 문제 접근하기

• HCl 용액은 양이온만 모형으로 나타낸 것으로 ●는 H$^+$이다. 여기에 A 염기 수용액을 넣어 준 후 H$^+$이 2개 남았으므로 OH$^-$ 2개와 반응한 것이며, 새로운 ■는 반응하지 않은 양이온이다. HCl이 OH$^-$ 2개와 반응하여 양이온 2개를 생성하였으므로 A 수용액은 NaOH이며, ■는 Na$^+$이다.
• B 수용액은 Ca(OH)$_2$이므로 ▲는 Ca^{2+}이다.

| 보기 분석 |
ㄱ. ■는 Na$^+$이다.
  ➡ A 수용액은 NaOH이며, ■는 Na$^+$이다.
ㄴ. (나)는 염기성이다.
  ➡ (나)에서 ▲이 1개가 아니라 2개이므로 B 수용액을 과량으로 넣었음을 알 수 있다. 따라서 (나)는 염기성 용액이다.
ㄷ. 용액 속의 전체 음이온 수는 (나)가 (가)보다 많다.
  ➡ (가)에는 반응하지 않고 남은 OH$^-$이 없지만 (나)에는 반응하지 않고 남은 OH$^-$이 존재하므로 용액 속의 전체 음이온 수는 (나)가 (가)보다 많다.

🔲답 ⑤

---

3 중화점

그림은 수산화 칼륨(KOH) 수용액 10 mL에 묽은 황산(H$_2$SO$_4$)을 가할 때 혼합 용액에 들어 있는 이온 중 두 가지 이온의 개수 변화를 나타낸 것이다.

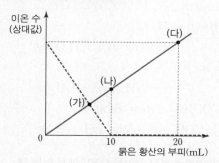

이에 대한 설명으로 옳은 것만을 〈보기〉에서 있는 대로 고른 것은?

| 보기 |
ㄱ. 온도는 (나) > (가)이다.
ㄴ. 전기 전도도는 (나) > (다)이다.
ㄷ. (가)에 존재하는 K$^+$과 SO$_4^{2-}$의 이온 수비는 3 : 1이다.

① ㄱ   ② ㄴ   ③ ㄱ, ㄷ
④ ㄴ, ㄷ   ⑤ ㄱ, ㄴ, ㄷ

개념으로 문제 접근하기

• 반응식: 2KOH + H$_2$SO$_4$ ⟶ K$_2$SO$_4$ + 2H$_2$O
• 중화점에서 전류의 세기는 0이 되지 않으며, 이는 용액 속에 반응하지 않은 K$^+$과 SO$_4^{2-}$이 존재하기 때문이다.

| 보기 분석 |
ㄱ. 온도는 (나) > (가)이다.
  ➡ 묽은 황산의 부피가 10 mL일 때 OH$^-$이 모두 반응하였으므로 중화점이다. 따라서 온도는 (나)가 (가)보다 높다.
ㄴ. 전기 전도도는 (나) > (다)이다.
  ➡ 전기 전도도는 중화점에서 가장 작기 때문에 (나) < (다)이다.
ㄷ. (가)에 존재하는 K$^+$과 SO$_4^{2-}$의 이온 수비는 3 : 1이다.
  ➡ H$_2$SO$_4$ 10 mL일 때 KOH 10 mL의 OH$^-$이 모두 반응하였으므로 (가)에서 OH$^-$: SO$_4^{2-}$는 1 : 1이다. SO$_4^{2-}$이 N개 첨가될 때, H$^+$이 2N개 첨가되므로, OH$^-$도 2N개가 반응하여 물이 생성되므로 OH$^-$은 2N개 감소한다. 따라서 처음의 OH$^-$과 K$^+$은 각각 3N개이므로 (가)에서 K$^+$: SO$_4^{2-}$ = 3 : 1이다.

🔲답 ③

1 산과 염기　　대표 기출

01

다음은 산 염기 반응의 화학 반응식이다.

> (가) $CH_3COOH(aq) + H_2O(l)$
> $\longrightarrow CH_3COO^-(aq) + H_3O^+(aq)$
> (나) $NH_3(g) + H_2O(l)$
> $\longrightarrow NH_4^+(aq) + OH^-(aq)$
> (다) $NH_2CH_2COOH(s) + NaOH(aq)$
> $\longrightarrow NH_2CH_2COO^-(aq) + Na^+(aq) + H_2O(l)$

(가)~(다)에 대한 설명으로 옳은 것만을 〈보기〉에서 있는 대로 고른 것은?

> ┤ 보기 ├
> ㄱ. (가)에서 CH_3COOH은 아레니우스 산이다.
> ㄴ. (나)에서 NH_3는 브뢴스테드·로리 염기이다.
> ㄷ. (다)에서 NH_2CH_2COOH은 양성자를 얻는다.

① ㄱ　② ㄷ　③ ㄱ, ㄴ　④ ㄴ, ㄷ　⑤ ㄱ, ㄴ, ㄷ

> **기출 포인트** | 산과 염기의 다양한 정의를 알고, 화학 반응식에서 각 정의에 적합한 산과 염기를 분류할 수 있어야 한다.

02

다음은 염기의 정의의 예와 몇 가지 화학 반응식을 나타낸 것이다.

> [염기의 정의의 예]
> • 아레니우스 염기(BOH): $BOH(aq) \longrightarrow B^+(aq) + OH^-(aq)$
> • 브뢴스테드·로리 염기(B): $B + HA \longrightarrow BH^+ + A^-$
> [화학 반응식]
> (가) $NaOH(s) \xrightarrow{H_2O} Na^+(aq) + OH^-(aq)$
> (나) $NH_3(g) + HCl(aq) \longrightarrow NH_4^+(aq) + Cl^-(aq)$
> (다) $HCl(g) + H_2O(l) \longrightarrow H_3O^+(aq) + Cl^-(aq)$

(가)~(다)에 대한 설명으로 옳은 것만을 〈보기〉에서 있는 대로 고른 것은?

> ┤ 보기 ├
> ㄱ. (가)에서 $NaOH$은 아레니우스 염기이다.
> ㄴ. (나)에서 NH_3는 아레니우스 염기이다.
> ㄷ. (다)에서 H_2O은 브뢴스테드·로리 염기이다.

① ㄱ　② ㄷ　③ ㄱ, ㄴ　④ ㄱ, ㄷ　⑤ ㄱ, ㄴ, ㄷ

03

다음은 산 염기와 관련된 반응 (가)~(다)에 대한 설명이다.

> (가) 수산화 칼륨(KOH)을 물에 녹이면 칼륨 이온(K^+)과 수산화 이온(OH^-)이 생성된다.
> (나) 아세트산(CH_3COOH)을 물에 녹이면 아세트산 이온 (CH_3COO^-)과 하이드로늄 이온(H_3O^+)이 생성된다.
> (다) 암모니아(NH_3)를 염화 수소(HCl)와 반응시키면 염화 암모늄(NH_4Cl)이 생성된다.

(가)~(다) 중 아레니우스 염기를 포함하는 반응(A)과 브뢴스테드·로리 염기를 포함하는 반응(B)을 옳게 짝지은 것은?

	A	B
①	(가)	(나), (다)
②	(나)	(가), (다)
③	(다)	(가), (나)
④	(가), (나)	(다)
⑤	(나), (다)	(가), (다)

04

다음은 2가지 산 염기 반응의 화학 반응식이다.

> (가) $F^- + H_2O \longrightarrow HF + OH^-$
> (나) $CO_3^{2-} + H_2O \rightleftharpoons HCO_3^- + OH^-$
> (다) $H^+ + H_2O \rightleftharpoons H_3O^+$

이에 대한 설명으로 옳은 것만을 〈보기〉에서 있는 대로 고른 것은?

> ┤ 보기 ├
> ㄱ. (가)에서 H_2O은 브뢴스테드·로리 산이다.
> ㄴ. (나)에서 HCO_3^-은 CO_3^{2-}의 짝산이다.
> ㄷ. (다)에서 H_2O은 아레니우스 산이다.

① ㄱ　　② ㄴ　　③ ㄱ, ㄴ
④ ㄴ, ㄷ　　⑤ ㄱ, ㄴ, ㄷ

05 서술형

다음은 3가지 산 염기 반응의 화학 반응식이다. (가)~(다) 중 브뢴스테드·로리 산에 해당하는 물질을 모두 쓰고, 그렇게 생각한 까닭을 서술하시오.

- (가) $+ H_2O \longrightarrow H_3O^+ + F^-$
- $HBr +$ (나) $\longrightarrow CH_3OH_2^+ + Br^-$
- (다) $+ H_2O \longrightarrow NH_4^+ + OH^-$

06 고난도

그림은 염화 수소(HCl)와 암모니아(NH_3)를 물에 녹였을 때 이온화하는 반응을 모형으로 나타낸 것이다.

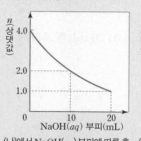

이에 대한 설명으로 옳은 것만을 〈보기〉에서 있는 대로 고른 것은? (단, 수용액은 25 ℃이다.)

┤ 보기 ├
ㄱ. (가)에서 수용액의 pH는 7보다 크다.
ㄴ. (나)에서 암모니아는 아레니우스 염기로 작용한다.
ㄷ. 두 반응에서 물은 양쪽성 물질로 작용한다.

① ㄱ   ② ㄷ   ③ ㄱ, ㄴ
④ ㄴ, ㄷ   ⑤ ㄱ, ㄴ, ㄷ

07

밑줄 친 물질이 아레니우스 염기로 작용한 것을 〈보기〉에서 있는 대로 고른 것은?

┤ 보기 ├
ㄱ. $\underline{KOH(aq)} \xrightarrow{H_2O} K^+(aq)+OH^-(aq)$
ㄴ. $\underline{HCl(aq)}+H_2O(l) \longrightarrow H_3O^+(aq)+Cl^-(aq)$
ㄷ. $\underline{H_2O(l)}+HSO_4^-(aq) \longrightarrow OH^-(aq)+H_2SO_4(aq)$

① ㄱ   ② ㄴ   ③ ㄱ, ㄴ
④ ㄴ, ㄷ   ⑤ ㄱ, ㄴ, ㄷ

---

2 산 염기의 중화 반응   대표 기출

08

다음은 중화 반응 실험이다.

[실험 과정]
(가) $HCl(aq)$, $NaOH(aq)$, $KOH(aq)$을 준비한다.
(나) $HCl(aq)$ x mL에 $NaOH(aq)$ 20 mL를 조금씩 첨가한다.
(다) (나)의 최종 혼합 용액에서 15 mL를 취하여 비커에 넣고 $KOH(aq)$ 10 mL를 조금씩 첨가한다.

[실험 결과]

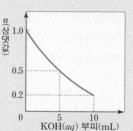

(나)에서 $NaOH(aq)$ 부피에 따른 혼합 용액의 단위 부피당 X 이온 수(n)

(다)에서 $KOH(aq)$ 부피에 따른 혼합 용액의 단위 부피당 X 이온 수(n)

$HCl(aq)$ x mL과 $KOH(aq)$ 30 mL를 혼합한 용액에서 $\dfrac{K^+ 수}{Cl^- 수}$는? (단, 혼합 용액의 부피는 혼합 전 각 용액의 부피의 합과 같다.)

① $\dfrac{1}{4}$ ② $\dfrac{3}{8}$ ③ $\dfrac{1}{2}$ ④ $\dfrac{2}{3}$ ⑤ $\dfrac{3}{4}$

> **기출 포인트** | 중화 반응 실험에서 특정 이온 수의 변화를 보고 다른 이온의 수를 유추할 수 있어야 한다.

09 고난도

표는 $HCl(aq)$과 $NaOH(aq)$을 혼합한 수용액 x mL에 $KOH(aq)$을 넣었을 때, $KOH(aq)$의 부피에 따른 혼합 용액에 들어 있는 X 이온에 대한 자료이다.

혼합 용액	(가)	(나)	(다)
$KOH(aq)$의 부피(mL)	10	20	y
$\dfrac{X \text{ 이온 수}}{\text{전체이온 수}}$	$\dfrac{1}{2}$	$\dfrac{1}{2}$	$\dfrac{1}{3}$
단위 부피당 X 이온 수	$\dfrac{4}{3}N$	N	$\dfrac{2}{3}N$

$x+y$는? (단, 혼합 용액의 부피는 혼합 전 각 용액의 부피의 합과 같다.)

① 40   ② 50   ③ 60   ④ 70   ⑤ 80

10

그림은 부피가 각각 20 mL인 산 또는 염기 수용액 (가)~(다)를 이온 모형으로 나타낸 것이다. (가)~(다) 중 염기 수용액은 2가지이다.

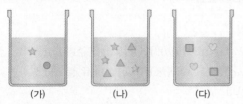

이에 대한 설명으로 옳은 것만을 〈보기〉에서 있는 대로 고른 것은?

┤ 보기 ├
ㄱ. ☆은 H^+이다.
ㄴ. pH는 (가)가 (다)보다 크다.
ㄷ. (가) 10 mL, (나) 10 mL, (다) 20 mL를 혼합한 수용액은 중성이다.

① ㄱ   ② ㄷ   ③ ㄱ, ㄴ   ④ ㄴ, ㄷ   ⑤ ㄱ, ㄴ, ㄷ

11 서술형

식초 10 mL가 완전히 중화될 때까지 넣어 준 0.2 M 수산화 나트륨(NaOH) 수용액의 부피가 25 mL였다. 식초 속 아세트산(CH_3COOH)의 몰 농도를 구하시오. (단, 식초 속에 산은 아세트산만 들어 있다고 가정한다.)

12 고난도

표는 HCl(aq)과 NaOH(aq)의 부피를 달리하여 혼합한 용액 Ⅰ~Ⅲ에 대한 자료이다.

혼합 용액	혼합 전 용액의 부피(mL)		전체 양이온의 양(mol)	액성
	HCl(aq)	NaOH(aq)		
Ⅰ	20	30	1.0×10^{-2}	산성
Ⅱ	20	40	1.2×10^{-2}	염기성
Ⅲ	30	40	$x \times 10^{-2}$	산성

이에 대한 설명으로 옳은 것만을 〈보기〉에서 있는 대로 고른 것은? (단, 혼합 용액 부피는 혼합 전 각 용액 부피의 합과 같다.)

┤ 보기 ├
ㄱ. $x = 1.5$이다.
ㄴ. $\dfrac{\text{Ⅲ에서 단위 부피당 }H^+\text{ 수}}{\text{Ⅰ에서 단위 부피당 }H^+\text{ 수}} = 3$이다.
ㄷ. Ⅱ 10 mL와 Ⅲ 8 mL를 혼합한 용액의 액성은 산성이다.

① ㄱ   ② ㄴ   ③ ㄷ   ④ ㄱ, ㄴ   ⑤ ㄱ, ㄷ

13 고난도

다음은 중화 반응 실험이다.

[실험 과정]
(가) HCl(aq), KOH(aq), NaOH(aq)을 준비한다.
(나) HCl(aq) 5 mL와 KOH(aq) 10 mL를 혼합하여 용액 Ⅰ을 만든다.
(다) 용액 Ⅰ에 NaOH(aq) 5 mL를 혼합하여 용액 Ⅱ를 만든다.

[실험 결과]
• 혼합 용액 속 이온의 종류와 단위 부피당 이온 수

이온의 종류		A	B	C	D	E
단위 부피당 이온 수	Ⅰ	$4N$	$4N$	$8N$	0	0
	Ⅱ	$3N$	0	$6N$	$9N$	$12N$

HCl(aq) 10 mL에 NaOH(aq)을 조금씩 넣을 때 혼합 용액에 존재하는 단위 부피당 전체 양이온 수(n)로 가장 적절한 것은? (단, 혼합 용액의 부피는 혼합 전 각 용액의 부피의 합과 같다.)

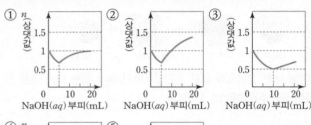

14

표와 같이 같은 몰 농도의 묽은 황산(H_2SO_4)과 수산화 나트륨(NaOH) 수용액을 부피를 달리하여 중화 반응시켰다.

시험관	(가)	(나)	(다)	(라)	(마)
$H_2SO_4(aq)$(mL)	100	80	60	40	20
NaOH(aq)(mL)	20	40	60	80	100

시험관 (가)~(마)의 혼합 용액에 대한 설명으로 옳은 것은?

① (가) 용액의 액성은 염기성이다.
② (나) 용액에는 OH^-이 남아 있다.
③ 용액의 액성이 중성인 시험관은 (다)이다.
④ 가장 많은 양의 물이 생성되는 시험관은 (라)이다.
⑤ (마) 용액에 BTB 용액을 떨어뜨리면 노란색을 띤다.

15

그림은 $HCl(aq)$ 20 mL에 $NaOH(aq)$을 첨가할 때, 첨가한 $NaOH(aq)$의 부피에 따른 혼합 용액의 단위 부피당 A, B 이온의 수를 나타낸 것이다.

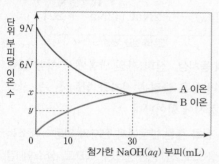

이에 대한 설명으로 옳은 것만을 〈보기〉에서 있는 대로 고른 것은? (단, 혼합 용액의 부피는 혼합 전 각 용액의 부피의 합과 같다.)

┤ 보기 ├
ㄱ. B 이온은 H^+이다.
ㄴ. $x+y=5.6N$이다.
ㄷ. 첨가한 $NaOH(aq)$의 부피가 40 mL일 때, 혼합 용액의 단위 부피당 전체 이온 수는 $8N$이다.

① ㄱ   ② ㄴ   ③ ㄷ
④ ㄱ, ㄴ   ⑤ ㄴ, ㄷ

16 고난도

표는 $HCl(aq)$, $NaOH(aq)$, $KOH(aq)$의 부피를 달리하여 혼합한 용액 (가), (나)에 대한 자료이다.

혼합 용액		(가)	(나)
혼합 전 용액의 부피(mL)	$HCl(aq)$	10	20
	$NaOH(aq)$	5	30
	$KOH(aq)$	20	20
혼합 용액의 양이온 수 비		◐	◔

$\dfrac{\text{(나)에서 생성된 물 분자 수}}{\text{(가)에서 생성된 물 분자 수}}$ 는?

① $\dfrac{3}{2}$ ② 2   ③ $\dfrac{2}{3}$
④ $\dfrac{8}{3}$ ⑤ 3

---

3 중화 적정   대표 기출

17 고난도

그림은 25 °C에서 0.2 M 수산화 칼륨(KOH) 수용액 20 mL에 x M 황산(H_2SO_4)을 조금씩 넣을 때 용액에 들어 있는 이온 수를 나타낸 것이다.

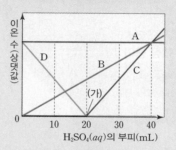

이에 대한 설명으로 옳은 것만을 〈보기〉에서 있는 대로 고른 것은?

┤ 보기 ├
ㄱ. x는 0.1이다.
ㄴ. A와 B는 구경꾼 이온이다.
ㄷ. (가)에서 생성된 물의 양은 2×10^{-3} mol이다.

① ㄱ   ② ㄷ   ③ ㄱ, ㄴ   ④ ㄴ, ㄷ   ⑤ ㄱ, ㄴ, ㄷ

┌─────────────────────────────────┐
기출 포인트 | 중화 반응이 일어날 때 가해 준 용액의 농도와 이온 수의 변화를 이용하여 기존 용액의 농도를 계산할 수 있어야 한다.
└─────────────────────────────────┘

18 서술형

다음은 질산(HNO_3)을 수산화 나트륨($NaOH$) 표준 용액으로 중화 적정하는 실험 과정을 순서 없이 나열한 것이다.

[과정]
(가) 뷰렛에 0.1 M $NaOH$ 수용액을 넣고, HNO_3이 들어 있는 삼각 플라스크에 $NaOH$ 수용액을 떨어뜨린다.
(나) 농도를 모르는 HNO_3 10 mL를 피펫으로 정확하게 취하여 삼각 플라스크에 넣고, 페놀프탈레인 용액을 2~3 방울 떨어뜨린다.
(다) 삼각 플라스크를 흔들어도 분홍색이 사라지지 않는 순간 뷰렛의 꼭지를 잠근 후, 실험에 사용한 $NaOH$ 수용액의 부피를 구한다.
[결과] 사용한 $NaOH$ 수용액의 부피 = 25 mL

(1) 실험 과정을 순서대로 나열하시오.

_____

(2) HNO_3의 몰 농도를 쓰시오.

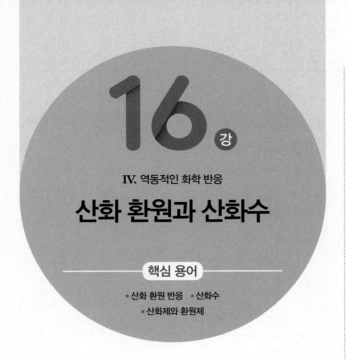

IV. 역동적인 화학 반응

산화 환원과 산화수

— 핵심 용어 —

• 산화 환원 반응   • 산화수
• 산화제와 환원제

1 산소의 이동에 의한 산화 환원 반응

1. 산소의 이동과 산화 환원 〔개념 브릿지 유형 1〕

• 산화: 물질이 산소를 얻는 반응
• 환원: 물질의 산소를 잃는 반응

$$2CuO(s) + C(s) \longrightarrow 2Cu(s) + CO_2(s)$$

산소를 얻음: 산화
산소를 잃음: 환원

2. 산화 환원 반응의 동시성 산화 환원 반응에서 어떤 물질이 산소를 얻으면 다른 물질은 산소를 잃는다.

3. 산소의 이동에 의한 산화 환원 반응의 예

① 연소 물질이 산소와 빠르게 반응하며 열과 빛을 내는 화학 반응이다.

$$C(s) + O_2(g) \longrightarrow CO_2(g)$$

산소를 얻음: 산화

② 광합성과 호흡 광합성은 식물이 빛에너지를 이용하여 포도당과 산소를 만드는 반응이고, 호흡은 포도당과 산소를 반응시켜 생활하는 데 필요한 에너지를 만드는 반응이다.

광합성	$6CO_2(g) + 6H_2O(l) \longrightarrow C_6H_{12}O_6(s) + 6O_2(g)$ 환원
호흡	$C_6H_{12}O_6(s) + 6O_2(g) \longrightarrow 6CO_2(g) + 6H_2O(l)$ 산화

③ 철의 제련 산화 철(Ⅲ)(Fe_2O_3)이 주성분인 철광석에서 순수한 철(Fe)를 얻는 방법이다.

$$Fe_2O_3(s) + 3CO(g) \longrightarrow 2Fe(s) + 3CO_2(g)$$

산소를 얻음: 산화
산소를 잃음: 환원

2 전자의 이동에 의한 산화 환원 반응

1. 전자의 이동과 산화 환원

• 산화: 물질이 전자를 잃는 반응
• 환원: 물질의 전자를 얻는 반응

$$2Na(s) + Cl_2(g) \longrightarrow 2NaCl\,(2Na^+ + 2Cl^-)\,(s)$$

전자를 잃음: 산화
전자를 얻음: 환원

2. 산화 환원 반응의 동시성 산화 환원 반응에서 어떤 물질이 전자를 잃으면 다른 물질은 전자를 얻는다. 즉, 산화와 환원은 항상 동시에 일어난다.

3. 산소가 이동하는 산화 환원 반응에서 전자의 이동 산소는 플루오린(F) 다음으로 전기 음성도가 크므로 산소와 결합하여 산화되는 원자는 산소 원자에게 전자를 빼앗긴다고 볼 수 있다. 즉, 산소는 전자를 얻어 환원되고, 산소와 결합한 원자는 전자를 잃고 산화된다고 볼 수 있다.

예 산화 마그네슘의 생성: 마그네슘(Mg)은 산소를 잃어 산화 마그네슘(MgO)으로 산화된다.

$$2Mg(s) + O_2(g) \longrightarrow 2MgO(s)$$

전자를 잃음: 산화
전자를 얻음: 환원

4. 전자의 이동에 의한 여러 가지 산화 환원 반응

① 황산 구리(Ⅱ)($CuSO_4$) 수용액과 아연(Zn)의 반응 황산 구리(Ⅱ) 수용액에 아연판을 넣으면 수용액의 푸른색이 점점 옅어지고, 아연판 표면에 붉은색 구리가 석출된다.

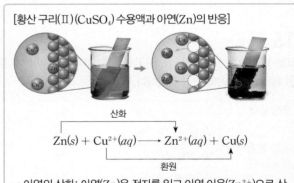

[황산 구리(Ⅱ)($CuSO_4$) 수용액과 아연(Zn)의 반응]

$$Zn(s) + Cu^{2+}(aq) \longrightarrow Zn^{2+}(aq) + Cu(s)$$

산화
환원

• 아연의 산화: 아연(Zn)은 전자를 잃고 아연 이온(Zn^{2+})으로 산화되어 수용액에 녹아 들어간다.
• 구리 이온의 환원: 수용액 속 구리 이온(Cu^{2+})은 전자를 얻어 구리(Cu)로 환원되어 석출된다.

② 질산 은($AgNO_3$) 수용액과 구리(Cu)의 반응 질산 은 수용액에 구리줄을 넣으면 구리줄 표면에 은이 석출되고, 수용액의 색깔이 점점 푸르게 변한다.

$$Cu(s) + 2Ag^+(aq) \longrightarrow Cu^{2+}(aq) + 2Ag(s)$$

산화
환원

③ 마그네슘(Mg)과 염산(HCl)의 반응   묽은 염산에 마그네슘을 넣으면 마그네슘 표면에서 수소 기체가 발생한다.

$$\underset{\text{환원}}{\overbrace{\underset{\text{산화}}{\overbrace{Mg(s) + 2H^+(aq) \longrightarrow Mg^{2+}(aq)}} + H_2(g)}}$$

5. **금속의 이온화 경향**   금속 원소가 전자를 잃고 양이온이 되려는 경향으로, 이온화 경향이 큰 금속일수록 전자를 잃고 산화되기 쉬우며, 반응성이 크다.

자료 클리닉➕ 금속의 이온화 경향

칼륨	칼슘	나트륨	마그네슘	알루미늄	아연	철	니켈	주석	납	수소	구리	수은	은	백금	금
K	Ca	Na	Mg	Al	Zn	Fe	Ni	Sn	Pb	H	Cu	Hg	Ag	Pt	Au

◀ 이온화 경향이 크다.　반응성이 크다.　산화되기 쉽다.

3 산화수   개념 브릿지 유형 2

1. **산화수**   어떤 물질에서 각 원자가 산화된 정도를 나타내는 가상적인 전하
   ① 이온 결합 물질에서의 산화수   물질을 구성하는 각 이온의 전하와 같다.
      예 염화 나트륨($NaCl$) ➡ Na의 산화수: $+1$, Cl의 산화수: -1
   ② 공유 결합 물질에서의 산화수   전기 음성도가 큰 원자가 공유 전자쌍을 모두 차지하는 것으로 가정할 때, 각 원자가 가지게 되는 전하이다.

2. **산화수 결정 규칙**

결정 규칙	예
① 원소를 구성하는 원자의 산화수는 0이다.	Na, H_2, O_2에서 각 원자의 산화수는 0
② 대부분의 화합물에서 수소의 산화수는 $+1$이다. (단, 금속의 수소 화합물에서는 -1이다.)	HCl, NH_3, H_2O에서 H의 산화수는 $+1$ (단, LiH, NaH, BeH_2에서 H의 산화수는 -1)
③ 대부분의 화합물에서 산소의 산화수는 -2이다. (단, 과산화물에서는 -1, 플루오린 화합물에서는 $+2$이다.)	H_2O, MgO, CO_2에서 O의 산화수는 -2 (단, H_2O_2, Na_2O_2, BaO_2에서 O의 산화수는 -1, OF_2에서 O의 산화수는 $+2$)
④ 단원자 이온의 산화수는 그 이온의 전하와 같다.	Na^+에서 Na의 산화수는 $+1$, Cu^{2+}에서 Cu의 산화수는 $+2$
⑤ 다원자 이온에서 각 원자의 산화수 합은 그 이온의 전하와 같다.	CO_3^{2-}에서 산화수의 총합: $\underset{C}{(+4)}+\underset{O}{(-2)}\times 3 = -2$
⑥ 화합물에서 각 원자의 산화수 총합은 0이다.	H_2O에서 산화수의 총합: $\underset{H}{(+1)}\times 2+\underset{O}{(-2)}=0$
⑦ 화합물에서 F의 산화수는 -1, 1족 금속 원소의 산화수는 $+1$, 2족 금속 원소의 산화수는 $+2$이다.	LiF에서 F의 산화수는 -1, Li의 산화수는 $+1$, MgO에서 Mg의 산화수는 $+2$

3. **여러 가지 산화수**   같은 원자라도 화합물에서 결합하는 원자의 종류에 따라 여러 가지 산화수를 가질 수 있다.
   예 크로뮴(Cr)의 산화수: 0, 산화 크로뮴(Ⅲ)(Cr_2O_3)의 산화수: $+3$, 다이크로뮴산 칼륨($K_2Cr_2O_7$)의 산화수: $+6$

4. **산화수 변화와 산화 환원 반응**
   • 산화: 산화수가 증가하는 반응
   • 환원: 산화수가 감소하는 반응

$$\underset{\text{산화수 감소: 환원}}{\underline{\overset{\overset{\text{산화수 증가: 산화}}{\overbrace{}}}{\overset{+3}{2Fe_2O_3}(s) + \overset{0}{3C}(s) \longrightarrow \overset{0}{4Fe}(s) + \overset{+4}{3CO_2}(g)}}}$$

5. **산화 환원 반응의 동시성**   산화 환원 반응에서 한 원자의 산화수가 증가하면 다른 원자의 산화수는 감소한다. 즉, 산화와 환원은 항상 동시에 일어난다.

4 산화제와 환원제   개념 브릿지 유형 3

1. **산화제와 환원제**

산화제	환원제
자신은 환원되면서 다른 물질을 산화시키는 물질	자신은 산화되면서 다른 물질을 환원시키는 물질
[산화제로 주로 작용하는 물질] • 전자를 얻기 쉬운 비금속 원소 　**예** F_2, Cl_2 • 산화수가 큰 원자가 들어 있는 화합물 　**예** $\overset{+7}{K}Mn\overset{}{O_4}$, $\overset{+7}{H}Cl\overset{}{O_4}$, $\overset{+5}{H}N\overset{}{O_3}$	[환원제로 주로 작용하는 물질] • 전자를 잃기 쉬운 금속 원소 　**예** Li, Na, K • 산화수가 작은 원자가 들어 있는 화합물 　**예** $\overset{+2}{S}nCl_2$, $\overset{+2}{C}O$, $\overset{-2}{H_2}S$

2. **산화제와 환원제의 상대적 세기**   같은 물질이라도 반응에 따라 산화제로 작용할 수도 있고, 환원제로 작용할 수도 있다. ➡ 산화 환원 반응에서 전자를 잃거나 얻는 정도가 서로 상대적이기 때문이다.

자료 클리닉➕ 산화제와 환원제의 상대적 세기

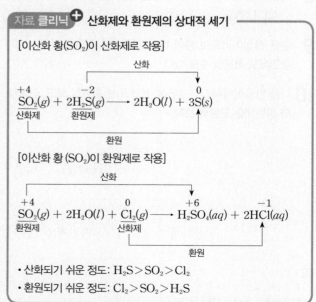

[이산화 황(SO_2)이 산화제로 작용]

$$\underset{\text{환원}}{\underline{\overset{\overset{\text{산화}}{\overbrace{}}}{\underset{\text{산화제}}{\overset{+4}{SO_2}}(g) + \underset{\text{환원제}}{\overset{-2}{2H_2S}}(g) \longrightarrow 2H_2O(l) + \overset{0}{3S}(s)}}}$$

[이산화 황(SO_2)이 환원제로 작용]

$$\underset{\text{환원}}{\underline{\overset{\overset{\text{산화}}{\overbrace{}}}{\underset{\text{환원제}}{\overset{+4}{SO_2}}(g) + 2H_2O(l) + \underset{\text{산화제}}{\overset{0}{Cl_2}}(g) \longrightarrow \overset{+6}{H_2S}O_4(aq) + 2\overset{-1}{H}Cl(aq)}}}$$

• 산화되기 쉬운 정도: $H_2S > SO_2 > Cl_2$
• 환원되기 쉬운 정도: $Cl_2 > SO_2 > H_2S$

1 산화 환원 반응이 일어날 때 산소를 얻는 물질이 있으면 산소를 잃는 물질이 있다. ·················· (○ , ×)

2 용광로에 철광석과 코크스를 넣고 가열하면, 산화 철(Ⅲ)(Fe_2O_3)은 산소를 잃고 철로 (산화 , 환원)되고, 코크스 (C)는 산소를 얻어 이산화 탄소로 (산화 , 환원)된다.

3 물질이 전자를 잃는 반응을 ☐☐, 전자를 얻는 반응을 ☐☐(이)라고 한다.

4 황산 구리(Ⅱ)($CuSO_4$) 수용액과 아연(Zn)의 반응에서 아연은 환원된다. ·················· (○ , ×)

5 산화 환원 반응

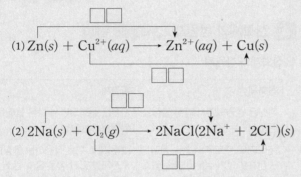

(1) $Zn(s) + Cu^{2+}(aq) \longrightarrow Zn^{2+}(aq) + Cu(s)$

(2) $2Na(s) + Cl_2(g) \longrightarrow 2NaCl(2Na^+ + 2Cl^-)(s)$

6 (1) 염화 나트륨(NaCl) ➡ Na의 산화수:
　　　　　　　　　　　 Cl의 산화수:

(2) 산화 마그네슘(MgO) ➡ Mg의 산화수:
　　　　　　　　　　　　 O의 산화수:

7 산화수가 ☐☐하는 반응을 산화, 산화수가 ☐☐하는 반응을 환원이라고 한다.

8 자신이 산화되면서 다른 물질을 환원시키는 물질을 ☐☐☐라고 한다.

9 같은 물질이라도 반응에 따라 산화제로 작용할 수도 있고, 환원제로 작용할 수도 있다. ·················· (○ , ×)

10 다음 반응식에서 ( ) 안에 산화 또는 환원을 쓰고, 산화제와 환원제를 구분해 보자.

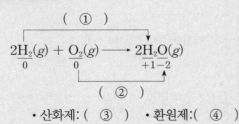

（ ① ）
$$2\underset{0}{H_2}(g) + \underset{0}{O_2}(g) \longrightarrow 2\underset{+1 -2}{H_2O}(g)$$
（ ② ）
· 산화제: (③)　· 환원제: (④)

📋 **1** ○　**2** 환원, 산화　**3** 산화, 환원　**4** ×
5 (1) 산화, 환원 (2) 산화, 환원　**6** (1) +1, −1 (2) +2, −2　**7** 증가, 감소
8 환원제　**9** ○　**10** ① 산화 ② 환원 ③ O_2 ④ H_2

> 개념과 문제의
> 연결고리 찾기!!

1 산화 환원 반응

다음은 2가지 반응의 화학 반응식이다.

> (가) $2Mg + A \longrightarrow 2MgO + C$
> (나) $Fe_2O_3 + 3CO \longrightarrow 2Fe + 3A$

이에 대한 설명으로 옳은 것만을 〈보기〉에서 있는 대로 고른 것은?

┤ 보기 ├
ㄱ. A는 CO_2이다.
ㄴ. (가)에서 Mg은 산화된다.
ㄷ. (나)에서 환원되는 물질은 Fe_2O_3이다.

① ㄱ　　　　② ㄷ　　　　③ ㄱ, ㄴ
④ ㄴ, ㄷ　　　⑤ ㄱ, ㄴ, ㄷ

개념으로 문제 접근하기

· 산화 환원은 산소의 이동, 전자의 이동, 산화수의 증감 등으로 구분할 수 있다.
· 산소의 이동과 산화 환원

　　　　　　　　산화
(가) $2Mg + CO_2 \longrightarrow 2MgO + C$
　　　　　　　　환원

　　　　　　　　산화
(나) $Fe_2O_3 + 3CO \longrightarrow 2Fe + 3CO_2$
　　　　　　　환원

│ 보기 분석 │
ㄱ. A는 CO_2이다.
　➡ 화학 반응식에서 반응 전후의 원자 종류와 원자 수가 같아야 하므로 A는 CO_2이다.
ㄴ. (가)에서 Mg은 산화된다.
　➡ (가)에서 Mg은 산소와 결합하여 MgO이 되므로 산화된다.
ㄷ. (나)에서 환원되는 물질은 Fe_2O_3이다.
　➡ (나)에서 Fe_2O_3은 산소를 잃고 Fe이 되므로 환원된다.

답 ⑤

2 산화수

다음은 다이크로뮴산 나트륨 ($Na_2Cr_2O_7$)과 탄소(C)가 반응하는 산화 환원 반응의 화학 반응식이다.

$$Na_2Cr_2\underline{O_7} + 2\underline{C} \longrightarrow Cr_2O_3 + Na_2C\underline{O_3} + \underline{C}O$$
$$\qquad\qquad\quad ㉠ \qquad\qquad\qquad\qquad ㉡ \quad\ ㉢$$

이에 대한 설명으로 옳은 것만을 〈보기〉에서 있는 대로 고른 것은?

┤ 보기 ├
ㄱ. ㉠은 산화제이다.
ㄴ. Cr의 산화수는 +6에서 +3으로 감소한다.
ㄷ. ㉡과 ㉢의 산화수는 같다.

① ㄱ   ② ㄴ   ③ ㄷ
④ ㄱ, ㄴ   ⑤ ㄴ, ㄷ

개념으로 문제 접근하기

화합물에서 Na의 산화수는 +1이고 O의 산화수는 −2이다. 위의 화학 반응식에서 산화수 변화는 다음과 같다.

산화수 감소: 환원

$$\overset{+6}{Na_2Cr_2O_7} + \overset{0}{2C} \longrightarrow \overset{+3}{Cr_2O_3} + \overset{+4}{Na_2CO_3} + \overset{+2}{CO}$$

산화수 증가: 산화

┄┄┄┄┄┄┄┄┄┄┄┄┄┄┄┄┄┄┄

| 보기 분석 |
ㄱ. ㉠은 산화제이다.
➡ C는 자신이 산화 되고, Cr을 환원시켰으므로 환원제이다.
ㄴ. Cr의 산화수는 +6에서 +3으로 감소한다.
➡ Cr의 산화수는 +6에서 +3으로 감소한다.
ㄷ. ㉡과 ㉢의 산화수는 같다.
➡ Na_2CO_3에서 Na의 산화수가 +1이고, O의 산화수가 −2이므로 화합물을 구성하는 원자의 산화수의 합이 0인 것을 이용하면 (Na 산화수(+1)×2)+(O의 산화수(−2)×3) +(C의 산화수)=0이므로 C의 산화수는 +4이다. CO에서 O의 산화수가 −2이므로 C의 산화수는 +2이다. 따라서 ㉡과 ㉢의 산화수는 같지 않다.

답 ②

---

3 산화제와 환원제

다음은 3가지 반응의 화학 반응식이다.

(가) $CF_4 + 2H_2O \longrightarrow CO_2 + 4HF$
(나) $4NH_3 + 6NO \longrightarrow 5N_2 + 6H_2O$
(다) $2NO + O_2 \longrightarrow 2NO_2$

(가)~(다)에 대한 설명으로 옳은 것만을 〈보기〉에서 있는 대로 고른 것은?

┤ 보기 ├
ㄱ. 산화 환원 반응은 2가지이다.
ㄴ. (나)에서 NH_3는 환원된다.
ㄷ. (나)와 (다)에서 NO는 모두 산화제로 작용한다.

① ㄱ   ② ㄴ   ③ ㄱ, ㄷ
④ ㄴ, ㄷ   ⑤ ㄱ, ㄴ, ㄷ

개념으로 문제 접근하기

• 물질이 수소를 잃으면 산화, 수소를 얻으면 환원된다.
• 물질이 산소를 얻으면 산화, 산소를 잃으면 환원된다.
• 물질이 전자를 잃으면 산화, 전자를 얻으면 환원된다.

┄┄┄┄┄┄┄┄┄┄┄┄┄┄┄┄┄┄┄

| 보기 분석 |
ㄱ. 산화 환원 반응은 2가지이다.
➡ (가)는 산화수 변화가 없으므로 산화 환원 반응이 아니다.
$$\underset{+4\ -1}{CF_4} + \underset{+1\ -2}{2H_2O} \longrightarrow \underset{+4\ -2}{CO_2} + \underset{+1\ -1}{4HF}$$
(나)와 (다)는 산화수가 변하므로 산화 환원 반응이다.

환원

$$\underset{-3\ +1}{4NH_3} + \underset{+2\ -2}{6NO} \longrightarrow \underset{0}{5N_2} + \underset{+1\ -2}{6H_2O}$$

산화

$$\underset{+2\ -2}{2NO} + \underset{0}{O_2} \longrightarrow \underset{+4\ -2}{2NO_2}$$

산화

ㄴ. (나)에서 NH_3는 환원된다.
➡ (나)의 NH_3에서 N 원자의 산화수가 −3이고, 생성된 N_2의 산화수가 0이므로 NH_3는 산화되었다.
ㄷ. (나)와 (다)에서 NO는 모두 산화제로 작용한다.
➡ (나)에서 NO는 환원되고, (다)에서 NO는 산화된다. 따라서 NO는 (나)에서는 산화제로 작용하고, (다)에서는 환원제로 작용한다.

답 ①

1 산소의 이동에 의한 산화 환원 반응 　　대표 기출

01

다음은 철과 관련된 반응의 화학 반응식이다.

> (가) $Fe + Cu^{2+} \longrightarrow Fe^{2+} + Cu$
> (나) $Fe_2O_3 + 3CO \longrightarrow 2Fe + 3CO_2$
> (다) $4Fe(OH)_2 + O_2 + 2H_2O \longrightarrow 4Fe(OH)_3$

이에 대한 설명으로 옳은 것만을 〈보기〉에서 있는 대로 고른 것은?

> ┤ 보기 ├
> ㄱ. (가)에서 Fe은 산화되었다.
> ㄴ. (나)에서 CO는 환원되었다.
> ㄷ. (다)에서 H_2O은 환원된다.

① ㄱ　② ㄷ　③ ㄱ, ㄴ　④ ㄴ, ㄷ　⑤ ㄱ, ㄴ, ㄷ

기출 포인트 | 여러 가지 산화 환원 반응에서 산화와 환원을 구분할 수 있어야 한다.

02

다음 중 산화 환원 반응이 <u>아닌</u> 것은?

① $2H_2 + O_2 \longrightarrow 2H_2O$
② $2Na + Cl_2 \longrightarrow 2NaCl$
③ $CO + H_2O \longrightarrow CO_2 + H_2$
④ $Fe_2O_3 + 3CO \longrightarrow 2Fe + 3CO_2$
⑤ $Ca(OH)_2 + CO_2 \longrightarrow CaCO_3 + H_2O$

03

다음은 마그네슘 리본이 공기 중에서 연소하는 반응의 화학 반응식을 나타낸 것이다.

> $$2Mg(s) + O_2(g) \longrightarrow 2MgO(s)$$

이 반응에 대한 설명으로 옳지 <u>않은</u> 것은?

① 마그네슘은 산화된다.
② 산소는 산화수가 감소한다.
③ 산소는 환원제로 작용한다.
④ 마그네슘은 전자를 잃고 양이온이 된다.
⑤ 산화 마그네슘은 이온 결합 물질이다.

2 전자의 이동에 의한 산화 환원 반응 　　대표 기출

04

다음은 물질 X, Y와 관련된 3가지 화학 반응식이다.

> (가) $Cl_2 + H_2O \longrightarrow X + HClO$
> (나) $X + H_2O \longrightarrow H_3O^+ + Cl^-$
> (다) $X + Y \longrightarrow NaCl + H_2O$

이에 대한 설명으로 옳은 것만을 〈보기〉에서 있는 대로 고른 것은?

> ┤ 보기 ├
> ㄱ. (가)에서 Cl_2는 산화되었다.
> ㄴ. (나)에서 X는 아레니우스 산이다.
> ㄷ. (다)는 산화 환원 반응이다.

① ㄱ　　　　② ㄷ　　　　③ ㄱ, ㄴ
④ ㄴ, ㄷ　　　⑤ ㄱ, ㄴ, ㄷ

기출 포인트 | 산화 환원 반응에서 산화와 환원을 구분할 수 있어야 한다.

05 　서술형

다음은 은(Ag) 반지가 바닷물 속에서 변화되는 과정과 은 반지를 복원시키는 과정에 대한 설명이다.

> [바닷물 속에서의 변화 과정]
> • 과정 Ⅰ: Ag이 황화 수소(H_2S)와 반응하여 황화 은(Ag_2S)이 된다.
> • 과정 Ⅱ: Ag_2S 표면에서 칼슘 이온(Ca^{2+})과 탄산 수소 이온(HCO_3^-)이 반응하여 탄산 칼슘($CaCO_3$), 이산화 탄소(CO_2), 물(H_2O)이 생성된다.
> [복원 과정]
> • 과정 Ⅲ: $CaCO_3$으로 덮인 은 반지를 염산(HCl)에 넣으면 $CaCO_3$이 반응하여 염화 칼슘($CaCl_2$), CO_2, H_2O이 생성된다.
> • 과정 Ⅳ: 알루미늄(Al)을 이용하여 Ag_2S을 은(Ag) 반지로 복원시킨다.

과정 Ⅰ~Ⅳ 중 산화 환원 반응인 것을 고르고, 그렇게 생각한 까닭을 서술하시오.

_____

_____

_____

06

그림은 묽은 염산(HCl)에 마그네슘(Mg) 조각을 넣었을 때 일어나는 반응을 모형으로 나타낸 것이다. 이에 대한 설명으로 옳은 것은?

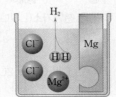

① Mg은 산화된다.

② Cl^-은 환원된다.

③ H^+은 전자를 잃는다.

④ 전자는 Mg에서 Cl^-으로 이동한다.

⑤ Mg 1개가 산화될 때 H^+ 1개가 환원된다.

---

3 산화수 　　　　　　　　　**대표 기출**

07 고난도

다음은 분자 (가)~(다)의 루이스 구조식과 자료이다.

$$\overset{H}{\underset{H}{H-X-H}} \qquad \overset{H}{H-X-\ddot{\underset{}{Y}}} \qquad \overset{H}{H-X-\ddot{\underset{}{Y}}-\ddot{\underset{}{Z}}:$$

　(가)　　　　　(나)　　　　　(다)

- X~Z 는 2, 3 주기 원소이다.
- X의 산화수는 (나)에서가 (가)에서보다 크다.
- Y의 산화수는 (나)에서와 (다)에서 같다.

이에 대한 설명으로 옳은 것만을 〈보기〉에서 있는 대로 고른 것은? (단, X~Z는 임의의 원소 기호이다.)

┤보기├
ㄱ. (나)에서 X의 산화수는 0이다.
ㄴ. 전기 음성도는 Z가 Y보다 크다.
ㄷ. Y의 산화수는 H_2Y_2에서와 (나)에서 같다.

① ㄱ　　　　　② ㄴ　　　　　③ ㄱ, ㄷ
④ ㄴ, ㄷ　　　　⑤ ㄱ, ㄴ, ㄷ

기출 포인트 | 화학 반응식에서 산화수의 증감을 계산할 수 있어야 한다.

08

그림은 구리의 산화와 구리 산화물의 제련 과정을 모식도로 나타낸 것이다.

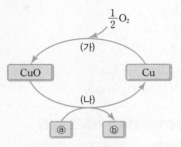

이에 대한 설명으로 옳은 것만을 〈보기〉에서 있는 대로 고른 것은?

┤보기├
ㄱ. (가), (나) 모두 산화 환원 반응이다.
ㄴ. (가) 과정에서 Cu의 산화수는 감소한다.
ㄷ. ⓐ는 구리보다 산화되기 쉬운 물질이다.

① ㄱ　　② ㄴ　　③ ㄱ, ㄷ　　④ ㄴ, ㄷ　　⑤ ㄱ, ㄴ, ㄷ

09

다음은 철과 관련된 2가지 반응의 화학 반응식이다.

(가) $2Fe + O_2 + 2H_2O \longrightarrow 2Fe(OH)_2$
(나) $4Fe(OH)_2 + O_2 + 2H_2O \longrightarrow 4Fe(OH)_3$

이에 대한 설명으로 옳은 것만을 〈보기〉에서 있는 대로 고른 것은?

┤보기├
ㄱ. (가)에서 O_2는 환원된다.
ㄴ. (나)에서 Fe의 산화수는 2만큼 증가한다.
ㄷ. (가)와 (나)에서 H_2O은 산화제로 작용한다.

① ㄱ　　② ㄴ　　③ ㄱ, ㄷ　　④ ㄴ, ㄷ　　⑤ ㄱ, ㄴ, ㄷ

10 서술형

수영장의 물을 소독할 때 염소 기체를 사용한다. 염소 기체는 물과 반응하여 하이포염소산(HClO)을 형성하는데, 이 반응을 화학 반응식으로 나타내면 다음과 같다.

$$Cl_2(g) + H_2O(l) \longrightarrow HClO(aq) + HCl(aq)$$

이 반응에서 산화되는 물질과 환원되는 물질을 각각 쓰고, 그 까닭을 산화수 변화를 이용하여 서술하시오.

11 고난도

다음은 몇 가지 산화 환원 반응식이다.

(가) $2\underline{H}_2 + O_2 \longrightarrow 2H_2O$
(나) $4\underline{Fe} + 3O_2 \longrightarrow 2Fe_2O_3$
(다) $\underline{C}H_4 + 2O_2 \longrightarrow CO_2 + 2H_2O$
(라) $\underline{Mg} + CuCl_2 \longrightarrow MgCl_2 + Cu$
(마) $6\underline{C}O_2 + 6H_2O \longrightarrow C_6H_{12}O_6 + 6O_2$

(가)~(마) 중 밑줄 친 원소의 산화수 변화가 가장 큰 것은?

① (가)　② (나)　③ (다)　④ (라)　⑤ (마)

12 고난도

다음은 금속판 A, B, C를 이용한 실험이다.

[실험 과정]
(가) 금속판 A, B를 묽은 염산에 넣었더니 A에서만 기체가 발생하였다.
(나) A에서 기체가 더 이상 발생하지 않을 때, 용액에서 금속판 A, B를 빼내고 금속판 C를 넣었더니 금속판 C의 질량이 증가하였다.

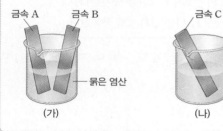

이에 대한 설명으로 옳은 것만을 〈보기〉에서 있는 대로 고른 것은? (단, A, B, C의 양이온은 +2가이다.)

| 보기 |
ㄱ. 반응성은 B<C이다.
ㄴ. 원자의 상대적 질량은 A<C이다.
ㄷ. (가)에서 기체가 발생하는 동안 용액의 전체 이온 수는 감소한다.

① ㄱ　②ㄴ　③ ㄱ, ㄷ
④ ㄴ, ㄷ　⑤ ㄱ, ㄴ, ㄷ

13

다음은 천연가스(LNG)의 주성분인 메테인의 연소 반응을 나타낸 것이다.

$$CH_4(g) + 2O_2(g) \longrightarrow CO_2(g) + 2H_2O(l)$$

이 반응에 대한 설명으로 옳지 않은 것은?

① CH_4은 산화된다.
② O의 산화수는 감소한다.
③ H의 산화수는 감소한다.
④ O_2는 산화제이다.
⑤ H_2O에서 각 원자의 산화수 총합은 0이다.

14 서술형

다음은 망가니즈(Mn)가 포함된 몇 가지 화합물의 화학식을 나타낸 것이다.

$$MnO_2 \qquad MnCl_2 \qquad Mn_2O_3 \qquad KMnO_4$$

Mn의 산화수가 가장 큰 것부터 순서대로 나열하시오.

15

다음은 과산화 수소(H_2O_2)와 관련된 화학 반응식이다.

(가) $5H_2O_2 + xMnO_4^- + 6H^+$
$\longrightarrow xMn^{2+} + 5O_2 + 8H_2O$ (x는 반응 계수)
(나) $H_2O_2 + 2HCl + 2I^- \longrightarrow 2H_2O + I_2 + 2Cl^-$

이에 대한 설명으로 옳은 것만을 〈보기〉에서 있는 대로 고른 것은?

| 보기 |
ㄱ. (가)에서 x는 2이다.
ㄴ. (가)에서 Mn의 산화수는 +7에서 +2로 감소한다.
ㄷ. (나)에서 H_2O_2는 산화제이다.

① ㄱ　② ㄴ　③ ㄱ, ㄷ
④ ㄴ, ㄷ　⑤ ㄱ, ㄴ, ㄷ

16

그림과 같이 아연(Zn)판을 황산 구리 (Ⅱ)(CuSO₄) 수용액에 넣었더니, 아연판 표면에 붉은색 구리가 석출되었다. 이에 대한 설명으로 옳은 것만을 〈보기〉에서 있는 대로 고른 것은?

아연판

$CuSO_4$ 수용액

ㄱ. Zn의 산화수는 증가한다.
ㄴ. 수용액 속 SO_4^{2-}의 수가 증가한다.
ㄷ. 수용액의 푸른색이 점점 옅어진다.

① ㄱ   ② ㄴ   ③ ㄱ, ㄷ
④ ㄴ, ㄷ   ⑤ ㄱ, ㄴ, ㄷ

---

4 산화제와 환원제   대표 기출

17

다음은 산성비와 관련된 화학 반응식이다.

(가) 자동차에서 배출된 일산화 질소(NO)가 공기 중에서 산소와 반응한다.
$$2NO + O_2 \longrightarrow 2NO_2$$
(나) 이산화 질소(NO_2)가 빗물에 녹아 질산을 생성한다.
$$3NO_2 + H_2O \longrightarrow 2HNO_3 + (\ \textㄱ\ )$$

이에 대한 설명으로 옳은 것만을 〈보기〉에서 있는 대로 고른 것은?

┤ 보기 ├
ㄱ. ㉠은 NO이다.
ㄴ. (가)에서 NO는 산화제이다.
ㄷ. (나)는 산화 환원 반응이다.

① ㄱ   ② ㄴ   ③ ㄱ, ㄷ
④ ㄴ, ㄷ   ⑤ ㄱ, ㄴ, ㄷ

기출 포인트 | 산화제와 환원제의 의미를 알고 반응식에서 어떤 물질이 산화제나 환원제로 작용했는지 구분할 수 있어야 한다.

18

다음은 2가지 산화 환원 반응의 화학 반응식이다.

(가) $CH_4 + NH_3 \longrightarrow HCN + 3H_2$
(나) $C_2H_4 + H_2 \longrightarrow C_2H_6$

이에 대한 설명으로 옳은 것만을 〈보기〉에서 있는 대로 고른 것은?

┤ 보기 ├
ㄱ. HCN에서 C의 산화수는 +4이다.
ㄴ. (가)에서 N의 산화수는 변하지 않는다.
ㄷ. (나)에서 H_2는 산화제이다.

① ㄱ   ② ㄴ   ③ ㄱ, ㄷ
④ ㄴ, ㄷ   ⑤ ㄱ, ㄴ, ㄷ

19

다음은 마그네슘(Mg) 리본을 연소시키는 실험과 결과를 나타낸 것이다.

(가) 마그네슘 리본에 불을 붙인다.
(나) 불이 붙은 마그네슘 리본을 드라이아이스로 만든 통 속에 넣고 덮개로 덮었더니 계속 탔다.
(다) 불이 꺼진 후 뚜껑을 열었더니 산화 마그네슘과 검은색 가루가 생겼다.

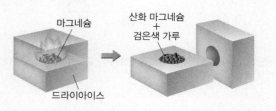

마그네슘

산화 마그네슘 + 검은색 가루

드라이아이스

이에 대한 설명으로 옳은 것만을 〈보기〉에서 있는 대로 고른 것은?

┤ 보기 ├
ㄱ. (가)와 (나)에서 Mg은 산화된다.
ㄴ. (가)와 (나)에서 같은 물질이 산화제로 작용한다.
ㄷ. (다)에서 검은색 가루는 드라이아이스가 환원되어 생긴 것이다.

① ㄱ   ② ㄴ   ③ ㄱ, ㄷ
④ ㄴ, ㄷ   ⑤ ㄱ, ㄴ, ㄷ

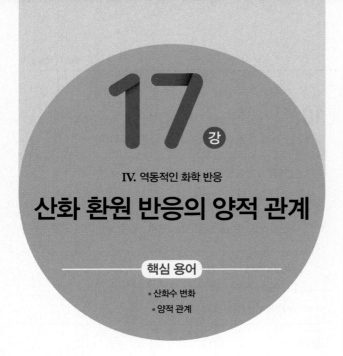

17강

IV. 역동적인 화학 반응

산화 환원 반응의 양적 관계

핵심 용어

- 산화수 변화
- 양적 관계

---

1 산화 환원 반응식 완성하기 　개념 브릿지 유형 1

1. 산화수법으로 산화 환원 반응식 완성하기 　산화 환원 반응에서 증가한 총 산화수와 감소한 총 산화수는 항상 같으므로 이를 이용하여 산화 환원 반응식을 완성한다.

자료 클리닉 ✚ 철(Ⅱ) 이온(Fe^{2+})과 과망가니즈산(MnO_4^-) 산화 환원 반응식 완성하기

$$Fe^{2+} + MnO_4^- + H^+ \longrightarrow Fe^{3+} + Mn^{2+} + H_2O$$

[1단계] 각 원자의 산화수를 구하여 그 원자 위에 쓴다.

$$\overset{+2}{Fe^{2+}} + \overset{+7}{Mn}\overset{-2}{O_4^-} + \overset{+1}{H^+} \longrightarrow \overset{+3}{Fe^{3+}} + \overset{+2}{Mn^{2+}} + \overset{+1\;-2}{H_2O}$$

[2단계] 반응 전후 산화수가 증가하거나 감소한 원자의 산화수 변화를 계산한다.

$$\boxed{1}\text{ 증가}$$

$$\overset{+2}{Fe^{2+}} + \overset{+7}{Mn}O_4^- + \overset{+1}{H^+} \longrightarrow \overset{+3}{Fe^{3+}} + \overset{+2}{Mn^{2+}} + \overset{+1\;-2}{H_2O}$$

$$\boxed{5}\text{ 감소}$$

[3단계] 증가한 산화수와 감소한 산화수가 같도록 계수를 맞춘다.

$$\boxed{5}\times(+1)$$

$$5\,\overset{+2}{Fe^{2+}} + 1\,\overset{+7}{Mn}O_4^- + \overset{+1}{H^+} \longrightarrow 5\,\overset{+3}{Fe^{3+}} + 1\,\overset{+2}{Mn^{2+}} + \overset{+1\;-2}{H_2O}$$

계수 1은
생략한다.
$$\boxed{1}\times(-5)$$

[4단계] 산화수 변화가 없는 원자들의 수 같아지도록 계수를 맞춘다. ➡ 완성

$$5Fe^{2+} + MnO_4^- + 8\,H^+ \longrightarrow 5\,Fe^{3+} + Mn^{2+} + 4\,H_2O$$

① 반응 전후 원자의 종류와 수 같은지 확인한다.

　Fe: 5개, Mn: 1개, O: 4개, H: 8개

② 반응 전후 총 전하량이 같은지 확인한다.

- 반응 전 총 전하량: $5\times(+2)+(-1)+8\times(+1)=+17$
- 반응 후 총 전하량: $5\times(+3)+(+2)+4\times0=+17$

③ Fe^{2+}과 MnO_4^-의 반응 몰비는 5 : 1이다.

➡ Fe^{2+} 1몰을 완전히 산화시키려면 MnO_4^- 0.2몰이 필요하다.

[철(Ⅱ) 이온에 의한 과망가니즈산 이온(MnO_4^-)의 반응]
적자색을 띠는 과망가니즈산 이온(MnO_4^-)은 철(Ⅱ) 이온(Fe^{2+})에 의해 망가니즈 이온(Mn^{2+})으로 환원되면서 노란색을 띤다.

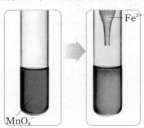

---

2. 이온 – 전자법으로 산화 환원 반응식 완성하기

① 산화수법으로 계수를 맞추기 어렵거나 산이나 염기 용액에서 산화 환원 반응이 일어날 때 사용한다.

② 산화 환원 반응을 산화 반응과 환원 반응으로 분리한 뒤, 두 반쪽 반응에서 잃거나 얻은 전자의 양이 같아지도록 계수를 맞춘다.

자료 클리닉 ✚ 과망가니즈산 이온(MnO_4^-)과 염산의 산화 환원 반응식 완성하기

$$MnO_4^- + H^+ + Cl^- \longrightarrow Mn^{2+} + Cl_2 + H_2O$$

[1단계] 각 원자의 산화수를 구하여 그 원자 위에 쓴다.

$$\overset{+7\;-2}{MnO_4^-} + \overset{+1}{H^+} + \overset{-1}{Cl^-} \longrightarrow \overset{+2}{Mn^{2+}} + \overset{0}{Cl_2} + \overset{+1\;-2}{H_2O}$$

[2단계] 산화 환원 반응을 산화 반응과 환원 반응의 반쪽 반응으로 나눈다.

- 산화 반응: $Cl^- \longrightarrow Cl_2$
- 환원 반응: $MnO_4^- + H^+ \longrightarrow Mn^{2+} + H_2O$

[3단계] 각 반쪽 반응의 반응 전후 원자 수가 같아지도록 계수를 맞춘다.

- 산화 반응: $2Cl^- \longrightarrow Cl_2$
- 환원 반응: $MnO_4^- + 8H^+ \longrightarrow Mn^{2+} + 4H_2O$

[4단계] 각 반쪽 반응의 반응 전후 전하량이 같도록 전자를 더해 준다.

- 산화 반응: $2Cl^- \longrightarrow Cl_2 + 2e^-$
- 환원 반응: $MnO_4^- + 8H^+ + 5e^- \longrightarrow Mn^{2+} + 4H_2O$

[5단계] 잃은 전자 수와 얻은 전자 수가 같도록 계수를 맞춘다.

- 산화 반응: $(2Cl^- \longrightarrow Cl_2 + 2e^-) \times 5$
- 환원 반응: $(MnO_4^- + 8H^+ + 5e^- \longrightarrow Mn^{2+} + 4H_2O) \times 2$

[6단계] 두 반쪽 반응을 더한다. ➡ 완성

$$2MnO_4^- + 16H^+ + 10Cl^- \longrightarrow 2Mn^{2+} + 5Cl_2 + 8H_2O$$

2 산화 환원 반응의 양적 관계 <small>개념 브릿지 유형 2</small>

산화 환원 반응식의 계수를 통해 산화된 물질과 환원된 물질의 양적 관계를 알 수 있다. ➡ 산화나 환원에 필요한 산화제와 환원제의 양을 알 수 있다.

> **[철의 제련 과정에서 산화 철(Ⅲ)과 코크스(C) 반응의 양적 관계]**
>
>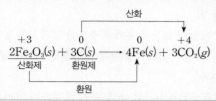
>
> $$2Fe_2O_3(s) + 3C(s) \longrightarrow 4Fe(s) + 3CO_2(g)$$
>
> 산화제 $\quad$ 환원제
>
> • 화학 반응식에서 Fe_2O_3과 C가 2 : 3의 몰비로 반응한다. 따라서 산화 철(Ⅲ)(Fe_2O_3) 2몰을 제련할 때 환원제인 코크스(C) 3몰이 필요하다.
> • 화학 반응식에서 Fe_2O_3과 Fe의 계수비가 1 : 2이다. 따라서 산화 철(Ⅲ)(Fe_2O_3) 1몰을 제련하면 철(Fe) 2몰을 얻을 수 있다.

> **[다이크로뮴산 칼륨($K_2Cr_2O_7$)과 황(S)의 산화 환원 반응식 완성하기]**
>
> 다이크로뮴산 칼륨($K_2Cr_2O_7$)과 황(S)의 산화 환원 반응식을 완성해 보자.
>
> $$K_2Cr_2O_7(aq) + H_2O(l) + S(s)$$
> $$\longrightarrow KOH(aq) + Cr_2O_3(s) + SO_2(g)$$
>
> **[1단계]** 각 원자의 산화수를 구하여 그 원자 위에 쓰고, 산화수가 증가하거나 감소한 원자의 산화수 변화를 계산한다.
>
> 산화수 4 증가
> $$\overset{+1\,+6\,-2}{K_2Cr_2O_7}(aq) + \overset{+1\,-2}{H_2O}(l) + \overset{0}{S}(s)$$
> $$\longrightarrow \overset{+1\,-2\,+1}{KOH}(aq) + \overset{+3\,-2}{Cr_2O_3}(s) + \overset{+4\,-2}{SO_2}(g)$$
> 산화수 3 감소
>
> **[2단계]** 반응 전후 산화되는 원자 수와 환원되는 원자 수를 각각 맞추고, 증가한 산화수와 감소한 산화수를 각각 계산한다.
>
> 산화되는 S 원자 수는 같다. ➡ 증가한 산화수는 4
> $$K_2Cr_2O_7(aq) + H_2O(l) + \underline{S}(s)$$
> $$\longrightarrow KOH(aq) + \underline{Cr_2O_3}(s) + \underline{SO_2}(g)$$
> 환원되는 Cr 원자 수가 같다. ➡ 감소한 산화수는 $3 \times 2 = 6$
>
> **[3단계]** 증가한 산화수와 감소한 산화수가 같도록 계수를 맞춘다.
>
> 산화수 4×3 증가
> $$2\,K_2Cr_2O_7(aq) + H_2O(l) + 3\,\underline{S}(s)$$
> $$\longrightarrow KOH(aq) + 2\,\underline{Cr_2O_3}(s) + 3\,\underline{SO_2}(g)$$
> 산화수는 6×2 감소
>
> **[4단계]** 산화수 변화가 없는 원자들의 수가 같아지도록 계수를 맞춘다. ➡ 완성
>
> $$2\,K_2Cr_2O_7(aq) + H_2O(l) + 3\,S(s)$$
> $$\longrightarrow 4\,KOH(aq) + 2\,Cr_2O_3(s) + 3SO_2(g)$$

내신 기초

1 산화 반응에서 잃는 총 전자 수와 환원 반응에서 얻는 총 전자 수가 같으므로 산화 환원 반응 전후에 증가한 산화수와 감소한 산화수는 ☐☐.

2 $CuSO_4(aq) + Zn(s) \longrightarrow Cu(s) + ZnSO_4(aq)$
  • $CuSO_4$를 환원시키는 데 필요한 환원제:

  • $CuSO_4$ 1몰을 환원시키는 데 필요한 환원제의 양(mol):

3 산화 환원 반응식 완성하기

산화수 a 증가
$$Fe_2O_3 + \underline{CO} \longrightarrow Fe + \underline{CO_2}$$
산화수 b 감소

$$cFe_2O_3 + dCO \longrightarrow eFe + fCO_2$$
• a: $\quad$ b: $\quad$ c: $\quad$ d: $\quad$ d: $\quad$ f:

4 다음은 과망가니즈산 칼륨($KMnO_4$)과 진한 염산(HCl)이 반응하는 산화 환원 반응식이다.

> $$aKMnO_4(aq) + bHCl(aq)$$
> $$\longrightarrow cKCl(aq) + dMnCl_2(l) + 8H_2O(aq)$$
> $$+ 5Cl_2(g)$$

(단, $a \sim d$는 반응 계수이며, 0 ℃, 1 기압에서 기체 1몰의 부피는 22.4 L이다.)

(1) $KMnO_4$에서 Mn의 산화수는 ☐이다.
(2) HCl에서 Cl의 산화수는 ☐이다.
(3) $MnCl_2$에서 Mn의 산화수는 ☐이다.
(4) Cl_2에서 Cl의 산화수는 ☐이다.
(5) $KMnO_4$은 (산화제, 환원제)로 작용한다.
(6) HCl은 (산화제, 환원제)로 작용한다.
(7) $a =$ ☐, $b =$ ☐, $c =$ ☐, $d =$ ☐

🔑 **답 1** 같다 **2** Zn, 1몰 **3** a: 2, b: 3, c: 1, d: 3, e: 2, f: 3
4 (1) $+7$ (2) -1 (3) $+2$ (4) 0 (5) 산화제 (6) 환원제 (7) 2, 16, 2, 2

1 산화 환원 반응식 완성하기

다음은 산성 용액에서 옥살산 이온($C_2O_4^{2-}$)과 과망가니즈산 이온(MnO_4^-)의 반응을 산화 환원 반응식으로 나타낸 것이다.

$$aC_2O_4^{2-}(aq) + bMnO_4^-(aq) + 16H^+(aq)$$
$$\longrightarrow cCO_2(g) + dMn^{2+}(aq) + 8H_2O(l)$$

이에 대한 설명으로 옳은 것만을 〈보기〉에서 있는 대로 고른 것은? (단, a~d는 반응 계수이다.)

┤ 보기 ├
ㄱ. $b=d$이다.
ㄴ. H^+은 산화된다.
ㄷ. MnO_4^- 0.1몰을 모두 환원시키는 데 필요한 최소한의 $C_2O_4^{2-}$의 양은 0.5몰이다.

① ㄱ   ② ㄷ   ③ ㄱ, ㄴ   ④ ㄴ, ㄷ   ⑤ ㄱ, ㄴ, ㄷ

개념으로 문제 접근하기

[1단계] 산화수 변화를 계산한다.

산화수 1 증가

$$\underset{+3}{C_2}O_4^{2-} + \underset{+7}{Mn}O_4^- + H^+ \longrightarrow \underset{+4}{C}O_2 + \underset{+2}{Mn}^{2+} + H_2O$$

산화수 5 감소

[2단계] 산화되는 원자 수와 환원되는 원자 수를 맞추고, 증가한 산화수와 감소한 산화수를 계산한다.

C의 원자 수를 맞춘다. ➡ 증가한 산화수는 $1 \times 2 = 2$

$$C_2O_4^{2-} + MnO_4^- + H^+ \longrightarrow 2CO_2 + Mn^{2+} + H_2O$$

감소한 산화수는 5

[3단계] 증가한 산화수와 감소한 산화수가 같도록 계수를 맞춘다.

산화수 2×5 증가

$$5\underset{+3}{C_2}O_4^{2-} + 2\underset{+7}{Mn}O_4^- + H^+ \longrightarrow 10\underset{+4}{C}O_2 + 2\underset{+2}{Mn}^{2+} + H_2O$$

산화수 5×2 감소

[4단계] 산화수 변화가 없는 원자의 개수를 맞춘다.
$$5C_2O_4^{2-} + 2MnO_4^- + 16H^+$$
$$\longrightarrow 10CO_2 + 2Mn^{2+}\ 8H_2O$$

| 보기 분석 |
ㄱ. $b=d$이다. ➡ $a=5$, $b=2$, $c=10$, $d=2$이므로 $b=d$이다.
ㄴ. H^+은 산화된다. ➡ H의 산화수는 변하지 않으므로 H^+은 산화되거나 환원되지 않는다.
ㄷ. MnO_4^- 0.1몰을 모두 환원시키는 데 필요한 최소한의 $C_2O_4^{2-}$의 양은 0.5몰이다. ➡ MnO_4^- 0.1몰을 모두 환원시키는 데 필요한 $C_2O_4^{2-}$의 최소 양은 0.25몰이다.

답 ①

2 산화 환원 반응의 양적 관계

다음은 금속 A~C의 산화 환원 반응 실험이다.

[실험 과정]
(가) A^+이 들어 있는 수용액에 충분한 양의 B를 넣는다.
(나) C^{3+}이 들어 있는 수용액에 충분한 양의 B를 넣는다.

[실험 결과]
반응 전후 (가)와 (나)의 용액 속에 존재하는 양이온의 종류와 수

구분	반응 전		반응 후	
	양이온의 종류	양이온 수	양이온의 종류	양이온 수
(가)의 용액	A^+	x	B^{2+}	N
(나)의 용액	C^{3+}	y	B^{2+}	$2N$

반응 전 $x : y$는? (단, A~C는 임의의 원소 기호이고, 음이온은 반응하지 않는다.)

① $1 : 1$ ② $1 : 3$ ③ $2 : 1$ ④ $2 : 3$ ⑤ $3 : 2$

개념으로 문제 접근하기

• 반응성이 큰 금속은 금속 이온 수용액과 반응하여 양이온이 되며, 양이온으로 존재하던 금속은 석출된다.
• 용액 속에 녹아 있는 금속 이온보다 넣어 준 금속의 전하량이 크면 석출되는 금속 이온의 수가 더 많으므로 용액 속의 양이온 수가 감소한다.

| 보기 분석 |
(가): $2A^+ + B \longrightarrow 2A + B^{2+}$
(나): $2C^{3+} + 3B \longrightarrow 2C + 3B^{2+}$
(가)의 A^+이 모두 반응하여 생성된 B^{2+} 수가 N이다. A^+이 2개 반응하여 하나의 B^{2+}을 생성하므로 반응하는 $A^+ : B^{2+} = 2 : 1$이다. 따라서 반응 전의 A^+의 수는 $2N$이다.
(나)에서 C^{3+}이 모두 반응하여 생성된 B^{2+}의 수가 $2N$이다. C^{3+}이 2개 반응하여 3개의 B^{2+}을 생성하므로 반응하는 $C^{3+} : B^{2+} = 2 : 3$이다. 따라서 $2 : 3 = y : 2N$이므로 비례식을 풀면 $y = \frac{4}{3}N$이다. 따라서 $x : y = 2N : \frac{4}{3}N = 3 : 2$이다.

답 ⑤

1 산화 환원 반응식 완성하기 　대표 기출

01

다음은 산화 환원 반응식을 단계적으로 완성하는 과정을 나타낸 것이다.

(가) 각 원자의 산화수 변화를 구한다.

산화수 b 감소

$$Cu(s) + HNO_3(aq)$$
$$\longrightarrow Cu(NO_3)_2(aq) + NO(g) + H_2O(l)$$

산화수 a 증가

(나) 증가한 산화수와 감소한 산화수가 같도록 계수를 맞춘다.

$$3Cu(s) + 2HNO_3(aq)$$
$$\longrightarrow 3Cu(NO_3)_2(aq) + 2NO(g) + H_2O(l)$$

(다) 산화수 변화가 없는 원자들의 수가 같도록 계수를 맞춘다.

$$3Cu(s) + cHNO_3(aq)$$
$$\longrightarrow 3Cu(NO_3)_2(aq) + 2NO(g) + dH_2O(l)$$

$a+b+c+d$의 값으로 옳은 것은? (단, c, d는 반응 계수이다.)

① 5　　② 7　　③ 10　　④ 15　　⑤ 17

기출 포인트 | 산화수의 증감을 계산하여 산화 환원 반응식을 완성할 수 있다.

02

다음은 Sn^{2+}과 MnO_4^-의 산화 환원 반응식을 완성하는 과정의 일부를 나타낸 것이다.

산화수 $5 \times$ ⓒ 감소

$$\underset{+2}{ⓐSn^{2+}} + \underset{+7}{ⓒMnO_4^-} + H^+ \longrightarrow \underset{+4}{ⓐSn^{4+}} + \underset{+2}{ⓒMn^{2+}} + H_2O$$

산화수 $2 \times$ ⓐ 증가

이에 대한 설명으로 옳은 것은?

① ⓐ < ⓒ이다.
② MnO_3^-은 산화된다.
③ H^+은 환원제이다.
④ Sn^{2+}은 산화제이다.
⑤ 화학 반응 전후에 증가한 산화수와 감소한 산화수가 같다.

03

다음은 질산(HNO_3)이 생성되는 반응을 화학 반응식으로 나타낸 것이다.

$$aNO_2(g) + bH_2O(l) \longrightarrow cHNO_3(aq) + dNO(g)$$

이에 대한 설명으로 옳은 것만을 〈보기〉에서 있는 대로 고른 것은? (단, $a\sim d$는 반응 계수이다.)

┤ 보기 ├
ㄱ. $a+b < c+d$이다.
ㄴ. H_2O는 산화된다.
ㄷ. HNO_3과 NO에서 N의 산화수는 다르다.

① ㄱ　　② ㄷ　　③ ㄱ, ㄴ
④ ㄴ, ㄷ　　⑤ ㄱ, ㄴ, ㄷ

04 　고난도

그림은 산성비의 원인 물질인 질산(HNO_3)이 생성되는 과정 중 하나를 나타낸 것이다.

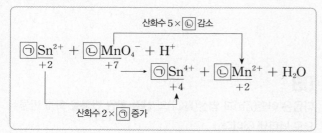

이에 대한 설명으로 옳은 것만을 〈보기〉에서 있는 대로 고른 것은?

┤ 보기 ├
ㄱ. (가)에서 N의 산화수는 감소한다.
ㄴ. (나)의 화학 반응식 $aNO_2 + bH_2O \longrightarrow cHNO_3 + dNO$에서 $a+b > c+d$이다. ($a\sim d$: 반응식의 계수)
ㄷ. HNO_3은 아레니우스 산이다.

① ㄱ　　② ㄷ　　③ ㄱ, ㄴ
④ ㄴ, ㄷ　　⑤ ㄱ, ㄴ, ㄷ

2 산화 환원 반응의 양적 관계　　　　　**대표 기출**

05

다음은 산화 환원 반응 실험이다.

[실험 과정]
(가) 금속 A 이온 4몰이 들어 있는 수용액에 알루미늄
　　(Al) 1몰을 넣어 모두 반응시킨다.
(나) 금속 B 이온 4몰이 들어 있는 수용액에 알루미늄
　　(Al) 1몰을 넣어 모두 반응시킨다.
(다) 과정 (가)와 (나)의 수용액과 석출된 금속을 모두
　　혼합하여 반응시킨다.

[실험 결과]
(가)~(다)에서 반응 후 수용액 속 전체 양이온 수

수용액	(가)	(나)	(다)
전체 양이온 수(몰)	2	3.5	5

이에 대한 설명으로 옳은 것만을 〈보기〉에서 있는 대로 고른
것은? (단, A, B는 임의의 원소 기호이고, A, B, Al은 물과
반응하지 않으며, 음이온은 반응에 참여하지 않는다.)

┤ 보기 ├
ㄱ. A 이온의 산화수는 $+1$이다.
ㄴ. (나)에서 반응 후 수용액 속 B 이온 수는 2.5몰이다.
ㄷ. B는 A보다 산화되기 쉽다.

① ㄱ　　　　② ㄷ　　　　③ ㄱ, ㄴ
④ ㄴ, ㄷ　　　⑤ ㄱ, ㄴ, ㄷ

기출 포인트 | 산화수의 변화와 물질의 양적 관계를 연관지어 생각
할 수 있어야 한다.

06 서술형

그림과 같이 금속 아연(Zn) 조각 1.3 g을 0.2 M 염산(HCl)
100 mL에 넣었더니, 아연 조각 표면에서 기포가 발생하였다.

— 아연 조각

0.2 M
HCl

기포가 더 발생하지 않을 때, 반응하지 않고 남은 Zn의 양(mol)
을 구하시오.

07 고난도

다음은 금속 A~C의 산화 환원 반응 실험이다.

[실험 과정]
(가) $A^{a+}(aq)$이 담긴 비커 I, $B^{b+}(aq)$이 담긴 비커 Ⅱ, 금
　　속 C(s)를 준비한다.

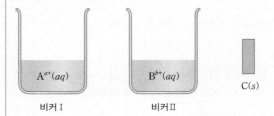

$A^{a+}(aq)$　　　　　$B^{b+}(aq)$　　　　　C(s)

비커 I　　　　　　비커Ⅱ

(나) C(s)를 비커 I에 넣어 $A^{a+}(aq)$과 반응시킨다.
(다) (나)에서 반응이 완결된 후 금속을 꺼내 비커 Ⅱ에 넣
　　어 $B^{b+}(aq)$과 반응시킨다.

[실험 결과]
· (나)에서 A^{a+}과 (다)에서 B^{b+}은 모두 환원되었다.
· (나)에서 석출된 금속은 (다)에서 반응하지 않았다.
· 각 과정 후 물질의 양(mol)에 대한 자료

과정	몰비 C(s) : 비커 I 의 양이온 : 비커Ⅱ의 양이온
(가)	$5 : 1 : x$
(나)	$7 : y : 2$
(다)	$6 : 3 : 1$

$\dfrac{x \times y}{a}$ 는? (단, a, b는 3 이하의 정수이다.)

① 1　　　　② $\dfrac{4}{3}$　　　　③ $\dfrac{3}{2}$

④ 2　　　　⑤ 3

08

다음은 아연(Zn)과 염산(HCl)의 산화 환원 반응을 화학 반응식
으로 나타낸 것이다.

$$Zn(s) + 2HCl(aq) \longrightarrow ZnCl_2(aq) + H_2(g)$$

0.1 M HCl(aq) 200 mL를 모두 환원시키는 데 필요한 Zn의
최소 질량(g)은 얼마인가? (단, Zn의 원자량은 65이다.)

① 0.10 g　　　② 0.33 g　　　③ 0.65 g
④ 1.30 g　　　⑤ 6.5 g

09 서술형

다음은 금속 A~C의 산화 환원 반응 실험이다.

[실험 과정]
(가) A^+ 1.5몰이 들어 있는 수용액을 비커에 넣는다.
(나) (가)의 비커에 금속 B를 w_1 g 넣어 반응시킨다.
(다) (나)의 비커에 금속 C를 w_2 g 넣어 반응시킨다.

[실험 결과]
• (나)에서 B는 모두 반응하였고, (다)에서 C는 모두 반응하였다.
• 각 과정 후 수용액에 들어 있는 양이온의 몰비는 표와 같았다.

	(나)	(다)
몰비	$A^+ : B^{3+} = 2 : 1$	$B^{3+} : C^{2+} = 1 : 6$

$\dfrac{C의\ 원자량}{B의\ 원자량}$을 w_1과 w_2로 나타내고 계산 과정을 서술하시오. (단, A~C는 임의의 원소 기호이고, 음이온 수는 일정하며, A~C는 물과 반응하지 않는다.)

10

다음은 기체 X와 관련된 실험이다.

[실험 과정]
(가) 알루미늄(Al)과 염산(HCl)을 반응시켜 발생한 기체 X를 포집한다.

$$2Al(s) + 6HCl(aq) \longrightarrow 2AlCl_3(aq) + 3X(g)$$

(나) (가)에서 포집한 기체 X를 산화 구리(Ⅱ)와 반응시켜 생성된 물의 질량을 측정한다.

[실험 결과]
• 과정 (나)에서 생성된 물의 질량: 3.6 g

이에 대한 설명으로 옳은 것만을 〈보기〉에서 있는 대로 고른 것은? (단, H, O의 원자량은 각각 1, 16이다.)

┤ 보기 ├
ㄱ. X는 수소(H_2)이다.
ㄴ. (가)의 반응에서 Al은 환원된다.
ㄷ. (나)의 반응에서 이동한 전자는 0.2몰이다.

① ㄱ   ② ㄷ   ③ ㄱ, ㄴ
④ ㄱ, ㄷ   ⑤ ㄴ, ㄷ

11

다음은 금속을 이용한 산화 환원 반응 실험을 나타낸 것이다.

(가) 0.1 M 묽은 염산 200 mL에 충분한 양의 아연(Zn)을 반응시켰더니 기체가 발생하였다.
(나) 더 이상 기체가 발생하지 않을 때, (가)의 수용액에 마그네슘(Mg) 막대를 넣었더니 Mg 막대에 금속이 석출되었다.

이에 대한 설명으로 옳은 것만을 〈보기〉에서 있는 대로 고른 것은? (단, Zn의 원자량은 65이고, 원자량은 Zn > Mg이다.)

┤ 보기 ├
ㄱ. (가)에서 반응한 Zn의 질량은 0.65 g이다.
ㄴ. (가)에서 수소(H_2) 기체 0.01몰이 발생한다.
ㄷ. (나)에서 금속 막대의 질량은 감소한다.

① ㄱ   ② ㄷ   ③ ㄱ, ㄴ
④ ㄴ, ㄷ   ⑤ ㄱ, ㄴ, ㄷ

12 고난도

다음은 금속 A~C에 대한 실험이다. A~C 이온의 산화수는 +3 이하이다.

[실험 과정]
(가) A 이온 0.7몰이 들어 있는 수용액을 만든다.
(나) (가)의 수용액에 금속 B 0.2몰을 넣어 모두 반응시킨다.
(다) (나)의 수용액에 금속 C 0.2몰을 넣어 모두 반응시킨다.

[실험 결과]
(가)~(다)에서 반응 후 수용액에 들어 있는 전체 양이온 수

구분	(가)	(나)	(다)
전체 양이온 수(몰)	0.7	0.5	0.25

이에 대한 설명으로 옳은 것만을 〈보기〉에서 있는 대로 고른 것은? (단, 물과 음이온은 반응에 참여하지 않으며, A~C는 임의의 원소 기호이다.)

┤ 보기 ├
ㄱ. (나)에서 반응 후 수용액에 들어 있는 이온의 양(mol)은 A가 B의 1.5배이다.
ㄴ. B 이온과 C 이온의 산화수비는 2 : 3이다.
ㄷ. (나)와 (다)에서 생성된 금속의 전체 양(mol)은 0.9몰이다.

① ㄱ   ② ㄷ   ③ ㄱ, ㄴ
④ ㄴ, ㄷ   ⑤ ㄱ, ㄴ, ㄷ

18강

IV. 역동적인 화학 반응

화학 반응에서 열의 출입

─── 핵심 용어 ───

• 발열 반응 • 흡열 반응
• 비열 • 열용량
• 열량계

---

1 발열 반응과 흡열 반응 개념 브릿지 유형 1

1. 발열 반응 화학 반응이 일어날 때 열을 방출하는 반응
① 생성물의 에너지 합이 반응물의 에너지 합보다 작으므로 반응이 일어날 때 열을 방출한다.
② 반응물과 생성물의 에너지 차이만큼 열을 방출하므로 주변의 온도가 높아진다.

발열 반응

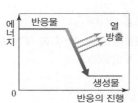

③ 발열 반응의 예 연소, 금속과 산의 반응 등

[마그네슘과 염산의 반응]

염산에 마그네슘을 넣으면 수소 기체가 발생하므로 기포가 발생한다.

$$Mg(s) + 2HCl(aq) \longrightarrow MgCl_2(aq) + H_2(g) + 열$$

2. 흡열 반응 화학 반응이 일어날 때 열을 흡수하는 반응
① 생성물의 에너지 합이 반응물의 에너지 합보다 크므로 반응이 일어날 때 열을 흡수한다.
② 반응물과 생성물의 에너지 차이만큼 열을 흡수하므로 주변의 온도가 낮아진다.

흡열 반응

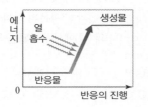

③ 흡열 반응의 예 열분해, 광합성, 물의 전기 분해, 질산 암모늄의 용해 반응, 수산화 바륨과 염화 암모늄의 반응, 상태 변화(고체 → 액체 → 기체) 등

[질산 암모늄의 용해]

질산 암모늄이 물에 녹을 때 열을 흡수하므로 나무판에 묻힌 물이 얼어 플라스크에 나무판이 달라붙는다.

$$NH_4NO_3(s) + 열 \longrightarrow NH_4^+(aq) + NO_3^-(aq)$$

탐구 클리닉 ➕ 화학 반응에서 열의 출입

[실험 1] 아연과 묽은 염산의 반응

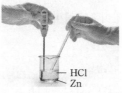

— HCl
— Zn

① 비커에 묽은 염산(HCl) 25 mL를 넣고 온도를 측정한다.
② 이 비커에 아연(Zn) 조각을 넣고 저으면서 온도 변화를 관찰한다.
• 결과: 반응 후 온도가 올라간다. ➡ 아연과 산이 반응할 때 주위로 열을 방출한다(발열 반응).

[실험 2] 수산화 바륨과 염화 암모늄의 반응
① 수산화 바륨 팔수화물 ($Ba(OH)_2 \cdot 8H_2O$) 25 g과 염화 암모늄(NH_4Cl) 10 g을 삼각 플라스크에 넣고 온도를 측정한다.
② 두 물질을 잘 섞으면서 온도 변화를 관찰한다.

$Ba(OH)_2 \cdot 8H_2O$ + NH_4Cl

• 결과: 반응 후 온도가 내려간다.
➡ 수산화 바륨과 염화 암모늄이 반응할 때 주위에서 열을 흡수한다.(흡열 반응)

---

3. 화학 반응에서 출입하는 열의 이용

① 발열 반응의 이용

연료의 연소	$CH_4 + 2O_2$ $\longrightarrow CO_2 + 2H_2O + 열$	연료가 연소될 때 방출하는 열로 음식을 익히거나 공기를 따뜻하게 한다.
휴대용 손난로	$4Fe + 3O_2$ $\longrightarrow 2Fe_2O_3 + 열$	철가루가 산소와 반응할 때 열을 방출하므로 따뜻해진다.
조리용 발열 팩	$CaO + H_2O$ $\longrightarrow Ca(OH)_2 + 열$	산화 칼슘과 물이 반응할 때 발생하는 열을 이용한다.
제설제	$CaCl_2(s)$ $\longrightarrow CaCl_2(aq) + 열$	염화 칼슘이 물에 용해될 때 열을 방출하므로 눈을 녹인다.

② 흡열 반응의 이용

휴대용 냉각 팩	$NH_4NO_3(s) + $ 열 $\longrightarrow NH_4^+(aq) + NO_3^-(aq)$	질산 암모늄이 물에 용해될 때 열을 흡수하여 시원해짐을 이용한다.
물의 기화	$H_2O(l) + $ 열 $\longrightarrow H_2O(g)$	더운 여름날 마당에 물을 뿌리면 물이 증발하면서 열을 흡수하여 시원해진다.
탄산수소 나트륨의 열 분해	$2NaHCO_3(s) + $ 열 $\longrightarrow Na_2CO_3(s) + CO_2(g) + H_2O(l)$	베이킹파우더의 주성분인 탄산수소 나트륨이 열에 의해 분해되면 이산화 탄소가 발생하여 빵이 부푼다.

2 화학 반응에서 출입하는 열의 측정

1. 비열과 열용량 개념 브릿지 유형 2

① 비열(c) 물질 1 g의 온도를 1 ℃ 높이는 데 필요한 열량으로, 단위는 J/g · ℃이다.

② 열용량(C) 물질의 온도를 1 ℃ 높이는 데 필요한 열량으로, 단위는 J/℃이다.

③ 열량(Q) 물질이 방출하거나 흡수하는 총 열량은 그 물질의 비열에 질량과 온도 변화를 곱하여 구한다.

2. 열량계 화학 반응에서 방출하거나 흡수하는 열량을 측정하는 장치로, 간이 열량계와 통열량계가 있다.

탐구 클리닉➕ 화학 반응에서 열의 출입 측정

과정

❶ 간이 열량계 또는 스타이로폼 열량계에 증류수 200 g을 넣고 온도(t_1)를 측정한다.

❷ 과정 ❶의 증류수에 염화 칼슘($CaCl_2$) 10 g을 넣고 젓개로 계속 저어 완전히 녹인 후, 용액의 최고 온도(t_2)를 측정한다.

온도계 — 젓개
증류수 200 g + 염화 칼슘 10 g

결과

$t_1 = 23$ ℃, $t_2 = 31$ ℃

정리

• 염화 칼슘이 물에 용해될 때 방출한 열량(J/g)

➡ 방출한 열량(Q) = 용액이 흡수한 열량 = 용액의 비열(c) ×용액의 질량(m) × 용액의 온도 변화(Δt)

$= 4.2$ J/g · ℃ × $(200+10)$ g × $(31-23)$ ℃ $= 7056$ J

➡ 염화 칼슘($CaCl_2$) 1 g을 물에 녹였을 때 방출한 열량

$= \dfrac{7056\ \text{J}}{10\ \text{g}} = 705.6$ J/g

---

1 열을 흡수하는 반응을 ☐☐ 반응, 열을 방출하는 반응을 ☐☐ 반응이라고 한다.

2 흡열 반응이 일어날 때 주위의 온도가 높아진다. ⋯⋯ (◯, ×)

3 발열 반응에서 반응물의 에너지 합은 생성물의 에너지 합보다 크다. ⋯⋯⋯⋯⋯⋯⋯⋯⋯⋯⋯⋯⋯⋯⋯ (◯, ×)

4 휴대용 손난로는 흡열 반응을 이용한 예이고, 냉각 팩은 발열 반응을 이용한 예이다. ⋯⋯⋯⋯⋯⋯⋯⋯⋯ (◯, ×)

5

반응	발열 반응	흡열 반응
에너지 변화	에너지 / 반응물 / 열 방출 / 생성물 / 0 / 반응의 진행	에너지 / 열 흡수 / 생성물 / 반응물 / 0 / 반응의 진행
열의 이동	㉠	㉡
주위의 온도	㉢	㉣

6 열량(Q)＝☐×질량(m)×온도 변화(Δt)

(단위: J 또는 kJ)

7 ☐☐☐는 화학 반응에서 출입하는 열량을 측정하는 장치이다.

8 간이 열량계는 열 손실이 거의 없어 화학 반응에서 출입하는 열량을 비교적 정확하게 측정할 수 있다. ⋯⋯⋯⋯⋯⋯ (◯, ×)

9 통열량계에서는 '발생한 열량＝물이 흡수한 열량+☐☐☐☐가 흡수한 열량'이다.

답 1 흡열, 발열 2 × 3 ◯ 4 × 5 ㉠방출 ㉡흡수 ㉢올라감 ㉣내려감
6 비열(c) 7 열량계 8 × 9 통열량계

개념과 문제의
연결고리 찾기!!

1 발열 반응과 흡열 반응

다음은 빵을 만들 때 사용하는 베이킹파우더의 주성분인 탄산수소 나트륨($NaHCO_3$)의 분해 반응의 화학 반응식을 나타낸 것이다.

$$2NaHCO_3(s) \longrightarrow Na_2CO_3(s) + CO_2(g) + H_2O(l)$$

이에 대한 설명으로 옳은 것만을 〈보기〉에서 있는 대로 고른 것은?

┤보기├
ㄱ. 열을 방출하는 반응이다.
ㄴ. 빵이 부푸는 것은 CO_2 때문이다.
ㄷ. 반응물의 에너지 합이 생성물의 에너지 합보다 크다.

① ㄱ   ② ㄴ   ③ ㄷ
④ ㄴ, ㄷ   ⑤ ㄱ, ㄴ, ㄷ

개념으로 문제 접근하기

	발열 반응	흡열 반응
열의 출입	열을 방출	열을 흡수
에너지	생성물의 에너지 합< 반응물의 에너지 합	생성물의 에너지 합> 반응물의 에너지 합
주변의 온도	높아짐	낮아짐

| 보기 분석 |
ㄱ. 열을 방출하는 반응이다.
  ➡ 탄산수소 나트륨의 분해 반응은 열을 흡수하는 흡열 반응으로 주위의 온도가 내려간다.
ㄴ. 빵이 부푸는 것은 CO_2 때문이다.
  ➡ 탄산수소 나트륨에 열을 가하면 분해되어 이산화 탄소가 발생한다. 이 이산화 탄소에 의해 빵이 부풀게 된다.
ㄷ. 반응물의 에너지 합이 생성물의 에너지 합보다 크다.
  ➡ 이 반응은 흡열 반응으로 반응물의 에너지 합이 생성물의 에너지 합보다 작다.

답 ②

2 화학 반응에서 출입하는 열의 측정

다음은 질산 암모늄(NH_4NO_3)을 물에 녹일 때의 온도 변화를 알아보는 실험이다.

[실험 과정]
(가) 간이 열량계에 92 g의 물을 넣은 후 물의 온도(t_1)를 측정한다.
(나) NH_4NO_3 고체 8 g을 완전히 녹인 후 수용액의 온도(t_2)를 측정한다.
[실험 결과 및 자료]
$t_1=24.2\ ℃$, $t_2=18.7\ ℃$

이에 대한 설명으로 옳은 것만을 〈보기〉에서 있는 대로 고른 것은? (단, 수용액의 비열은 4.0 J/g·℃이고, 외부로 빠져 나간 열 손실은 없다고 가정한다.)

┤보기├
ㄱ. 이 반응은 발열 반응이다.
ㄴ. 이 반응에서 출입한 열량은 2200 J이다.
ㄷ. 생성물의 에너지 합은 반응물의 에너지 합보다 크다.

① ㄱ   ② ㄷ   ③ ㄱ, ㄴ
④ ㄴ, ㄷ   ⑤ ㄱ, ㄴ, ㄷ

개념으로 문제 접근하기

• 열량계: 화학 반응에서 방출하거나 흡수하는 열량을 측정하는 장치
• 화학 반응에서 출입하는 열량의 측정 및 계산
  – 측정값: 용액의 질량, 용액의 온도 변화
  – 발생한 열량(Q) 계산: $Q=cm\Delta t$ (c: 용액의 비열, m: 용액의 질량, Δt: 용액의 온도 변화)

| 보기 분석 |
ㄱ. 이 반응은 발열 반응이다.
  ➡ 용해 반응 후 온도가 내려간 것으로 보아 이 반응은 흡열 반응이다.
ㄴ. 이 반응에서 출입한 열량은 2200 J이다.
  ➡ 이 반응에서 처음 온도는 24.2 ℃, 나중 온도는 18.7 ℃로 온도가 낮아졌으므로 열을 흡수했으며, 흡수한 열량은 $Q=cm\Delta t=4.0\ J/g\cdot℃ \times (92+8)\ g \times (24.2-18.7)\ ℃ = 2200\ J$이다.
ㄷ. 생성물의 에너지 합은 반응물의 에너지 합보다 크다.
  ➡ 흡열 반응은 생성물의 에너지 합이 반응물의 에너지 합보다 크다.

답 ④

1 발열 반응과 흡열 반응 　　대표 기출

01

다음은 화학 반응에서 출입하는 열을 이용한 예이다.

$$CaCl_2(s) \longrightarrow CaCl_2(aq) + 열$$

위 반응과 출입하는 열의 방향이 같은 것을 〈보기〉에서 있는 대로 고른 것은?

┤보기├
ㄱ. 광합성　　　　　　ㄴ. 휴대용 손난로
ㄷ. 메테인의 연소　　　ㄹ. 조리용 발열 팩

① ㄱ　　　　② ㄴ　　　　③ ㄱ, ㄷ
④ ㄴ, ㄷ　　　⑤ ㄴ, ㄷ, ㄹ

기출 포인트 | 발열 반응과 흡열반응의 예를 구분할 수 있어야 한다.

02

화학 반응에서 열의 출입에 대한 설명으로 옳은 것을 〈보기〉에서 있는 대로 고른 것은?

┤보기├
ㄱ. 흡열 반응은 열을 흡수하는 반응이다.
ㄴ. 물이 기화할 때 주위의 온도가 내려간다.
ㄷ. 산과 염기의 중화 반응은 흡열 반응의 예이다.
ㄹ. 흡열 반응에서 반응물의 에너지 합은 생성물의 에너지 합보다 크다.

① ㄱ, ㄴ　　　② ㄱ, ㄷ　　　③ ㄴ, ㄷ
④ ㄴ, ㄹ　　　⑤ ㄷ, ㄹ

03

그림은 어떤 화학 반응이 일어날 때의 에너지 변화를 나타낸 것이다. 이에 대한 설명으로 옳은 것을 〈보기〉에서 있는 대로 고른 것은?

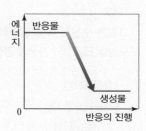

┤보기├
ㄱ. 열을 방출하는 반응이다.
ㄴ. 반응이 일어나면 주위의 온도가 낮아진다.
ㄷ. 생성물의 에너지 합이 반응물의 에너지 합보다 크다.
ㄹ. 산과 염기가 중화 반응할 때의 에너지 출입과 같다.

① ㄱ　　　　② ㄱ, ㄴ　　　③ ㄱ, ㄹ
④ ㄴ, ㄷ　　　⑤ ㄱ, ㄷ, ㄹ

04 서술형

산화 칼슘 (CaO)은 소나 돼지에게 치명적인 전염병인 구제역을 방역할 때 사용한다. 구제역이 발생한 지역에 물을 뿌린 뒤 산화 칼슘을 뿌리는데, 이 방법으로 구제역을 방역할 수 있는 원리를 열의 출입과 관련하여 서술하시오.

_____

_____

_____

05

다음은 주방에서 일어나는 상황을 설명한 것이다.

가스레인지에서 (가) 메테인을 연소시켜 (나) 주전자의 물을 끓였더니 주전자 입구에서 (다) 김이 뿜어져 나왔다.

(가)~(다)에서 일어나는 반응에 대한 설명으로 옳은 것만을 〈보기〉에서 있는 대로 고른 것은?

┤보기├
ㄱ. (가)는 산화 환원 반응이다.
ㄴ. (나)는 흡열 반응이다.
ㄷ. (다)에서 주위로 열을 방출한다.

① ㄱ　　　　② ㄷ　　　　③ ㄱ, ㄴ
④ ㄴ, ㄷ　　　⑤ ㄱ, ㄴ, ㄷ

2 화학 반응에서 출입하는 열의 측정 대표 기출

06

그림은 수산화 바륨 팔수화물($Ba(OH)_2 \cdot 8H_2O$)과 염화 암모늄(NH_4Cl)의 반응에 관한 실험이다.

[실험 과정]
(가) 수산화 바륨 팔수화물
($Ba(OH)_2 \cdot 8H_2O$) 25 g과
염화 암모늄(NH_4Cl) 10 g
을 삼각 플라스크에 넣고
온도를 측정한다.
(나) 두 물질을 잘 섞으면서 온도 변화를 관찰한다.

[실험 결과]
반응 후 온도가 내려간다.

이에 대한 설명으로 옳은 것만을 〈보기〉에서 있는 대로 고른 것은?

┤ 보기 ├
ㄱ. 이 반응은 흡열 반응이다.
ㄴ. 반응물의 에너지 합이 생성물의 에너지 합보다 크다.
ㄷ. 눈이 내린 도로에 염화 칼슘을 뿌리는 반응과 열의 출입이 같다.

① ㄱ   ② ㄴ   ③ ㄱ, ㄷ
④ ㄴ, ㄷ   ⑤ ㄱ, ㄴ, ㄷ

기출 포인트 | 화학 반응 시 출입하는 열을 측정하여 발열 반응과 흡열 반응을 구분할 수 있어야 한다.

07

다음은 마그네슘(Mg)과 염산(HCl)의 반응의 화학 반응식을 나타낸 것이다.

$$Mg(s) + 2HCl(aq) \longrightarrow MgCl_2(aq) + H_2(g) + 열$$

이에 대한 설명으로 옳은 것만을 〈보기〉에서 있는 대로 고른 것은?

┤ 보기 ├
ㄱ. 반응 시 발생하는 기포는 수소 기체이다.
ㄴ. 이 반응은 발열 반응의 예이다.
ㄷ. 반응 후 주변의 온도가 높아진다.

① ㄱ   ② ㄴ   ③ ㄱ, ㄷ   ④ ㄴ, ㄷ   ⑤ ㄱ, ㄴ, ㄷ

08

다음은 고체 X가 물에 용해될 때 출입하는 열량을 구하는 실험이다.

[실험 과정]
(가) 간이 열량계에 물 100 g을 넣고 물의 온도(t_1)를 측정한다.
(나) (가)의 물에 고체 X 10 g을 넣고 완전히 녹인 뒤 용액의 온도(t_2)를 측정한다.

[실험 결과]
$t_1 = 25.5\ ℃$, $t_2 = 30.5\ ℃$

이에 대한 설명으로 옳은 것만을 〈보기〉에서 있는 대로 고른 것은? (단, 용액의 비열은 $4.2\ J/g \cdot ℃$이며, 고체 X 1 g이 물에 용해될 때 출입하는 열량의 이론값은 $310.2\ J/g$이다.)

┤ 보기 ├
ㄱ. 고체 X의 용해 반응은 흡열 반응이다.
ㄴ. 눈이 내린 도로에 고체 X를 뿌리면 눈이 녹는다.
ㄷ. 실제 실험 결과와 이론값을 비교한 결과로 보아, 실험 중 열의 일부가 공기 중으로 빠져 나갔다.

① ㄱ   ② ㄴ   ③ ㄱ, ㄷ
④ ㄴ, ㄷ   ⑤ ㄱ, ㄴ, ㄷ

09 서술형

간이 열량계에 물 96 g과 수산화 나트륨(NaOH) 4 g을 넣고 완전히 녹인 뒤 온도를 측정하였더니, 용해 전보다 10 ℃만큼 올라갔다. 수산화 나트륨이 물에 용해될 때 방출하는 열량(J/g)을 구하시오. (단, 용액의 비열은 $4.2\ J/g \cdot ℃$이다.)

10

다음은 물질 X의 연소열을 구하는 실험에 대한 자료이다.

- 그림과 같이 열용량이 $1 \, kJ/℃$인 열량계에 시료 X $2 \, g$을 넣고 완전 연소시켰을 때, 연소 전후 물의 온도는 표와 같았다.

물의 온도(℃)	
연소 전	연소 후
10	t

- X의 분자량은 32이고, 계산한 X의 연소열은 $720 \, kJ/몰$이다.

연소 후 물의 온도 t(℃)는?

① 50   ② 55   ③ 60   ④ 65   ⑤ 70

11 고난도

다음은 통열량계를 이용하여 에탄올 (C_2H_5OH)의 연소열(Q)을 구하는 실험이다.

[실험 과정]

(가) 에탄올 $0.46 \, g$을 통열량계 안에 있는 시료 용기에 넣고 물 $1000 \, g$을 채운다.

(나) 물의 온도가 일정해졌을 때의 온도(t_1)를 측정한다.

(다) 점화 장치를 작동하여 에탄올을 완전 연소시킨다.

(라) 젓개로 저으면서 물의 최고 온도(t_2)를 측정한다.

[실험 결과]

t_1(℃)	t_2(℃)	통열량계의 열용량 (kJ/℃)	물의 비열 (J/g·℃)
24.2	26.2	2.8	4.2

이에 대한 설명으로 옳은 것만을 〈보기〉에서 있는 대로 고른 것은? (단, 에탄올의 분자량은 46이다.)

┤ 보기 ├

ㄱ. 에탄올의 연소열은 $1400 \, kJ/몰$이다.

ㄴ. t_2가 실제보다 낮게 측정되면 연소열은 크게 계산된다.

ㄷ. (가)에서 $500 \, g$의 물로 실험하면 연소열은 2배가 된다.

① ㄱ   ② ㄴ   ③ ㄱ, ㄷ

④ ㄴ, ㄷ   ⑤ ㄱ, ㄴ, ㄷ

12

다음은 에탄올의 연소열을 이용하여 열량계의 열용량을 측정하는 실험이다.

[과정]

(가) 강철통 속 시료 접시에 에탄올 $2 \, g$을 넣는다.

(나) 강철통을 둘러쌀 수 있도록 물을 채운 후 물의 온도(t_1)를 측정한다.

(다) 에탄올을 완전 연소시킨 후 물의 최고 온도(t_2)를 측정한다.

(라) 에탄올의 연소열을 이용하여 열량계의 열용량을 계산한다.

[측정 결과 및 자료]

t_1	t_2	에탄올의 연소열	에탄올의 분자량
23 ℃	26 ℃	1380 kJ/몰	46

열량계의 열용량 (kJ/℃)은?

① $10 \, kJ/℃$ ② $15 \, kJ/℃$ ③ $20 \, kJ/℃$

④ $30 \, kJ/℃$ ⑤ $60 \, kJ/℃$

13

화학 반응에서 열의 출입을 측정하기 위해 다음과 같은 실험을 하였다.

(가) 비커에 묽은 염산을 넣고 온도(t_1)를 측정한다.

(나) (가)에 아연 조각을 넣고 유리 막대로 저은 뒤 온도(t_2)를 측정한다.

이에 대한 설명으로 옳은 것만을 〈보기〉에서 있는 대로 고른 것은?

┤ 보기 ├

ㄱ. t_2가 t_1보다 높다면 이 반응은 발열 반응이다.

ㄴ. (나)에서 수소 기체가 발생한다.

ㄷ. (나)에서 아연은 산화된다.

① ㄱ   ② ㄷ   ③ ㄱ, ㄴ

④ ㄴ, ㄷ   ⑤ ㄱ, ㄴ, ㄷ

01

삼각 플라스크에 수면의 높이가 h_1이 되도록 물을 넣고 밀폐하였더니(가), 수면의 높이가 낮아지다가 h_2가 되면서 일정하게 유지되었다(나).

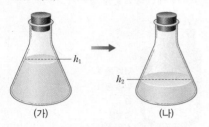

이 상태에 대한 설명으로 옳은 것만을 〈보기〉에서 있는 대로 고른 것은?

┤ 보기 ├

ㄱ. 수증기 분자 수는 (가)보다 (나)에서 더 많다.

ㄴ. 물의 증발은 (가)보다 (나)에서 더 빠르다.

ㄷ. 고무마개를 열어 두어도 h_1과 h_2의 차이는 밀폐했을 때와 같다.

① ㄱ   ② ㄷ   ③ ㄱ, ㄴ

④ ㄴ, ㄷ   ⑤ ㄱ, ㄴ, ㄷ

02

다음은 산 염기 반응의 화학 반응이다.

(가) $H_2N-\overset{\overset{\displaystyle H}{|}}{\underset{\underset{\displaystyle H}{|}}{C}}-\overset{\overset{\displaystyle O}{\|}}{C}-OH(aq)+OH^-(aq) \longrightarrow H_2N-\overset{\overset{\displaystyle H}{|}}{\underset{\underset{\displaystyle H}{|}}{C}}-\overset{\overset{\displaystyle O}{\|}}{C}-O^-(aq)+H_2O(l)$

⊙

(나) $H_2N-\overset{\overset{\displaystyle H}{|}}{\underset{\underset{\displaystyle H}{|}}{C}}-CH_3(aq)+H^+(aq) \longrightarrow H_3N^+-\overset{\overset{\displaystyle H}{|}}{\underset{\underset{\displaystyle H}{|}}{C}}-CH_3(aq)$

ⓛ

이에 대한 설명으로 옳은 것만을 〈보기〉에서 있는 대로 고른 것은?

┤ 보기 ├

ㄱ. (가)에서 ⊙은 브뢴스테드·로리 산이다.

ㄴ. (가)와 (나)를 구성하는 탄소 수는 같다.

ㄷ. ⊙과 ⓛ은 모두 수용액에서 산으로 작용한다.

① ㄱ   ② ㄷ   ③ ㄱ, ㄴ

④ ㄴ, ㄷ   ⑤ ㄱ, ㄴ, ㄷ

03

표는 3가지 수용액의 pH를 나타낸 것이다.

수용액	(가)	(나)	(다)
pH	3	5	8

(가)~(다)에 대한 설명으로 옳은 것만을 〈보기〉에서 있는 대로 고른 것은? (단, 25 ℃에서 물의 이온화 상수 K_w는 1.0×10^{-14}이다.)

┤ 보기 ├

ㄱ. $[H_3O^+]$는 (나)가 (가)의 100배이다.

ㄴ. (나)에 들어 있는 H_3O^+의 양(mol)은 OH^-의 양보다 크다.

ㄷ. (다)에서 $\dfrac{[OH^-]}{[H_3O^+]}=100$이다.

① ㄱ   ② ㄷ   ③ ㄱ, ㄴ

④ ㄴ, ㄷ   ⑤ ㄱ, ㄴ, ㄷ

04 고난도

다음은 H_2A 수용액과 $B(OH)_2$ 수용액의 중화 반응 실험이다.

[실험 과정]

(가) $H_2A(aq)$ 20 mL에 $B(OH)_2(aq)$ 20 mL를 첨가하였다.

(나) 혼합 용액 (가)에 $B(OH)_2(aq)$ x mL를 더 첨가하였다.

[실험 결과]

구분	(가)	(나)
액성	산성	염기성
이온 수의 비율(%)	40 / 40 / 20	40 / 40 / 20

이에 대한 설명으로 옳은 것만을 〈보기〉에서 있는 대로 고른 것은? (단, H_2A와 $B(OH)_2$는 수용액에서 완전히 이온화되고, 앙금은 생성되지 않는다.)

┤ 보기 ├

ㄱ. 단위 부피당 전체 이온 수는 $H_2A(aq)$이 $B(OH)_2(aq)$의 2배이다.

ㄴ. x는 40이다.

ㄷ. 양이온의 입자 수 비는 (가) : (나) = 3 : 4이다.

① ㄱ   ② ㄷ   ③ ㄱ, ㄴ

④ ㄱ, ㄷ   ⑤ ㄴ, ㄷ

05 고난도

그림은 HCl(aq) 10 mL에 NaOH(aq) V_1 mL, V_2 mL를 각각 넣은 혼합 용액 (가), (나)에 존재하는 이온 수를 나타낸 것이다. A~D는 각각 H^+, Na^+, Cl^-, OH^- 중 하나이다.

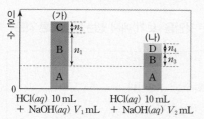

이에 대한 설명으로 옳은 것만을 〈보기〉에서 있는 대로 고른 것은?

┤ 보기 ├
ㄱ. B는 구경꾼 이온이다.
ㄴ. 용액의 pH는 (나)가 (가)보다 크다.
ㄷ. $n_1 - n_3 = n_2 + n_4$이다.

① ㄱ   ② ㄴ   ③ ㄱ, ㄷ
④ ㄴ, ㄷ   ⑤ ㄱ, ㄴ, ㄷ

06 서술형

표는 HCl(aq), NaOH(aq), KOH(aq)의 부피를 달리하여 혼합한 용액 (가), (나)에 대한 자료이다.

혼합 용액		(가)	(나)
혼합 전 용액의 부피(mL)	HCl(aq)	30	20
	NaOH(aq)	30	0
	KOH(aq)	0	40
혼합 용액 속 이온의 양(mol)		H^+ : Na^+ = 2 : 1	⊙ : OH^- = 1 : 2

(1) ⊙에 해당하는 이온을 쓰시오.

(2) KOH(aq) 수용액과 NaOH(aq) 수용액의 단위 부피당 OH^-의 양(mol)을 비교하시오.

07

다음은 산 염기 반응의 화학 반응식이다.

(가) HCN(aq) + $H_2O(l)$ ⟶ $CN^-(aq)$ + $H_3O^+(aq)$
(나) $CN^-(aq)$ + $H_2O(l)$ ⟶ HCN(aq) + $OH^-(aq)$
(다) HCN(aq) + $OH^-(aq)$ ⟶ $CN^-(aq)$ + $H_2O(l)$

이에 대한 설명으로 옳은 것만을 〈보기〉에서 있는 대로 고른 것은?

┤ 보기 ├
ㄱ. (가)에서 HCN은 아레니우스 산이다.
ㄴ. (나)에서 CN^-은 브뢴스테드·로리 염기이다.
ㄷ. (다)에서 OH^-은 H_2O의 짝염기이다.

① ㄴ   ② ㄷ   ③ ㄱ, ㄴ
④ ㄱ, ㄷ   ⑤ ㄱ, ㄴ, ㄷ

08 고난도

그림은 HCl(aq) 10 mL에 NaOH(aq)과 KOH(aq)을 순서대로 첨가할 때, 첨가한 용액의 부피에 따른 혼합 용액의 단위 부피당 X 이온 수를 나타낸 것이다. 표에서 (가)와 (나)는 혼합 용액 A와 B에서 단위 부피당 양이온 모형을 순서 없이 나타낸 것이다.

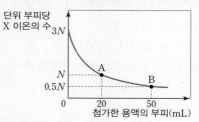

용액	(가)	(나)
단위 부피당 양이온 모형		

이에 대한 설명으로 옳은 것만을 〈보기〉에서 있는 대로 고른 것은? (단, 혼합 용액의 부피는 혼합 전 각 용액의 부피의 합과 같다.)

┤ 보기 ├
ㄱ. A에 가장 많이 존재하는 이온은 Na^+이다.
ㄴ. B는 중성 용액이다.
ㄷ. 단위 부피당 이온 수는 HCl(aq)이 KOH(aq)의 6배이다.

① ㄱ   ② ㄴ   ③ ㄱ, ㄴ
④ ㄴ, ㄷ   ⑤ ㄱ, ㄴ, ㄷ

09

표는 수산화 나트륨(NaOH) 수용액과 묽은 염산(HCl)의 부피를 달리하여 혼합한 수용액 (가), (나)에 존재하는 전체 이온의 양(mol)을 나타낸 것이다.

혼합 용액	NaOH(aq)의 부피(mL)	HCl(aq)의 부피(mL)	전체 이온의 양(mol)
(가)	30	20	n
(나)	10	40	n

이에 대한 설명으로 옳은 것만을 〈보기〉에서 있는 대로 고른 것은?

┤ 보기 ├
ㄱ. (가)는 pH<7이다.
ㄴ. (가)와 (나)에서 생성된 물의 몰비는 3 : 2이다.
ㄷ. (나)에서 NaOH(aq) 20 mL를 첨가하면 Na^+과 Cl^-의 양(mol)은 같아진다.

① ㄱ   ② ㄴ   ③ ㄱ, ㄷ
④ ㄴ, ㄷ   ⑤ ㄱ, ㄴ, ㄷ

10

다음은 기체 A와 관련된 실험이다.

[실험]
(가) 이산화 망가니즈(MnO_2)에 진한 염산(HCl)을 넣고 가열하였더니 기체 A가 생성되었다.

$$MnO_2 + 4HCl \longrightarrow MnCl_2 + 2H_2O + \boxed{A}$$

(나) 기체 A를 브로민화 나트륨(NaBr) 수용액에 통과시켰더니 브로민(Br_2)이 생성되었다.

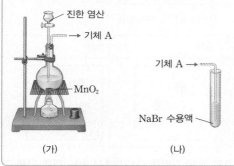

진한 염산
기체 A
기체 A →
MnO_2
NaBr 수용액
(가)   (나)

이에 대한 설명으로 옳은 것만을 〈보기〉에서 있는 대로 고른 것은?

┤ 보기 ├
ㄱ. A는 Cl_2이다.
ㄴ. (가)에서 Mn의 산화수는 증가한다.
ㄷ. (나)에서 A는 환원제로 작용한다.

① ㄱ   ② ㄷ   ③ ㄱ, ㄴ
④ ㄴ, ㄷ   ⑤ ㄱ, ㄴ, ㄷ

11

다음은 황과 관련된 산화 환원 반응식이다.

$$aSO_2 + 2H_2S \longrightarrow 2H_2O + bS \ (a, b는 반응 계수)$$

이에 대한 설명으로 옳은 것만을 〈보기〉에서 있는 대로 고른 것은?

┤ 보기 ├
ㄱ. b는 3이다.
ㄴ. SO_2에서 S의 산화수는 +2이다.
ㄷ. H_2S는 산화제로 작용한다.

① ㄱ   ② ㄴ   ③ ㄱ, ㄷ
④ ㄴ, ㄷ   ⑤ ㄱ, ㄴ, ㄷ

12 서술형

다음은 3가지 화학 반응식이다.

(가) $2NO(g) + F_2(g) \longrightarrow 2NOF(g)$
(나) $2NO(g) + 2H_2(g) \longrightarrow N_2(g) + 2H_2O(l)$
(다) $C_2H_2(g) + 2H_2(g) \longrightarrow C_2H_6(g)$

(가)~(다)에서 산화제로 작용한 물질의 화학식을 쓰시오.

13 고난도

표는 임의의 2주기 원소 X, Y의 수소 화합물 XH_4, YH_3와 Y의 플루오린 화합물 YF_3에서 중심 원자의 산화수를 나타낸 것이다. 세 화합물에서 X와 Y는 옥텟 규칙을 만족한다.

화합물	XH_4	YH_3	YF_3
중심 원자의 산화수	−4	a	b

이에 대한 설명으로 옳은 것만을 〈보기〉에서 있는 대로 고른 것은?

┤ 보기 ├
ㄱ. $a=b$이다.
ㄴ. X의 플루오린 화합물 XF_4에서 X의 산화수는 +4이다.
ㄷ. YF_3의 분자 구조는 삼각뿔형이다.

① ㄱ   ② ㄷ   ③ ㄱ, ㄴ
④ ㄴ, ㄷ   ⑤ ㄱ, ㄴ, ㄷ

14

다음은 산성비가 만들어지는 과정의 일부이다.

- ⊙ 황이 섞인 석탄이 연소할 때 ⓒ 이산화 황이 발생한다.
- 이산화 황은 공기 중 산소와 반응하여 삼산화황이 된다.
- ⓒ 삼산화 황은 공기 중 물과 반응하여 ② 황산이 된다.

이 과정에 대한 설명으로 옳은 것만을 〈보기〉에서 있는 대로 고른 것은? (단, 황산의 화학식은 H_2SO_4이다.)

┤보기├
ㄱ. ⊙이 ⓒ으로 될 때 ⊙은 환원제이다.
ㄴ. ⊙~②에서 각 원자의 산화수 중 가장 큰 값은 +6이다.
ㄷ. ⓒ이 ②로 될 때 ⓒ은 산화된다.

① ㄱ
② ㄷ
③ ㄱ, ㄴ
④ ㄴ, ㄷ
⑤ ㄱ, ㄴ, ㄷ

15 고난도

다음은 금속 A~C의 산화 환원 반응 실험이다.

[실험 과정]
(가) 그림과 같이 총 6몰의 금속 양이온이 들어 있는 수용액에 C 3몰을 넣어 반응시킨다.
(나) C 1몰을 추가하여 반응시킨다.

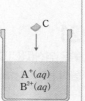

[실험 결과]
- (가) 과정 후 A^+은 모두 환원되었고, 양이온 수의 비는 B^{2+} : C^{n+} = 1 : 2이다.
- (가)와 (나)에서 C는 모두 반응하였다.

이에 대한 설명으로 옳은 것만을 〈보기〉에서 있는 대로 고른 것은?

┤보기├
ㄱ. C^{n+}에서 n은 2이다.
ㄴ. 반응 전 A^+은 2몰이다.
ㄷ. (나) 과정 후 양이온 수의 비는 B^{2+} : C^{n+} = 1 : 4이다.

① ㄱ
② ㄷ
③ ㄱ, ㄴ
④ ㄴ, ㄷ
⑤ ㄱ, ㄴ, ㄷ

16

철(Fe) 못을 질산 은($AgNO_3$) 수용액에 넣으면 다음과 같이 못 표면에 은이 석출된다.

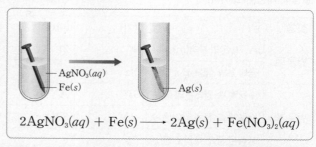

$$2AgNO_3(aq) + Fe(s) \longrightarrow 2Ag(s) + Fe(NO_3)_2(aq)$$

이에 대한 설명으로 옳은 것만을 〈보기〉에서 있는 대로 고른 것은?

┤보기├
ㄱ. Fe은 Ag보다 산화되기 쉽다.
ㄴ. Ag^+ 1몰을 환원시키려면 0.5몰의 Fe이 필요하다.
ㄷ. Fe 0.1몰을 넣어 완전히 반응시켰을 때 이동한 전자는 0.2몰이다.

① ㄱ
② ㄷ
③ ㄱ, ㄴ
④ ㄴ, ㄷ
⑤ ㄱ, ㄴ, ㄷ

17

그림은 철광석을 제련하여 철을 얻는 과정을 간단하게 나타낸 것이다.

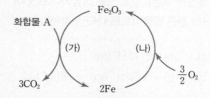

이에 대한 설명으로 옳은 것만을 〈보기〉에서 있는 대로 고른 것은?

┤보기├
ㄱ. (가)에서 화합물 A는 산화된다.
ㄴ. (나)에서 철의 산화수는 감소한다.
ㄷ. (가)에서 Fe_2O_3 1몰을 제련할 때 이동하는 전자는 3몰이다.

① ㄱ
② ㄷ
③ ㄱ, ㄴ
④ ㄴ, ㄷ
⑤ ㄱ, ㄴ, ㄷ

18

표는 $A^{3+}(aq)$의 부피와 금속 B의 질량을 달리한 산화 환원 반응 실험에 대한 자료이다.

실험		(가)	(나)
반응 전	$A^{3+}(aq)$의 부피(mL)	V	$2V$
	금속 B의 질량(g)	$3x$	x
반응 후	수용액 속 양이온의 종류	B^{n+}	A^{3+}, B^{n+}
	수용액 속 전체 양이온 수	$2N$	$3N$
	생성된 금속 A의 질량(g)	$2y$	y

이에 대한 설명으로 옳은 것만을 〈보기〉에서 있는 대로 고른 것은? (단, A, B는 임의의 원소 기호이고, B는 물과 반응하지 않으며, 음이온은 반응하지 않는다.)

┤보기├
ㄱ. n은 2이다.
ㄴ. (가)에서 남아 있는 B의 질량은 x g이다.
ㄷ. (나)에서 반응 후 이온 수는 A^{3+}이 B^{n+}의 2배이다.

① ㄱ   ② ㄷ   ③ ㄱ, ㄴ
④ ㄴ, ㄷ   ⑤ ㄱ, ㄴ, ㄷ

19

다음은 산성 용액에서 옥살산 이온($C_2O_4^{2-}$)과 과망가니즈산 이온(MnO_4^-)의 반응을 산화 환원 반응식으로 나타낸 것이다.

$$aC_2O_4^{2-}(aq) + bMnO_4^-(aq) + 16H^+(aq)$$
$$\longrightarrow cCO_2(g) + dMn^{2+}(aq) + 8H_2O(l)$$

이에 대한 설명으로 옳은 것만을 〈보기〉에서 있는 대로 고른 것은?

┤보기├
ㄱ. $a+b+d<c$이다.
ㄴ. C의 산화수는 증가하였다.
ㄷ. MnO_4^- 1몰을 모두 환원시키는 데 필요한 최소한의 $C_2O_4^{2-}$의 양은 5몰이다.

① ㄱ   ② ㄷ   ③ ㄱ, ㄴ
④ ㄴ, ㄷ   ⑤ ㄱ, ㄴ, ㄷ

20

다음은 일상생활에서 일어나는 물질의 변화를 나타낸 것이다.

(가) 연료가 연소하면 서 물이 끓는다.	(나) 얼음이 녹으면서 음료수가 시원해진다.	(다) 철가루와 산소가 반응하여 따뜻해진다.

밑줄 친 (가)~(다) 반응에 대한 설명으로 옳은 것만을 〈보기〉에서 있는 대로 고른 것은?

┤보기├
ㄱ. (가)와 (나)는 주위로 열을 방출하는 반응이다.
ㄴ. (나)에서 H의 산화수는 증가한다.
ㄷ. (다)에서 철가루는 산화된다.

① ㄱ   ② ㄷ   ③ ㄱ, ㄴ
④ ㄴ, ㄷ   ⑤ ㄱ, ㄴ, ㄷ

21

묽은 염산(HCl)과 수산화 나트륨(NaOH) 수용액이 반응하여 1몰의 물이 생성되면 56.0 kJ의 열이 발생한다.

$$HCl(aq) + NaOH(aq) \longrightarrow NaCl(aq) + H_2O(l)$$

0.1 M 묽은 염산 100 mL와 0.1 M 수산화 나트륨 수용액 100 mL를 반응시켰을 때, 이 반응에 대한 설명으로 옳은 것만을 〈보기〉에서 있는 대로 고른 것은? (단, 수용액의 비열은 4.0 J/g·℃, 수용액의 밀도는 1.0 g/mL이다.)

┤보기├
ㄱ. 수용액의 온도는 0.7 ℃ 높아진다.
ㄴ. 반응물의 에너지 합이 생성물의 에너지 합보다 크다.
ㄷ. NaOH 대신 KOH을 사용해도 발생한 열은 위 실험에서와 같다.

① ㄱ   ② ㄷ   ③ ㄱ, ㄴ
④ ㄴ, ㄷ   ⑤ ㄱ, ㄴ, ㄷ

MEMO

MEMO

미래를 바꾸는
긍정의 한 마디

저는 미래가 어떻게 전개될지는 모르지만,
누가 그 미래를 결정하는지는 압니다.

오프라 윈프리(Oprah Winfrey)

오프라 윈프리는 불우한 어린 시절을 겪었지만 좌절하지 않고 열심히 노력하여
세계에서 가장 유명한 TV 토크쇼의 진행자가 되었어요.
오프라 윈프리의 성공기를 오프라이즘(Oprahism)이라 부른다고 해요.
오프라이즘이란 '인생의 성공 여부는
온전히 개인에게 달려있다'라는 뜻이랍니다.

인생의 꽃길은 다른 사람이 아닌, 오직 '나'만이 만들 수 있어요.

내신

다품

정답과 해설

오늘도
파이팅

고등 화학 I

내신

다:품

고등 화학 I

정답과 해설

I. 화학의 첫걸음

01강 우리 생활과 화학

| 내신 기출 | | | | | 10~13쪽 |

01 ⑤	02 ①	03 ⑤	04 ⑤	05 ②	06 ④
07 ④	08 ③	09 ③	10 해설 참조		11 ④
12 ③	13 ⑤	14 ③	15 ③	16 해설 참조	
17 ①	18 ③	19 해설 참조		20 ④	21 ⑤

01 석유 가스는 자동차 연료로서, 철은 기차 선로, 자동차 등의 재료로 교통 발달에 기여하였다. 또한 철의 발달로 튼튼한 농기구를 만들 수 있게 되고, 암모니아 합성으로 인해 질소 비료의 대량 생산이 가능하게 되어 농업 생산량이 증대되었다.

해설 클리닉
ㄱ. 화학의 여러 가지 요소들이 하나의 영역에 복합적으로 영향을 주기도 했고, 한 가지 요소가 여러 영역에 영향을 주기도 했다.
✓ 식량 문제 해결, 의류 문제 해결, 주거 문제 해결, 의약품의 발전 등으로 영역을 나누어 분류해 본다.
✓ 철, 암모니아, 석유 가스가 미친 영향을 영역을 나누어 분류해 본다.
ㄴ. 철의 제련은 농업, 교통, 건축 등 다양한 영역에서 이용되었다.
✓ 철이 농업, 교통, 건축 등에 미친 영향과 예를 정리해 본다.
ㄷ. 암모니아의 합성으로 농업 생산량이 증대되었다.
✓ 암모니아의 합성 → 질소 비료의 대량 생산 가능 → 농업 생산량의 증대

02 석유는 자동차와 항공기의 연료 등 산업의 에너지원으로 사용되고, 플라스틱, 합성 고무, 합성 섬유의 원료로도 이용된다.

03 ㄱ. 화석 연료의 연소와 철의 제련은 모두 불을 이용한 과정이다.
ㄴ. 화석 연료 A의 연소 생성물에 이산화 탄소가 있으므로 A는 탄소 원소를 포함하고 있다.
ㄷ. B는 철이고, 철은 건축 자재의 발달에 기여하였다.

04 ㄱ. 메테인은 탄소와 수소 2가지 원소로 이루어져 있고, 흑연은 탄소로만 이루어져 있다.
ㄴ. 메테인은 1개의 C 원자에 4개의 H 원자가 연결되어 있고, 흑연은 1개의 C 원자에 3개의 다른 C 원자가 연결되어 있다.
ㄷ. 완전 연소시켰을 때 메테인은 물과 이산화 탄소가 생성되고, 흑연은 이산화 탄소만 생성된다.

해설 클리닉
ㄱ. 분자 모형을 보고 물질을 구성하는 원소의 종류와 수를 알 수 있다.
✓ 다른 분자 모형을 보고 원소의 종류와 수를 써 본다.
ㄴ. 1개의 C 원자에 연결된 선의 개수를 세어 보면, 메테인은 4개, 흑연은 3개이다.
✓ 다른 분자 모형을 보고 연결 선의 개수를 세 본다.
ㄷ. 완전 연소란 물질이 충분한 산소와 반응하는 것을 의미한다.
✓ $CH_4(g) + 2O_2(g) \longrightarrow CO_2(g) + 2H_2O(g)$

05 탄소 화합물은 탄소 원자가 다른 원자와 결합하여 만들어진 화합물로, 우리 생활에서 다양하게 쓰이고 있으며, 다양한 결합 방법으로 여러 가지 모양과 구조를 가진다.

06 ㄱ. (가)는 흑연으로, 연필심의 주성분이다.
ㄷ. (나)와 (다)에서 탄소 원자 1개에 결합한 탄소 원자는 3개로 같다.
오답 피하기 ㄴ. 물질을 구성하는 원소의 종류가 탄소로 같으므로 연소 생성물의 종류도 같다.

07 탄소 원자는 4개의 결합선을 가지므로 탄소 화합물은 여러 가지 모양과 구조를 가진다.
오답 피하기 ㄴ. 탄소 원자는 최대 4개의 다른 원자와 결합할 수 있다.

08 $CH_3CH_2CH_2CH_3$(뷰테인)과 $CH_3CH_2CH_2CH_2CH_3$(펜테인)은 모두 탄화수소이고, 탄화수소는 탄소와 수소로만 구성된 화합물이므로 완전 연소하였을 때의 생성물이 같다.
오답 피하기 ㄴ. 탄소와 수소의 비율은 뷰테인은 2 : 5, 펜테인은 5 : 12이다.

해설 클리닉
ㄱ. 탄화수소는 탄소와 수소로만 이루어진 화합물을 말한다.
✓ 화학식에 쓰인 원자의 종류와 원자의 개수 분석하기
ㄴ. 비슷한 탄화수소라고 해서 탄소와 수소의 비율이 같은 것은 아니므로, 탄소와 수소의 수를 센 후 계산해 보아야 한다.
✓ 탄소와 수소의 수를 세어 비율 계산하기
ㄷ. 탄소와 수소로만 구성된 물질이 완전 연소되면, 이산화 탄소와 물만 생성됨을 알아야 한다.
✓ 탄화수소가 완전 연소되면 '이산화 탄소'와 '물'이 생성된다.

09 (가)는 CH_4(메테인), (나)는 C_2H_6(에테인)이다.
오답 피하기 ㄱ. (가)의 실험식은 CH_4, (나)의 실험식은 CH_3이므로 (가)와 (나)는 실험식이 다르다.
ㄴ. (가)는 탄소 원자가 1개이므로 사슬 모양이 아니다.

10 1분자당 H 원자 수와 $\dfrac{\text{H 원자의 수}}{\text{C 원자의 수}}$를 이용하여 C 원자의 수를 구하면 다음과 같다.

(가): $\dfrac{4}{\text{C 원자의 수}} = 4$, C 원자의 수 = 1

(나): $\dfrac{6}{\text{C 원자의 수}} = 3$, C 원자의 수 = 2

(다): $\dfrac{4}{\text{C 원자의 수}} = 2$, C 원자의 수 = 2

그러므로 (가)의 화학식은 CH_4, (나)의 화학식은 C_2H_6, (다)의 화학식은 C_2H_4라고 할 수 있다.
[모범 답안] (가) CH_4, (나) C_2H_6, (다) C_2H_4

채점 기준	배점
(가)~(다) 모두 옳게 쓴 경우	100 %
두 가지 답만 옳게 쓴 경우	60 %
한 가지 답만 옳게 쓴 경우	30 %

11 (가)는 C_6H_{14}(헥세인), (나)는 C_6H_{12}(사이클로헥세인), (다)는 C_6H_6(벤젠)이다. (가)~(다)는 모두 탄소의 수가 6개인 탄화 수소이나, 수소의 수와 분자의 구조가 다르다. $\dfrac{\text{H 원자의 수}}{\text{C 원자의 수}}$ 는 (가)는 $\dfrac{7}{3}$, (나)는 2, (다)는 1이므로, (가)>(나)>(다)이 고, 모두 탄소와 수소로만 이루어져 있으므로 완전 연소 시 생 성되는 물질은 이산화 탄소와 물이다.

오답 피하기 ㄱ. (가)의 실험식은 C_3H_7이다.

12 (가)는 CH_4(메테인), (나)는 아세트산(CH_3COOH)의 분자 모형이다.

> 해설
> 클리닉
> 대표적인 탄소 화합물의 구조식이나 분자 모형만을 보고, 이름과 화학 식을 쓸 수 있어야 한다. 분자 모형에 있는 탄소의 수, 작용기를 이용하 여 화학식을 알아낼 수 있다.
> ✓ 대표적인 탄소 화합물의 분자 모형을 보고 화학식과 이름 써 보기

13 포도당($C_6H_{12}O_6$)은 탄소, 수소, 산소로 이루어진 탄소 화합 물이고, 포도당의 분자량은 $(12 \times 6) + (1 \times 12) + (16 \times 6)$ $= 180$이다.

14 CH_4(메테인), $HCHO$(폼산), C_2H_5OH(에탄올) 세 가지 중 단일 결합으로만 이루어져 있는 것은 CH_4, C_2H_5OH이다. $HCHO$는 탄소 원자와 산소 원자가 이중 결합으로 연결되어 있으므로 (다)는 $HCHO$이다. 다음으로 CH_4, C_2H_5OH 중 탄화수소인 것은 CH_4이므로, (가)는 CH_4, (나)는 C_2H_5OH이다.

오답 피하기 ㄷ. (다)에는 포밀기($-CHO$)가 있다.

15 그림은 C_2H_5OH(에탄올)의 분자 모형이다. 에탄올은 알코올 의 일종으로, 살균 효과가 있어 소독약으로 이용할 수 있다. 불을 붙이면 연소되기 때문에 연료로 이용되기도 하며, 화학 약품이나 술의 원료로도 이용된다.

16 [모범 답안] (가) CH_3COCH_3 (나) CH_3COOH

채점 기준	배점
(가)와 (나) 모두 옳게 쓴 경우	100 %
둘 중의 하나만 옳게 쓴 경우	50 %

17 (가)는 CH_3COCH_3(아세톤), (나)는 CH_3COOH(아세트산) 의 구조식이다. 두 물질 모두 탄소 원자와 산소 원자가 2중 결 합으로 연결되어 있다.

오답 피하기 ㄴ. (가)에는 1개, (나)에는 2개의 산소 원자가 포 함되어 있다.
ㄷ. 아세톤은 휘발성이 강하나, 아세트산은 휘발성이 강하지 않다.

18 C_2H_5OH(에탄올), CH_3COOH(아세트산), CH_3COCH_3(아 세톤)은 모두 탄소, 산소, 수소로 이루어진 탄소 화합물로, 우 리 생활에 널리 이용되는 물질들이다.

오답 피하기 ㄴ. 아세트산과 아세톤에는 2중 결합이 포함되 어 있으나, 에탄올에는 2중 결합이 포함되어 있지 않다.

19 그림은 CH_3COCH_3(아세톤)의 분자 모형이다.
[모범 답안] (1) 아세톤, CH_3COCH_3
(2) 대부분의 용매에 잘 녹아서 물에 세척되지 않는 물질을 세 척할 수 있기 때문이다.

	채점 기준	배점
(1)	탄소 화합물의 이름과 화학식을 모두 옳게 쓴 경우	50 %
	탄소 화합물의 이름과 화학식 중 한 가지만 옳게 쓴 경우	25 %
(2)	까닭을 옳게 서술한 경우	50 %

20 해열, 진통, 소염 작용이 있는 최초의 합성 의약품은 아스피린 이다.

> 해설
> 클리닉
> 아스피린 이외에도 백신, 항생제, 항암제 등 많은 의약품들은 탄소 화 합물이다. 그러므로 대표적인 의약품의 효능이나 특성에 대해 알아두 어야 한다.
> ✓ 아스피린이 합성된 배경과 아스피린의 효능 학습하기

21 비누와 합성 세제에는 모두 계면 활성제가 포함되어 있으며, LNG는 거의 메테인으로 이루어져 있다.

02강 몰과 화학식량

내신 기출				18~21쪽
01 ③	02 ③	03 ①	04 ①	05 해설 참조
06 ④	07 해설 참조	08 ④	09 ⑤	10 ③
11 ④	12 ④	13 ③	14 ⑤	15 해설 참조
16 ①	17 ⑤	18 해설 참조	19 ③	

01 (가)는 분자당 구성 원자 수가 2이므로 화학식이 AB이고, (나)는 AB_3, A_3B, A_2B_2 중 하나이다. A의 원자량을 a, B의 원자량을 b라고 하면, $a+b=20$이고, (가)와 (나)의 분자량의 차이인 14는 $2b$, $2a$, $a+b$ 중의 하나인데, $a+b=20$이므로 제외되고 14는 $2b$, $2a$ 중의 하나의 값이다. 이때 $a>b$이므로 $a=13$, $b=7$이다. 따라서 (가)는 AB이고, (나)는 AB_3이다.

오답 피하기 ㄷ. AB_6의 분자량은 $13+(7\times6)=55$이므로 (가)의 2.75배이다.

> 해설
> 클리닉
> ㄱ. (나)를 구성하는 원자의 수는 B가 3개, A가 1개이다.
> ✓ 주어진 자료로 분자를 구성하는 원자들의 종류와 수를 유추해 본다.
> ㄴ. (가)는 AB, (나)는 AB_3이므로 B 원자의 수는 (나)가 (가)의 3배이다.
> ✓ (가)와 (나)를 구성하는 원자들의 상대적 비율 계산해 보기
> ㄷ. AB_6의 분자량은 55이므로, 20인 (가)의 2.75배이다.
> ✓ A와 B의 원자량으로 AB_6의 분자량을 구한 후, (가)와의 비율 계산 하기

02 ㄱ. W 1 g에 포함된 원자는 $\frac{1}{6} \times 10^{-23} \times 6 \times 10^{23} = 1$몰이다.

ㄴ. XZ_2의 분자량은

$\left\{ (2 \times 10^{-23}) + \left(2 \times \frac{8}{3} \times 10^{-23} \right) \right\} \times (6 \times 10^{23}) = 44$,

Y_2Z의 분자량은 $\left\{ \left(2 \times \frac{7}{3} \times 10^{-23} \right) + \left(\frac{8}{3} \times 10^{-23} \right) \right\} \times (6 \times 10^{23}) = 44$로, 두 분자의 분자량은 같다.

오답 피하기 ㄷ. Y_2와 W_2가 반응하여 YW_3가 생성이 되었다면 화학 반응식은 $Y_2 + 3W_2 \longrightarrow 2YW_3$가 된다. Y_2 14 g은

$\frac{14 \text{ g}}{\frac{7}{3} \times 10^{-23} \text{ g} \times 2} \times \frac{1\text{몰}}{6 \times 10^{23}} = \frac{1}{2}$몰이고, W_2 2 g은

$\frac{2 \text{ g}}{\frac{1}{6} \times 10^{-23} \text{ g} \times 2} \times \frac{1\text{몰}}{6 \times 10^{23}} = 1$몰이며, 양이 적은 W_2 분자의 양에 맞추어 물질이 생성되므로, YW_3 분자는 $\frac{2}{3}$몰, 즉 4×10^{23}개만큼 생성된다.

03 아보가드로수(N_A)는 1몰을 의미한다.

ㄱ. 흑연(C) 1 g에 있는 탄소 원자 수는 $\frac{N_A}{12}$이다.

ㄴ. 수소에는 양성자가 1개 들어 있으므로 수소(H_2) 1몰에 있는 양성자수는 $2N_A$이다.

ㄷ. 메테인(CH_4) 1몰에 들어있는 탄소와 수소의 비는 1 : 4이고, 각각의 분자량은 12, 1이므로 탄소와 수소의 질량비는 12 : $(1 \times 4) = 3 : 1$이다.

> **해설 클리닉**
> ㄱ. 흑연(C) 12 g에 들어 있는 탄소 원자 수가 N_A이므로, 1 g에 들어 있는 탄소 원자 수는 $\frac{N_A}{12}$이다.
> ✓ 아보가드로수의 정의를 실제 예시에 적용해 보기
> ㄴ. 수소 원자 1몰에 있는 양성자수는 N_A개이므로, 수소 분자(H_2) 1몰에 들어 있는 양성자 수는 $2N_A$개이다.
> ✓ 수소 분자의 경우 수소 원자가 2개 포함되어 있음을 기억하고, 양성자수를 구할 때도 수소 원자 2개의 양으로 계산해야 한다.
> ㄷ. 메테인(CH_4) 1몰에 들어 있는 탄소와 수소의 질량비는 12 : (4 × 1) = 3 : 1이다.
> ✓ 분자를 구성하는 원소의 질량비는 원소의 개수에 원자량을 곱하여 계산한다.

04 ㄱ. ^{12}C 1몰의 질량이 12.000 g이므로, 이를 아보가드로수로 나눈 $\frac{12.000}{\text{아보가드로수}}$ g이 원자 1개의 질량이다.

ㄴ. 1 g에 들어 있는 원자의 양(mol)은 분자량이 가장 큰 ^{16}O가 가장 작다.

ㄷ. ^{12}C 12.000 g의 원자 수는 아보가드로수이고, $^{16}O_2$ 15.995 g의 분자 수는 아보가드로수$\times \frac{1}{2}$이다.

05 AB_2 분자 3.01×10^{23}개는 0.5몰이고, 이에 해당하는 질량이 23 g이므로, AB_2 분자 1몰의 질량은 46 g이다.

A_2 분자 8개의 질량 = B_2 분자 7개의 질량

B_2 분자 1개의 질량 = $\frac{8}{7} \times A_2$ 분자 1개의 질량

AB_2 분자량 = (A의 원자량) + $\left(\frac{8}{7} \times A_2 \text{ 1개의 분자량} \right)$

$= (\text{A의 원자량}) + \left(\frac{8}{7} \times 2 \times \text{A의 원자량} \right)$

$= \frac{23}{7} \times \text{A의 원자량}$

$\frac{23}{7} \times$ A의 원자량 = 46이므로, A의 원자량은 14이다.

[모범 답안] 14

06 물(H_2O) 1몰에는 분자가 1몰, 원자는 3몰 들어 있다.

07 H_2O 1몰에 들어 있는 분자 수는 1몰, CH_4 1몰에 들어 있는 원자 수는 5몰, KCl 1몰에 들어 있는 양이온 수는 1몰이다.

[모범 답안] 7

08 O_2의 분자량은 32이므로 분자의 양(mol)은 $\frac{32 \text{ g}}{32 \text{ g/몰}} = 1$몰이고, NH_3는 4개의 원자로 구성되어 있으므로 NH_3 3몰의 원자 수는 3몰 $\times 4 = 12$몰이다.

09 ㄱ. (가) 16 g의 물질의 양(mol)은 $\frac{16 \text{ g}}{17 \text{ g/몰}}$이므로 분자 수는 아보가드로수보다 작다.

ㄴ. (가) 1 g에 들어 있는 원자 수는 $\frac{1 \text{ g}}{17 \text{ g/몰}} \times 4$이고, (나) 1 g에 들어 있는 원자 수는 $\frac{1 \text{ g}}{16 \text{ g/몰}} \times 5$이므로, (나) 1 g에 들어 있는 원자 수가 (가)보다 많다.

ㄷ. (가) 1 g의 물질의 양(mol)은 $\frac{1 \text{ g}}{17 \text{ g/몰}}$이고, (나) 1 g의 물질의 양(mol)은 $\frac{1 \text{ g}}{16 \text{ g/몰}}$이며, 일정한 온도와 압력에서 기체의 부피는 물질의 양(mol)에 비례하므로 (나) 1 g의 부피가 (가) 1 g의 부피보다 크다.

10 각각의 화학식은 (가)는 A_2B, (나)는 AB_2, (다)는 A_2B_4이다.

오답 피하기 ㄷ. b의 원자량이 a보다 크므로, 1몰의 질량은 (가)<(나)이다.

> **해설 클리닉**
> ㄱ. 1몰의 (가)에는 2몰의 A 원자와 1몰의 B 원자가 있다.
> ✓ 그래프를 통해 분자를 구성하는 물질의 종류와 비율을 계산해 본다.
> ㄴ. (다)는 $2a$ g의 A와 $4b$ g의 B로 구성되어 있으므로 (다)의 분자식은 A_2B_4이다.
> ✓ 그래프에 주어진 A와 B의 질량을 각각 A와 B의 원자량으로 나누어 A와 B의 존재 비율을 계산한다.
> ㄷ. $b > a$이므로 1몰의 질량은 (가)<(나)이다.
> ✓ (가)는 A_2B, (나)는 AB_2이고, 문제에 주어진 조건을 적용하면 (가)와 (나)의 원자량 크기를 비교할 수 있다.

11 W와 X를 비교해 보면 원자량이 가장 큰 것이 C이므로, X에서 특정 원소의 비율이 증가하였다. 따라서 W는 AC$_2$, X는 AC이다. Y와 Z를 비교해 보면 Z에서 특정 원소의 비율이 증가하였으므로 Y는 BC, Z는 BC$_2$이다. X와 Y를 비교해 보면 X에서 C의 질량 비율이 더 크므로 원자량은 A< B임을 알 수 있다. X와 Z에서 C 원자 1몰 당 결합한 A와 B의 몰비는 2 : 1이다.

12 아세틸 살리실산의 양(mol)은

$\dfrac{360 \text{ mg}}{180 \text{ g/몰}} \times \dfrac{1 \text{ g}}{1000 \text{ mg}} = 0.002$몰이다. 따라서 산소 원자의 총 양(mol)은 0.002몰×4=0.008몰이다.

13 ㄱ. 질소(N$_2$) 기체 14 g 속에 포함된 질소 원자의 수는 1몰이다.

ㄷ. 암모니아(NH$_3$) 분자 6.02×10^{23}개는 1몰이고, 이에 포함된 질소 원자의 수는 1몰이다.

오답 피하기 ㄴ. 산소(O$_2$) 기체 8 g은 0.25몰이고, 이에 포함된 산소 원자의 수는 0.5몰이다.

14 같은 온도와 압력에서 두 기체의 부피가 같을 때 기체의 밀도는 분자량에 비례한다.

해설 클리닉 ㄱ. (나)가 (가)보다 밀도가 2배이므로 XO$_2$의 분자량은 O$_2$의 2배이다. 따라서 원자량은 X가 O의 2배이다.

✔ 원자량과 분자량을 구분하여 계산할 수 있어야 한다.

ㄴ. 아보가드로 법칙에 의해 같은 온도와 압력에서 기체의 종류에 관계없이 같은 부피 속에 같은 수의 분자가 들어 있으므로 (가)와 (나)에는 같은 수의 기체 분자가 들어 있다.

✔ 아보가드로 법칙의 정의를 적용할 수 있어야 한다.

ㄷ. (가)와 (나)에 같은 수의 기체 분자가 들어 있으므로 (가)와 (나)의 전체 원자 수비는 O$_2$: XO$_2$=2 : 3이다.

✔ 같은 온도와 압력에서 두 기체의 부피가 같으면 같은 수의 기체 분자가 들어 있음을 알고, 분자를 구성하는 원자의 종류와 비를 계산한다.

15 기체 1몰은 22.4 L이므로 기체 A 5.6 L는 $\dfrac{5.6}{22.4}=0.25$몰

이다. 물질의 양(mol)=$\dfrac{질량}{몰 질량}$=0.25몰인데 질량이 4 g

이므로 0.25=$\dfrac{4}{x}$, x=16 g이다. 1몰의 질량에서 단위인 g을 빼면 분자량이 된다. 따라서 (가)는 16이다. 기체 B 16 g

은 $\dfrac{16}{32}$=0.5몰이므로 부피는 22.4 L의 반인 11.2 L이다.

[모범 답안] (가) 16 (나) 11.2

채점 기준	배점
(가)와 (나)를 모두 옳게 구한 경우	100 %
둘 중의 하나만 옳게 쓴 경우	50 %

16 아보가드로 법칙에 따라 온도와 압력이 같을 때 모든 기체 1몰의 부피는 같다.

오답 피하기 ㄴ. 같은 온도와 압력에서 (나)의 부피가 (가)의 $\dfrac{1}{2}$이므로 물질의 양(mol) 역시 (가)의 $\dfrac{1}{2}$이다. 따라서 (나)는 0.5몰이고, N$_2$의 분자량이 28이므로 질량은 14 g이다.

ㄷ. (가)와 (다)는 1 기압에서 부피가 서로 같으나 온도가 다르므로 기체의 양(mol)도 다르다.

17 화학 반응식에서 A와 B는 2 : 1의 몰비로 반응하는데, A 4.0 g이 반응할 때 B는 1.0 g이 반응하였으므로 A의 분자량은 B 분자량의 2배임을 알 수 있다.

해설 클리닉 ㄱ. 실험 Ⅱ에서 B가 2.0 g 만큼 반응하였으므로 A는 8.0 g이 반응했을 것으로 예측할 수 있고, a=2.0이다.

✔ 같은 반응식에서 반응 물질의 양을 다르게 한 것 뿐이므로, 반응하는 물질의 비율이 같음을 알고 계산한다.

ㄴ. A와 B가 2 : 1의 몰비로 반응하므로 C는 A$_2$B이고, A의 분자량은 B 분자량의 2배이므로 분자량은 C가 B의 5배이다.

✔ 물질이 반응한 질량과 물질의 양(mol)의 상관 관계를 이해한다.

ㄷ. 실험 Ⅱ가 실험 Ⅰ의 2배의 양으로 반응하였으므로 V_2는 V_1의 2배이다.

✔ 물질의 몰비와 기체의 부피비가 비례하므로 몰비에 따른 기체의 부피비를 계산할 수 있다.

18 (1) (다)를 구성하는 질량비는 X : Y=21 : 24이고, X와 Y의 원자 수가 같다. 원자량의 비가 X : Y=7 : 8이므로, X의 원자량을 7a라 하면, Y의 원자량은 8a이다. (가)에서 질량비가 X : Y=7 : 16이므로, X와 Y의 몰비는 $\dfrac{7}{7a}$: $\dfrac{16}{8a}$=1 : 2 이므로 (가)의 실험식은 XY$_2$이다. 실험식과 분자식이 같으므로 (가)는 XY$_2$이다. (나)에서 질량비가 X : Y=14 : 8이므로, $\dfrac{14}{7a}$: $\dfrac{8}{8a}$ = 2 : 1이다. 따라서 (나)의 실험식은 X$_2$Y이다. 실험식과 분자식이 같으므로 (나)는 X$_2$Y이다.

[모범 답안] (가) XY$_2$, (나) X$_2$Y, (다) XY

(2) [모범 답안] X와 Y는 질소와 산소 중 하나이므로, (가)는 NO$_2$이고, (나)는 N$_2$이다. 0 ℃, 1 기압에서 1몰의 부피가 22.4 L이므로, (가)의 밀도는 $\dfrac{46 \text{ g}}{22.4 \text{ L}}$ ≒ 2.05 g/L이고, (나)의 밀도는 $\dfrac{44 \text{ g}}{22.4 \text{ L}}$ ≒ 1.96 g/L이다.

	채점 기준	배점
	(가)~(다)의 분자식을 모두 옳게 쓴 경우	60 %
(1)	(가)~(다)의 분자식 중 두 가지만 옳게 쓴 경우	40 %
	(가)~(다)의 분자식 중 한 가지만 옳게 쓴 경우	20 %
(2)	(가)와 (나)의 밀도를 모두 옳게 구한 경우	40 %
	(가)와 (나)의 밀도 중 하나만 옳게 구한 경우	20 %

19 ㄱ. 온도와 압력이 같을 때, 기체의 양(mol)은 부피에 비례하

므로 (가) : (나)=V L : $2V$ L=1 : 2이다.

ㄷ. $x=0.5$, $y=2$이므로 $xy=1$이다.

오답 피하기 ㄴ. A의 수소 원자의 양(mol)은 0.5몰×8=4몰이다.

03강 화학 반응식

내신 기출   26~29쪽

01 ④   02 ②   03 해설 참조   04 해설 참조
05 ③   06 ③   07 ④   08 ④   09 ①   10 ③
11 ④   12 ④   13 ①   14 ④   15 ②
16 해설 참조   17 ④

01 $N_2(g)+3H_2(g) \longrightarrow 2NH_3(g)$이므로, $a+b=4$이고, 생성물은 암모니아이다. 반응 전후 원자의 종류와 개수는 같으며, 암모니아 2분자를 생성하기 위해서는 질소 원자 2개가 필요하다.

해설 클리닉
① $a+b=2$이다.
✔ 생성물과 반응물의 원자의 종류와 개수를 통해 화학 반응식을 완성할 수 있어야 한다.
② 생성물은 수소와 질소이다.
✔ 화학 반응식에서 반응물과 생성물의 위치를 구분할 수 있어야 한다.
③ 원자의 종류와 개수는 반응 후 감소한다.
✔ 생성물과 반응물의 원자의 종류와 개수는 같음을 알아야 한다.
④ 암모니아 분자는 2종류의 원소로 이루어져 있다.
✔ 분자식을 보고, 분자식을 구성하는 원자의 종류와 개수를 알 수 있어야 한다.
⑤ 암모니아 2분자를 생성하기 위해서는 질소 원자 1개가 필요하다.
✔ 화학 반응식에서 계수가 의미하는 바를 알고 있어야 한다.

02 화학 반응식에서 반응물과 생성물의 원자의 종류와 개수는 변하지 않아야 한다.
H 원자 수: $6=2c$, C 원자 수: $2=b$, O 원자 수: $1+2a=2b+c$이므로 $a=3$, $b=2$, $c=3$, $a×b=6$이다.

03 $a=1$, $b=3$, $c=2$, $d=3$, $a+b+c+d=9$
[모범 답안] 9

04 B_2 분자 1개와 AB 분자 2개가 반응하여 AB_2 분자 2개를 생성하므로 화학 반응식은 $B_2+2AB \longrightarrow 2AB_2$이다.
[모범 답안] $B_2+2AB \longrightarrow 2AB_2$

05 화학 반응에서 반응 전후의 원자 종류와 개수가 같아야 하므로 (가)와 (나)의 화학 반응식을 완성하면 다음과 같다.
(가) $C(s)+O_2(g) \longrightarrow CO_2(g)$
(나) $2C(s)+O_2(g) \longrightarrow 2CO(g)$

해설 클리닉
ㄱ. $a=1$, $b=1$이므로 $a+b=2$이다.
✔ 생성물과 반응물의 원자의 종류와 개수를 통해 화학 반응식을 완성할 수 있어야 한다.
ㄴ. ㉠은 CO이다.
✔ 화학 반응에서 반응 전후의 원자의 종류와 개수가 같음을 알아야 한다.
ㄷ. (가)에서 반응하는 몰비는 $C : O_2=1 : 1$이고, (나)에서 반응하는 몰비는 $C : O_2=2 : 1$이다. 따라서 같은 온도와 압력에서 1몰의 C가 모두 반응할 때 필요한 O_2의 최소 부피비는 (가) : (나)=2 : 1이다.
✔ 물질의 몰비와 기체의 부피비가 비례하므로 몰비에 따른 기체의 부피비를 계산할 수 있다.

06 ㄱ, ㄴ. 탄산 칼슘($CaCO_3$)과 묽은 염산(HCl)의 반응식에서 반응물과 생성물의 원자 종류와 개수를 맞추면 $x=2$, (가)는 CO_2이다.

07 ㄱ. 반응에 참여하지 않은 분자 XY가 1개 있으므로, 화학 반응식은 $2XY+Y_2 \longrightarrow 2XY_2$이다. 따라서 Y_2가 1몰 반응하면 생성물은 2몰 생성된다.
ㄴ. 질량 보존 법칙에 의해 용기에 존재하는 물질의 총 질량은 반응 전과 후가 같다.
오답 피하기 ㄷ. XY가 1개 남아 있고, $XY : Y_2=2 : 1$의 몰비로 반응하므로, Y_2가 반응하지 못하고 남을 것이다.

08 화학 반응에서는 새로 생성되거나 소멸되는 원자가 없으며, 반응 전 분자는 15몰이고, 반응 후 분자는 18몰이다. 뷰테인과 이산화 탄소의 계수비가 1 : 4이므로 뷰테인 1몰이 반응할 때, 이산화 탄소는 4몰 생성된다.

09 **오답 피하기** ㄴ. C 분자 2개의 질량은 A 분자 1개와 B 분자 3개의 질량 합과 같다.
따라서 C의 분자량×2=A의 분자량+(3×B의 분자량)이므로 C의 분자량은
$$\frac{(A의 분자량)+(3×B의 분자량)}{2}$$이다.
ㄷ. 실린더의 부피는 반응 전보다 반응 후에 줄어든다. 기체의 밀도는 $\frac{질량}{부피}$이며, 질량 보존 법칙에 의해 반응 전후 실린더 속 혼합 기체의 질량은 일정하므로 밀도는 증가한다.

10 화학 반응식을 완성하기 위해 M(s)와 $H_2(g)$의 몰비를 구해야 한다. 화학 반응식을 완성하기 위해 H_2의 양(mol)도 알아야 한다. H_2의 부피를 측정하였으므로, t ℃, 1 기압에서 기체 1몰의 부피를 알면 $H_2(g)$의 양(mol)을 구할 수 있다.

해설 클리닉
ㄱ. 화학 반응식을 완성하기 위해 M(s)와 $H_2(g)$의 몰비를 구해야 한다. 물질의 양(mol)=$\frac{질량}{분자량}$이고, 반응한 M(s)의 양은 w g으로 주어져 있으므로 M의 원자량을 알면 M(s)의 양(mol)을 구할 수 있다.

06 I. 화학의 첫걸음

✓ 물질의 질량을 물질의 양(mol)로 바꾸어 계산해야 반응식에서의 계수비를 적용시킬 수 있다.

ㄴ. 화학 반응식을 완성하기 위해 H_2의 양(mol)도 알아야 한다. H_2의 부피를 측정하였으므로, t ℃, 1 기압에서 기체 1몰의 부피를 알면 $H_2(g)$의 양(mol)을 구할 수 있다.

✓ 화학 반응식에서 계수비와 부피비의 관계를 알아야 한다.

ㄷ. 화학 반응식 완성에 반응한 HCl의 부피는 필요없다.

✓ 화학 반응식을 완성하기 위해 필요한 요소와 불필요한 요소를 구분할 수 있어야 한다.

11 ㄱ. 실험 I에서 반응 후 분자의 몰비 A : C=1 : 8이고, A와 C의 분자량비는 4 : 5이다. 질량은 (물질의 양(mol)×분자량)이므로 반응 후 질량비는 A : C=4 : 40=1 : 10이다. 반응 전후 기체의 총 질량은 변하지 않으므로 반응 후 남아 있는 A의 질량은 $22 \times \dfrac{1}{11} = 2$ g이고, 생성된 C의 질량은 22 g -2 g$=20$ g이다. 실험 I에서 반응 전후 각 물질의 질량을 구하고 반응한 질량과 몰비를 통해 A와 C의 분자량 $\left(= \dfrac{질량}{물질의 양(mol)} \right)$비를 구하면 $\dfrac{16}{a} : \dfrac{20}{2} = 4 : 5$이므로 a는 2이다.

ㄷ. 전체 기체의 부피는 전체 물질의 양(mol)에 비례한다. 실험 II에서 반응 전후 각 물질의 질량을 구하고 실험 I과 실험 II의 전체 물질의 양(mol)을 구한다. A와 C의 분자량비가 4 : 5이고, A와 B의 분자량비가 2 : 1이므로 A, B, C의 분자량비는 4M : 2M : 5M=4 : 2 : 5이다. 실험 I의 반응 후 전체 물질의 양(mol)은 $\left(\dfrac{2}{4M} + \dfrac{20}{5M} \right)$이고, 실험 II의 반응 후 전체 물질의 양(mol)은 $\left(\dfrac{10}{2M} + \dfrac{10}{5M} \right)$이다. 따라서 전체 물질의 양(mol)의 비는 실험 I : 실험 II=9 : 14이므로 $V_1 : V_2 = 9 : 14$이다.

오답 피하기 ㄴ. A와 B의 분자량비는 $\dfrac{16}{2} : \dfrac{4}{1} = 2 : 1$이다. 따라서 분자량은 A가 B의 2배이다.

12 ㄴ, ㄷ. 화학 반응에서 몰 관계를 비교하기 위해서는 반응물과 생성물의 양을 몰로 나타내야 한다.

반응한 탄산 칼슘의 양(mol)은 $\dfrac{탄산 칼슘의 질량}{탄산 칼슘의 화학식량}$으로부터 알 수 있다. 생성된 이산화 탄소의 양(mol)은

$\dfrac{이산화 탄소의 질량}{이산화 탄소의 분자량}$으로부터 구한다.

오답 피하기 ㄱ. 실험에서 충분한 양의 묽은 염산을 사용하였으므로 묽은 염산의 농도는 필요하지 않다.

13 ㄱ. 반응 전후 원자 수는 변하지 않으므로 메테인의 연소 반응식을 완성하면 메테인 1몰과 산소 2몰이 반응하여 완전 연소되므로 a는 2이다.

$$CH_4 \ + \ 2O_2 \ \longrightarrow \ CO_2 \ + \ 2H_2O$$

	CH_4	$2O_2$	CO_2	$2H_2O$
반응 전(mol)	1	2		
반응(mol)	-1	-2	$+1$	$+2$
반응 후(mol)	0	0	1	2

따라서 생성된 물질의 질량의 비율은 $CO_2 : H_2O = 44 : 36$ $=11 : 9$이다. 따라서 (가)는 H_2O이고, (나)는 CO_2이다.

오답 피하기 ㄴ. (가)의 산소 원자 수는 $2H_2O$이므로 2개이고, (나)의 산소 원자 수는 CO_2이므로 2개이다. 따라서 (가)와 (나)의 산소 원자 수는 같다.

ㄷ. 반응 전과 후의 기체의 양(mol)이 같으므로 기체의 부피도 반응 전후에 같다.

14 온도와 압력이 일정할 때 기체의 부피는 분자 수에 비례한다.

ㄴ. 아보가드로 법칙에 의해 (가)와 (나)의 단위 부피당 분자 수는 같다.

ㄷ. ㄱ에서 A와 B의 분자량비를 구하면 A의 분자량이 B의 $\dfrac{1}{2}$이므로 (나)의 질량은 (가)의 2배이고, (나)의 부피는 (가)의 $\dfrac{3}{2}$배이므로 밀도비는 (가) : (나)=3 : 4이다.

오답 피하기 ㄱ. (가)에 A와 같은 질량의 B를 넣었을 때 부피가 1 L 증가했으므로 B의 부피는 1 L이다. 따라서 A와 B의 부피비는 2 : 1이고 분자 수비도 2 : 1이다. 물질의 양(mol)$= \dfrac{질량}{분자량}$이므로 분자량 $= \dfrac{질량}{물질의 양(mol)}$이다. A와 B의 질량이 같으므로 'A의 분자량 : B의 분자량$= \dfrac{1}{2}$: 1'이다. 따라서 A의 분자량은 B의 $\dfrac{1}{2}$배이다.

15 실린더의 높이비는 부피비와 같다. 실린더의 부피는 '원넓이×높이'이고 반응 전과 후의 원넓이가 같으므로 높이비가 부피비와 같다. 따라서 실린더의 높이를 통해 반응 전후의 부피비가 4 : 3인 것을 알 수 있다.

해설 클리닉

ㄱ. 반응 전의 B의 양(mol)을 x로 두면, 반응 전후의 각 물질의 양(mol)은 다음과 같다.

	$2A$	B	$2C$
반응 전 양(mol)	$2-x$	x	
반응한 양(mol)	$-2x$	$-x$	$+2x$
반응 후 양(mol)	$2-3x$	0	$2x$

✓ 반응 전 물질의 양(mol)은 2몰이고, 반응 후 남은 물질의 양(mol)은 $(2-3x)+2x=2-x$이므로 4 : 3=2 : $(2-x)$이다. 따라서 x는 0.50이다. 따라서 반응 전 양(mol)은 B가 0.5몰, A는 1.5몰이므로 반응 전 분자 수비는 A : B=3 : 1이다.

ㄴ. 반응 후 A와 C의 양(mol)은 각각 0.5몰, 1몰이다. C의 분자량이 46이므로 실린더에 들어 있는 A의 질량은 61 g-46 g$=15$ g이다.

✓ 반응한 물질의 양과 반응하지 않은 물질의 양, 생성된 물질의 양을 나누어 생각할 수 있어야 한다.

ㄷ. A 0.5몰의 질량이 15 g이므로 A의 분자량은 30이다. 반응 전과 후의 총 질량은 변하지 않으므로 반응 전의 기체의 질량은 61 g이다. 반응 전 A는 1.5몰, B는 0.5몰이 들어 있으므로 $(1.5×30)+(0.5×$ B의 분자량$)=61$이다. 따라서 B의 분자량은 32이다.

✔반응한 물질의 양(mol)과 질량, 분자량을 계산할 때 단위를 적어 헷갈리지 않도록 한다.

16 (1) 프로페인이 산소와 반응하여 연소하면 이산화 탄소와 물을 생성한다. 반응 전후의 원자의 종류와 수가 같으므로 화학 반응식은 $C_3H_8(g)+5O_2(g) \longrightarrow 3CO_2(g)+4H_2O(g)$이다.

[모범 답안] $a=5, b=3, c=4$

(2) 프로페인의 분자량이 44이므로 프로페인 22 g은 0.5몰이다. 프로페인과 수증기의 부피비는 1 : 4이므로 수증기는 2몰이 생성된다. 따라서 생성되는 수증기의 질량은 $18×2=36$ g이다.

[모범 답안] 프로페인의 분자량이 44이므로, 프로페인 22 g은 $\dfrac{22}{44}=0.5$몰이다. 반응 몰비는 프로페인 : 수증기$=1 : 4$이므로 수증기는 2몰 생성된다. 따라서 $18×2=36$ g이다.

	채점 기준	배점
(1)	a, b, c를 옳게 구한 경우	50 %
	a, b, c를 옳게 구하지 못한 경우	0 %
(2)	구하는 과정과 답을 모두 옳게 쓴 경우	50 %
	답만 옳게 쓴 경우	25 %

17 반응 전후 X와 Y의 질량 차이만큼 O_2가 반응하므로 160 g -128 g$=32$ g이다. 반응한 O_2의 양(mol)은 $\dfrac{32\ g}{32\ g/몰}=1$ 몰이다. X와 O_2는 2 : 1로 반응하므로 반응한 X의 양(mol)은 2몰이고, 반응 전 전체 기체는 5몰이다. 반응 후 전체 기체는 4몰이고, O_2는 반응 전 3몰에서 반응 후 2몰 남으므로 생성된 Y는 2몰이다. 따라서 반응 계수 $a=2$이다.

오답 피하기 ㄴ. Y 2몰의 질량이 160 g이므로 분자량은 $\dfrac{160}{2}=80$이다.

04강 용액의 농도

내신 기출				34~37쪽
01 ②	**02** 해설 참조	**03** ②	**04** ⑤	**05** ②
06 해설 참조		**07** ④	**08** ①	**09** ②	**10** ②
11 해설 참조		**12** ⑤	**13** ②	**14** ⑤	**15** ③
16 ③	**17** ⑤	**18** ①		

01 (가)와 (나) 모두 용액 500 g에 용질의 양은 25 g이고, 물의 질량이 475 g으로 같으므로 물 분자 수도 같다. 설탕의 분자

량이 더 크므로, 용질의 입자 수와 양(mol)은 모두 (나)가 더 크다.

해설 클리닉	① 용질의 입자 수: (가) < (나)
	② 용질의 양(mol): (가) < (나)

✔(가)의 설탕의 양(mol)$=\dfrac{25\ g}{342\ g/mol}≒0.07$ mol, (나)의 포도당의 양(mol)$=\dfrac{25\ g}{180\ g/mol}≒0.14$ mol

③ 용액의 부피: (가)=(나)

✔두 용액의 밀도와 질량이 같으므로 부피는 같다.

④ 용질의 질량: (가)=(나)

✔두 용액의 질량과 용질에 대한 퍼센트 농도가 같으므로 용질의 질량도 25 g으로 같다.

⑤ 용액 속 물 분자 수: (가)=(나)

✔두 용액 속 용질의 질량이 같으므로 물의 질량도 475 g으로 같다.

02 [모범 답안] 용액의 퍼센트 농도 $=\dfrac{50\ g}{200\ g+50\ g}×100=20$ %

채점 기준	배점
식과 답을 모두 옳게 쓴 경우	100 %
답만 옳게 쓴 경우	50 %

03 수산화 나트륨 수용액의 전체 질량은 500 mL $×1.5$ g/mL$=750$ g이므로 수산화 나트륨의 퍼센트 농도는 $\dfrac{160\ g}{750\ g}×100≒21.3$ %이다.

04 해설 클리닉 ㄱ. (가)에서 용질 40 g에 용액 200 g이므로 용액의 퍼센트 농도는 $\dfrac{40}{160+40}×100=20$ %이다.

✔퍼센트 농도$=\dfrac{물질의 질량}{용액의 질량}×100$

ㄴ. (가) 용액 100 g에는 용질 20 g이 포함되어 있으므로, 용액의 몰 농도는 $\dfrac{\frac{20}{50}\ mol}{1\ L}=0.4$ M이다.

✔몰 농도$=\dfrac{용질의 양(mol)}{용액의 부피}$

ㄷ. (다)에서 (가) 용액 20 g에는 용질이 4 g, (나) 용액 0.5 L에는 용질이 10 g 녹아 있으므로 A는 $\dfrac{14}{50}$ mol$=0.28$ mol이 있다.

✔용액을 혼합하여도 용질의 전체 양(mol)은 변하지 않는다.

05 (가) $\dfrac{x\ g}{120\ g}×100=30$ %, $x=36$

(나) $\dfrac{\frac{y\ g}{120\ g/몰}}{0.083\ L}=\dfrac{\frac{y}{9.96}\ 몰}{1\ L}=2.5$ M, $y=24.9$

(다) $\dfrac{\frac{z\ g}{120\ g/몰}}{0.1\ L}=\dfrac{\frac{z}{12}\ 몰}{1\ L}=2.5$ M, $z=30$

06 (가)에 포함된 $KHCO_3$의 질량은 $\dfrac{10\ g}{100\ g} \times 500\ g = 50\ g$이

고, 양(mol)은 $\dfrac{50\ g}{100\ g/mol} = 0.5\ mol$이고, (나)에 포함된

$KHCO_3$의 양(mol)은 $= 0.25x\ mol$이다. (다)에 포함된

$KHCO_3$의 양은 $1.0\ mol$이므로, (가)와 (나)를 더한

$0.5\ mol + 0.25x\ mol = 1.0\ mol$, 즉 $x=2$이다.

[모범 답안] 2 M

07 (가)의 퍼센트 농도는 $0.1\ \%$, (가) 용액의 질량은 $100\ g$이므

로 (가)에 들어 있는 포도당의 질량은 $1\ g$, 물질의 양(mol)은

약 0.005몰이다. (나)의 몰 농도는 0.1 M, (나) 용액의 부피

는 0.5 L이므로 (나)에 들어 있는 포도당의 양(mol) 0.05몰,

질량은 9 g이다. 수용액 (나)에서 100 mL를 취했을 때 100

mL에 들어 있는 포도당의 질량은 1.8 g, 양(mol)은 0.01몰

이므로 새로운 수용액의 농도는 0.01 M이다.

08 (가)에서 만든 수용액의 몰 농도는 $\dfrac{\dfrac{2\ g}{40\ g/몰}}{0.1\ L} = 0.5\ M$이다.

물이 증발하면 몰 농도와 밀도는 커진다.

09 X의 분자량을 x, Y의 분자량을 y라고 하면, $\dfrac{40}{x}=a$, $\dfrac{10}{x}$

$=b$, $\dfrac{10}{y}=a$이므로, $b=4a$이다. 퍼센트 농도는 용질의 질량

이 같은 (나)와 (다)가 같다.

10 (가)에서 0.1 M NaOH 수용액에 포함된 NaOH의 양은

0.1 mol이므로 $x=4$이다. (나)에서 0.005 M NaOH 수용

액 200 mL에 든 NaOH의 양은 0.001 mol이고, (가) 용액

y mL에 든 NaOH의 양이 0.001 mol이어야 하므로, $y=10$

이다.

11 (가)의 NaOH의 질량$=120\ g \times \dfrac{30}{100}=36\ g$, (나)의 NaOH

의 질량$=\dfrac{120\ g}{1.3\ g/mL} \times \dfrac{2.6\ mol}{1000\ mL} \times 40\ g/mol = 9.6\ g$, (다)

의 NaOH의 질량$=40\ g/mol \times 0.3\ mol=12\ g$

[모범 답안] (가) 36 g (나) 9.6 g, (가)>(나)

채점 기준	배점
(가), (나)를 옳게 구하고, 크기를 옳게 비교한 경우	100 %
둘 중 하나만 옳게 쓴 경우	50 %

12 0.01 M 염산 0.5 L에 포함된 염화 수소의 양(mol)은 0.005

몰이다. 0.005몰의 염화 수소를 얻기 위해서는 0.5 M 염산

0.01 L, 즉 10 mL를 취해야 한다.

13 용액의 농도가 다시 0.1 M이 되려면 NaOH을 추가로 넣어

주어야 한다. 다시 0.1 M로 만들었을 때 들어 있는 NaOH의

질량을 x라고 하면, $0.1\ M = \dfrac{\dfrac{x}{40\ g/mol}}{0.5\ L}$이므로 $x=2\ g$이

고, 이미 0.03 mol, 즉 $40\ g/mol \times 0.03\ mol = 1.2\ g$의

NaOH이 포함되어 있으므로 0.8 g만 더 넣어 주면 된다.

14 2.5 M 탄산수소 칼륨($KHCO_3$) 수용액 200 mL에 들어 있

는 $KHCO_3$의 양은 0.5몰이다.

ㄱ. $KHCO_3$ 10 g을 더 녹이면 $KHCO_3$의 양(mol)은 0.6몰,

수용액의 양(mol)은 600 mL가 되어 1 M 수용액이 된다.

ㄴ. $KHCO_3$ 25 g을 더 녹이면 0.75몰이 되고, 수용액의 양

은 750 mL이므로 1 M 수용액이 된다.

ㄷ. $KHCO_3$의 양이 1몰, 수용액의 부피의 양이 1 L가 되어 1

M 수용액이 된다.

15 20 % NaOH 수용액 20 g에는 0.1몰의 NaOH가 들어 있으

므로 이를 1 M로 만들려면 증류수를 가해 100 mL가 되게

해야 한다.

수용액의 밀도가 1.2 g/mL이므로 20 % NaOH 수용액 20

mL의 질량은 24 g이고, 20 % NaOH 수용액 24 g에는 4.8

g, 즉 0.12몰의 NaOH가 들어 있다. 이를 1 M로 만들려면

증류수를 가해 120 mL가 되게 해야 한다.

> **해설 클리닉** 20 % NaOH 수용액 20 g에는 4 g의 NaOH가 들어 있다. 4 g의
> NaOH는 0.1몰에 해당한다.
>
> ✓ 퍼센트 농도를 몰 농도로 환산하기
> — 몰 농도를 구하려면 용액의 부피(L), 용질의 양(mol)을 알아야 한다.
> — 용액의 질량을 밀도를 이용하여 부피로 환산하고, 용질의 질량을
> 용질의 양(mol)로 환산한 후에 용액의 부피와 용질의 양(mol)으로
> 몰 농도를 구한다.

16 퍼센트 농도를 몰 농도로 환산하려면 용액의 부피와 용질의

양(mol)을 알아야 한다.

$a\ \%$ 용액의 몰 농도$= \dfrac{용질의\ 양(mol)}{용액의\ 부피(L)} = \dfrac{10\ ad}{M_w}\ (mol/L)$

이므로

(가)의 몰 농도(M)$= \dfrac{10 \times 34 \times 1.2}{34} = 12\ M$,

(나)의 몰 농도(M)$= \dfrac{10 \times 3.4 \times 1.0}{34} = 1\ M$이다.

17 퍼센트 농도를 구하려면 용질의 질량과 용액의 질량을 구해

야 한다.

염산의 퍼센트 농도

$= \dfrac{12\ M \times 염산의\ 화학식량(g/mol)}{염산의\ 밀도 \times 1000\ mL} \times 100$

18 HA 수용액 V mL의 질량은 $V\ mL \times d\ g/mL = Vd\ g$이고,

용질의 질량을 구하면 $100 : c = dV : x$, $x = \dfrac{cdV}{100}$이다. 용

질의 질량을 몰로 환산하면 다음과 같다. 용질의 양

(mol)$= \dfrac{용질의\ 질량}{용질의\ 화학식량} = \dfrac{\dfrac{cdV}{100}}{a} = \dfrac{cdV}{100a}$, 용액의 부피

를 500 mL로 만들었으므로 몰 농도는

$$\frac{cdV}{\frac{100a}{0.5}} = \frac{cdV}{50a}$$이다.

01 ㄴ. ⓒ으로 질소 비료의 대량 생산이 가능해지면서 식량 생산이 증대되었다.

ㄷ. ⓔ으로 인해 철이 대량으로 생산되기 시작하였다.

오답 피하기 ㄱ. ⓐ의 주요 구성 원소는 탄소와 수소이다.

02 (가)의 분자식은 C_2H_4, (나)의 분자식은 C_3H_6, (다)의 분자식은 C_2H_6로, (가)와 (다)의 분자당 탄소 원자 수는 같다.

03 [모범 답안] (가) C_2H_4 (나) C_3H_6 (다) C_2H_6

채점 기준	배점
(가)~(다)를 모두 옳게 쓴 경우	100 %
2개만 옳게 쓴 경우	60 %
1개만 옳게 쓴 경우	30 %

04 ㄱ. (가)는 에탄올, (나)는 아세트알데하이드, (다)는 아세트산이다. (가)가 산화되면 (나)가 되고, (나)가 산화되면 (다)가 된다. 산화 과정에서는 산소나 수소의 출입만 있으므로 탄소의 개수는 같다.

ㄷ. (가)~(다) 분자 1 mol이 완전 연소할 때 생성되는 이산화 탄소의 양(mol)은 같고, 생성되는 H_2O의 양(mol)이 (가)가 3 mol, (나)가 2 mol, (다)가 2 mol이다. 따라서 생성되는 H_2O의 양(mol)이 가장 큰 것은 (가)이다.

오답 피하기 ㄴ. 폼알데하이드는 탄소가 1개이고 화학식은 HCHO이다.

05 (가)는 C_3H_6이고, (나)는 C_4H_6이다. $x : y = 48 : 6 = 8 : 1$이다.

06 ㄱ. 같은 온도와 압력에서 기체의 부피는 분자 수에 비례하므로 분자 수비는 (가) : (나) = 1 L : 9 L = 1 : 9이다.

오답 피하기 ㄴ. (가)와 (나)의 질량은 w로 같다. 분자 수의 비가 (가) : (나) = 1 : 9이므로 분자 1개의 질량비는 (가) : (나) = $\frac{w}{1} : \frac{w}{9} = 9 : 1$이다.

ㄷ. 원자 A의 원자량을 a, 원자 B의 원자량을 b라고 하면, A_2B의 분자량은 $2a+b$, A_2의 분자량은 $2a$이므로 $2a+b$:

$2a = 9 : 1$이다. 따라서 $a : b = 1 : 16$이다.

07 (가)와 (나)에서 C와 H의 질량은 각각 $220 \text{ mg} \times \frac{12}{44} = 60$ mg, $135 \text{ mg} \times \frac{2}{18} = 15$ mg이다.

ㄴ. (나)에서 완전 연소 시 소모된 O_2의 질량($6w$)이 240 mg이므로 (나)에 포함된 O 원자의 질량은 40 mg이다. 따라서 (나)를 구성하는 각 원소의 양$(\text{mol})\left(=\frac{질량}{원자량}\right)$의 비는 C : H : O $= \frac{60}{12} : \frac{15}{1} : \frac{40}{16} = 2 : 6 : 1$이므로 실험식은 C_2H_6O이다.

ㄷ. (가)와 (나)는 연소 생성물인 CO_2와 H_2O의 질량이 서로 같으므로 1 g당 $\frac{\text{H 원자 수}}{\text{C 원자 수}}$는 같다.

오답 피하기 ㄱ. (가)에서 연소 시 소모된 O_2의 질량($7w$)은 생성물의 총 질량에서 C와 H의 질량을 뺀 값이므로 $\{220+135-(60+15)\}$ mg = 280 mg이다. 따라서 $w=40$이다.

08 ㄴ. 같은 온도, 압력에서 같은 부피의 기체의 질량비는 분자량비와 같다. 분자량비는 AB : AB_2 = 15 : 23이므로 원자량비는 A : B = 7 : 8이다.

ㄷ. 1 g에 들어 있는 원자 수비는 (가) : (나) = $\frac{2}{15} : \frac{3}{23}$이다.

오답 피하기 ㄱ. 기체의 밀도는 (가)가 $\frac{3.0 \text{ g}}{2.4 \text{ L}} = 1.25$ g/L이고, (나)가 $\frac{2.3 \text{ g}}{1.2 \text{ L}} ≒ 1.92$ g/L로, (나)가 (가)보다 크다.

09 ㄱ. H_2의 분자량은 2이므로 2 g의 H_2의 양(mol)은 1몰이고, 분자 수는 6×10^{23}이다.

오답 피하기 ㄴ. (나)는 0.5몰이고, N_2의 분자량이 28이므로 질량은 14 g이다.

ㄷ. (가)와 (다)는 온도가 다르므로 기체의 양(mol)도 다르다.

10 반응 모형을 보면 반응 전에 AB가 6개, B_2가 2개 있고, 반응 후에 AB가 2개, AB_2가 4개 있다. AB 4개와 B_2 2개가 반응하여 AB_2 4개가 생성되었다. 반응 후에도 AB가 남아 있으므로 B_2를 더 넣으면 생성물의 양이 증가한다.

오답 피하기 ㄱ. 생성물은 AB_2 1가지이다.

11 반응식을 완성하면 다음과 같다.

$M(s) + 2HCl(aq) \longrightarrow MCl_2(aq) + H_2(g)$

오답 피하기 ㄴ. H_2는 0.25몰 생성되었고, 반응한 6 g의 M도 0.25몰이므로 M 1몰의 질량은 24 g이다.

ㄷ. $M(s)$ 1몰이 반응하면 $H_2(g)$ 1몰이 생성된다. 12 g의 $M(s)$은 0.5몰이므로 생성되는 $H_2(g)$의 양(mol)도 0.5몰이고, 질량은 1 g이다.

12 (1) 기체 X는 이산화 탄소(CO_2)이다. 탄산 칼슘의 양(mol)은

$\dfrac{w_1}{M}$이고, 이산화 탄소의 질량은 $(w_1+w_2-w_3)$이다. 따라서 이산화 탄소의 분자량을 x라고 하면 $\dfrac{w_1}{M}=\dfrac{(w_1+w_2-w_3)}{x}$이므로, $x=\dfrac{M(w_1+w_2-w_3)}{w_1}$이다.

[모범 답안] 분자식은 CO_2이고, 분자량은 $\dfrac{M(w_1+w_2-w_3)}{w_1}$이다.

(2) 분자량이 작게 측정되는 경우는 분모인 w_1이 크게 측정되는 경우이다.

[모범 답안] (가)에서 탄산 칼슘 가루의 질량 w_1을 크게 측정하였을 때, (나)에서 삼각 플라스크의 질량 w_2를 작게 측정하였을 때, (라)에서 반응 후 삼각 플라스크의 질량 w_3을 크게 측정하였을 때 분자량이 작게 측정된다.

	채점 기준	배점
(1)	분자식과 분자량을 모두 옳게 쓴 경우	50 %
	둘 중의 하나만 옳게 쓴 경우	25 %
(2)	두 가지 이상의 경우를 모두 서술한 경우	50 %
	한 가지 경우만 서술한 경우	25 %

13 A와 B의 부피비는 $2:1$이고, 분자 수비도 $2:1$이다. 온도와 압력이 일정하므로, 단위 부피당 기체 분자 수는 (가)와 (나)가 같다.

오답 피하기 ㄱ. A와 B의 질량이 같으므로 A의 분자량 : B의 분자량$=\dfrac{1}{2}:1$이고, A의 분자량은 B의 $\dfrac{1}{2}$배이다.

14 ㄴ, ㄹ, ㅁ. 용질의 화학식량과 용액의 밀도만 있으면 된다. 물의 분자량과 밀도는 필요하지 않고, 황산 용액의 온도도 필요하지 않다.

15 ㄷ. (가)와 (나)를 각각 200 mL씩 섞은 용액의 농도는 $\dfrac{(0.1\times0.2)\,\text{mol}+(0.3\times0.2)\,\text{mol}}{0.4\,\text{L}}=0.2\,\text{M}$이다.

오답 피하기 ㄱ. (가)에서 HCl은 $0.1\,\text{M}\times0.5\,\text{L}=0.05\,\text{mol}$이고, (나)에서 HCl은 $0.3\,\text{M}\times0.2\,\text{L}=0.06\,\text{mol}$이므로 (가)보다 (나)가 용질의 양(mol)이 더 많다.

ㄴ. (가)와 (나)를 모두 섞으면 용질은 $0.05\,\text{mol}+0.06\,\text{mol}=0.11\,\text{mol}$이고 용액의 부피는 $500\,\text{mL}+200\,\text{mL}=700\,\text{mL}$이므로, 용액의 농도는 $\dfrac{0.11\,\text{mol}}{0.7\,\text{L}}=0.16\,\text{M}$이다.

16 (가)는 0.1 % 포도당 수용액이므로, 녹아 있는 포도당의 질량을 x라고 하면, $0.1\,\%=\dfrac{x}{1000\,\text{mL}\times1.0\,\text{g/mL}}\times100$이므로 $x=1$이고, 포도당 1 g이 녹아 있다. 따라서 (가)의 포도당의 양(mol)은 $\dfrac{1}{180}$몰이다.

(나)에 녹아 있는 포도당의 질량을 y라고 하면,

$0.1\,\text{M}=\dfrac{\dfrac{y}{180}}{0.5\,\text{L}}$이므로 $y=9$이고, 포도당 9 g이 녹아 있다.

오답 피하기 ㄱ. (가)의 포도당의 양(mol)은 $\dfrac{1}{180}$ 몰이고, (나)의 포도당의 양(mol)은 0.05몰이므로 포도당의 분자 수는 (가)<(나)이다.

ㄷ. 묽힌 수용액의 몰 농도는 $\dfrac{0.01\,\text{mol}}{1\,\text{L}}=0.01\,\text{M}$이다.

17 0.1 M NaOH 수용액 300 mL에 들어 있는 NaOH의 양(mol)은 0.03 mol이고, 질량(g)은 $40\,\text{g/mol}\times0.03\,\text{mol}=1.2\,\text{g}$이다.

ㄴ. 8 g의 NaOH를 추가하면 9.2 g의 NaOH가 300 mL의 수용액에 들어 있는 셈이므로 이때 NaOH의 몰 농도는 약 0.77 M이다.

오답 피하기 ㄷ. 용액의 부피를 x라고 하면 $\dfrac{\dfrac{9.2}{40}}{x}=0.1\,\text{M}$이므로, $x=2.3\,\text{L}$이고, 처음 용액이 300 mL였으므로 2 L의 물을 추가하여야 한다.

II. 원자의 세계

05강 원자의 구조

내신 기출   46~49쪽

01 ③	**02** ②	**03** ⑤	**04** ⑤	**05** 해설 참조
06 ①	**07** ②	**08** ③	**09** ②	**10** ④ **11** ③
12 ⑤	**13** ①	**14** 해설 참조		**15** ③ **16** ⑤
17 해설 참조	**18** ④			

01 (가)는 톰슨의 음극선 실험, (나)는 러더퍼드의 알파 입자 산란 실험이다.

해설 클리닉 ㄱ. (나)는 원자핵으로, 러더퍼드 알파 입자 산란 실험을 통해 원자의 대부분은 빈 공간이며, 원자 중심에 (+)전하를 띤 원자핵이 존재한다는 것을 발견했다.

✓ 러더퍼드 알파 입자 산란 실험에 대해 정리해 본다.

ㄴ. (가)는 전자로, 음극선 실험을 통해 (−)전하를 띤 전자를 발견했다. (가)는 전자, (나)는 원자핵으로 전자가 원자보다 먼저 발견되었다.

✓ 톰슨의 음극선 실험에 대해 정리해 본다.

ㄷ. (가)는 전자, (나)는 원자핵으로 입자 1개의 질량은 전자가 원자핵보다 작다.

✓ 원자를 구성하는 입자의 특성에 대해 정리한다.

02 톰슨은 음극선에 전기장을 걸어 주면 음극선이 (+)극 쪽으로 휘는 것을 관찰하고, 음극선은 (−)전하를 띤 입자의 흐름임을 알아내었다. 그리고 전기적으로 중성인 원자에 높은 전압을 걸어 주었을 때 음극선과 같은 전자의 흐름이 생기려면 (+)전하를 띤 공에 (−)전하를 띤 전자가 박혀 있어야 한다고 생각했다.

[오답 피하기] ① 돌턴의 원자 모형으로, 더 이상 쪼갤 수 없는 입자를 원자라고 주장하였다. 따라서 전자를 설명할 수 없다.
③ 러더퍼드의 원자 모형이다.
④ 보어의 원자 모형이다.
⑤ 현대적 원자 모형이다.

문제 속 자료 원자 모형의 변천 과정과 한계점

• 원자 모형의 변천 돌턴(쪼개지지 않는 원자) → 톰슨(전자 발견) → 러더퍼드(원자핵 발견) → 보어(전자가 원 운동하는 궤도 제안) → 현대(전자 존재 확률 분포의 오비탈)

과학자	돌턴	톰슨	러더퍼드
모형			
한계점	톰슨의 음극선 실험 결과 설명 불가능	러더퍼드의 알파 입자 산란 실험 결과 설명 불가능	수소의 선 스펙트럼 설명 불가능

과학자	보어	현대 모형
모형		
한계점	2개 이상의 전자를 가지는 다전자 원자의 선 스펙트럼 설명 불가능	점은 전자의 개수를 의미하는 것이 아니라 전자가 존재할 수 있는 확률 분포를 나타냄

03 ㄱ. 알파(α) 입자 산란 실험에서 대부분의 α 입자는 휘어지지 않고 금박을 통과했으므로 원자는 대부분 빈 공간임을 알 수 있다.
ㄴ. 실험 결과 크게 휘어지거나 튕겨 나온 α 입자가 있으므로 원자 내부에 (+)전하를 띠고 질량이 큰 입자가 존재함을 알 수 있는데, 이 입자가 원자핵이다.
[오답 피하기] ㄷ. 이 실험을 통해 발견된 입자는 원자핵이므로 모든 원자에 1개 존재한다. 원자 번호와 같은 것은 양성자수이다.

04 ㄱ. (가)는 알파(α) 입자 산란 실험 결과 제시된 행성 모형, (나)는 보어의 원자 모형, (다)는 음극선 실험 결과 제시된 푸딩 모형이다. 원자 모형이 제시된 시대적 순서는 (다)→(가)→(나) 순서이다.
ㄴ. (가) 모형에는 원자핵이 있으므로 α 입자 산란 실험에서 α 입자 경로의 휘어짐을 설명할 수 있다.
ㄷ. (나) 모형은 전자가 전자 껍질에만 존재할 수 있으므로 에

너지 준위가 불연속적임을 설명할 수 있다.

05 (가)는 양성자와 중성자 발견 이후의 모형, (나)는 전자 발견 이후의 모형, (다)는 원자핵 발견 이후의 모형으로, 시간 순서대로 배열하면 (나)→(다)→(가) 순이다.

06 ㄱ. (가)는 톰슨이 음극선 실험 결과 제시한 푸딩 모형으로, (+) 전하를 띤 공에 전자가 박혀 있는 모형이다. 푸딩 모형에서는 질량을 가지는 입자가 전자밖에 없으므로, 상대적으로 질량이 큰 알파(α) 입자의 운동에 영향을 줄 수 없다. 따라서 모든 α 입자가 거의 휘어지거나 튕겨 나가지 않고 그대로 직진하게 된다. 추후 α 입자 산란 실험을 통해 푸딩 모형에서 존재하지 않는 원자핵의 존재가 밝혀지게 되었다.
[오답 피하기] ㄴ. 수소 원자의 선 스펙트럼은 보어 원자 모형으로 설명할 수 있다.
ㄷ. 전자의 존재를 확률 분포로 설명하는 모형은 현대 원자 모형이다.

07 음극선은 질량을 가지는 입자의 흐름이므로 음극선의 진행 경로에 바람개비를 두면 회전할 것이다.
[오답 피하기] ㄱ. 음극선은 (−)극에서 방출된다.
ㄴ. 이 실험에 의해 전자가 있음을 알아내었다.

08 ㄱ. 원자는 양성자수와 전자 수가 같다. 따라서 A와 B의 양성자의 수가 각각 1, 2이므로 (가)는 중성자이다.
ㄷ. 질량수는 양성자수＋중성자수이다. A와 B의 질량수는 3이므로 질량수가 같다.

해설 클리닉	
ㄱ. A와 B 모두 이온이 아닌 원자이므로, (가)는 양성자가 아닌 중성자이다.	
✓ 양성자와 중성자는 질량이 거의 같고, 질량수는 양성자수와 중성자 수의 합이다.	
ㄴ. B는 $^3_1$H의 동위 원소가 아니다.	
✓ B는 양성자수가 2이므로 He 원자이고, $^3_2$He이다.	
ㄷ. A와 B의 질량수는 3이다.	
✓ 질량수는 양성자수＋중성자수이다.	

09 ㄱ. Y는 질량수가 전자 수의 2배이므로, Y의 양성자수는 7이고, Y는 $^{14}_7$N이다.
ㄴ. X는 $^{12}_6$C이고, Z는 $^{14}_6$C이므로, X와 Z는 동위 원소이다.
ㄷ. 질량수는 Y＝Z이다.

10 세 이온은 전자 수가 x로 모두 같다. A^-의 전자 수가 10이므로, B^{m+}의 전자 수＝10, m＝1, 질량수가 23이므로 y＝12이다. C^{n+}의 전자 수＝10, 양성자수 y＝12이므로 n＝2, z＝24이다.

11 A는 양성자, B는 전자, C는 중성자이다. X는 원자이므로 양성자수와 전자 수가 같고, a＝7, b＝8이 된다. $^{18}Y^-$은 양성

자수가 8개이므로 $c=8$, $d=9$이고, $a+d=16$, $b+c=16$로 같지 않다.

12 $^{16}_{8}O^{2-}$에서 양성자수$=8$, 전자 수$=10$, 중성자수$=8$이므로 (다)는 전자이다. $^{19}_{9}F$는 원자이므로 양성자수$=$전자 수이고, 원소 기호로부터 중성자수$=10$임을 알 수 있다. 그러므로 (나)는 양성자, 나머지 (가)는 중성자이다.

13 그림은 원자의 모형이므로 전자 수$=$양성자수이어야 한다. 그러므로 ●$=$양성자, ●$=$중성자, ●$=$전자이다.

[오답 피하기] ㄴ. ●의 수가 변해야 이온이 된다.
ㄷ. ●는 질량이 매우 작으므로 원자 전체의 질량에 큰 영향을 끼치지 않는다.

14 [모범 답안] A^-의 양성자수는 9이므로 질량수 x는 19이고 B^+의 양성자수는 $23-12=11$이므로 전자 수 $y=10$이다. 그러므로 $x+y=29$이다.

채점 기준	배점
과정과 답을 모두 옳게 쓴 경우	100 %
과정과 답 중 하나만 옳게 쓴 경우	50 %

15 원자 번호와 중성자수가 같으면 양성자수와 중성자수가 같다.

해설 클리닉

ㄱ. A는 양성자수와 중성자수가 6으로 같다.
✔ A의 원자 번호가 6이므로 양성자수도 6이다.
ㄴ. B와 C는 원자 번호가 같은 동위 원소로, 전자 수는 같다.
✔ 원자는 중성이므로 원자 번호가 같으면 전자 수는 같다.
ㄷ. C와 D는 원자 번호가 다르다.
✔ 동위 원소는 원자 번호가 같으나 중성자수가 달라서 질량수가 다른 원소이다.

16 (가)와 (나)는 전자 수가 같고 원자핵의 중성자수가 다른 동위 원소이고, A는 양성자, B는 중성자이다. (나)의 질량수는 14로, ^{14}N와 질량수가 같다.

17 (1) X_2의 분자량의 종류가 70, 72, 74인 것으로 보아, X의 질량수로 가능한 경우는 35, 37 두 가지이다.
[모범 답안] ^{35}X, ^{37}X
(2) [모범 답안] X_2의 평균 분자량은 $\left(70 \times \frac{9}{16}\right) + \left(72 \times \frac{6}{16}\right) + \left(74 \times \frac{1}{16}\right) = 71$, 평균 원자량은 $71 \times \frac{1}{2} = 35.5$이다.

	채점 기준	배점
(1)	2가지 답을 모두 옳게 쓴 경우	50%
	1가지 답만 옳게 쓴 경우	25%
(2)	과정과 답을 모두 옳게 서술한 경우	50%
	둘 중의 하나만 옳게 서술한 경우	25%

18 X_2의 분자량의 종류가 158, 160, 162인 것으로 보아, X의 질량수로 가능한 경우, 즉 동위 원소의 질량수는 79, 81 두 가지이다. X_2의 평균 분자량은
$$\left(158 \times \frac{25}{100}\right) + \left(160 \times \frac{50}{100}\right) + \left(162 \times \frac{25}{100}\right) = 160$$이다.

06강 현대 원자 모형과 오비탈

01 선 스펙트럼을 설명하기 위해서는 전자가 불연속적인 에너지 준위를 가지는 전자 껍질 모형이 필요하다.

해설 클리닉

① 돌턴의 원자 모형
✔ 원자는 더 이상 쪼갤 수 없는 입자임을 나타낸다.
② 톰슨의 푸딩 모형
✔ (+)전하를 띠는 공에 전자가 박혀 있는 것을 나타낸다.
③ 러더퍼드의 행성 모형
✔ 원자핵 주위에 전자가 운동함을 나타낸다.
④ 현대의 원자 모형
✔ 원자핵이 양성자와 중성자로 이루어졌다는 것이 밝혀진 이후의 원자 모형이다.
⑤ 보어의 원자 모형
✔ 전자가 불연속적인 에너지 준위를 가지는 모형이다.

02 전자가 에너지 준위가 더 높은 전자 껍질로 이동하려면 빛에너지를 흡수하며, 선 스펙트럼을 통해 원자에서 전자의 에너지 준위는 불연속적임을 알 수 있다.

03 a는 $n=\infty \to n=3$의 전자 전이, b는 $n=4 \to n=2$의 전자 전이, c는 $n=\infty \to n=2$의 전자 전이, d는 $n=\infty \to n=1$의 전자 전이, e는 $n=1 \to n=\infty$의 전자 전이이다.

해설 클리닉

ㄱ. a와 b에서 방출되는 빛의 파장은 다르다.
✔ $\lambda = \frac{hc}{E}$이고, a에서 방출되는 빛에너지는 $\frac{1312}{9}$ kJ/몰, b에서 방출되는 빛에너지는 $\frac{3}{16} \times 1312$ kJ/몰이므로 빛의 파장도 다르다.
ㄴ. b와 c에서 적외선 영역의 빛이 방출된다.
✔ b와 c는 모두 $n=2$로 전자가 전이하므로 가시광선 영역의 빛이 방출된다.
ㄷ. d와 e에서 출입하는 에너지의 크기는 같다.
✔ d와 e에서 출입하는 에너지는 방향은 반대이나 이동하는 전자 껍질이 같으므로, 에너지의 부호가 반대이며 크기는 같다.

04 ㄴ. a선은 라이먼 계열(자외선 영역)에서 가장 긴 파장이므로 L 껍질에서 K 껍질로의 전자 전이에 해당한다.

ㄷ. 수소 방전관에 가하는 에너지를 변화시켜도 수소 원자 오비탈의 에너지 준위는 일정하므로 빛의 파장은 변하지 않는다.

오답 피하기 ㄱ. 빛에너지의 크기는 파장에 반비례하므로 스펙트럼 선의 에너지 크기는 파장이 짧은 a가 가장 크고, c가 가장 작다. 따라서 에너지 크기는 a>b>c이다.

05 전자 전이가 일어나는 전자 껍질의 에너지 준위 차이가 클수록 방출되는 빛에너지의 크기가 크다. 발머 계열이 가질 수 있는 가장 큰 에너지가 $n=\infty \rightarrow n=2$로 전이할 때의 에너지이고, 라이먼 계열이 가질 수 있는 가장 작은 에너지가 $n=2 \rightarrow n=1$로 전이할 때의 에너지이므로, 전자 전이에 의해 방출되는 빛에너지는 라이먼 계열이 발머 계열보다 항상 크다.

06 ㄱ. 자외선 영역은 $n=1$로 전자 전이될 때에 해당하므로 a와 b, 2가지이다.

ㄷ. 가시광선 영역은 $n\geq3$인 전자 껍질에서 $n=2$인 전자껍질로 전자가 전이할 때에 해당한다. (가)는 가시광선 영역의 전자 전이 중 에너지가 가장 작으므로(가시광선 영역에서 파장이 가장 긴 것을 의미한다.) $n=3$에서 $n=2$로 전이하는 c에 해당한다.

오답 피하기 ㄴ. b는 가장 큰 에너지를 방출하므로 파장이 가장 짧다.

07 수소 원자의 전자가 전자 전이할 때 방출되는 빛에너지는 전자 껍질의 에너지 준위의 차이가 클수록 크다. 그림에서 빛 에너지 a는 주 양자수 차이가 3인 전자 전이 중에서 가장 크므로 $n=4$에서 $n=1$로 전자가 전이될 때 방출되는 빛에너지이다. b는 주 양자수 차이가 2인 전자 전이 중에서 가장 크므로 $n=3$에서 $n=1$로 전자가 전이될 때 방출되는 빛에너지이고, c는 주 양자수 차이가 2인 전자 전이 중에서 2번째로 크므로 $n=4$에서 $n=2$로 전자가 전이될 때 방출되는 빛에너지이다. d는 주 양자수 차이가 1인 전자 전이 중에서 2번째로 크므로 $n=3$에서 $n=2$로 전자가 전이될 때 방출되는 빛에너지이다.

오답 피하기 ㄱ. 수소 원자에서 d kJ/몰은 $n=3$에서 $n=2$로 전자가 전이될 때 방출하는 에너지이므로 가시광선에 해당한다.

ㄷ. 수소 원자에서 $(a-d)$ kJ/몰은 $n=4 \rightarrow n=3$의 전자 전이와 $n=2 \rightarrow n=1$의 전자 전이가 일어날 때 방출하는 에너지를 합한 값과 같다. 따라서 수소 원자에서 $(a-d)$ kJ/몰에 해당하는 빛을 방출하는 전자 전이는 일어날 수 없다.

08 전이 전 주 양자수($n_{전}$)는 전이 후 주 양자수($n_{후}$)보다 작다고 하였으므로, 이는 에너지 흡수에 해당한다. $n_{후}$는 4 이하라고 하였으므로, 존재할 수 있는 에너지 흡수와 흡수하는 에너지의 크기는 다음과 같다.

$n=1 \rightarrow n=2$,

$$E_n=-\frac{k}{1^2}-\left(-\frac{k}{2^2}\right)=-\frac{3}{4}k \text{ (kJ/mol)}$$

$n=1 \rightarrow n=3$,

$$E_n=-\frac{k}{1^2}-\left(-\frac{k}{3^2}\right)=-\frac{8}{9}k \text{ (kJ/mol)}$$

$n=1 \rightarrow n=4$,

$$E_n=-\frac{k}{1^2}-\left(-\frac{k}{4^2}\right)=-\frac{15}{16}k \text{ (kJ/mol)}$$

$n=2 \rightarrow n=3$,

$$E_n=-\frac{k}{2^2}-\left(-\frac{k}{3^2}\right)=-\frac{5}{36}k \text{ (kJ/mol)}$$

$n=2 \rightarrow n=4$,

$$E_n=-\frac{k}{2^2}-\left(-\frac{k}{4^2}\right)=-\frac{3}{16}k \text{ (kJ/mol)}$$

$n=3 \rightarrow n=4$,

$$E_n=-\frac{k}{3^2}-\left(-\frac{k}{4^2}\right)=-\frac{7}{144}k \text{ (kJ/mol)}$$

에너지의 크기가 $\frac{3}{4}k$ kJ/mol보다 작아야 하므로 이에 해당하는 경우는 $n=2 \rightarrow n=3$, $n=2 \rightarrow n=4$, $n=3 \rightarrow n=4$이고, 각각의 $n_{전}$을 모두 더하면 $2+2+3=7$이다.

[모범 답안] 7

09 ㄱ. λ_1은 전자가 $n=2$인 전자 껍질로 전이될 때 방출되는 빛의 파장 중 가장 긴 파장이라고 하였으므로 $a=3$이다.

ㄴ. P_1에서 방출되는 에너지는

$$-\frac{1312}{3^2}-\left(-\frac{1312}{2^2}\right)=\frac{5}{36}\times1312 \text{ (kJ/mol)}$$이고,

P_2에서 방출되는 에너지는

$$-\frac{1312}{4^2}-\left(-\frac{1312}{2^2}\right)=\frac{3}{16}\times1312 \text{ (kJ/mol)}$$이므로,

$P_1:P_2=\frac{5}{36}:\frac{3}{16}=20:27$이다.

오답 피하기 ㄷ. P_3에서 방출되는 에너지는 $-\frac{1312}{5^2}-\left(-\frac{1312}{2^2}\right)=\frac{21}{100}\times1312 \text{ (kJ/mol)}$이다.

방출되는 빛의 진동수는 빛에너지에 비례하므로 P_3에서가 P_2에서보다 크다.

10 ㄴ. b는 $n=3 \rightarrow n=2$, d는 $n=2 \rightarrow n=1$, e는 $n=3 \rightarrow n=1$이다.

ㄷ. f는 $n=4 \rightarrow n=1$이므로 $y=\frac{15}{16}k$이다.

오답 피하기 ㄱ. $x=4$이다.

11 전자가 전이할 때 흡수 또는 방출하는 에너지의 크기는 각 에너지 준위의 차이와 같으므로 $E_a=E_3-E_2$, $E_b=E_2-E_1$이다.

[모범 답안] $E_a=\left(-\frac{E}{9}\right)-\left(-\frac{E}{4}\right)=\frac{5}{36}E$,

$E_b=\left(-\frac{E}{4}\right)-\left(-\frac{E}{1}\right)=\frac{3}{4}E$이므로, $E_a:E_b=5:27$이다.

채점 기준	배점
E_a와 E_b를 구하는 식을 옳게 쓰고, $E_a : E_b$의 비를 정확히 구한 경우	100 %
E_a와 E_b를 구하는 식은 옳게 썼으나, $E_a : E_b$의 비를 정확히 구하지 못한 경우	50 %

12 ㄱ. $n=3 \rightarrow n=2$의 전자 전이에서 방출되는 빛은 가시광선이다.

오답 피하기 ㄴ. $n=4 \rightarrow n=1$의 전자 전이에서 방출되는 빛에너지의 크기가 $n=3 \rightarrow n=1$의 전자 전이에서 방출되는 빛에너지의 크기보다 크므로 $x > y + z$이다.

ㄷ. $\Delta E_{\infty \rightarrow 2} \propto \frac{1}{4}$이고, $\Delta E_{2 \rightarrow 1} \propto \frac{3}{4}$이다. 방출되는 빛에너지의 크기는 Ⅳ에서가 Ⅱ에서보다 크므로 방출되는 빛의 파장은 Ⅱ에서가 Ⅳ에서보다 길다.

13 Ⅰ은 발머 계열로 가시광선 영역에 해당하고, Ⅱ와 Ⅲ은 라이먼 계열로 자외선 영역에 해당한다.

14 (나)가 (가)보다 오비탈의 크기가 크다. 주 양자수가 커질수록 오비탈의 크기가 커지고 에너지 준위가 높아지므로 (나)는 $2s$ 오비탈, (가)는 $1s$ 오비탈이다. (다)는 p 오비탈로 x축, y축, z축에 놓여 있는 p_x, p_y, p_z 3개의 오비탈이 있다. 문제에서는 p_x와 p_z 오비탈에 전자가 채워져 있다.

> **해설 클리닉**
>
> ㄱ. (가)는 $1s$, (나)는 $2s$, (다)는 $2p_x$, $2p_z$이므로, 원자 A의 전자 배치는 $1s^2 2s^2 2p_x{}^1 2p_z{}^1$이다. 따라서 전자 수는 6이다. 이때 A는 바닥상태이고 훈트 규칙을 만족하므로 p_x와 p_z에는 각각 전자가 1개씩 들어 있다.
>
> ✔ 오비탈의 모양을 보고 오비탈의 종류를 유추할 수 있어야 한다.
>
> ㄴ. s 오비탈은 원자핵으로부터 거리가 같으면 방향에 관계없이 전자를 발견할 확률이 같다.
>
> ✔ 각 오비탈의 특징을 알고 있어야 한다.
>
> ㄷ. 수소 원자의 에너지 준위는 $2s$와 $2p$가 같지만 다전자 원자의 에너지 준위는 $2s$가 $2p$보다 낮다. 원자 A는 전자가 6개이므로 다전자 원자이고, 에너지 준위는 (나)가 (다)보다 낮다.
>
> ✔ 수소 원자의 에너지 준위를 오비탈의 종류와 관련지어 생각해 본다.

15 ㄱ. (가)는 $1s$ 오비탈이며, s 오비탈은 원자핵으로부터 거리가 같으면 방향에 관계없이 전자를 발견할 확률이 같다.

오답 피하기 ㄴ. (나)는 $2p$ 오비탈이며, p 오비탈에는 각각의 오비탈에 전자가 2개씩 채워진다.

ㄷ. 수소 원자에서는 주양자수가 같으면 에너지 준위가 같으며, (가)의 주양자수는 1, (나)의 주양자수는 2이므로 (가)와 (나)의 에너지 준위는 다르다.

16 L 전자 껍질의 오비탈은 $2s$, $2p_x$ 오비탈이고, $1s$ 오비탈은 K 전자 껍질의 오비탈이므로 (다)에 해당한다. p 오비탈은 에너지 준위가 같고 방향이 다른 세 개의 p_x, p_y, p_z 오비탈이 있으므로 (가)에 해당한다. 따라서 (가)는 $2p_x$, (나)는 $2s$, (다)는

$1s$ 오비탈이다.

[모범 답안] (가) $2p_x$ (나) $2s$ (다) $1s$

채점 기준	배점
(가)~(다)를 모두 옳게 쓴 경우	100 %
(가)~(다) 중 일부만 옳게 쓴 경우	30 %

17 **오답 피하기** ㄱ. A는 $1s$ 오비탈, B는 $2s$ 오비탈에 해당한다.

ㄷ. 전자가 발견될 확률이 최대인 거리는 B가 A보다 크다.

18 (가)의 방위 양자수는 0, (나)의 방위 양자수는 1이다. (가)는 s 오비탈이므로 전자가 최대 2개 채워질 수 있으며, 원자핵으로부터의 거리가 같으면 전자의 발견 확률이 같다. 수소 원자에서 에너지 준위는 (나)가 (가)보다 높다. 다전자 원자에서 에너지 준위는 (가)가 (나)보다 낮다.

> **해설 클리닉**
>
> ① 방위 양자수는 (가)와 (나)가 다르다.
>
> ✔ (가)의 방위 양자수는 0, (나)의 방위 양자수는 1이다.
>
> ② (가)는 s 오비탈이므로 전자가 최대 2개 채워질 수 있다.
>
> ✔ 각 오비탈에 채워질 수 있는 최대 전자의 수는 s 오비탈이 2개, p 오비탈이 6개이다.
>
> ③ (나)에서는 원자핵으로부터의 거리가 같으면 전자의 발견 확률이 같다.
>
> ✔ p 오비탈에서는 원자핵으로부터의 거리가 다르면 전자의 발견 확률도 달라진다.
>
> ④ 수소 원자에서 에너지 준위는 (가)와 (나)가 같다.
>
> ✔ 수소 원자에서 에너지 준위는 주양자수에 의해서만 결정되므로 주양자수가 3인 (나)가 2인 (가)보다 높다.

19 ㄱ. 각 오비탈에 수용 가능한 최대 전자 수는 모두 2이다.

ㄷ. 바닥상태에서 질소 원자의 오비탈에 배치된 전자 수는 (가)=2, (나)=(다)=(라)=1이다.

20 (가)는 $1s$ 오비탈, (나)는 $2s$ 오비탈, (다)는 $2p$ 오비탈이다.

ㄴ. $_4$Be의 바닥상태 전자 배치는 $1s^2 2s^2$이고, (나)에 채워진 전자 수는 2개이다.

ㄷ. $_7$N의 바닥상태 전자 배치는 $1s^2 2s^2 3p^3$이고, 전자가 채워진 오비탈의 수는 5개이다.

07강 오비탈의 전자 배치

내신 기출 64~67쪽

01 ①	**02** ③	**03** ①	**04** 해설 참조	**05** ②
06 해설 참조		**07** ②	**08** ⑤	**09** ②	**10** ④
11 ①	**12** 해설 참조	**13** ①	**14** ①	**15** ④
16 ②	**17** ④			

01 해설 클리닉

ㄱ. 수소 원자의 바닥상태 전자 배치는 $1s^1$이므로 $2p_z^1$은 들뜬상태의 전자 배치이다.

✔ 전자 배치를 보고 바닥상태와 들뜬상태를 판단할 수 있어야 한다.

ㄴ. $2p$ 오비탈에서 $1s$ 오비탈로 전자가 전이되는 것은 $n=2 \rightarrow n=1$이 되므로 자외선 영역의 빛이 방출된다.

✔ 오비탈과 에너지 준위를 관련지을 수 있어야 한다.

ㄷ. s 오비탈은 방향에 관계없이 원자핵으로부터 같은 거리에서 전자를 발견할 확률이 같지만, p 오비탈은 원자핵으로부터의 거리와 방향에 따라 전자가 발견될 확률이 다르다.

✔ 오비탈의 종류에 따른 특징을 알아야 한다.

02 ㄱ. 방위 양자수(l)는 오비탈의 모양을 나타낸다. ㉠은 s 오비탈이므로 방위 양자수가 0, ㉡은 p 오비탈이므로 방위 양자수가 1로 ㉠이 ㉡보다 작다.

ㄷ. 주어진 탄소 원자의 전자 배치는 쌓음 원리, 파울리 배타 원리, 훈트 규칙을 모두 만족하므로 바닥상태이다.

오답 피하기 ㄴ. 자기 양자수(m_l)는 오비탈의 방향을 나타낸다. ㉡과 ㉢은 p 오비탈로 서로 다른 방향이므로 자기 양자수가 다르다.

03 X, Y는 들뜬상태, Z는 바닥상태의 전자 배치이다.

해설 클리닉

ㄱ. X는 $2p$ 오비탈을 채우지 않고 $3s$ 오비탈에 전자가 들어 있으므로 쌓음 원리를 만족하지 않는 들뜬상태이다.

ㄴ. Y는 에너지 준위가 낮은 $2p$ 오비탈에 전자를 3개만 채운 후 $3s$ 오비탈에 전자가 들어 있으므로 쌓음 원리를 만족하지 않는다.

✔ 전자는 에너지 준위가 낮은 오비탈부터 순서대로 채워져야 한다.

ㄷ. X는 전자 수가 6이므로 원자 번호가 6인 14족 원소, Y는 전자 수가 9이므로 원자 번호가 9인 17족 원소, Z는 전자 수가 12이므로 원자 번호가 12인 2족 원소이다. 따라서 X, Y, Z는 모두 다른 족 원소이다.

✔ 원자가 전자 수는 바닥상태의 전자 배치를 기준으로 판단해야 한다.

04 (1) [모범 답안] $1s^2 2s^2 2p^2$

(2) 에너지 준위가 같은 오비탈이 2개 이상 있을 때 전자는 최대한 쌍을 이루지 않도록 배치되므로 $1s$, $2s$ 오비탈에 스핀 방향이 다른 전자 2개, $2p_x$ 오비탈에 1개, $2p_y$ 오비탈에 1개가 배치되어야 한다.

[모범 답안]

05 원자 X와 Y의 안정한 이온은 X^{2-}과 Y^{3+}이다.

ㄴ. 바닥상태일 때 원자 X의 홀전자 수는 2개이고, 원자 Y의 홀전자 수는 1개이다. X^{2-}과 Y^{3+}에서 홀전자의 수는 모두 0이므로 공통적으로 감소한다.

오답 피하기 ㄱ. X가 전자 2개를 얻어 X^{2-}이 되면 핵전하량은 동일하지만 전자 수가 증가하여 전자 사이에 반발력이 커지므로 반지름이 증가한다. Y는 전자 3개를 잃어 Y^{3+}이 되면 전자 껍질 수가 감소하므로 반지름이 감소한다.

ㄷ. 원자 X의 전자 껍질 수는 2개, 원자 Y의 전자 껍질 수는 3개이다. X^{2-}의 전자 껍질 수와 Y^{3+}의 전자 껍질 수는 모두 2이므로 X는 변화가 없고, Y는 감소한다.

06 바닥상태는 쌓음 원리, 파울리 배타 원리, 훈트 규칙을 모두 만족해야 하며, 쌓음 원리나 훈트 규칙을 만족하지 않으면 불안정한 들뜬상태가 된다.

[모범 답안] Ⅰ: $2p$ 오비탈이 채워질 때 홀전자 수가 최대가 되지 않았으므로 훈트 규칙을 만족하지 않는다. Ⅲ: $1s$와 $2s$ 오비탈을 모두 채우지 않고 $2p$ 오비탈을 채웠으므로 쌓음 원리를 만족하지 않는다.

채점 기준	배점
두 가지 들뜬상태의 전자 배치와 불안정한 까닭을 각각 옳게 서술한 경우	100 %
두 가지 들뜬상태의 전자 배치 중 한 가지에 대해서만 불안정한 까닭을 옳게 서술한 경우	50 %

07 오답 피하기 ㄱ. 오비탈의 에너지 준위는 주 양자수 및 방위 양자수에 의해 결정된다.

ㄴ. 수소 원자는 주 양자수가 같으면 에너지 준위가 같으므로 원자 A와 다른 에너지 준위를 가진다.

08 ① 수소 원자의 에너지 준위는 $E_n = -\dfrac{1312}{n^2}$ kJ/mol이며, 주 양자수 n에 따라 전자는 특정한 에너지 값을 갖는다. 따라서 수소 원자의 에너지 준위는 불연속적이다.

② A에서 방출되는 빛은 자외선, B에서 방출되는 빛은 가시광선 영역에 해당한다.

③ A에서 방출되는 빛에너지는
$-\dfrac{1312}{4^2} - \left(-\dfrac{1312}{1^2}\right) = \dfrac{15}{16} \times 1312$ kJ/mol이고, B에서 방출되는 빛에너지는 $-\dfrac{1312}{4^2} - \left(-\dfrac{1312}{2^2}\right) = \dfrac{3}{16} \times 1312$ kJ/mol이다. 따라서 A에서 방출되는 빛에너지는 B의 5배이다.

④ 각 전자 껍질의 오비탈의 수는 K 껍질($n=1$)에 1개, L 껍질($n=2$)에 4개, M 껍질($n=3$)에 9개, N 껍질($n=4$)에 16개이므로 n번째 전자 껍질에 있는 오비탈 수는 n^2이다.

오답 피하기 ⑤ 수소 원자에서는 $2s$와 $2p$ 오비탈의 준위가 같다. 따라서 $4s$에서 $2s$로 전이될 때 방출되는 빛의 파장은 $4s$에서 $2p$로 전이될 때 방출되는 빛의 파장과 같다.

09 A^{2-}은 전자가 10개이므로 O^{2-}이고, 원자 A는 O이다. 원자 A의 전자 배치는 $1s^2 2s^2 2p^4$이다.

10 Ⅰ: (나), (다), Ⅱ: (라), Ⅲ: (가)이다.

ㄴ. Ⅰ에 해당하는 전자 배치는 (나), (다) 2가지이다.

ㄷ. Ⅲ에 해당하는 전자 배치는 (가)로, 들뜬상태이다.

오답 피하기 ㄱ. (가)는 Ⅲ에 해당한다.

11 2주기 원자들의 전자 배치는 $1s^2 2s^1$부터 $1s^2 2s^2 2p^6$까지이다.

A는 s 오비탈의 수가 p 오비탈 수의 2배이므로 $1s^2 2s^2 2p^2$의 전자 배치를 가지는 탄소(C) 원자이고, B는 s 오비탈의 수와 p 오비탈의 수가 같으므로 $1s^2 2s^2 2p^4$의 전자 배치를 가지는 산소(O) 원자이다.

ㄱ. 원자 번호는 A가 6번, B가 8번이므로 B가 A보다 크다.

오답 피하기 ㄴ. 홀전자 수는 A가 2개, B가 2개로 같다.

ㄷ. 전자가 들어 있는 오비탈 수는 A가 4개, B가 5개로 A가 B보다 적다.

12 (1) (가)는 들뜬상태, (나)는 바닥상태의 전자 배치이다.

[모범 답안] (나)

(2) [모범 답안] (가)는 $2p$ 오비탈의 전자들이 훈트 규칙을 만족하지 않으나, (나)는 $2p$ 오비탈의 전자들이 훈트 규칙을 만족하므로 바닥상태이다.

	채점 기준	배점
(1)	바닥상태의 전자 배치를 옳게 고른 경우	50 %
(2)	훈트 규칙을 이용하여 옳게 서술한 경우	50 %
	전자 배치로만 서술한 경우	25 %

13 X, Y, Z 중 s 오비탈의 총 전자 수와 p 오비탈의 총 전자 수가 동일한 것은 X, Z이고, 들뜬 상태의 전자 배치인 것은 X, Y이다. 그러므로 Ⅰ 영역에는 Z가, Ⅱ 영역에는 X가, Ⅲ 영역에는 Y가 속한다.

오답 피하기 ㄴ. Ⅱ 영역에 속하는 전자 배치인 X는 전자가 $2s$ 오비탈에 다 채워지지 않은 상태에서 $2p$ 오비탈이 채워졌으므로 쌓음 원리를 만족하지 않는다.

ㄷ. Ⅲ 영역에 속하는 전자 배치인 Y는 훈트 규칙을 만족하지 않는다.

14 W 원자의 전자 배치는 $1s^2 2s^2 2p^2$, X 원자의 전자 배치는 $1s^2 2s^2 2p^5$, Y 원자의 전자 배치는 $1s^2 2s^2 2p^4$, Z 원자의 전자 배치는 $1s^2 2s^2 2p^6 3s^1$이다.

오답 피하기 ㄴ. 원자 번호는 W < Y < X < Z이다.

ㄷ. Z의 홀전자의 방위 양자수는 0이다.

15 X의 전자 배치는 $1s^2 2s^2 2p^2$, Y의 전자 배치는 $1s^2 2s^2 2p^5$, Z의 전자 배치는 $1s^2 2s^2 2p^6 3s^2 3p^2$이다.

ㄴ, ㄷ. X는 2주기 14족, Y는 2주기 17족, Z는 3주기 14족 원소이다. 즉, X와 Y는 같은 주기 원소이고, X와 Z는 같은 족 원소이다.

해설 클리닉
ㄱ. 원자가 전자 수는 X가 4, Y가 7, Z가 4로 Y가 가장 크다.
✔ 원자가 전자 수는 가장 바깥 전자 껍질에 들어 있고 화학 결합에 참여하는 전자의 수이다.
ㄴ. X는 2주기 14족, Y는 2주기 17족 원소이므로 같은 주기 원소이다.
ㄷ. X는 2주기 14족, Z는 3주기 14족 원소이므로 같은 족 원소이다.
✔ 오비탈과 전자 배치를 보고 원소의 주기와 족을 유추할 수 있다.

16 ① A의 원자가 전자 수는 4개이다.

③ C는 전자가 채워진 전자 껍질 수가 3개이다.

④ 원자 반지름은 A가 B보다 크다.

⑤ 홀전자 수는 C가 1개, A가 2개로, A가 C보다 많다.

17 ㄱ. 1개의 오비탈에는 전자가 최대 2까지 들어간다.

ㄴ. $_{20}$Ca의 전자 배치는 $1s^2 2s^2 2p^6 3s^2 3p^6 4s^2$이고, 원자가 전자 수는 2개이다.

오답 피하기 ㄴ. $_7$N의 바닥상태 전자 배치는 $1s^2 2s^2 2p_x^1 2p_y^1 2p_z^1$이므로 홀전자 수는 3개이다.

08강 원소의 분류와 주기율

01 (가)는 멘델레예프의 주기율표(1869년), (나)는 되베라이너의 세 쌍 원소설(1828년), (다)는 뉴랜즈의 옥타브설(1864년), (라)는 모즐리의 주기율표(1913년)에 대한 설명이다. 이를 시대 순으로 배열하면 (나) → (다) → (가) → (라)이다.

해설 클리닉
원소를 화학적 성질에 의해 분류하고, 원자량 순서로 배열하여 주기적 성질을 발견하고, 이에 따라 발견되지 않은 원소의 성질도 예측할 수 있었으며, 원자 번호 순으로 배열하여 기존 주기율표의 문제점을 해결하기까지의 과정이다.

✔ 주기율표의 해당 연도를 암기하기보다는 주기율표가 어떻게 만들어졌고 발전하게 되었는지를 생각하면 순서를 찾을 수 있다.

02 ① (가)에서 Li, Na, K은 1족 원소로 화학적 성질이 비슷하고, (나)에서 Ca, Sr, Ba은 2족 원소로 화학적 성질이 비슷하다.

② 중간 원소인 Na의 원자량 $= \dfrac{7+39}{2} = 23$이고,

Sr의 원자량 $= \dfrac{40+137}{2} = 88.5$이다.

③ 세 쌍 원소는 원자량이 커짐에 따라 녹는점, 끓는점, 밀도 등의 물리적 성질이 규칙적으로 변한다.

⑤ Cl−Br−I도 화학적 성질이 비슷하고 물리적 성질이 규칙적으로 변하는 세 쌍 원소에 속한다.

오답 피하기 ④ 세 쌍 원소는 화학적 성질이 비슷한 원소의 쌍으로, 현대 주기율표에서 같은 족 원소에 해당한다.

03 ① 주기율은 원소를 나열할 때 성질이 비슷한 원소가 주기적으로 나타나는 현상을 말한다.

② 뉴랜즈는 원소들을 원자량 순서로 나열하면 화학적 성질

이 비슷한 원소가 8번째마다 나타나는 규칙성을 발견하여 이를 옥타브설이라 하였다.
③ 멘델레예프는 원소들을 원자량 순으로 배열하여 성질이 비슷한 원소가 주기적으로 나타나는 것을 발견하였으며, 새로운 원소의 발견을 예측하였다.
④ 되베라이너는 화학적 성질이 비슷하고 물리적 성질은 규칙적으로 변하는 세 원소를 묶어 세 쌍 원소라고 하였다.
오답 피하기 ⑤ 모즐리는 원소들을 양성자수, 즉 원자 번호 순으로 나열하여 현재 사용하고 있는 것과 비슷한 주기율표를 완성하였다.

04 현대적인 주기율표는 원소를 원자 번호 순으로 배열하였다.
[모범 답안] (가): 원소를 원자 번호 순으로 배열하였다. (나): 같은 족 원소는 원자가 전자 수가 같아 화학적 성질이 비슷하다.

채점 기준	배점
두 가지 모두 옳게 고르고 옳게 고쳐 쓴 경우	100 %
둘 중의 하나만 옳게 고르고. 고쳐 쓴 경우	50 %

05 A는 수소(H), B는 플루오린(F), C는 나트륨(Na), D는 염소(Cl), E는 아르곤(Ar)이다.

해설 클리닉
ㄱ. C는 알칼리 금속이고, A는 비금속 원소이다.
✔ 원소들이 금속, 비금속 중 어떤 분류에 속하는지 분류할 수 있어야 한다.
ㄴ. 주기율표에서 오른쪽 위로 갈수록 비금속성이 커지므로(18족 제외) 비금속성은 B가 가장 크다.
✔ 주기율표에서 원소들의 금속성, 비금속성 경향에 대해 알고 있어야 한다.
ㄷ. 음이온이 되기 쉬운 원소는 B와 D 2가지이다. E는 비활성 기체이므로 이온이 되기 어렵다.
✔ 주기율표에서 음이온이 되기 쉬운 원소, 양이온이 되기 쉬운 원소, 비활성 기체에 대해 알고 있어야 한다.

06 A는 원자 번호가 가장 작다고 하였으므로 H, B는 총 전자 수가 8개이므로 O, E는 전자 껍질이 2개인 단원자 분자이므로 Ne, C는 E보다 양성자의 수가 1개 적으므로 F, D는 B와 원자가 전자수가 같으므로 S이다. 이 중 연속적으로 세 개가 배열되는 원소는 O, F, Ne, 즉 B, C, E이다.

07 (가)에서 원자가 전자 수가 4개 이상이어야 하므로 A, B, D이다. (나)에서 전자가 채워진 전자 껍질 수가 3개인 것은 C, D, E이고, (다)에서 칼륨과 이온 결합 물질을 형성할 수 있는 것은 B와 D이다.

08 ① A는 1족 원소로, 금속 원소이다.
③ 원자가 전자 수는 17족인 C가 가장 많다.
④ 원자 반지름은 전자 껍질이 3개인 D가 2개인 A보다 크다.
⑤ 안정한 D 이온은 Ne과 전자 배치가 같고, E 이온은 Ar과 전자 배차가 같으므로 E의 이온 반지름이 더 크다.

오답 피하기 ② 원자 B는 Be으로, 양성자 수가 4개이다.

09 -1가의 음이온이 되었을 때 가장 바깥 전자 껍질의 전자 배치가 $2s^2 2p^6$이면, 원자 상태에서의 전자 배치는 $1s^2 2s^2 2p^5$이고, 이는 F의 전자 배치이다. 그림에서 F는 B에 해당하는 원소이다.

10 바닥상태에서 전자 껍질 수는 (나)가 (가)보다 많으므로 (가)는 2주기 원소, (나)는 3주기 원소이다.
[모범 답안] (가) c, (나) e

채점 기준	배점
두 가지 답 모두 옳게 고른 경우	100 %
한 가지만 옳게 고른 경우	50 %

11 ㄴ. A(H)와 C(C)는 비금속 원소이다.
ㄷ. D의 원자가 전자는 6개이고, F의 원자가 전자는 2개이다.
오답 피하기 ㄱ. 주기율표에서 왼쪽 아래로 갈수록 금속성이 커진다.

12 ㄴ. A와 B는 원자가 전자 수가 5로 같으므로 같은 족의 원소이다.
오답 피하기 ㄱ. B는 에너지 준위가 낮은 $3s$ 오비탈에 전자가 다 채워지지 않고 $3p$ 오비탈에 전자가 채워졌으므로 들뜬 상태이다.
ㄷ. A와 B는 전자 껍질 수가 다르므로 다른 주기의 원소이다.

13 A는 H, B는 O, C는 Be, D는 Ca이다.
① A는 1개의 원자가 전자를 잃고 양이온이 되기 쉽다.
② B는 주 양자수가 2이므로 2주기에 속하는 원소이다.
③ 금속 원소는 C와 D 두 가지이다.
④ C와 D는 원자가 전자 수가 2로 같다.
오답 피하기 ⑤ 바닥상태 전자 배치에서 홀전자 수는 A가 1, B가 2, C가 0, D가 0이다.

14 ㄴ. (나) 전자 배치는 $1s^2 2s^2 2p^6 3s^1$이고, 전자가 들어 있는 오비탈의 수는 6개이다.
오답 피하기 ㄱ. 오비탈의 에너지는 $2p$ 오비탈이 $2s$ 오비탈보다 크다.
ㄷ. (가)의 전자 배치가 바닥상태로 더 안정하므로 전자 1개를 떼어 내는 데 필요한 최소 에너지는 (가)가 (나)보다 더 많이 필요하다.

15 전자 배치는 (가) $1s^2 2s^1$, (나) $1s^2 2s^2 2p^2$, (다) $1s^2 2s^2 2p^4$, (라) $1s^2 2s^2 2p^3$이다.
오답 피하기 ㄴ. (나)의 원자가 전자 수는 4, (다)의 원자가 전자 수는 6이다.
ㄷ. 원자 번호가 가장 큰 것은 (다)이다.

16 A는 N, B는 O, C는 F이다.
ㄱ. 전자가 들어 있는 오비탈 수는 모두 5개로 같다.

오답 피하기 ㄴ. 홀전자 수는 A가 3개, B가 2개이다.

ㄷ. 원자 반지름은 A가 가장 크다.

17 [모범 답안] A: $1s^22s^22p^5$, B: $1s^22s^22p^63s^1$, C: $1s^22s^22p^2$, D: $1s^22s^22p^63s^23p^4$

채점 기준	배점
A~D를 모두 옳게 쓴 경우	100 %
3가지만 옳게 쓴 경우	75 %
2가지만 옳게 쓴 경우	50 %
1가지만 옳게 쓴 경우	25 %

18 ㄱ. A는 17족 원소, B는 1족 원소이다.

ㄷ. D의 원자가 전자 수는 6이고, 전자 2개를 받아 안정한 이온이 되므로 D의 안정한 이온은 D^{2-}이다.

오답 피하기 ㄴ. 같은 주기에서 C가 A보다 원자 번호가 작으므로, C의 원자 반지름이 A보다 크다.

09강 원소의 주기적 성질

내신 기출					81~85쪽
01 ②	02 ①	03 ⑤	04 ⑤	05 ②	06 ④
07 해설 참조		08 ②	09 ①	10 ②	11 ⑤
12 해설 참조		13 ②	14 ②	15 ②	16 ④
17 ⑤	18 해설 참조		19 ⑤	20 ②	

01 같은 족에서 원자 번호가 커질수록 양성자수가 증가하므로 유효 핵전하가 증가한다. 따라서 (가)는 3주기 원소, (나)는 2주기 원소이고, A는 질소(N), B는 황(S), C는 산소(O)이다.

> **해설 클리닉**
> ㄱ. 같은 족에서 유효 핵전하가 큰 (가)는 3주기 원소, 유효 핵전하가 작은 (나)는 2주기 원소이다.
> ✔ 유효 핵전하의 주기성을 알아야 한다.
> ㄴ. 같은 주기에서 유효 핵전하가 클수록 원자 반지름이 작다. 따라서 원자 반지름은 A가 C보다 크다.
> ✔ 유효 핵전하와 원자 반지름의 관계에 대해 알아야 한다.
> ㄷ. 같은 족에서 원자 번호가 클수록 전자 껍질 수가 증가하여 원자핵과 전자 사이의 인력이 작아지므로 이온화 에너지가 감소한다. 따라서 이온화 에너지는 B가 C보다 작다.
> ✔ 전자 껍질 수가 이온화 에너지에 미치는 영향에 대해 알아야 한다.

02 원자 번호가 각각 8, 9, 11, 12이므로 O, F, Na, Mg이며, Ne과 같은 전자 배치를 가지므로 이온은 각각 O^{2-}, F^-, Na^+, Mg^{2+}이다.

전자 수가 같은 이온은 원자 번호가 클수록 원자핵과 전자 사이의 인력이 크므로 이온 반지름이 작다. 이온 반지름의 크기는 $Mg^{2+} < Na^+ < F^- < O^{2-}$이므로 A는 Mg, B는 Na, C는 F, D는 O이다.

ㄱ. 원자 반지름은 2주기 원소인 C(F)와 D(O)가 3주기 원소인 A(Mg)와 B(Na)보다 작고, 원자 번호가 큰 C(F)가 D(O)보다 작다.

오답 피하기 ㄴ. 원자가 전자의 유효 핵전하는 원자가 전자가 실제로 느끼는 핵전하이다. 원자가 전자의 유효 핵전하는 같은 주기에서 원자 번호가 커질수록 증가한다. 따라서 C(F)가 D(O)보다 원자 번호가 크므로 원자가 전자의 유효 핵전하는 크다.

ㄷ. A 이온은 Mg^{2+}이고, C 이온은 F^-이므로 A와 C는 1 : 2로 결합하여 MgF_2을 형성한다.

03 같은 주기에서는 원자 번호가 커질수록 유효 핵전하가 증가하고, 2주기 원소 네온(Ne)에서 3주기 원소 나트륨(Na)으로 주기가 바뀔 때에는 가려막기 효과 때문에 유효 핵전하가 크게 감소한다. 따라서 A는 플루오린(F), B는 네온(Ne), C는 나트륨(Na), D는 마그네슘(Mg)이다.

ㄱ. 금속 원소는 3주기 원소인 C와 D 2가지이다.

ㄴ. 원자 반지름은 3주기 원소가 2주기 원소보다 크고, 같은 주기에서는 원자 번호가 작을수록 크므로 원자 반지름은 C가 가장 크다.

ㄷ. 이온화 에너지는 같은 주기에서는 원자 번호가 커질수록 대체로 증가하고, 같은 족에서는 원자 번호가 커질수록 감소한다. 따라서 이온화 에너지는 2주기 18족 원소인 B가 가장 크다.

04 A~D가 네온과 같은 전자 배치를 갖는 이온이 되면 전자 수가 같은 등전자 이온이 된다. 등전자 이온은 원자 번호(양성자 수)가 클수록 이온 반지름이 작으므로 A는 나트륨(Na), B는 마그네슘(Mg), C는 산소(O), D는 플루오린(F)이다.

ㄴ. 같은 주기에서 원자 번호가 클수록 유효 핵전하가 크므로 유효 핵전하는 B가 A보다 크다.

ㄷ. C는 산소(O), D는 플루오린(F)으로 모두 2주기 원소이다.

오답 피하기 ㄱ. C는 O이다.

05 원자 번호 7, 8, 9, 11, 12는 각각 N, O, F, Na, Mg이다.

> **해설 클리닉**
> ㄱ. N의 안정한 이온이 음이온이고, 음이온의 반지름이 원자 반지름보다 크므로 (가)는 원자 반지름이고, Na의 안정한 양이온의 반지름이 원자 반지름보다 작으므로 (나)는 이온 반지름이다.
> ✔ 음이온과 양이온이 될 때 반지름이 어떻게 변하는지 알아야 한다.
> ㄴ. A는 O^{2-}이고, B는 Na^+이다. A는 −2가의 음이온, B는 +1가의 양이온이므로 A와 B로 이루어진 화합물의 화학식은 B_2A이다.
> ✔ 음이온과 양이온이 화학 결합하는 원리를 알아야 한다.
> ㄷ. $A(O^{2-})$는 2주기 원소의 음이온이고, C(Mg)는 3주기 원소의 원자이므로 전자 껍질 수는 C>A이다.
> ✔ 주기에 따른 전자 껍질의 수를 유추할 수 있어야 한다.

06 금속 원소는 원자 반지름이 이온 반지름보다 크고, 비금속 원소는 이온 반지름이 원자 반지름보다 크다. 따라서 B는 금속

원소이고, C와 D는 비금속 원소이다. 그런데 같은 주기에서 원자 번호가 클수록 원자 반지름이 감소하므로 B보다 원자 반지름이 더 큰 A는 B보다 원자 번호가 더 작은 금속 원소임을 알 수 있다.

ㄴ. A와 B의 이온은 전자 수가 같은 등전자 이온이다. 양성 자수는 A가 B보다 작으므로 이온 반지름은 A가 B보다 크고, 따라서 x는 72보다 크다.

ㄷ. A와 B는 금속 원소이고, C와 D는 비금속 원소이다.

오답 피하기 ㄱ. 같은 주기에서 원자 번호가 클수록 원자 반지름이 감소하므로 원자 반지름이 가장 큰 A의 원자 번호가 가장 작다.

07 (1) 원자 반지름은 같은 족에서는 원자 번호가 커질수록 증가하고, 같은 주기에서는 원자 번호가 커질수록 감소하며, 주기가 변하면 크게 증가하므로 원자 반지름은 (가)이다. 원자가 전자의 유효 핵전하는 같은 주기에서 원자 번호가 커질 때 증가하고, 주기가 바뀌면 크게 감소하므로 (나)이다. Ne의 전자 배치를 갖는 이온들은 원자 번호가 커질수록 반지름이 감소하므로 (다)가 Ne의 전자 배치를 갖는 이온의 반지름이다.

[모범 답안] (가) 원자 반지름, (나) 유효 핵전하, (다) 이온 반지름

(2) [모범 답안] 주기가 바뀌면서 전자 껍질 수가 증가하였기 때문이다.

	채점 기준	배점
(1)	(가), (나), (다)를 모두 옳게 쓴 경우	50 %
(2)	정답을 옳게 서술한 경우	50 %

08 ㄷ. A~D는 모두 네온과 같은 전자 배치를 가지므로 A~D의 이온은 등전자 이온이다. 따라서 원자 번호가 커질수록 이온 반지름이 작아진다. D가 이온 반지름이 가장 작기 때문에 원자 번호가 가장 크다.

오답 피하기 ㄱ. A와 B는 원자 반지름이 이온 반지름보다 작으므로 비금속 원소이다.

ㄴ. 이온의 전자 배치는 모두 네온 원자와 같으므로 2주기 비금속 원소와 3주기 금속 원소일 것이다. B는 2주기 비금속 원소이고, C는 3주기 금속 원소이므로 서로 다른 주기이다.

09 ㄱ. B와 C는 이온 반지름이 원자 반지름보다 크므로 음이온이 잘 되는 경향이 있으며, 비금속 원소이다.

오답 피하기 ㄴ. 안정한 이온의 전자 배치는 A는 $1s^2 2s^2 2p^6$이고, C는 $1s^2 2s^2 2p^6 3s^2 3p^6$이다.

ㄷ. 중성 원자에서 원자가 전자가 느끼는 유효 핵전하는 같은 주기에서 원자 번호가 클수록 커지므로 B가 A보다 크다.

10 원자 반지름은 F<Mg<Na이고, 이온 반지름은 Mg^{2+}<Na^+<F^-이다.

11 자료 분석 결과를 보면, 같은 수의 전자를 가진 이온의 반지름을 비교하였으므로, 철수가 자료 분석을 통해 검증하고자 했던 가설은 '전자 수가 같은 이온의 경우 원자핵의 전하량이 클수록 이온 반지름이 작아진다'로 추측할 수 있다.

12 [모범 답안] K, 같은 족에서는 원자 번호가 커질수록 전자 껍질 수가 증가하여 원자 반지름이 증가하며, 같은 주기에서는 원자 번호가 작을수록 유효 핵전하가 작아 원자 반지름이 증가한다. 따라서 원자 반지름은 4주기 1족 원소인 K이 가장 크다.

채점 기준	배점
원자 반지름이 가장 큰 원소를 쓰고, 그 까닭을 옳게 서술한 경우	100 %
원자 반지름이 가장 큰 원소를 썼으나, 그 까닭을 옳게 서술하지 못한 경우	50 %

13 A는 제2 이온화 에너지가 급격하게 증가하므로 Na, B는 제1, 제2, 제3 이온화 에너지가 모두 상대적으로 작으므로 Al, C는 제3 이온화 에너지가 급격하게 증가하므로 Mg이고, D와 E 중에서는 제1 이온화 에너지가 가장 큰 E가 Ne, 나머지 D가 F이다.

ㄴ. A가 D보다 전자 껍질 수가 많으므로 원자 반지름은 크다.

오답 피하기 ㄱ. 원자가 전자 수는 A가 1, B가 3, C가 2이므로 A<C<B이다.

ㄷ. C는 3주기 원소, E는 2주기 원소이다.

14 ㄴ. B와 D는 제2 이온화 에너지가 급격하게 증가하므로 원자가 전자 수가 1이다.

오답 피하기 ㄱ. A는 3주기, B는 4주기 원소이다.

ㄷ. C 이온과 D 이온의 전자수는 같고 유효 핵전하는 C 이온이 더 크므로 안정한 이온의 반지름은 C<D이다.

15 ㄴ. A^+와 B^+의 전자 배치는 각각 탄소와 질소의 전자 배치와 같으므로, 제2 이온화 에너지는 B가 A보다 크다.

오답 피하기 ㄱ. 제1 이온화 에너지는 주기율표에서 오른쪽 위로 갈수록 대체로 증가한다. 같은 주기에서 17족 원소의 제1 이온화 에너지는 16족 원소보다 커야 하는데 C의 이온화 에너지가 B보다 작으므로, C는 3주기 원소인 염소(Cl)이고 B는 2주기 원소인 산소(O)이다. A가 인(P)이라면 같은 주기인 Cl보다 제1 이온화 에너지가 작아야 하는데 Cl보다 크므로 A는 2주기 원소인 질소(N)이다.

ㄷ. B와 C가 안정한 이온일 때의 전자 배치는 각각 Ne와 Ar의 전자 배치이므로 서로 다르다.

16 2주기 원소의 홀전자 수의 합이 8인 경우는 B, C, N, O이거나 C, N, O, F이다. 그런데 전자가 들어 있는 p 오비탈의 수가 C가 B보다 크므로 A~D는 B, C, N, O이다. A~D의 바닥상태 전자 배치와 제1 이온화 에너지를 가하여 전자를 떼어 냈을 때의 전자 배치는 다음과 같다.

원자	바닥상태 전자 배치	전자 1개를 떼어냈을 때 전자 배치
A	$1s^2 2s^2 2p^1$	$1s^2 2s^2$
B	$1s^2 2s^2 2p_x^{1} 2p_y^{1}$	$1s^2 2s^2 2p^1$
C	$1s^2 2s^2 2p_x^{1} 2p_y^{1} 2p_z^{1}$	$1s^2 2s^2 2p_x^1 2p_y^1$
D	$1s^2 2s^2 2p_x^{1} 2p_y^{1} 2p_z^{1}$	$1s^2 2s^2 2p_x^1 2p_y^1 2p_z^1$

전자 1개를 떼어 낸 후 전자 배치에서 A는 $2s$ 오비탈에 2개의 전자가 있고, B는 $2p$ 오비탈에 전자 1개가 있으므로 A에서 두 번째 전자를 떼어 낼 때가 B에서 두 번째 전자를 떼어 낼 때보다 어려우므로 제2 이온화 에너지는 A가 B보다 크다. 또한 원자핵의 전하량은 D>C>A이므로 원자핵의 전하량이 클수록 전자를 떼어 내기가 어려우므로 제2 이온화 에너지는 D>C>A이다. 따라서 제2 이온화 에너지의 크기는 D>C>A>B이다.

17 전자 배치를 통해 X는 3주기 1족, Y는 2주기 2족 원소임을 알 수 있다. 순차 이온화 에너지 그래프를 통해 A와 C는 제3 이온화 에너지와 제4 이온화 에너지 크기의 차이가 크기 때문에 13족 원소이며, B는 제2 이온화 에너지와 제3 이온화 에너지 차이가 크기 때문에 2족 원소이다. 제1 이온화 에너지의 크기가 C>B>A이므로 A와 B는 3주기 원소이고 C는 2주기 원소이다. 따라서 A는 3주기 13족, B는 3주기 2족, C는 2주기 13족 원소이다.

ㄱ. X는 3주기 1족, A는 3주기 13족이고, 원자 반지름은 원자 번호가 증가할수록 작아지므로 X가 A보다 크다.

ㄴ. Y는 2주기 2족, C는 2주기 13족 원소이다. 따라서 Y의 제2 이온화 에너지와 제3 이온화 에너지의 크기 차이가 크므로 C보다 $\dfrac{\text{제3 이온화 에너지}}{\text{제2 이온화 에너지}}$가 크다.

ㄷ. X의 바닥상태 전자 배치는 $1s^2 2s^2 2p^6 3s^1$이고, B는 3주기 2족이므로 바닥상태 전자 배치는 $1s^2 2s^2 2p^6 3s^2$이다. 따라서 바닥상태의 X와 B에서 전자가 들어 있는 오비탈 수는 모두 6개로 같다.

18 제1 이온화 에너지가 그림의 X, Y, Z와 같은 경향성을 나타내는 경우는 X, Y, Z가 1족, 2족, 13족 원소의 원자이거나 14족, 15족, 16족 원소의 원자인 경우이다. 만일 X, Y, Z가 1족, 2족, 13족 원소의 원자라면 제2 이온화 에너지는 1족 원소의 원자가 가장 커야 하므로 주어진 그림과 맞지 않다. 따라서 X, Y, Z는 각각 14족, 15족, 16족 원소의 원자이므로 각각 X는 C, Y는 N, Z는 O이다.

[모범 답안] X: C, Y: N, Z: O

19 A와 C는 제4 이온화 에너지가 크게 증가하는 것으로 보아 원자가 전자 수가 3이고, B는 제3 이온화 에너지가 크게 증가하는 것으로 보아 원자가 전자 수가 2이다. A와 B는 이온화 에너지가 비슷하므로 같은 주기 원소이다.

20 세 원소의 홀전자 수의 합이 8이 되려면 두 원소는 15족인 N,

P이고, 나머지 한 원소는 14족 또는 16족이다. N와 P은 전자가 들어 있는 오비탈 수가 각각 5, 9이므로 나머지 한 원소는 3주기 16족인 S이다. 제1 이온화 에너지는 N>P>S이므로 A, B, C는 각각 N, P, S이다.

오답 피하기 ㄱ. A는 15족 원소이다.

ㄷ. 원자가 전자가 느끼는 유효 핵전하는 C가 B보다 크다.

01 톰슨의 음극선 실험에서는 전자를 발견하였고, 러더퍼드의 α 입자 산란 실험에서는 원자의 중심에 원자핵이 존재함을 발견하였다. ㄱ~ㄷ 중 원자핵과 전자가 모두 표현된 원자 모형은 ㄴ, ㄷ이다.

02 ^3_2He의 질량수는 3, 원자 번호는 2이므로 이 헬륨 원자의 원자핵은 양성자 2개, 중성자 1개로 이루어져 있다.

03 러더퍼드의 α 입자 산란 실험에서 대부분의 α 입자가 금박을 통과했다는 것으로 원자의 대부분이 빈 공간이라는 것을 알 수 있고, 일부 α 입자는 휘어지거나 튕겨져 나왔다는 것으로 원자핵은 (+)전하를 띤 입자가 원자핵에 밀집되어 있다는 것을 알 수 있다.

오답 피하기 ㄱ. α 입자는 전기적으로 (+)전하를 띤다.

04 자료는 원자를 구성하는 입자 중 전자에 관한 설명이다.

ㄱ. 물체를 놓았을 때 그림자가 생기는 것으로 보아 음극선이 직진함을 알 수 있다. ➡ ⓐ

ㄴ. 전기장에서 (+)극 쪽으로 휘어진 것으로 보아 음극선이 (−)전하를 띠고 있음을 알 수 있다. ➡ ⓑ

ㄷ. 수소 스펙트럼의 선이 불연속적으로 나타나는 것으로 보아 입자가 불연속적인 에너지 준위를 가짐을 알 수 있다. ➡ ⓒ

05 (1) [모범 답안] ^{1}X의 존재 비율을 x라고 하면 ^{2}X의 존재 비율은 $(1-x)$이므로, X의 평균 원자량 $1.01 = (1 \times x) + \{2 \times (1-x)\}$, $x = 0.99$이다. ^{1}X의 존재 비율은 99 %, ^{2}X의 존재 비율은 1 %이다.

(2) X의 동위 원소가 ^{1}X, ^{2}X이고, Y의 동위 원소가 ^{35}Y, ^{37}Y 이므로 존재할 수 있는 XY의 분자량은 36, 37, 38, 39 4가 지이다.

[모범 답안] 36, 37, 38, 39

	채점 기준	배점
(1)	계산 과정과 답을 모두 옳게 서술한 경우	50 %
	답만 옳게 쓴 경우	25 %
(2)	4가지 경우의 수를 모두 옳게 서술한 경우	50 %
	2가지 경우의 수만 옳게 서술한 경우	25 %

06 $n \leq 4$이므로 다음과 같은 경우의 전자 전이를 생각해 볼 수 있다.

	$n_{전이 전}$	x		$x+2$	
$n_{전이 후}$		1	2	3	4
y	4	흡수	흡수	흡수	−
	3	흡수	흡수(a)	−	방출(b)
$y-2$	2	흡수	−	방출	방출
	1	−	방출(c)	방출	방출(d)

4가지 전자 전이에서 빛이 방출되는 전자 전이는 3가지이므로 전자 전이가 일어날 때 방출 또는 흡수되는 에너지 $a \sim d$는 $x=2$, $y=3$일 때에 해당된다.

ㄱ. d는 $n=4 \rightarrow n=1$일 때에 방출되는 빛이므로 λ_d에 해당하는 빛은 자외선이다.

ㄴ. 방출되는 빛의 파장은 에너지에 반비례한다. b는 $n=4 \rightarrow n=2$일 때이고, c는 $n=2 \rightarrow n=1$일 때 방출되는 빛에너지로 $c > b$이므로 방출되는 빛의 파장은 λ_b가 λ_c보다 길다.

ㄷ. $n_{전이 전} = x+2 = 4$이고 $n_{전이 후} = y-1 = 2$이므로 $n_{전이 전} = x+2 \rightarrow n_{전이 후} = (y-1)$는 $n=4 \rightarrow n=2$의 전자 전이에 해당한다. 따라서 $n=4 \rightarrow n=2$의 전자 전이에서 방출되는 빛에너지는 $n=4 \rightarrow n=1$일 때 방출되는 빛에너지인 d에서 $n=2 \rightarrow n=1$일 때 방출되는 빛에너지인 c를 뺀 값인 $d-c$와 같다.

07 ㄴ. 이온화되는 것은 전자가 무한대로 전이하는 것이다. $3p(n=3)$ 오비탈에서 이온화될 때 필요한 에너지는 $\Delta E = -\dfrac{k}{\infty^2} - \left(-\dfrac{k}{3^2}\right) = \dfrac{k}{9}$이고, 656 nm 선에 해당하는 빛에너지는 $\Delta E = -\dfrac{k}{3^2} - \left(-\dfrac{k}{2^2}\right) = \dfrac{5}{36}k$이다. 따라서 $3p$ 오비탈에 전자가 있는 수소 원자가 이온화될 때 필요한 최소 에너지는 656 nm 선에 해당하는 에너지보다 작다.

ㄷ. $n=2 \rightarrow n=4$로 전자가 전이될 때 흡수한 에너지는 $\Delta E = -\dfrac{k}{4^2} - \left(-\dfrac{k}{2^2}\right) = \dfrac{3}{16}k$이므로 656 nm 선에 해당하는 빛에너지$\left(\dfrac{5}{36}k\right)$의 $\dfrac{27}{20}$배이다.

오답 피하기 ㄱ. 가시광선 영역의 빛은 발머 계열에 속한다.

08 ㄴ. s 오비탈은 구형이므로 거리가 같으면 전자 발견 확률도 같다.

ㄷ. 오비탈의 경계는 전자의 존재 확률이 90 %인 공간의 크기이므로 전자 발견 확률이 가장 높은 지점까지의 거리보다 더 멀다.

오답 피하기 ㄱ. 전자 발견 확률은 핵으로부터 거리가 멀어질수록 증가하다가 최고점을 지나서 다시 감소한다.

09 ㄷ. (가)에서 전자 껍질 L의 에너지 준위는 (나)에서 $2s$ 오비탈의 에너지 준위와 같다.

오답 피하기 ㄱ. (가)에서 수소 원자의 에너지 준위는 불연속적이다.

ㄴ. (나)에서 오비탈의 경계면은 전자의 존재 확률이 90 %인 경계면을 나타낸 것이므로 경계면 밖에서도 전자가 낮은 확률로 발견될 수 있다.

10 ㄱ. λ_a는 $n=2 \rightarrow n=1$로 전자 전이할 때 방출되는 빛의 파장이며, 이 빛은 자외선이다.

ㄴ. λ_b는 발머 계열로, $n=4 \rightarrow n=2$로 전자 전이할 때 방출되는 빛의 파장이다.

ㄷ. λ_a는 $n=2 \rightarrow n=1$로 전자 전이할 때 나타나므로 $E(a) \propto -\dfrac{1}{2^2} - \left(-\dfrac{1}{1^2}\right) = \left(\dfrac{1}{1^2} - \dfrac{1}{2^2}\right)$이고,

λ_b는 $n=4 \rightarrow n=2$로 전자 전이할 때 나타나므로 $E(b) \propto -\dfrac{1}{4^2} - \left(-\dfrac{1}{2^2}\right) = \left(\dfrac{1}{2^2} - \dfrac{1}{4^2}\right)$이다.

따라서 $E(a) : E(b) = \left(\dfrac{1}{1^2} - \dfrac{1}{2^2}\right) : \left(\dfrac{1}{2^2} - \dfrac{1}{4^2}\right) = 4 : 1$이다.

11 ㄱ, ㄴ. $n_{전} \leq 4$와 $a = b+c+d$를 모두 만족하는 선 Ⅰ은 $n=4 \rightarrow n=1$(자외선 영역의 빛 방출)이고, 선 Ⅱ~Ⅳ는 각각 $n=4 \rightarrow n=3$, $n=3 \rightarrow n=2$, $n=2 \rightarrow n=1$ 중 하나이다. 선 Ⅲ은 라이먼 계열에 속하므로 $n=2 \rightarrow n=1$이고, 빛의 파장은 선 Ⅱ > 선 Ⅳ이므로 선 Ⅱ는 $n=4 \rightarrow n=3$, 선 Ⅳ는 $n=3 \rightarrow n=2$이다.

ㄷ. $c : d = -\dfrac{1}{2^2} - \left(-\dfrac{1}{1^2}\right) : -\dfrac{1}{3^2} - \left(-\dfrac{1}{2^2}\right) = \dfrac{3}{4} : \dfrac{5}{36}$ $= 27 : 5$이다.

12 ㄴ. A는 바닥상태이고, C는 들뜬상태이다. 바닥상태에서 들뜬상태로 되면 에너지를 흡수한다.

ㄷ. C와 D는 에너지 준위가 같다. 따라서 A에서 C로 변할 때와 A에서 D로 변할 때의 에너지 변화량은 같다.

오답 피하기 ㄱ. A는 질소 원자의 바닥상태 전자 배치이며, C와 D는 질소 원자의 들뜬상태 전자 배치이다. 바닥상태의 전자 배치는 A 뿐이다.

13 바닥상태일 때 원자 X의 홀전자 수는 2개이고, 원자 Y의 홀전자 수는 1개이다. 원자 X와 Y의 안정한 이온은 X^{2-}과 Y^{3+}이고, 홀전자는 모두 0이므로 공통적으로 감소한다.

오답 피하기 ㄱ. X가 전자 2개를 얻어 X^{2-}이 되면 핵전하량은 동일하지만 전자 수가 증가하여 전자 사이에 반발력이 커지므로 반지름이 증가한다. Y는 전자 3개를 잃어 Y^{3+}이 되면 전자 껍질 수가 감소하므로 반지름이 감소한다.

ㄷ. 원자 X의 전자 껍질 수는 2개, 원자 Y의 전자 껍질 수는 3개이다. X^{2-}의 전자 껍질 수와 Y^{3+}의 전자 껍질 수는 모두 2이므로 X는 변화가 없고, Y는 감소한다.

14 [모범 답안]

채점 기준	배점
X와 Y의 전자 배치를 모두 옳게 그린 경우	100 %
둘 중의 하나만 옳게 그린 경우	50 %

15 다전자 오비탈의 에너지 준위는 $2s < 2p_x = 2p_y = 2p_z$이므로 (가) < (나) = (다) = (라)이다.
[모범 답안] (가) < (나) = (다) = (라)

16 전자가 들어 있는 오비탈 수와 홀전자 수로 보아 A는 O, B는 F, C는 Ne이다. 각각의 전자 배치는 다음과 같다.
A(O) : $1s^2 2s^2 2p^4$, B(F) : $1s^2 2s^2 2p^5$, C(Ne) : $1s^2 2s^2 2p^6$
ㄴ. 전자가 들어 있는 전자 껍질 수는 A와 C 모두 2개로 같다.
ㄷ. A의 안정한 이온은 O^{2-}이고, B의 안정한 이온은 F^-이다. 안정한 이온의 반지름은 양성자 수가 작은 O^{2-}이 F^-보다 크다.

오답 피하기 ㄱ. B의 전자 배치는 $1s^2 2s^2 2p^5$이다.

17 ㄷ. (다)는 에너지 준위가 같은 $2p$ 오비탈에 전자가 배치될 때, 홀전자 수가 최대가 되도록 배치되었으므로 훈트 규칙을 만족한다.

오답 피하기 ㄱ. (가)는 전자가 낮은 에너지 준위부터 차례대로 채워지지 않고, $2s$ 오비탈에 있는 전자 1개가 높은 에너지 준위인 $2p$ 오비탈에 배치된 들뜬상태의 전자 배치이다.

ㄴ. (나)에서 (다)의 전자 배치가 될 때 전자가 떨어져 나가야 하므로 에너지가 흡수된다.

18 4가지 이온의 전자 배치로부터 원자 A~D의 바닥상태 전자 배치를 나타내면 다음과 같다.
A : $1s^2 2s^1$, B : $1s^2 2s^2 2p^5$, C : $1s^2 2s^2 2p^4$,
D : $1s^2 2s^2 2p^6 3s^2 3p^6 4s^1$

ㄱ. 원자가 전자는 바닥상태 전자 배치에서 가장 바깥 전자 껍질에 있는 전자로 화학 결합에 관여한다. 원자가 전자 수는 A가 1개, B가 7개, C가 6개, D가 1개로 B가 가장 크다.
ㄴ. A는 2주기 1족 원소, D는 4주기 1족 원소이다.

오답 피하기 ㄷ. B는 2주기 17족 원소인 플루오린(F), C는 2주기 16족 원소인 산소(O)이며, 비금속 원소인 F과 O는 공유 결합을 이루므로 $CB_2(OF_2)$는 공유 결합 물질이다.

19 X~Z는 각각 Mg, N, O이다. (가)~(다) 영역에 해당하는 X~Z의 원자 번호가 X > Z > Y이기 위해서는 X는 3주기, Y와 Z는 2주기여야 한다. 같은 주기에서 원자 번호가 클수록 제1 이온화 에너지가 증가하는데, N과 O에서는 제1 이온화 에너지가 N > O이므로, Y, Z는 각각 N, O이다. 같은 주기에서 원자 번호가 작을수록, 같은 족에서 원자 번호가 클수록 원자 반지름이 증가하므로 (가) 영역에서 원자 반지름이 가장 큰 X는 Mg이다.
ㄱ. X는 3주기 2족 원소이다.

오답 피하기 ㄴ. N, O의 바닥상태 전자 배치는 각각 $1s^2 2s^2 2p^3$, $1s^2 2s^2 2p^4$이므로 홀전자 수는 각각 3, 2이다.
ㄷ. Ne의 전자 배치를 갖는 이온의 반지름은 유효 핵전하가 클수록 작으므로 Z > X이다.

20 순차 이온화 에너지로 전자를 떼어 낼 때 원자가 전자를 모두 떼어 낸 후, 그 다음 전자를 떼어 낼 때는 안쪽 전자 껍질에서 전자가 떨어지게 되어 순차 이온화 에너지가 급격히 증가하게 된다.
ㄱ. 순차 이온화 에너지가 급격히 증가하기 직전까지 떼어 낸 전자 수는 원자가 전자 수와 같으므로, 원자가 전자 수가 x일 때 제$(x+1)$ 이온화 에너지는 급격히 증가한다.
ㄴ. 원자에서 전자를 떼어 낼수록 전자 수가 감소하므로 남아 있는 전자의 유효 핵전하가 증가하여 전자를 떼어 내기 어려워진다. 따라서 순차 이온화 에너지는 차수가 커질수록 증가하고, Be의 순차 이온화 에너지는 $E_3 > E_2$이다.

오답 피하기 ㄷ. 제시된 실험의 탐구 결과에서 알 수 있듯이, $\dfrac{E_{n+1}}{E_n}$가 최대일 때의 n은 원자가 전자 수와 같으므로 $\dfrac{E_{n+1}}{E_n}$가 최대인 n이 6인 원자의 원자가 전자 수는 6이다.

21 2주기 원소 중에서 홀전자가 없는 것은 Be와 Ne이다. 이 중 조건을 만족하는 것은 Ne이므로, 원자 번호 $n+4$인 원소는 Ne에 해당한다.
[모범 답안] (가) C (나) O (다) Ne

채점 기준	배점
(가)~(다)를 모두 옳게 쓴 경우	100 %
(가)~(다) 중 2가지만 옳게 쓴 경우	60 %
(가)~(다) 중 1가지만 옳게 쓴 경우	30 %

22 ㄱ. 원소 A의 순차 이온화 에너지가 E_2와 E_3 사이에서 급격히 증가하였으므로 A는 2족 원소이다.

ㄴ. 같은 주기에서 제1 이온화 에너지는 2족이 13족 원소보다 크므로 A는 3주기, B는 2주기 원소이다.

오답 피하기 ㄷ. 기체 상태에서 B가 B^{3+}이 되는 데 $(E_1+E_2+E_3)$의 에너지가 필요하므로 6.88×10^3 kJ/몰의 에너지가 필요하다.

23 같은 주기에서 원자 번호가 클수록 원자 반지름은 작으므로 원자 번호는 C>D>B>A이다. 또한 2주기에서 원자 번호가 커질수록 제1 이온화 에너지는 증가하는 경향성이 있지만 붕소와 산소에서는 제1 이온화 에너지가 작아진다. C가 D보다 원자 번호는 크지만, 이온화 에너지가 작기 때문에 C는 붕소 또는 산소이다. 또한 C보다 원자 번호가 작은 원소가 3개 존재하므로 C는 붕소가 아닌 산소이다. 따라서 A는 붕소, B는 탄소, D는 질소이다.

ㄱ. 원자 번호는 A가 D보다 작다.

ㄴ. 유효 핵전하의 크기는 C가 D보다 크다.

오답 피하기 ㄷ. A^+과 B^+은 각각 베릴륨(Be)과 붕소(B)의 전자 배치와 같으므로, 제2 이온화 에너지는 A가 B보다 크다.

24 2주기 원소 중 홀전자 수가 1개인 것은 Li, B, F이고, 0인 것은 Be, Ne이다. 제1 이온화 에너지는 Ne>F>Be>B>Li이므로 A는 $_3$Li, B는 $_5$B, C는 $_4$Be, D는 $_9$F이다.

ㄱ. 제2 이온화 에너지가 가장 큰 것은 +1가 이온일 때 He의 전자 배치를 갖는 Li이다.

오답 피하기 ㄴ. $_5$B는 $_4$Be보다 원자 번호가 더 크므로 원자가 전자의 유효 핵전하가 더 크다.

ㄷ. $_4Be^{2+}$은 He의 전자 배치, $_9F^-$은 Ne의 전자 배치이므로 이온의 반지름은 전자 껍질 수가 더 많은 $_9F^-$이 $_4Be^{2+}$보다 크다.

25 C와 D는 X−Y>0이므로 원자 반지름이 안정한 이온의 반지름보다 큰 금속 원소이고, X−Y<0인 A와 B는 비금속 원소이다. 같은 주기의 두 금속 C와 D에서 원자 번호가 클수록 원자 반지름과 안정한 이온의 반지름이 작으므로 'X+Y'가 작은 C는 Al이고, 큰 D는 Mg이다. A와 B에서 'X+Y'가 큰 A는 P이고, 작은 B는 S이다. B와 C의 안정한 이온은 각각 S^{2-}과 Al^{3+}이며 전자가 들어 있는 전자 껍질 수는 S^{2-}은 3, Al^{3+}은 2이다. 등전자 이온인 C와 D의 안정한 이온의 반지름은 원자 번호가 작을수록 크므로 D>C이다.

오답 피하기 ㄱ. A는 인(P)이다.

ㄴ. B와 C의 안정한 이온은 각각 S^{2-}과 Al^{3+}이며 전자가 들어 있는 전자 껍질 수는 S^{2-}은 3, Al^{3+}은 2로 다르다.

Ⅲ. 화학 결합과 분자의 세계

10강 화학 결합의 성질

내신 기출				96~99쪽
01 ⑤	**02** ②	**03** ③	**04** 해설 참조	**05** ③
06 ①	**07** ④	**08** ③	**09** ⑤	**10** ③	**11** ②
12 ⑤	**13** 해설 참조		**14** ⑤	**15** ⑤	**16** ③
17 ①				

01 물과 염화 나트륨을 전기 분해하였으므로 물은 H_2와 O_2가 생성되고, 염화 나트륨은 Na 고체가 석출되며 Cl_2가 생성될 것이다. 실온에서 기체 상태인 물질은 H_2, O_2, Cl_2이며 (+)극에서는 O_2와 Cl_2가 발생한다. O_2는 2중 결합, Cl_2는 단일 결합이므로 A_2는 Cl_2, B_2는 O_2, C는 Na이다.

해설 클리닉
ㄱ. B_2는 O_2이다.
✓ 물을 전기 분해하면 (+)극에서 O_2가 생성된다.
ㄴ. A는 Cl, C는 Na이므로 A와 C는 NaCl의 성분 원소이다.
✓ 전기 분해시 각 극에서 생성되는 물질을 구분할 수 있어야 한다.
ㄷ. B와 C로 이루어진 화합물은 Na_2O로 이온 결합 물질이므로 액체 상태에서 전기 전도성이 있다.
✓ 금속 원소와 비금속 원소가 결합하면 이온 결합 물질이 생성된다.

02 실험 Ⅰ과 실험 Ⅱ에서 일어나는 반응의 화학 반응식은 다음과 같다.

실험 Ⅰ: $2H_2(g)+O_2(g) \longrightarrow 2H_2O(l)$

실험 Ⅱ: $2H_2O(l) \longrightarrow 2H_2(g)+O_2(g)$

ㄴ. 일정한 온도와 압력에서 화학 반응식의 계수비는 기체의 부피비와 같다. 따라서 실험 Ⅱ에서 생성된 기체의 부피는 H_2가 O_2의 2배이다.

오답 피하기 ㄱ. 실험 Ⅰ에서 생성된 물질은 공유 결합 물질이다.

ㄷ. 실험 Ⅱ의 (−)극에서 생성된 기체 분자는 H_2로, 수소 분자는 단일 결합으로 이루어져 있다.

03 ㄱ. 물을 전기 분해하면 (−)극에서는 H_2가 생성되고 (+)극에서는 O_2가 생성된다. 따라서 B_2는 H_2이다.

ㄴ. Na_2A 용융액과 물을 전기 분해하였을 때 (+)극에서 생성된 물질의 종류가 같으므로 O_2이다. 따라서 A는 O이며 Na_2O은 금속 양이온(Na^+)과 비금속 음이온(O^{2-})이 결합한 이온 결합 물질이다.

오답 피하기 ㄷ. Na_2O과 H_2O을 전기 분해했을 때 화학 반응식은 다음과 같다.

$2Na_2O \longrightarrow 4Na + O_2$

$2H_2O \longrightarrow 2H_2 + O_2$

이때 (−)극에서 생성되는 물질은 각각 Na, H_2이며, 같은 양 (mol)(2몰)의 Na_2O과 H_2O을 전기 분해할 때 Na은 4몰이 생성되고 H_2는 2몰이 생성되므로 몰비는 2 : 1이다.

04 [모범 답안] 전원 장치를 사용하여 전류를 흘려 준다.

채점 기준	배점
실험 과정을 옳게 서술한 경우	100 %
실험 과정을 옳게 서술하지 못한 경우	0 %

05 물을 전기 분해하면 수소 기체(H_2)와 산소 기체(O_2)가 발생한다. (−)극에서 H_2가 발생하고, (+)극에서 O_2가 발생하므로 A_2는 H_2이고, B_2는 O_2이다.
ㄱ. LiA는 LiH이고, 금속 원소와 비금속 원소가 결합한 이온 결합 물질이다.
ㄴ. B_2는 산소(O_2)이다.
ㄷ. LiH 용융액을 전기 분해할 때 (−)극에서는 Li이 생성되고, (+)극에서는 H_2가 생성된다.
(+)극: $2H^-(aq) \longrightarrow H_2(g) + 2e^-$
(−)극: $2Li^+(aq) + 2e^- \longrightarrow 2Li(s)$

06 공유 결합 물질의 분해에 관한 실험이므로, 물의 전기 분해에 대한 실험이다.

07 ㄴ. 염화 나트륨 용융액의 전기 분해 실험의 전체 반응식은 $2NaCl(l) \longrightarrow 2Na(l) + Cl_2(g)$이다. 따라서 염화 나트륨 2몰을 전기 분해하면 염소 기체 1몰이 발생한다.
ㄷ. 실험을 통해 이온 결합에 전자가 관여하고 있음을 확인할 수 있다.
오답 피하기 ㄱ. 가열을 하는 것은 염화 나트륨을 액체로 만들기 위해서이다. 염화 나트륨은 이온 결합 화합물로 고체 상태에서는 전류가 흐르지 않아 전기 분해가 불가능하며, 가열하여 액체 상태가 되어야 전류가 흘러 전기 분해가 가능해진다.

08 ㄱ, ㄴ. X 용융액을 전기 분해하면 고체 A와 기체 B_2가 생성되므로 X는 금속 원소 A와 비금속 원소 B로 구성된 이온 결합 물질이다.
오답 피하기 ㄷ. 소량의 X를 첨가한 물을 전기 분해하면 기체 C_2와 D_2가 생성된다. X는 전해질이고 물이 전기 분해된 것이므로 (−)극에서는 H_2가 생성되고, (+)극에서는 O_2가 생성된다. $2H_2O \longrightarrow 2H_2 + O_2$ 반응에 의해 C_2는 H_2, D_2는 O_2이므로 생성되는 C_2와 D_2의 몰비는 2 : 1이다.

09 ㄱ. (+) 전극에서 A^-이 A_2가 된다.
ㄴ. X에서 A와 B는 기체이므로 비금속 원소이고, 공유 결합을 한다.
ㄷ. X를 전기 분해하여 생성된 기체는 $A_2 : B_2 = 1 : 2$이므로 X를 구성하는 성분 원소의 비는 $\dfrac{B \ 원자 \ 수}{A \ 원자 \ 수} = 2$이다.

10 오답 피하기 ㄷ. (가)는 용융, (나)는 용해 과정이고, 이 과정에서 입자들의 배열이 바뀌는 것이고 전자는 이동하지 않는다.

11 공유 결합은 비금속 원자들이 홀전자를 내놓아 전자쌍을 만들어 공유함으로써 18족 원소와 같은 안정한 전자 배치를 이루는 결합이다. C는 가장 바깥 전자 껍질의 전자가 8개가 되려면 전자 1개가 부족하므로 각각 홀전자를 1개씩 내놓아 전자쌍 1개를 공유하여 C_2를 형성한다. B는 가장 바깥 전자 껍질에 전자 8개를 채우기 위해 전자 2개가 부족하므로 각각 홀전자를 2개씩 내놓아 전자쌍 2개를 공유하여 B_2를 형성한다.

해설 클리닉
ㄱ. 원자가 전자 수는 A가 1, B가 6, C가 7, D가 1이므로 A와 D의 원자가 전자 수는 모두 1개로 같다.
✓ 그림에서 원자핵의 전하량은 양성자수, 즉 원자 번호를 나타낸다. 원자 번호를 보고 각 원소의 종류를 알 수 있다.
ㄴ. 공유 결합 수는 B_2가 2개, C_2가 1개이므로 C_2가 B_2보다 적다.
✓ 공유 결합 수는 공유 전자쌍의 개수를 말한다. 즉, 전자 한 쌍(2개)을 공유하면 공유 결합 수는 1개이다.
ㄷ. C는 비금속 원소인 F이고, D는 금속 원소인 Na이다. 화합물 DC는 NaF으로 이온 결합 물질이다.
✓ 비금속 원소와 금속 원소의 결합은 이온 결합이다.

12 A, B, C, D는 각각 He, Be, O, Na이다.
ㄱ. A(He)는 비활성 기체이므로 단원자 상태에서 매우 안정하기 때문에 다른 원자와 화학 결합을 형성하지 않는다.
ㄴ. B와 D는 전자를 얻어 옥텟 규칙을 만족하는 것보다 전자를 잃어 옥텟 규칙을 만족하는 것이 훨씬 유리하기 때문에 양이온이 되기 쉽다.
ㄷ. C는 전자 2개를 얻어 C^{2-}이 되어 Ne의 전자 배치를 가지게 되고, D는 전자 1개를 잃어 D^+이 되어 마찬가지로 Ne의 전자 배치를 가지게 된다.

13 Ne은 $1s^2 2s^2 2p^6$의 전자 배치로 총 10개의 전자를 갖는다. Ca은 $1s^2 2s^2 2p^6 3s^2 3p^6 4s^2$의 전자 배치로 총 20개의 전자를 갖지만, Ca^{2+}은 Ca이 전자 2개를 잃어 Ar과 같은 $1s^2 2s^2 2p^6 3s^2 3p^6$의 전자 배치를 갖는다. Na은 $1s^2 2s^2 2p^6 3s^1$의 전자 배치로 총 11개의 전자를 갖지만, Na^+은 Na이 전자 1개를 잃어 Ne과 같은 $1s^2 2s^2 2p^6$의 전자 배치를 갖는다. F은 $1s^2 2s^2 2p^5$의 전자 배치로 총 9개의 전자를 갖지만, F^-은 F이 전자 1개를 얻어 Ne과 같은 $1s^2 2s^2 2p^6$의 전자 배치를 갖는다. O는 $1s^2 2s^2 2p^4$의 전자 배치로 총 8개의 전자를 갖지만, O^{2-}은 O가 전자 2개를 얻어 Ne과 같은 $1s^2 2s^2 2p^6$의 전자 배치를 갖는다. 따라서 Ne의 전자 배치와 같은 이온은 Na^+, F^-, O^{2-}이다.
[모범 답안] Na^+, F^-, O^{2-}

채점 기준	배점
이온을 모두 옳게 쓴 경우	100 %

14 원자가 전자 수는 반응에 참여하는 전자의 수로 비활성 기체

의 원자가 전자 수는 모두 0이다. 비활성 기체는 모두 안정한 전자 배치를 이루므로 반응성이 거의 없고, 이름에서 알 수 있듯이 실온에서 기체이다.

14 각각의 원자가 옥텟 규칙을 만족하기 위해서는 A는 $1s^2 2s^2 2p^4$에서 전자 2개를 얻어 A^{2-}이 되고, B는 $1s^2 2s^2 2p^6 3s^2 3p^1$에서 전자 3개를 잃고 B^{3+}이 된다. C는 $1s^2 2s^2 2p^6 3s^2$에서 전자 2개를 잃고 C^{2+}이 되고, D는 $1s^2 2s^2 2p^6 3s^2 3p^5$에서 전자 1개를 얻어 D^-이 된다. A~D가 옥텟 규칙을 만족하기 위해 각각 잃거나 얻는 전자의 개수를 모두 더하면 2+3+2+1=8이다.

16 A는 N, B는 O, C는 P이다. A와 B는 같은 2주기 원소이고, A와 C는 원자가 전자 수가 같아 화학적 성질이 비슷하다.
（오답 피하기） ㄷ. 원자가 전자 수는 B가 6개, C가 5개로 B가 C보다 크다.

17 A는 He, B는 Ne이다.
（오답 피하기） ㄴ. 비활성 기체는 전자를 잃거나 얻지 않는다.
ㄷ. 비활성 기체는 실온에서 안정한 기체로 존재한다.

11강 화학 결합의 종류

내신 기출				105~109쪽
01 ④	02 해설 참조	03 ①	04 ③	05 ⑤
06 ④	07 ④	08 해설 참조	09 ③	10 ①
11 ①	12 ⑤	13 ④	14 ①	15 ③
16 해설 참조		17 해설 참조	18 ①	19 ①
20 ④				

01 두 이온 사이의 핵 간 거리가 짧을수록 결합 에너지가 크고, NaCl이 KCl보다 핵 간 거리가 짧으므로 결합 에너지가 크다.

해설 클리닉	
ㄱ. $\frac{r_0}{2}$은 Na^+의 반지름이 아니라 Na^+과 Cl^- 사이 거리의 $\frac{1}{2}$이다.	
✓ 이온 간 거리의 정의에 대해 정확히 알아야 한다.	
ㄴ. Li의 이온화 에너지는 Na보다 크므로 $LiCl(g)$이 생성될 때 E_1는 커진다.	
✓ 이온의 전하량이 같은 경우, 이온 간 거리가 짧을수록 결합력이 세다.	
ㄷ. $KCl(g)$이 생성될 때 핵 간 거리가 길어지므로 결합 에너지가 작아진다.	
✓ 두 이온 사이의 핵간 거리가 길어지면 이온 결합력이 작아진다.	

02 이온 결합 물질의 녹는점은 이온 결합력이 클수록 높다. 이온 결합력의 세기는 전하량이 클수록 세고, 전하량이 같은 경우 이온 간 거리가 짧을수록 결합력이 세다. 녹는점이 가장 높은 (다)가 MgO이고, 이온 간 거리가 짧은 NaF의 녹는점이 NaBr보다 높으므로 (나)가 NaF, (가)가 NaBr이다.
[모범 답안] (가) NaBr (나) NaF (다) MgO

채점 기준	배점
(가)~(다)를 모두 옳게 쓴 경우	100 %
일부만 옳게 쓴 경우	30 %

03 각 원자핵의 전하량으로 원자 번호를 알 수 있다. A는 F, B는 Mg, C는 Cl이다.
ㄱ. B는 원자가 전자가 2개인 금속 원소이고 C는 원자가 전자가 7개인 비금속 원소이다. 따라서 B와 C가 안정한 이온이 되기 위해서는 각각 B^{2+}, C^-이 되므로 B와 C로 이루어진 화합물의 화학식은 BC_2이다.
（오답 피하기） ㄴ. 같은 주기의 원자는 원자 번호가 클수록 유효 핵전하가 커진다. B와 C는 같은 주기이므로 유효 핵전하는 B가 C보다 작다.
ㄷ. A^-과 B^{2+}은 전자 수가 같으므로 핵전하량이 큰 B^{2+}의 반지름이 A^-의 반지름보다 작다.

04 ㄱ. Cl^-이 Br^-보다 이온 반지름이 작으므로 r_0는 KCl이 KBr보다 작다.
ㄷ. 이온 사이의 거리가 짧을수록 녹는점이 높다. KCl은 +1가의 양이온과 -1가의 음이온이 이온 결합을 하여 생성되고, CaO은 +2가의 양이온과 -2가의 음이온이 이온 결합을 하여 생성되었으므로 CaO의 녹는점이 훨씬 높다.
（오답 피하기） ㄴ. MgO가 CaO보다 이온 사이의 거리가 짧아 결합력이 강하므로 이온 결합이 형성될 때 방출되는 에너지(E)는 MgO이 CaO보다 크다.

05 ㄱ. X^-과 Y^-은 Na^+과 각각 1 : 1의 개수비로 결합하고 있으며, 에너지가 가장 낮은 지점에서 이온 사이의 거리는 NaY가 NaX보다 더 멀기 때문에 Y^-의 반지름이 X^-의 반지름보다 크다는 것을 알 수 있다. 즉, Y가 X보다 더 큰 주기의 원소이므로 X가 Y보다 원자 번호가 작다.
ㄴ. 이온 결합이 형성되는 지점에서 $NaX(g)$의 에너지가 $NaY(g)$의 에너지보다 낮으므로 NaX가 더 강한 결합을 한다고 예측할 수 있다. 따라서 이온 간에 더 강한 결합을 하고 있는 $NaX(s)$의 녹는점이 $NaY(s)$의 녹는점보다 더 높다.
ㄷ. 결합 길이는 $NaX(g)$가 $NaY(g)$보다 짧으므로 이온 간 반발력이 우세하게 작용하는 이온 간 거리 구간은 $NaX(g)$가 $NaY(g)$보다 짧다.

06 ㄴ. 염화 나트륨 고체는 전류가 흐르지 않지만 염화 나트륨 용융액은 전류가 흐른다.
ㄹ. 염화 나트륨이 고체에서 액체로 변하면 이온 사이의 거리가 조금 멀어지게 된다.

오답 피하기 ㄱ, ㄷ. 염화 나트륨 고체를 가열하여 용융시켜도 질량은 변하지 않으며, 이온들의 결합 배열만 달라질 뿐 전하량의 총합은 변화가 없다.

07 물질 AB의 화합 결합 모형은 A^{2+}과 B^{2-}이 결합한 것이다. A^{2+}은 A가 전자 2개를 잃어 생성된 이온이며 A의 원자가 전자는 2개이다. B^{2-}은 B가 전자 2개를 얻어 생성된 이온이며, B의 원자가 전자는 6개이다. 물질 C_2는 C 원자 2개가 각각 전자 1개를 내놓아 만든 전자쌍 1개를 공유하면서 결합을 형성하고, C의 원자가 전자는 7개이다.

해설클리닉	ㄱ. AB는 A^{2+}과 B^{2-}이 정전기적 인력으로 화학 결합을 형성한 이온 결합 물질이다.
	✓ 이온 결합 물질은 액체 상태에서 이온이 자유롭게 이동할 수 있으므로 전기 전도성이 있다.
	ㄴ. 공유 전자쌍 수는 B_2는 2개, C_2는 1개이다.
	✓ B는 원자가 전자가 6개이므로 B_2는 2중 결합을 하며, C는 원자가 전자가 7개이므로 C_2는 단일 결합을 한다.
	ㄷ. A와 C의 안정한 화합물은 AC_2이다.
	✓ A는 전자 2개를 잃어 A^{2+}이 되고, C는 전자 1개를 얻어 C^-이 되므로 A^{2+}과 C^-이 1 : 2의 개수비로 결합한다.

08 A는 Na, B는 O, C는 H이고, 물질 ABC는 NaOH이다. NaOH에서 OH^-은 공유 결합으로 형성되어 있고, Na^+과 OH^-은 이온 결합으로 형성되어 있으므로 전체적으로 이온 결합 물질이 된다. 이온 결합 물질은 고체일 때는 전류가 흐르지 않지만, 액체나 수용액 상태에서는 전류가 흐른다.
(1) [모범 답안] 이온 결합, 공유 결합
(2) [모범 답안] 물질 ABC는 이온 결합 물질이다. 따라서 고체 상태에서는 전기 전도성이 없지만, 가열하여 용융시키거나 물에 녹여 수용액 상태를 만들면 전기 전도성을 나타낸다.

	채점 기준	배점
(1)	이온 결합, 공유 결합을 모두 쓴 경우	40 %
	둘 중 하나만 쓴 경우	20 %
(2)	물질 ABC가 이온 결합 물질임을 밝히고, 이온 결합 물질의 정전기적 성질을 옳게 서술한 경우	60 %
	물질 ABC가 이온 결합 물질임만을 밝히지 않고, 이온 결합 물질의 정전기적 성질을 옳게 서술한 경우	40 %
	물질 ABC가 이온 결합 물질임을 밝혔지만, 이온 결합 물질의 정전기적 성질을 옳게 서술하지 못한 경우	20 %

09 화학 결합 모형에서 A는 +1가의 양이온이므로 전자가 3개인 Li이다. B와 C는 단일 결합을 이루고 있고 전체적으로 -1가의 음이온이므로 B는 O, C는 H이다. X는 A 2개와 B 1개로 구성되어 있으므로 A_2B인 Li_2O이고, Y는 B 1개와 C 2개로 이루어져 있으므로 C_2B인 H_2O이다.
ㄱ. Y는 비금속 원소인 O와 H가 결합하여 생성된 물질이므로 공유 결합 화합물이다.
ㄷ. Y에서 B는 원자가 전자가 6개이므로 C 2개와 각각 단일 결합을 형성하며, 옥텟 규칙을 만족한다.

오답 피하기 ㄴ. X는 금속 Li와 비금속 O로 이루어진 이온 결합 화합물이므로 액체 상태에서 이온이 자유롭게 움직일 수 있어 전기 전도성이 있다. 그러나 Y는 공유 결합 화합물로, 액체 상태에서 이온으로 분리되지 않으므로 액체 상태에서 전기 전도성이 없다.

10 ㄱ. 이산화 탄소에서 탄소와 산소는 모두 옥텟 규칙을 만족한다.
오답 피하기 ㄴ. (나) 드라이아이스는 분자 결정으로 고체 상태에서 전기 전도성이 없다.
ㄷ. (나)에서 분자 내의 원자 사이에는 공유 결합이 존재하지만, 각 분자 사이에는 분산력이라고 하는 매우 약한 인력이 작용하여 결정을 이룬다. 분산력은 분자와 분자 사이에 작용하는 힘의 한 종류로, 순간적으로 무극성 분자와 무극성 분자 사이에 전기적 힘이 작용하여 생기는 분자 간 힘이다.

11 ㄱ. 핵 간 거리가 $X_2 < Y_2 < Z_2$ 순서로 커지므로 원자 반지름도 X < Y < Z 순서로 커진다. 세 원자 모두 할로젠 원소이므로 원자 반지름이 가장 작은 X의 주기가 가장 작고, Y, Z 순으로 주기가 증가한다.
오답 피하기 ㄴ. 최소 에너지는 Y_2가 X_2보다 낮으므로 결합 에너지는 Y_2가 X_2보다 크다.
ㄷ. 결합의 최소 에너지가 모두 0 이하의 값을 가지므로 할로젠 원소가 이원자 분자를 형성할 때 에너지를 방출함을 알 수 있다.

12 A~D는 각각 Na, O, H, Cl이다.
① 화학 결합 모형을 식으로 나타내면 $ABC + CD \longrightarrow AD + X(C_2B)$ 이므로 $NaOH + HCl \longrightarrow NaCl + X(H_2O)$이다. 따라서 X는 C_2B이다.
② ABC에서 A는 가장 바깥 껍질에 전자가 8개이므로 옥텟 규칙을 만족한다.
③ CD는 C와 D가 1개의 전자쌍을 공유하여 생성된 공유 결합 물질이다.
④ AD는 금속 양이온(Na^+)과 비금속 음이온(Cl^-)이 결합하여 생성된 이온 결합 물질이다. 이온 결합 물질은 액체 상태에서 전기 전도성이 있다.
오답 피하기 ⑤ X는 H_2O로 비공유 전자쌍이 2개이고, B_2는 O_2로 비공유 전자쌍이 4개이다.

13 A^+의 전자가 10개이므로 A 원자의 전자는 11개이고, BC^-의 전자가 14개이므로 BC의 전자는 13개이다. B가 C보다 원자 번호가 작기 때문에 B 원자의 전자는 6개, C 원자의 전자는 7개이다. 따라서 A는 나트륨(Na), B는 탄소(C), C는 질소(N)로 ABC는 NaCN이다.
ㄴ. NaCN은 금속 원소인 Na과 비금속 원소인 C와 N이 결합한 이온 결합 물질로 액체 상태에서 전기 전도성이 있다.
ㄷ. C_2는 N_2로 공유 전자쌍 수는 3이다.
오답 피하기 ㄱ. A는 Na으로 3주기 원소, B는 C로 2주기 원소이므로 다른 주기의 원소이다.

14 원소 A, B, C, D, E는 각각 수소(H), 탄소(C), 산소(O), 플루오린(F), 마그네슘(Mg)이므로 (가)는 HF, (나)는 H_2O, (다)는 CF_4, (라)는 Mg_xF_y이다.
ㄱ. 공유 결합 물질은 비금속 원소 사이의 공유 결합으로 이루어진 물질이다. (가)~(라) 중 공유 결합 물질은 HF, H_2O, CF_4이므로 3가지이다.
오답 피하기 ㄴ. (나)는 H_2O로 공유 결합 화합물이다.
ㄷ. E_xD_y는 Mg^{2+}과 F^-이 1 : 2의 비로 결합하여 생성된다. 따라서 x는 1, y는 2이므로 x는 y보다 작다.

15 (가)는 금속 결합 모형, (나)는 이온 결합 모형, (다)는 수용액 상태의 이온 결합 물질을 모형으로 나타낸 것이다.

> 해설 클리닉
> ㄱ. 칼륨은 금속으로 자유 전자가 있으므로 열전도성이 크다.
> ✔ 금속을 가열하면 높은 온도에서 큰 운동 에너지를 가진 자유 전자가 이동하며 열을 전달한다.
> ㄴ. 염화 칼륨(KCl) 수용액에 전원 장치를 연결하면 양이온인 K^+은 (−)극으로 이동하고, 음이온인 Cl^-은 (+)극으로 이동한다.
> ✔ 이온 결합 물질은 수용액 상태에서 양이온과 음이온으로 존재한다.
> ㄷ. (−) 전하를 띤 입자는 (가)에서는 자유 전자이고, (나)와 (다)에서는 Cl^-이다.
> ✔ 금속 결합 물질은 양이온과 자유 전자의 정전기적 인력에 의한 결합으로 형성되고, 이온 결합 물질은 양이온과 음이온의 정전기적 인력에 의한 결합으로 형성된다.

16 금속 나트륨은 전류가 잘 흐르는 도체이다. 하지만 나트륨을 공기 중에 방치해 두면 나트륨이 공기 중의 산소와 반응하여 나트륨 표면에 산화 나트륨이 형성된다. 산화 나트륨은 이온 결합 물질이므로 전류가 흐르지 않게 된다. 산화 나트륨 표면을 뚫고 깊숙이 전극을 꽂으면 반응하지 않은 나트륨에서 전류가 흐르게 된다. 염화 나트륨은 이온 결합 물질로 고체 상태에서는 전류가 흐르지 않는다.
[모범 답안] 금속 나트륨은 전구에 불이 켜졌으므로 전기 전도성이 있고, 고체 염화 나트륨은 전기 전도성이 없다.

채점 기준	배점
전기 전도성을 옳게 비교한 경우	100 %
전기 전도성을 옳게 비교하지 못한 경우	50 %

17 (1) [모범 답안] (가) A (나) B
(2) [모범 답안] (가)는 이온 결합 물질이므로 용융 상태에서만 전기 전도성이 있는 A이고, (나)는 금속 결합 물질이므로 고체 상태와 용융 상태에서 모두 전기 전도성이 있는 B이다.

	채점 기준	배점
(1)	(가)와 (나)를 모두 옳게 고른 경우	40 %
	둘 중 하나만 옳게 고른 경우	20 %
(2)	(가)와 (나)의 결합의 종류와 전기 전도성을 연관지어 옳게 서술한 경우	60 %
	(가)와 (나)의 전기적 성질로만 서술한 경우	40 %
	(가)와 (나)의 결합의 종류로만 서술한 경우	20 %

18 ㄱ. 금속 결합 물질 모형에서 양이온과 자유 전자의 개수비가 1 : 2이며, 금속 산화물의 화학식 MO에서 O의 이온이 −2가 음이온이므로 M의 이온은 +2가 양이온이다.
오답 피하기 ㄴ. 금속인 M에 전류를 흘려주면 자유 전자가 (+)극 쪽으로 이동하고 양이온은 이동하지 않는다.
ㄷ. 금속 산화물인 MO는 금속 양이온과 비금속 음이온이 결합한 이온 결합 물질이므로 연성과 전성이 없다. 금속에 힘을 가해 금속 양이온이 다른 위치로 이동하더라도, 자유 전자가 있으므로 강한 정전기적 인력이 작용한다. 따라서 가늘게 뽑을 수 있거나 얇게 펴지는 연성과 전성은 금속의 성질이다.

19 A와 B는 3주기 금속 원소이므로 A는 나트륨(Na), B는 마그네슘(Mg)이다.
ㄱ. 같은 주기 금속 원소에서 금속 양이온의 전하량이 커지면 자유 전자와의 인력이 증가하여 녹는점이 높아진다. 따라서 금속 A의 녹는점은 금속 B의 녹는점보다 낮다.
오답 피하기 ㄴ. 나트륨은 산소와 반응하여 Na_2O이 되므로 원자 수비는 Na : O = 2 : 1이고, 마그네슘은 산소와 반응하여 MgO이 되므로 원자 수비는 Mg : O = 1 : 1이다. 즉, 1몰의 산소(O_2)와 반응하는 양(mol)은 나트륨 : 마그네슘 = 2 : 1이다.
ㄷ. 금속에 전류를 흘려 주면 금속 양이온은 움직이지 않고, 자유 전자만 (+)극 쪽으로 이동하여 전류를 흐르게 한다.

20 고체 상태의 전기 전도성 유무로 C(흑연), Fe과 $CuCl_2$, C(다이아몬드)로 구분할 수 있다. 따라서 (가)에는 "고체일 때 전류가 흐르는가?"가 적당하다. 힘을 가하면 부스러지는지의 여부로 원자 결정인 C(흑연)과 금속 결정인 Fe을 구분할 수 있고, 이온 결정인 $CuCl_2$와 원자 결정인 C(다이아몬드)를 구분할 수 있다. 따라서 (나)에는 "힘을 가하면 쉽게 부스러지는가?"가 적당하다.

12강 결합의 극성

내신 기출				114~117쪽
01 ④	**02** ③	**03** 해설 참조	**04** ③	**05** ①
06 ③	**07** ⑤	**08** ⑤	**09** ②	**10** ④	**11** ①
12 해설 참조	**13** ③	**14** ②	**15** ⑤	**16** ①
17 ②	**18** 해설 참조	**19** ④		

01 전자의 개수를 통해 각 원소를 파악하면 A는 질소, B는 수소, C는 플루오린이다.

02 W~Z 중 W의 원자 반지름은 가장 크고 전기 음성도가 가장 작으며 이온화 에너지는 X보다 작으므로 3주기 13족 원소인 Al이다. X도 13족 원소이므로 X는 2주기 13족 원소인 B이다. 원자 반지름은 같은 주기에서 원자 번호가 클수록 작아지는데, Y, Z의 원자 반지름이 X보다는 크고 W보다는 작으므로 Y, Z는 모두 3주기 원소이다. 또한 전기 음성도는 Y가 Z보다 크고 이온화 에너지는 Z가 Y보다 크므로 Y는 3주기 16족 원소인 S, Z는 3주기 15족 원소인 P이다.

ㄱ. 13족 원소인 X의 원자 반지름이 가장 작으므로 X는 2주기 원소이다.

ㄴ. Y는 16족 원소, Z는 15족 원소이므로 원자가 전자 수는 Y가 Z보다 크다.

오답 피하기 ㄷ. W~Z 중 W는 이온화 에너지, 전기 음성도가 가장 작고, 원자 반지름이 가장 크므로 3주기 13족 원소이다.

03 극성이 가장 작은 결합은 전기 음성도 차이가 가장 작은 A와 D의 결합이고, 극성이 가장 큰 결합은 전기 음성도 차이가 가장 큰 B와 C의 결합이다.

[모범 답안] (가) A—D, (나) B—C

채점 기준	배점
(가)와 (나) 모두 옳게 쓴 경우	100 %
둘 중의 하나만 옳게 쓴 경우	50 %

04 N−H 결합의 전기 음성도 차이는 0.9이다. 〈보기〉에서 각 결합의 전기 음성도 차이는 N−F가 1.0, O−H가 1.4, Li−F가 3.0인데, Li−F는 금속 원소와 비금속 원소의 결합이므로 이온 결합이다. 따라서 N−F와 O−H 결합만이 N−H 결합보다 극성이 큰 공유 결합이다.

05 (가)는 구성 원소 간 전기 음성도 차이가 1.0이므로 H, C, N, O 중 C와 O이다. C와 O가 총 3개의 원자 수로 결합할 수 있는 분자는 CO_2이다. (나)는 구성 원소 간 전기 음성도 차이가 1.4이므로 H와 O이고, 분자는 H_2O이다. (다)는 구성 원소 간 전기 음성도 차이가 0.9이므로 H와 N이고, 분자는 NH_3이다. X는 O, Y는 N, Z는 H, W는 C이다.

오답 피하기 ㄴ. (가)에서 X는 부분적인 음전하(δ^-)를 띤다.

ㄷ. X의 전기 음성도는 3.5, Y의 전기 음성도는 3.0으로 X가 Y보다 전기 음성도가 크다.

06 ㄱ. (가)의 C와 H, (나)의 C와 F는 둘 다 서로 다른 종류의 원자끼리 공유 결합을 하고 있으므로 전기 음성도 차이에 의해 극성 공유 결합을 한다.

ㄷ. 탄소는 수소보다 전기 음성도가 크므로 (가)에서 탄소는 부분적인 음전하를 띤다. 또 탄소는 플루오린보다 전기 음성도가 작으므로 (나)에서 탄소는 부분적인 양전하를 띤다. 따라서 (가)와 (나)에서 탄소의 부분 전하의 부호는 반대이다.

오답 피하기 ㄴ. 탄소의 전기 음성도는 탄소 고유의 값이므로 다른 원소와 결합하더라도 변하지 않는다. 즉, (가)와 (나)의 탄소는 전기 음성도가 같다.

07 전자의 수로 보아 A는 F, B는 C, C는 N, D는 Mg, F는 O이다.

08 X~Z는 2주기 원소이고, Li과 X는 2 : 1로 결합하였으므로 X는 O, O와 Y가 1 : 2로 결합하였으므로 Y는 F, Z와 F는 1 : 4로 결합하였으므로 Z는 C이고, (가)~(다)는 각각 Li_2O, OF_2, CF_4이다.

09 전자의 수로 보아 X는 O, Y는 F, Z는 C이고, (가)는 OF_2, (나)는 CO_2이다.

ㄱ. (가)는 OF_2로 극성 분자이다.

오답 피하기 ㄷ. ZY_4는 CF_4로 단일 결합으로 이루어져 있다.

10 ㄴ. 공유 전자쌍의 수는 HCN가 4개, C_2H_2이 5개로 C_2H_2이 HCN보다 많다.

ㄷ. 물에 대한 용해도는 극성 분자인 HCN가 더 크다.

오답 피하기 ㄱ. HCN에는 극성 공유 결합만 있다.

11 (가)에서 탄소 원자는 4개의 탄소 원자와 무극성 공유 결합을 하고, (나)에서 탄소 원자는 4개의 수소 원자와 극성 공유 결합을 한다.

오답 피하기 ㄴ. (가)는 무극성 공유 결합, (나)는 극성 공유 결합을 한다.

ㄷ. 1몰의 질량은 (나)가 16, (가)가 12로 (나)가 (가)보다 크다.

12 극성 공유 결합에서는 결합하는 원자들 사이에 전기 음성도 차이가 존재하여 공유 전자쌍의 쏠림 현상으로 부분 전하가 나타난다. 전기 음성도가 더 큰 원자가 부분적인 음전하를 띠고, 전기 음성도가 더 작은 원자가 부분적인 양전하를 띤다.

[모범 답안] ㉠ 전기 음성도 ㉡ 음전하 ㉢ 양전하

채점 기준	배점
㉠~㉢을 모두 옳게 쓴 경우	100 %
㉠~㉢ 중 2가지만 옳게 쓴 경우	60 %
㉠~㉢ 중 1가지만 옳게 쓴 경우	30 %

13 ㄱ. 이산화 탄소는 대칭 구조를 이루어 쌍극자 모멘트가 서로 상쇄되어 그 합이 0이 되므로 무극성 분자이다.

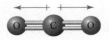

무극성 분자
(쌍극자 모멘트의 합 = 0)

ㄷ. 물 분자에 있는 산소는 6개의 원자가 전자 중에 2개만 수소와 공유 결합을 하고 나머지 4개는 결합에 참여하지 않는다.

오답 피하기 ㄴ. 분자 사이의 인력이 클수록 끓는점이 높아지므로 25 °C일 때 물이 액체, 이산화 탄소가 기체임을 고려하면 물이 이산화 탄소보다 분자 사이의 인력이 크다.

14 AB_2의 전기 음성도는 A가 δ^+, B가 δ^-이므로 A가 B보다 전기 음성도가 작다. BC_2의 전기 음성도는 B가 δ^+, C가 δ^-이므로 B가 C보다 전기 음성도가 작다.

> 해설 클리닉
>
> ㄱ. A~C의 전기 음성도를 비교하면 A<B<C이다.
> ✓ 결합의 극성과 전기 음성도를 관련지어 생각할 수 있어야 한다.
>
> ㄴ. AB_2는 극성 공유 결합이지만 대칭 구조이며 직선형으로, 무극성 분자이고 쌍극자 모멘트의 합이 0이다.
> ✓ 결합이 극성인 것과 극성 분자인 것의 차이를 알아야 한다.
>
> ㄷ. 2주기 원소의 화합물이 AB_2와 같은 대칭 구조이면 비공유 전자쌍이 없다. BC_2는 굽은 형 구조이므로 중심 원자에 공유 전자쌍 2개와 비공유 전자쌍 2개가 있다.
> ✓ 여러 가지 분자 구조의 특성을 알아야 한다.

15 ⑤ 쌍극자 모멘트의 크기는 전하량과 두 전하 사이의 거리의 곱으로 나타낸다.

오답 피하기 ① 쌍극자 모멘트는 크기와 방향을 갖는 벡터량이다.
② 결합의 쌍극자 모멘트 값이 0이면 그 결합은 무극성 공유 결합이다.
③ 쌍극자 모멘트를 나타낼 때 화살표가 향하는 방향이 부분적인 음전하(δ^-)를 띤다.
④ 쌍극자 모멘트 값이 클수록 극성은 커진다.

16 CO_2와 BCl_3는 모두 극성 공유 결합을 하고 있는 무극성 분자이다.

ㄱ. CO_2와 BCl_3를 이루는 분자 내 모든 결합은 극성 공유 결합이므로 결합의 쌍극자 모멘트는 0이 아니다.

오답 피하기 ㄴ. CO_2에서 C와 O는 옥텟 규칙을 만족하고 있지만, BCl_3에서 중심 원소 B는 가장 바깥 전자 껍질의 전자가 6개로 옥텟 규칙을 만족하지 않는다.
ㄷ. CO_2는 C=O 결합만 2개이고, BCl_3는 B−Cl 결합만 3개이므로 모두 다른 종류의 원자끼리 결합하였다. 따라서 두 분자 모두 극성 공유 결합만 있다.

17 중심 원자인 탄소(C)와 전기 음성도 차이가 가장 큰 원자가 결합한 경우 쌍극자 모멘트가 가장 크다. H, F, Br, Cl 중 플루오린(F)의 전기 음성도가 4.0으로 가장 크므로 쌍극자 모멘트 값이 가장 큰 결합은 C−F 결합이다.

18 LiCl은 이온 결합 물질이며, CH_4과 O_2는 공유 결합 물질이다. 따라서 (가)는 LiCl이고, (나)는 극성 공유 결합을 하는 CH_4이고, (다)는 무극성 공유 결합을 하는 O_2이다.
[모범 답안] (가) LiCl (나) CH_4 (다) O_2

채점 기준	배점
(가)~(다) 모두 옳게 쓴 경우	100 %
(가)~(다) 중 일부만 옳게 쓴 경우	30 %

19 AC가 부분 전하의 크기와 전기 음성도 차이 모두 가장 크므로 HF이며, BC가 분자량이 가장 크므로 FCl이다. 이로부터 A, B, C가 각각 H, Cl, F임을 알 수 있다.
ㄴ. AB(HCl)와 AC(HF)에는 비공유 전자쌍이 3개씩 존재하고, BC(F−Cl)에는 비공유 전자쌍이 6개 존재한다.
ㄷ. 전기 음성도는 C(F)>B(Cl)>A(H) 순이다.

오답 피하기 ㄱ. 전기 음성도 차이가 가장 큰 AC의 쌍극자 모멘트가 가장 크다.

13강 분자의 구조

내신 기출					123~127쪽
01 ⑤	**02** ⑤	**03** ⑤	**04** ④	**05** ④	**06** ①
07 ③	**08** ③	**09** ③	**10** 해설 참조		
11 해설 참조		**12** ④	**13** ⑤	**14** ③	**15** ②
16 ③	**17** ⑤	**18** ③	**19** ④	**20** ①	
21 해설 참조		**22** 해설 참조			

01 1, 2주기 비금속 원소로 이루어진 루이스 전자점식이므로 X는 수소, Y는 탄소, Z는 질소, W는 산소이다.

> 해설 클리닉
>
> ㄱ. 전기 음성도는 O>N>C 이므로 W>Z>Y이다.
> ✓ 전기 음성도는 같은 주기에서 원자 번호가 커질수록 크다.
>
> ㄴ. Z_2는 N_2로 구조식은 N≡N이며, 공유 전자쌍 수는 3개이다. W_2는 O_2로 구조식은 O=O이며, 공유 전자쌍 수가 2개이다. 따라서 공유 전자쌍 수는 Z_2가 W_2보다 많다.
> ✓ 2중 결합의 공유 전자쌍 수는 2개, 3중 결합의 공유 전자쌍 수는 3개이다.
>
> ㄷ. 분자 XYZ의 구조식은 H−C≡N으로 중심 원자 C에 비공유 전자쌍이 없다.
> ✓ 중심 원자에 4개의 결합이 있으므로 비공유 전자쌍이 없다.

02 ① C와 O 사이의 결합은 2중 결합이다.
② 구성 원자는 C 1개, H 2개, O 1개로 총 4개이다.
③ 탄소는 중심 원자이다.
④ 폼알데하이드의 분자 구조는 평면 삼각형으로 모든 원자들이 한 평면에 존재한다.

오답 피하기 ⑤ 폼알데하이드는 평면 삼각형 구조를 가지므로, H−C−H 결합각은 $180°$보다 작다.

03 입체 구조이면서 무극성 분자인 것은 CH_4 뿐이다. CH_4은 극성 공유 결합으로 이루어져 있지만, 분자 구조가 대칭 구조이므로 결합의 쌍극자 모멘트 합이 0인 무극성 분자이다.
오답 피하기 ① N_2는 평면 구조이면서 무극성 분자이다.
② OF_2는 평면 구조이면서 극성 분자이다.
③ NH_3는 입체 구조이면서 극성 분자이다.
④ BCl_3는 평면 구조이면서 무극성 분자이다.

04 A는 N, B는 O, C는 F이다.
ㄴ. 분자 X를 구성하는 원소 A, B, C의 전기 음성도가 서로 다르므로 분자 내 결합은 극성 공유 결합이다.
ㄷ. 분자 구조가 B=A−C이므로 공유 전자쌍은 3개이다.
오답 피하기 ㄱ. 분자 X에서 세 원자 A, B, C가 옥텟 규칙을 만족하므로 A는 공유 전자쌍 3개, B는 2개, C는 1개를 갖는다. 따라서 분자 구조는 B=A−C이므로 중심 원자는 A이다.

05 ㄱ. 극성 공유 결합은 전기 음성도가 다른 두 원자 사이의 공유 결합이다. (가)에서 전기 음성도가 다른 C와 O가 극성 공유 결합을 하고 있으며, (나)에서 전기 음성도가 다른 B와 F이 극성 공유 결합을 하고 있다.
ㄷ. (가)와 (나)는 각각 직선형, 평면 삼각형 구조이므로 둘 다 쌍극자 모멘트의 합은 0이다. 따라서 (가)와 (나)는 무극성 분자이다.
오답 피하기 ㄴ. 옥텟 규칙은 가장 바깥 전자 껍질에 8개의 전자를 가질 때 가장 안정하다는 규칙이다. (가)의 중심 원자인 C는 2개의 2중 결합을 형성하고 있으므로 총 8개의 전자를 가지고 있다. (나)의 중심 원자인 B는 3개의 단일 결합을 형성하고 있어 총 6개의 전자를 가지고 있으므로 옥텟 규칙을 만족하지 못한다.

06 (가)는 XY_2, (나)는 YZ_2이고 (가)의 루이스 전자점식은 :Ÿ::X::Ÿ:, (나)의 루이스 전자점식은 :Z̈:Ÿ:Z̈:이다.
ㄱ. 한 분자를 구성하는 Y 원자 수는 (가)가 2개, (나)가 1개이므로 (가)가 (나)보다 많다.
오답 피하기 ㄴ. (나)에 있는 비공유 전자쌍은 8개이다.

ㄷ. (가)는 직선형 구조, (나)는 굽은 형 구조이므로 결합각은 (가)가 (나)보다 크다.

07 제시된 분자의 구성 조건을 만족하는 2주기 원소로 이루어진 분자는 CO_2, FCN, CF_4, NF_4, OF_2 등이 있다. (가)는 구성 원소 수가 3가지이고, 결합각이 $180°$이면서

$\dfrac{\text{비공유 전자쌍 수}}{\text{공유 전자쌍 수}}=1$이므로 FCN에 해당한다. (나)는 $\dfrac{\text{비공유 전자쌍 수}}{\text{공유 전자쌍 수}}=3$이므로 CF_4에 해당하고 결합각은 $109.5°$이다. (다)는 $\dfrac{\text{비공유 전자쌍 수}}{\text{공유 전자쌍 수}}=4$이므로 OF_2에 해당한다.

ㄱ. (가)의 중심 원자 C는 F와 단일 결합을, N과 3중 결합을 이루고 있으므로 공유 전자쌍 수는 4이다.
ㄴ. (나)는 정사면체형의 분자 모양을 가지므로 분자의 쌍극자 모멘트는 0이다.
오답 피하기 ㄷ. (다)는 중심 원자 O에 비공유 전자쌍이 있고 결합하고 있는 원자 수가 2이므로 분자 모양은 굽은 형이다.

08 ㄱ. 물 분자는 공유 전자쌍 2개와 비공유 전자쌍 2개가 있다.
ㄴ. 이산화 탄소는 중심 원자에 비공유 전자쌍이 없는 대칭 구조이다.
오답 피하기 ㄷ. 극성 분자는 극성 용매에 잘 용해되고, 무극성 분자는 무극성 용매에 잘 용해된다. 이산화 탄소는 무극성이고, 암모니아는 극성이다. 물이 극성 분자이므로 물에 대한 용해도는 극성 분자인 암모니아가 무극성 분자인 이산화 탄소보다 크다.

09 3가지 원소 중에서 HCN만 직선형 구조이므로 (가)에 해당한다. OF_2와 BF_3는 직선형이 아니며 극성 분자는 OF_2, 무극성 분자는 BF_3에 해당한다. 따라서 (가)는 HCN, (나)는 OF_2, (다)는 BF_3이다.
ㄱ. (가)의 구조식은 H−C≡N이므로 3중 결합이 있다.
ㄴ. 중심 원자에 존재하는 전체 전자쌍 수는 다음과 같다.

구분	HCN	OF_2	BF_3
중심 원자쌍 수	4	4	3

오답 피하기 ㄷ. 결합각은 (나)가 $104.5°$, (다)가 $120°$로 (다)가 더 크다.

10 (1) [모범 답안] ㉠ C_2H_2, HCN, CH_2O ㉡ CF_4 ㉢ CH_2O, HCN ㉣ CF_4, C_2H_2
(2) [모범 답안] 입체 구조인가?

	채점 기준	배점
(1)	㉠~㉣에 해당하는 분자식을 모두 옳게 쓴 경우	50 %
	㉠, ㉡ 혹은 ㉢, ㉣만 옳게 쓴 경우	25 %
(2)	분류 기준을 옳게 서술한 경우	50 %

11 [모범 답안] (가)는 평면 구조이고 쌍극자 모멘트가 0인 무극성 분자이며, (나)는 입체 구조이고 쌍극자 모멘트가 0이 아닌 극성 분자이다.

채점 기준	배점
(가)와 (나)의 차이점을 2가지 이상 옳게 서술한 경우	100 %
(가)와 (나)의 차이점을 1가지만 옳게 서술한 경우	50 %

12 (가)는 메테인, (나)는 암모니아, (다)는 물의 분자 구조 모형이다.

ㄴ. (나)는 중심의 질소 원자가 비공유 전자쌍 한 쌍을 가지고 있는 암모니아 구조이다.

ㄷ. 중심 원자의 비공유 전자쌍 수는 (가)는 0개, (나)는 1개, (다)는 2개이다.

오답 피하기 ㄱ. (가)는 정사면체형으로 대칭 구조이다.

13 무극성 분자는 분자 내에 전하가 고르게 분포되어 있어서 부분 전하를 띠지 않는 분자이다. 무극성 공유 결합을 하는 이원자 분자는 모두 무극성 분자이다.

> 해설 클리닉
>
> ㄱ. 수소는 같은 원자끼리 공유 결합한 무극성 분자이다.
>
> ✓ 2개의 같은 원자가 무극성 공유 결합을 하므로 무극성 분자이다.
>
> ㄴ. 메테인은 끓는점이 −164 ℃이므로 실온(25 ℃)에서 기체 상태이다.
>
> ✓ 끓는점이 실온보다 낮으면 실온에서 기체 상태로 존재한다.
>
> ㄷ. 액체 상태에서 분자 사이의 인력이 클수록 끓는점이 높아지므로 끓는점이 가장 높은 물이 분자 사이의 인력이 가장 크다.
>
> ✓ 분자 사이의 인력이 크면 끓는점이 높다.

14 DA_4의 중심 원자가 옥텟 규칙을 만족하기 위해 D는 원자가 전자 수가 4개인 탄소(C)이고, A는 원자가 전자 수가 1개인 수소(H)이다. DB_2에서 D(C)와 B가 2중 결합을 하므로 B는 산소(O)이다. ADC의 중심 원자 D(C)가 A(H)와 단일 결합을 하므로 옥텟 규칙을 만족하기 위해 C와 3중 결합을 해야 한다. 따라서 C는 원자가 전자 수가 5개인 질소(N)이다. 따라서 각 분자식은 ADC는 HCN, DB_2는 CO_2, DA_4는 CH_4이다.

15 ㄴ. 비공유 전자쌍은 산소 원자에 2개, 2개의 질소 원자에 각각 1개씩 총 4개가 존재한다.

오답 피하기 ㄱ. 요소 분자에서 탄소를 중심 원자로 하면 3개의 주변 원자가 결합하므로 평면 삼각형 구조이다. 하지만 질소를 중심 원자로 하면 3개의 주변 원자와 1개의 비공유 전자쌍이 있으므로 삼각뿔형 구조이다. 따라서 전체적으로 입체 구조이다.

ㄷ. α는 평면 삼각형 구조의 결합각, β는 삼각뿔형 구조의 결합각이므로 α가 β보다 더 크다.

16 W∼Z 중에 전기 음성도는 X가 가장 작으므로 X는 H이다. WX_2Y에서 중심 원자는 옥텟 규칙을 만족하므로 W는 C 또는 O이다. (다)에서 WY_2는 W 1개와 Y 2개로 이루어져 있으므로 W는 C, Y는 O이며, Z는 F이다. 따라서 (가)는

CH_2O, (나)는 OF_2, (다)는 CO_2이며, 구조식은 다음과 같다.

(가) CH_2O	(나) OF_2	(다) CO_2
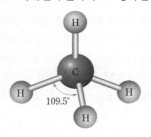	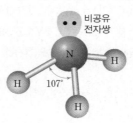	

ㄱ. (가)의 분자 모양은 평면 삼각형이다.

ㄴ. (나)의 중심 원자는 O로, 전기 음성도는 O보다 F이 크기 때문에 O는 부분적인 (+)전하를 띤다.

오답 피하기 ㄷ. 쌍극자 모멘트의 합이 0이 아닌 분자는 (가)와 (나)이므로 극성 분자는 2가지이다.

17 실험식과 분자 내 공유 전자쌍 수로 유추해 보면, (가), (나), (다)는 각각 NH_3, HCN, C_2H_2이고, X, Y는 각각 질소, 탄소이다.

오답 피하기 ㄴ. (가) NH_3와 (다) C_2H_2은 분자당 구성 원자 수가 4로 같다.

ㄷ. (나) HCN와 (다) C_2H_2의 분자 구조는 모두 직선형이다.

ㄱ. (가) NH_3와 (나) HCN는 극성 분자이지만, (다) C_2H_2은 무극성 분자이다.

18 ㄱ. (가), (나)는 각각 NH_3, BF_3이다.

ㄴ. BF_3는 평면 삼각형 구조이므로 결합각이 120°이다.

오답 피하기 ㄷ. AD_3은 NF_3로 삼각뿔형 구조이다.

19 • 메테인의 분자 구조: 정사면체 대칭 구조 ➡ 무극성 분자

• 암모니아의 분자 구조: 삼각뿔형 비대칭 구조 ➡ 극성 분자

• 물의 분자 구조: 굽은 형 비대칭 구조 ➡ 극성 분자

ㄱ. (가)는 무극성, (나)는 극성, (다)는 극성 분자이다. 따라서 (가)의 끓는점이 가장 낮다.

✓ 분자량이 비슷할 때 무극성 분자보다 극성 분자의 녹는점과 끓는점이 높다.

ㄴ. (가)~(다)는 공유 결합 물질이다.

✓ 비금속 원소끼리는 공유 결합을 한다.

ㄷ. 한 분자를 구성하는 원자 수가 가장 작은 것은 (다)이다.

✓ 한 분자를 구성하는 원자 수는 각각 (가) 5, (나) 4, (다) 3이다.

20 ㄱ. 메테인은 대칭 구조이고, 암모니아와 물은 비대칭 구조이다.
오답 피하기 ㄴ, ㄷ. 분자량이 비슷한 경우 비대칭 구조의 분자가 대칭 구조의 분자보다 분자 사이의 인력이 커서 끓는점이 높다. 따라서 암모니아가 메테인보다 끓는점이 높고, 물이 메테인보다 분자 사이의 인력이 크다.

21 [모범 답안] 물과 에탄올은 극성 물질이므로 대전체와의 정전기적 인력에 의해 대전체를 끌려가지만, 노말헥세인은 무극성 물질이므로 전하의 영향을 받지 않아 대전체 쪽으로 휘지 않는다.

채점 기준	배점
물질의 극성과 정전기적 인력을 연관지어 옳게 서술한 경우	100 %
물질의 극성과 정전기적 인력 중 하나만을 들어 서술한 경우	50 %

22 [모범 답안] (가), (가)가 (나)보다 비대칭 정도가 더 심하므로 극성이 더 강할 것이다.

채점 기준	배점
분자를 옳게 쓰고 까닭을 옳게 서술한 경우	100 %
둘 중의 하나만 옳게 서술한 경우	50 %

내신 마무리   128~131쪽

01 ⑤	**02** ③	**03** ⑤	**04** ③	**05** 해설 참조
06 ⑤	**07** ⑤	**08** ③	**09** ③	**10** ①	**11** ⑤
12 ④	**13** 해설 참조	**14** ①	**15** 해설 참조
16 ①	**17** ①	**18** ③	

01 ㄱ. X는 고체 상태에서는 전류가 흐르지 않고 용융했을 때 전류가 흘러 전기 분해가 가능하므로 이온 결합 물질이다.

ㄴ. X(l)를 전기 분해하면, A_2, B가 생성되므로 구성 원소는 A, B이다.

ㄷ. X(l)를 전기 분해하면 (+)극에서는 A_2 기체가 발생한다.

02 모두 Ne의 전자 배치를 가지므로 A는 Mg, B는 O, C는 F이며, (가)는 MgF_2, (나)는 O_2F_2이다.

ㄱ. $x=1$, $y=2$이다.

ㄴ. (가)는 이온 결합 물질이며 액체 상태에서 이온들이 자유롭게 이동할 수 있으므로 전기 전도성이 있다.

오답 피하기 ㄷ. (나)의 루이스 구조식은 $\ddot{\ddot{F}}-\ddot{\ddot{O}}-\ddot{\ddot{O}}-\ddot{\ddot{F}}$이며, 비공유 전자쌍 수는 10이다.

03 전자의 수로 보아 A는 Na, B는 S이다.

ㄱ. B는 황(S)으로 16족 원소이다.

ㄴ. A와 B는 모두 3주기 원소이다.

ㄷ. A_2B는 이온 결합 화합물이므로 액체 상태에서 전류가 흐른다.

04 A~E는 각각 N, C, H, F, O이다.

ㄱ. B는 2주기 원소이며 원자가 전자 수가 4이므로 바닥상태 전자 배치는 $1s^2 2s^2 2p^2$이다. 따라서 p 오비탈에 들어 있는 전자 수는 2이다.

ㄴ. ABC, DAE는 결합하는 원자들의 전기 음성도가 모두 다르므로 극성 공유 결합이 있다.

오답 피하기 ㄷ. 같은 주기에서 원자 번호가 클수록 원자가 전자 수와 전기 음성도가 증가한다. 전기 음성도는 D>E>A>B이므로, ABC에서 A는 부분적인 음전하(δ^-)를 띠고, DAE에서 A는 부분적인 양전하(δ^+)를 띤다.

05 [모범 답안] 이온 결합, 고체 상태에서는 전기 전도성이 없고, 액체 상태에서는 전기 전도성이 있기 때문이다.

채점 기준	배점
결합의 종류와 그렇게 생각한 까닭을 옳게 서술한 경우	100 %
결합의 종류만 옳게 서술한 경우	50 %

06 A_2B는 Na_2O, C_2B는 H_2O이므로 A, B, C는 각각 Na, O, H이다.

ㄱ. A_2B는 금속 양이온인 Na^+ 2개와 비금속 음이온인 O^{2-}이 결합한 물질로 이온 결합 물질이다.

ㄴ. C_2B에서 B는 O로, O는 가장 바깥 전자 껍질에 전자가 8개 있으므로 옥텟 규칙을 만족한다.

ㄷ. ABC는 NaOH로 이온 결합 물질이며, C_2B는 H_2O로 공유 결합 물질이다. 액체 상태에서 전기 전도성은 이온 결합 물질이 공유 결합 물질보다 크므로 ABC의 전기 전도성이 C_2B보다 크다.

07 (가)의 구성 원소의 몰비는 $C:H=\dfrac{3}{12}:\dfrac{1}{1}=1:4$이므로 (가)의 분자식은 CH_4이고 무극성 분자이다. (나)의 구성 원소의 몰비는 $O:H=\dfrac{16}{16}:\dfrac{1}{1}=1:1$이므로 (나)의 분자식은

H_nO_n이고, 해당 화학식에는 H_2O_2가 있으며 역시 무극성 분자이다.

08 (가)는 비공유 전자쌍 수가 4개이므로 구조식은 $B=A=B$이다. A와 B는 2주기 원소이므로 AB는 공유 전자쌍이 4개인 CO_2이다. (나)는 비공유 전자쌍이 8개이므로 구조식은 $C-B-C$이다. B는 O이므로 공유 전자쌍이 2개인 OF_2이다.
ㄱ. 공유 전자쌍 수는 (가)가 4개, (나)가 2개이므로 (가)가 (나)의 2배이다.
ㄴ. 분자 모양은 (가)가 직선형, (나)가 굽은 형이므로 (가)가 (나)보다 결합각이 크다.
오답 피하기 ㄷ. (가)는 쌍극자 모멘트 합이 0인 무극성 분자 CO_2이고, (나)는 극성 분자인 OF_2이므로 쌍극자 모멘트는 (나)가 (가)보다 크다.

09 ㄱ, ㄴ. (가)는 중심 원자에 있는 4개의 공유 전자쌍 사이의 반발이 모두 동일한 정사면체형으로 a는 $109.5°$이고, (나)는 삼각뿔형으로 $β$는 $107°$이며, (다)는 평면 삼각형으로 $γ$는 $120°$이다.
ㄷ. (나)는 분자의 쌍극자 모멘트가 0보다 크고, (다)는 분자의 쌍극자 모멘트가 0이므로 분자의 쌍극자 모멘트는 (나)가 (다)보다 크다.

10 (가)는 CO_2로 무극성 분자이고, (나)는 N_2H_4로 중심 원자에 비공유 전자쌍이 존재하므로 극성 분자이다.
오답 피하기 ㄴ. (나)에서 모든 원자는 동일 평면에 있지 않다.
ㄷ. 공유 전자쌍의 수는 (가)가 4개, (나)가 5개이다.

11 ㄱ. H_2O의 중심 원자인 O에는 비공유 전자쌍이 2개 있다.
ㄴ. (가)는 O_2이고, 2개의 O는 모두 옥텟 규칙을 만족한다.
ㄷ. H_2O_2, H_2O, O_2 중에서 H_2O_2는 극성 공유 결합과 무극성 공유 결합으로 이루어져 있고, H_2O는 극성 공유 결합으로만 이루어져 있으며, O_2는 무극성 공유 결합으로만 이루어져 있다. 따라서 극성 공유 결합이 존재하는 물질은 H_2O_2, H_2O 2가지이다.

채점 기준	배점
(가)~(바)를 모두 옳게 쓴 경우	100 %
(가)~(바) 중 4가지만 옳게 쓴 경우	60 %
(가)~(바) 중 2가지만 옳게 쓴 경우	30 %

14 ㄱ. H_2O는 극성 분자 CO_2와 CH_4은 무극성 분자이므로 (가)는 '극성 분자인가?'가 될 수 있다.
ㄴ. CO_2는 직선형 구조이다.
오답 피하기 ㄷ. 분자량은 A가 44, B가 16이다.

15 (1) [모범 답안] 입체 구조인가?
(2) [모범 답안] ㉠: CO_2, HCN, ㉡: H_2O, CF_4, ㉢: H_2O, HCN, ㉣: CO_2, CF_4

	채점 기준	배점
(1)	적절한 분류 기준을 옳게 쓴 경우	50 %
(2)	㉠~㉣를 모두 옳게 쓴 경우	50 %
	㉠~㉣ 중 2가지만 옳게 쓴 경우	25 %

16 A는 정사면체형, B는 삼각뿔형, C는 굽은 형 구조이다.
오답 피하기 ㄴ. C는 비공유 전자쌍이 2개 있으므로 극성 물질이다.
ㄷ. 결합각의 크기는 A>B>C이다.

17 (가)~(다)의 모든 원자는 옥텟 규칙을 만족하므로 (가)에서 공유 전자쌍이 4개인 X는 C이고, 공유 전자쌍이 2개인 W는 O이다. (나)에서 공유 전자쌍이 3개인 Z는 N, 공유 전자쌍이 1개인 Y는 F이다. (가)~(다)의 분자식은 각각 CO_2, NF_3, CF_2O이다.
ㄱ. (나)의 N 원자에는 비공유 전자쌍이 있으므로 (나)는 극성 분자이다.
오답 피하기 ㄴ. (다)의 X 원자에는 비공유 전자쌍이 없으므로 (다)의 분자 구조는 평면 삼각형이다.
ㄷ. WY_2의 W(O) 원자에는 비공유 전자쌍 2개가 있으므로 WY_2의 분자 구조는 굽은 형이다.

18 중심 원자 주위의 전자쌍들은 서로 반발하여 가능한 한 멀리 떨어지려고 하는데, 이를 전자쌍 반발 원리라고 한다. 풍선으로 만든 전자쌍 모형에서 풍선을 전자쌍이라고 가정한다.
ㄱ. 풍선을 전자쌍으로 가정하여 전자쌍 모형을 나타낸 것이므로 ㉠은 '가능한 한 서로 멀리 떨어져 있으려 한다.'가 적절하다.
ㄴ. BCl_3에서 B는 비공유 전자쌍이 없으므로 평면 삼각형의 분자 구조를 갖는다. 풍선 3개를 매듭끼리 묶어 만들었을 때 평면 삼각형 모형으로 배열되었으므로 이 모형으로 BCl_3의 분자 구조가 평면 삼각형임을 예측할 수 있다.
오답 피하기 ㄷ. CH_4에 있는 공유 전자쌍 수가 4이므로 풍선 4개를 매듭끼리 묶었을 때 배열된 모습을 분자 구조로 예측할 수 있다.

Ⅳ. 역동적인 화학 반응

14강 동적 평형과 pH

내신 기출				136~139쪽
01 ①	**02** ②	**03** ③	**04** ③	**05** ③
06 해설 참조	**07** ⑤	**08** ④	**09** ⑤	**10** ②
11 ①	**12** 해설 참조	**13** ③	**14** ③	
15 해설 참조	**16** ②	**17** ③	**18** ⑤	

01 물이 증발하여 수증기가 되는 것은 가역 반응이고, 가스레인지의 메테인이 연소하는 것은 비가역 반응이다.

> **해설 클리닉**
> ㄱ. 물은 증발하여 수증기가 되어도 조건에 따라 다시 물로 돌아올 수 있으므로 가역 반응이다.
> ㄴ. 얼음이 녹는 것은 상태 변화의 일종이므로 (가)와 같은 가역 반응이다.
> ✓ 물질의 상태 변화는 가역 반응이다.
> ㄷ. (나)는 역반응이 쉽게 일어나지 않는다.
> ✓ 메테인이 연소하면 수증기와 이산화 탄소가 생성되는데, 이때 생성된 기체들은 공기 중으로 날아가므로 역반응이 일어나기 어렵다.

02 ㄴ. 화학 반응식에서 가역 반응은 ⇌로 표시한다.
> **오답 피하기** ㄱ. 염산과 마그네슘의 반응은 비가역 반응이다.
ㄷ. 염화 나트륨 수용액과 질산 은 수용액의 앙금 생성 반응은 역반응이 쉽게 일어나지 않는 비가역 반응이다.

03 용기를 밀폐한 후 충분한 시간이 지나 수면의 높이가 더 이상 변하지 않는 상태는 동적 평형 상태로, 증발 속도와 응축 속도가 같다.

> **해설 클리닉**
> ㄱ. 용기 안 기체 입자의 수는 일정하게 유지된다.
> ✓ 용기는 밀폐된 상태이므로 기체 입자의 수는 일정하다.
> ㄴ. 물의 증발 속도와 수증기의 응축 속도가 같다.
> ✓ 동적 평형 상태는 가역 반응에서 정반응 속도와 역반응 속도가 같은 상태를 말한다.
> ㄷ. 용기 안에서는 증발과 응축이 계속 일어난다.
> ✓ 동적 평형 상태에서는 정반응 속도와 역반응 속도가 같아서 겉보기에는 변화가 없는 것처럼 보인다.

04 ㄱ. 증발 속도는 온도의 영향을 받는다. 즉, 일정한 온도에서 증발 속도는 일정하므로 (가)가 증발 속도이고 (나)가 응축 속도이다.
ㄷ. 시간이 지날수록 증발이 일어나 수증기의 양이 증가하므로 응축 속도도 점점 증가한다. t_2에서는 증발 속도와 응축 속도가 같아지므로 동적 평형에 도달하며, 이때부터는 수증기의 분자 수가 일정하게 유지된다.

05 ㄴ. 동적 평형이 이루어지기 전까지는 증발 속도가 응축 속도보다 빠르므로 t_1보다 t_2에서 물의 양이 더 적다.

05 ㄱ. Br_2의 증발과 응축은 가역 반응이다.
ㄴ. (가)에서는 증발 속도가 응축 속도보다 빠르므로 액체 브로민이 기체 브로민으로 상태가 변한다.
> **오답 피하기** ㄷ. (다)에서는 동적 평형 상태에 도달하여 정반응과 역반응의 속도가 같아지므로 겉으로는 더 이상 반응이 일어나지 않는 것처럼 보이나 실제로는 정반응과 역반응이 계속 일어난다.

06 아이오딘(I_2)은 승화성 고체로 밀폐된 용기에서 고체와 기체 사이에 상평형을 이룬다. 꼭지를 열고 시간이 흐르면 기체 상태의 아이오딘이 두 용기 사이를 이동하여 $^{127}I_2$과 $^{131}I_2$이 섞이게 되고, 각 용기에서 동적 평형을 이룬다.
[모범 답안] 기체 상태의 아이오딘이 두 용기 사이를 이동하여 $^{127}I_2$과 $^{131}I_2$이 섞이게 되고, 각 용기에서 동적 평형을 이루므로 $^{131}I_2$이 두 용기의 기체와 고체에서 모두 발견된다.

채점 기준	배점
답과 까닭을 옳게 서술한 경우	100 %
둘 중의 하나만 옳게 서술한 경우	50 %

07 ⑤ 소금이 더 이상 녹지 않고 바닥에 가라앉은 것은 소금이 물에 녹는 용해 속도와 소금이 석출되는 속도가 같아져 더 이상 변화가 일어나지 않는 것처럼 보이는 동적 평형 상태이다.
> **오답 피하기** ① 연소 반응은 비가역 반응이다.
②, ③ 밀폐된 용기에서는 물의 증발 속도와 응축 속도가 같을 때 동적 평형에 도달하여 물의 양이 더 이상 줄어들지 않고 일정하게 유지된다. 반면, 그릇에 담긴 물이 모두 증발하는 경우나 간장 종지의 물이 모두 증발하고 소금 결정만 남는 경우는 증발 속도가 응축 속도보다 커서 평형에 도달하지 못한 상태이다.
④ 건전지가 모두 방전되어 시계가 멈췄으므로 더 이상 정반응과 역반응이 일어나지 않는다.

08 ㄴ. 용질 입자가 녹아 들어감에 따라 용질의 석출 속도는 빨라지므로 (다)＞(나)＞(가) 순이다.
ㄷ. (다)는 용해 속도와 석출 속도가 같아 더 이상 용질이 녹아 들어가지 않는 것처럼 보이는 순간인 동적 평형 상태이다. 동적 평형 상태에서는 용액의 농도가 더 이상 변하지 않고 일정하게 유지된다.
> **오답 피하기** ㄱ. 온도가 일정하면 용질의 용해 속도는 일정하다.

09 ㄱ, ㄷ. 파란색 황산 구리(Ⅱ) 오수화물($CuSO_4 \cdot 5H_2O$)을 가열하면 물이 떨어져 나가면서 흰색 황산 구리(Ⅱ)($CuSO_3$)가 되고, 흰색 황산 구리(Ⅱ)($CuSO_4$) 결정에 물을 가하면 다시 파란색 황산 구리(Ⅱ) 오수화물($CuSO_4 \cdot 5H_2O$)로 변한다. 이와 같이 $CuSO_4 \cdot 5H_2O$의 분해와 생성은 가역 반응이다.

ㄴ. (나)의 파란색 결정은 $CuSO_4 \cdot 5H_2O$이므로 이것을 가열하면 다시 흰색 $CuSO_4$가 된다.

10 25 ℃ 수용액에서 pH+pOH=14이고, 수용액 A~D에 들어갈 수는 다음과 같다.

수용액	A	B	C	D
$[H_3O^+]$(M)	1.0×10^{-4}	1.0×10^{-8}	1.0×10^{-6}	1.0×10^{-2}
$[OH^-]$(M)	1.0×10^{-10}	1.0×10^{-6}	1.0×10^{-8}	1.0×10^{-12}
pH	4	8	6	2
pOH	10	6	8	12

> **해설 클리닉**
>
> ㄱ. pOH가 10인 A의 pH는 4이고, $[H_3O^+]$는 1.0×10^{-4} M이다.
> ✓ pH+pOH=14이다.
>
> ㄴ. B는 $[OH^-] > 1.0 \times 10^{-6}$ M이므로 염기성 용액, C는 $[H_3O^+] > 1.0 \times 10^{-7}$ M이므로 산성 용액이다.
> ✓ $[OH^-]$가 1.0×10^{-7}보다 크면 염기성 $[H_3O^+]$가 1.0×10^{-7}보다 크면 산성이다.
>
> ㄷ. C에서 $[OH^-] = 1.0 \times 10^{-8}$ M이다. 따라서 pOH$= -\log(1.0 \times 10^{-8}) = 8$이다.
> ✓ $[H_3O^+][OH^-] = 1.0 \times 10^{-14}$이다.
>
> ㄹ. D에서 pH < pOH이므로 $[H_3O^+] > [OH^-]$이다.
> ✓ pH$= -\log[H_3O^+]$, pOH$= -\log[OH^-]$이다.

11 ㄱ. pH < 7이면 산성이고, pH가 1에 가까울수록 수용액은 강한 산성을 띤다. 따라서 pH가 2인 수용액은 강한 산성을 띤다.

오답 피하기 ㄴ. pOH 9인 수용액의 pH는 5이므로, $[H_3O^+]$는 1.0×10^{-5} M이다.

ㄷ. pH 3인 수용액의 $[H_3O^+]$는 pH 4인 수용액의 10배이다.

12 (가) 0.0001 M 식초 속 $[H_3O^+] = 1.0 \times 10^{-4}$ M이다. 따라서 pH$= -\log(1.0 \times 10^{-4}) = 4$이다.

(나) 0.01 M 수산화 나트륨(NaOH) 수용액 속 $[OH^-] = 1.0 \times 10^{-2}$ M이고, 25 ℃에서 $[H_3O^+][OH^-] = 1.0 \times 10^{-14}$이므로 $[H_3O^+] = 1.0 \times 10^{-12}$ M이다. 따라서 pH$= -\log(1.0 \times 10^{-12}) = 12$이다.

(다) 25 ℃에서 pH+pOH=14이므로 pH=11이다.

[모범 답안] (가) pH=4 (나) pH=12 (다) pH=11,
(나)-(다)-(가)

채점 기준	배점
(가)~(다)의 pH를 옳게 구하고 pH가 큰 것부터 순서대로 옳게 쓴 경우	100 %
(가)~(다)의 pH를 옳게 구했으나, pH가 큰 것부터 순서대로 옳게 쓰지 못한 경우	50 %

13 2. pH가 2.0인 수용액은 pH가 3.0인 수용액에 비해 $[H_3O^+]$가 10배 크다.
3. 물의 이온화 상수 K_w는 온도에 의해 영향을 받는다.

14 ㄱ. 순수한 물이라도 극히 일부분이 H_3O^+과 OH^-으로 자동 이온화하여 평형을 이루고 있는데, 이 반응은 가역 반응이다.

ㄴ. 물은 자동 이온화하여 H_3O^+과 OH^-을 1 : 1로 내놓으므로 순수한 물의 $[H_3O^+]$와 $[OH^-]$는 같다. 이때 25 ℃에서 $K_w = [H_3O^+][OH^-] = 1.0 \times 10^{-14}$이므로 25℃의 순수한 물에서 $[H_3O^+] = [OH^-] = 1.0 \times 10^{-7}$ M이다.

오답 피하기 ㄷ. 물의 이온화 상수가 매우 작은 것으로 보아 물은 매우 일부만 이온화함을 알 수 있다. 따라서 생성물의 양(mol)이 반응물의 양(mol)보다 매우 적다.

15 [모범 답안] 0.1 M NaOH 수용액에서 $[OH^-] = 1.0 \times 10^{-1}$ M이다. 25 ℃에서 $[H_3O^+][OH^-] = 1.0 \times 10^{-14}$이므로, $[H_3O^+] = 1.0 \times 10^{-13}$이다.

채점 기준	배점
계산 과정과 답을 모두 옳게 서술한 경우	100 %
답만 옳게 서술한 경우	30 %

16 ㄷ. (나)와 (다)는 pH가 2만큼 차이나므로 H^+의 농도는 (다)가 (가)의 100배이다.

오답 피하기 ㄱ. 깨끗한 빗물의 pH는 5.6이며, 이보다 pH가 낮은 (다)가 산성비에 해당한다.

ㄴ. pH가 7보다 낮은 용액에 BTB 용액을 떨어뜨리면 노란색으로 변한다.

17 수소 이온 농도가 가장 큰 것은 pH가 가장 작은 ㄱ이고, 수산화 이온의 농도가 가장 큰 것은 pH가 가장 큰 ㅁ이다.

18 공통적인 이온을 가지고 있는 수용액이 (나)와 (다)이므로 (나)와 (다)가 산 수용액이다. ●는 H^+이다.

ㄱ. (나) 수용액의 H^+이 (다) 수용액보다 많으므로 수용액의 pH는 (나)가 가장 작다.

ㄴ. (가)는 염기성이므로 $[OH^-] < 1.0 \times 10^{-7}$이다.

ㄷ. 푸른색 리트머스 종이는 산성에서 붉게 변하므로 (다)에서 붉게 변한다.

15 강 산 염기와 중화 반응

내신 기출				146~149쪽
01 ③	02 ④	03 ①	04 ③	05 해설 참조
06 ②	07 ①	08 ②	09 ③	10 ④
11 해설 참조		12 ⑤	13 ⑤	14 ④	15 ⑤
16 ④	17 ③	18 해설 참조		

01 아레니우스 산은 수용액에서 수소 이온(H^+)을 내놓는 물질이고, 브뢴스테드·로리 염기는 수소 이온(H^+)을 받는 물질이다.

> ㄱ. (가)에서 CH_3COOH은 물에 녹아 H^+을 내놓았으므로 아레니우스 산이다.
>
> ✓ 수용액에서 수소 이온(H^+)을 내놓는 물질은 아레니우스 산이다.
>
> ㄴ. (나)에서 NH_3는 H_2O로부터 H^+을 받아 NH_4^+이 되었으므로 브뢴스테드·로리 염기이다.
>
> ✓ 다른 물질로부터 수소 이온(H^+)을 받는 물질은 브뢴스테드·로리 염기이다.
>
> ㄷ. (다)에서 NH_2CH_2COOH은 양성자를 잃는다.
>
> ✓ NH_2CH_2COOH은 양성자(H^+)를 잃고 $NH_2CH_2COO^-$이 되었다.

02 아레니우스 염기는 수용액에서 수산화 이온(OH^-)을 내놓는 물질이고, 브뢴스테드·로리 염기는 수소 이온(H^+)을 받는 물질이다.

ㄱ. (가)에서 $NaOH$은 수용액에서 OH^-을 내놓았으므로 아레니우스 염기이다.

ㄷ. (다)에서 H_2O은 H^+을 받았으므로 브뢴스테드·로리 염기이다.

오답 피하기 ㄴ. (나)에서 NH_3는 H^+을 받았으므로 브뢴스테드·로리 염기이다.

03 (가)는 아레니우스 염기이지만 브뢴스테드·로리 염기는 아니다. (나)의 H_2O과 (다)의 NH_3은 브뢴스테드·로리 염기이다.

04 ㄱ. (가)에서 H_2O은 양성자(H^+)를 잃었으므로 브뢴스테드·로리 산이다.

ㄴ. (나)에서 HCO_3^-은 CO_3^{2-}의 짝산이고, OH^-은 H_2O의 짝염기이다.

오답 피하기 ㄷ. (다)에서 H_2O은 브뢴스테드·로리 염기이다.

05 브뢴스테드·로리 산은 수소 이온(H^+)을 내놓는 물질이다. (가)는 HF로, H^+을 잃고 F^-이 되므로 브뢴스테드·로리 산이다. (나)는 CH_3OH로, H^+을 얻어서 $CH_3OH_2^+$이 되므로 브뢴스테드·로리 염기이고, (다)는 NH_3로, H^+을 얻어서 NH_4^+이 되므로 브뢴스테드·로리 염기이다.

[모범 답안] (가)는 HF로, H^+을 잃고 F^-이 되므로 브뢴스테드·로리 산이다.

채점 기준	배점
물질을 옳게 고르고, 그렇게 생각한 까닭을 옳게 서술한 경우	100 %
물질을 옳게 고른 경우	50 %

06 ㄷ. 물(H_2O)은 (가)에서 H^+을 받으므로 브뢴스테드·로리 염기로 작용하고, (나)에서 H^+을 주므로 브뢴스테드·로리 산으로 작용한다. 따라서 물은 산으로도 작용할 수 있고, 염기로도 작용할 수 있는 양쪽성 물질이다.

오답 피하기 ㄱ. (가)에서 수용액은 산성이고 pH는 7보다 작다.

ㄴ. (나)에서 암모니아는 H^+을 받으므로 브뢴스테드·로리 염기로 작용한다.

07 아레니우스 산은 물에 녹아 H^+을 내놓는 물질이고, 아레니우스 염기는 물에 녹아 OH^-을 내놓는 물질이다.

ㄱ. KOH은 물에 녹아 OH^-을 내놓으므로 아레니우스 염기이다.

오답 피하기 ㄴ. HCl는 아레니우스 산으로 작용한다.

ㄷ. H_2O은 양성자(H^+)를 주므로 브뢴스테드·로리 산이다.

08 X 이온이 Cl^-이라면 $NaOH(aq)$을 10 mL 넣었을 때와 20 mL 넣었을 때 혼합 용액에 존재하는 이온 수가 같아야 하므로 이다. 그런데 이 식을 풀면 이 되므로 X 이온은 Cl^-이 아니고 H^+임을 알 수 있다.

첨가한 $NaOH(aq)$가 0 mL일 때 혼합 용액 속 H^+ 수는 $4x$, $NaOH(aq)$가 10 mL일 때 혼합 용액 속 H^+ 수는 $2(x+10)$, $NaOH(aq)$가 20 mL일 때 혼합 용액 속 H^+ 수는 $x+10$이며, $NaOH(aq)$ 10 mL와 20 mL를 넣었을 때 반응한 H^+ 수가 같으므로 $4x-2(x+10)=2(x+10)-(x+20)$이므로 $x=20$이다.

$NaOH(aq)$ 20 mL를 넣었을 때 혼합 용액 속에는 H^+ $40N$이 들어 있으므로, (다)에서 이 용액을 15 mL를 취했을 때 혼합 용액 속에는 H^+ $15N$이 들어 있다고 할 수 있으며, $KOH(aq)$ 25 mL 단위 부피당 H^+ 수가 0.2이므로 이 용액 속에는 $5N$의 H^+이 들어 있다. 따라서 $KOH(aq)$ 10 mL에는 K^+ $10N$, OH^- $10N$이 들어 있다.

$HCl(aq)$ x mL에는 $80N$의 Cl^-이 들어 있고, $KOH(aq)$ 30 mL에는 $30N$의 K^+이 들어 있으므로 이를 혼합한 용액에서의 $\dfrac{K^+ \text{ 수}}{Cl^- \text{ 수}}=\dfrac{30N}{80N}=\dfrac{3}{8}$이다.

09 (가)와 (나)에서 $\dfrac{X \text{ 이온 수}}{\text{전체 이온 수}}$가 $\dfrac{1}{2}$로 일정하므로 X 이온은 Cl^-이다. (가)~(다)에 들어 있는 Cl^-의 수는 일정하므로 $\dfrac{4}{3}N \times (x+10)=N \times (x+20)=\dfrac{2}{3}N \times (x+y)$이다. 따라서 $x=20$, $y=40$이다.

10 (가)~(다) 세 가지 수용액 중 염기 수용액이 2가지이므로, (가)와 (나)에 동시에 들어 있는 ☆이 수산화 이온(OH^-)이다.

ㄴ. pH는 염기성인 (가)가 (다)보다 크다.

ㄷ. (나)에 포함된 OH^-의 수는 (가)의 3배이고, (다)에 포함된 H^+의 비율은 (가)에 포함된 OH^-의 2배이다. 그러므로 (가) 10 mL, (나) 10 mL, (다) 20 mL를 혼합한 수용액은 중성이다.

오답 피하기 ㄱ. ☆은 OH^-이다.

11 산의 H^+과 염기의 OH^-은 항상 1 : 1의 비율로 반응하므로

다음과 같은 식이 성립한다.

아세트산이 내놓은 H^+의 양(mol) = 수산화 나트륨 (NaOH) 수용액이 내놓은 OH^-의 양(mol)

x M $\times$ 0.01 mL = 0.2 M $\times$ 0.025 mL, $x = 0.5$

[모범 답안] 0.5 M

12 HCl(aq)과 NaOH(aq)을 혼합한 용액이 산성이면 Cl^- 수는 Na^+ 수와 H^+ 수를 더한 값과 같고, 혼합한 용액이 염기성이면 Na^+ 수는 Cl^- 수와 OH^- 수를 더한 값과 같다. 또한 수용액에 들어 있는 이온 수는 수용액의 부피에 비례한다. 이를 고려하여 각 혼합 용액 속에 들어 있는 이온의 양(mol)을 구하여 나타내면 다음과 같다.

혼합 용액	혼합 전 용액의 부피 이온의 양(mol) HCl(aq)	혼합 전 용액의 부피 이온의 양(mol) NaOH(aq)	전체 양이온의 양(mol)	액성
I	20 H^+ 1.0×10^{-2} Cl^- 1.0×10^{-2}	30 Na^+ 0.9×10^{-2} OH^- 0.9×10^{-2}	1.0×10^{-2} Cl^- 1.0×10^{-2} H^+ 1.0×10^{-2} Na^+ 0.9×10^{-2}	산성
II	20 H^+ 1.0×10^{-2} Cl^- 1.0×10^{-2}	40 Na^+ 1.2×10^{-2} OH^- 1.2×10^{-2}	1.2×10^{-2} Na^+ 1.2×10^{-2} Cl^- 1.0×10^{-2} OH^- 0.2×10^{-2}	염기성
III	30 H^+ 1.5×10^{-2} Cl^- 1.5×10^{-2}	40 Na^+ 1.2×10^{-2} OH^- 1.2×10^{-2}	$x \times 10^{-2}$ Cl^- 1.5×10^{-2} H^+ 0.3×10^{-2} Na^+ 1.2×10^{-2}	산성

ㄱ. 혼합 용액이 산성일 때 전체 양이온 수는 Cl^- 수와 같으므로 1.5×10^{-2}이다. 따라서 $x = 1.5$이다.

ㄷ. 혼합 용액 II 60 mL에 들어 있는 OH^-의 양(mol)은 0.2×10^{-2}몰이므로, 10 mL에 들어 있는 OH^-의 몰수는 $\dfrac{0.2 \times 10^{-2}}{6}$몰이다.

혼합 용액 III 70 mL에 들어 있는 H^+의 양(mol)은 0.3×10^{-2} 몰이므로, 10 mL에 들어 있는 H^+의 양(mol)이 $\dfrac{0.3 \times 10^{-2}}{7}$ 몰이다. 따라서 II 10 mL에 들어 있는 OH^-의 양(mol)보다 III 8 mL에 들어 있는 H^+의 양(mol)이 더 크므로 이 혼합 용액의 액성은 산성이다.

오답 피하기 ㄴ. 단위 부피당 H^+ 수는 I 에서 $\dfrac{0.1 \times 10^{-2}}{50}$이고, III에서 $\dfrac{0.3 \times 10^{-2}}{70}$이므로 $\dfrac{\text{III에서 단위 부피당 } H^+ \text{ 수}}{\text{I 에서 단위 부피당 } H^+ \text{ 수}}$ $= \dfrac{15}{7}$이다.

13 (다)에서 용액 I 에 NaOH(aq) 5 mL를 더 넣었을 때 B의 단위 부피당 이온 수가 $4N$에서 0으로 감소하였으므로 B는 H^+이다. 또한 용액 I 에서 C의 단위 부피당 이온 수가 A와

B의 단위 부피당 이온 수의 합과 같으므로 A는 K^+, C는 Cl^-이다. 용액 II에서 단위 부피당 이온 수가 A와 E의 합이 C와 D의 합과 같으므로 A와 E는 양이온, C와 D는 음이온이다. 따라서 E는 Na^+, D는 OH^-이다.

용액 I과 용액 II에 존재하는 이온의 수는 다음과 같다. 용액 I 의 총 부피는 15 mL, 용액 II의 총 부피는 20 mL이다.

이온의 종류		A	B	C	D	E
단위 부피당 이온 수	I	$4N$	$4N$	$8N$	0	0
	II	$3N$	0	$6N$	$9N$	$12N$
이온 수(단위 부피당 이온 수×부피)	I	$60N$	$60N$	$120N$	0	0
	II	$60N$	0	$120N$	$180N$	$240N$

HCl(aq) 5 mL 속에 존재하는 H^+과 Cl^-이 각각 120이고, NaOH(aq) 5 mL 속에 존재하는 Na^+과 OH^-이 각각 240 이므로, HCl(aq) 10 mL를 모두 중화시키기 위해 필요한 NaOH(aq)의 부피는 5 mL이다.

HCl(aq) 10 mL에 NaOH(aq)을 조금씩 넣었을 때 단위 부피당 전체 양이온 수를 구하면 다음과 같다.

HCl(aq)의 부피(mL)	10	10	10	10
NaOH(aq)의 부피(mL)	0	5	10	15
혼합 용액의 부피(mL)	10	15	20	25
전체 양이온 수	$240N$	$240N$	$480N$	$720N$
단위 부피당 전체 양이온 수	24	$16N$	$24N$	$28.8N$

14 (가)~(마) 중에서 혼합된 H_2SO_4(aq)과 NaOH(aq)이 완전히 중화 반응하는 시험관은 (라)이다. (가)~(다) 시험관의 액성은 산성이며, (마) 시험관의 액성은 염기성이다.

④ 가장 많은 양의 물이 생성되는 시험관은 혼합된 두 용액이 완전히 중화 반응한 (라)이다.

15 단위 부피당 이온 수를 혼합 용액 1 mL당 이온 수(N/mL)로 가정하면, HCl(aq) 20 mL 속 B의 수는 $9N$/mL $\times$ 20 mL $= 180N$이다.

NaOH(aq) 10 mL를 넣었을 때 B의 수는 $6N$/mL $\times$ 30 mL $= 180N$이고, NaOH(aq)을 넣기 전과 이온 수가 동일하므로 B는 Cl^-이다. 또한, NaOH(aq)을 넣었을 때 A는 중화점 이전에도 단위 부피당 이온 수가 증가하였으므로 Na^+이다. (OH^-은 중화점 이전부터 이온 수가 증가한다.)

ㄴ. NaOH(aq) 30 mL를 넣었을 때, 단위 부피당 B의 수(x)는 $\dfrac{180N}{50 \text{ mL}} = 3.6N$/mL이므로 x는 3.6이다. 이때 A와 B의 단위 부피당 이온 수가 같으므로 A의 수는 180이고, NaOH(aq) 10 mL당 A의 수는 60이다. 따라서 NaOH(aq) 10 mL를 넣었을 때, 단위 부피당 B의 수(y)는 $\dfrac{60N}{30 \text{ mL}} = 2N$/mL이므로 $x + y = 5.6N$이다.

ㄷ. NaOH(aq) 40 mL를 첨가하였을 때 H$^+$, Cl$^-$, Na$^+$, OH$^-$의 수는 각각 0, 180N, 240N, 60N이고, 수용액의 전체 부피는 60 mL이므로 단위 부피당 전체 이온 수는 8N이다.

오답 피하기 ㄱ. NaOH(aq)을 넣기 전과 이온 수가 동일하므로 B는 구경꾼 이온인 Cl$^-$이다.

16 (가)에서 양이온이 3가지이므로 H$^+$, Na$^+$, K$^+$이 존재한다. (나)에서 K$^+$ 수는 (가)에서와 같고, (나)에서 Na$^+$ 수는 (가)에서의 6배이므로 (가)와 (나)에 들어 있는 이온 수는 표와 같다.

용액	이온 수				
	H$^+$	Na$^+$	K$^+$	OH$^-$	Cl$^-$
(가)	4N	N	2N	3N	4N
(나)	8N	6N	2N	8N	8N

따라서 생성된 물 분자 수는 (가) : (나)=3 : 8이다.

17 ㄱ. 중화점까지 소모된 H$_2$SO$_4$(aq)의 부피가 20 mL이므로 1×0.2 M $\times 20$ mL$=2 \times x \times 20$ mL, H$_2$SO$_4$의 몰 농도(x)=0.1 M이다.

ㄴ. A는 K$^+$, B는 SO$_4^{2-}$, C는 H$^+$, D는 OH$^-$이다. 따라서 A와 B는 구경꾼 이온, C와 D는 알짜 이온이다.

오답 피하기 ㄷ. (가)는 중화점이므로 0.2 M KOH(aq) 20 mL에 들어 있는 OH$^-$의 양(mol)만큼 물이 생성된다. 즉, 생성된 물의 양(mol)은 0.2 mol/L $\times 0.02$ L$=0.004$ mol $=4 \times 10^{-3}$ mol이다.

> 해설 클리닉
> ㄱ. x는 0.1이다.
> ✔ 중화점에서는 소모된 H$^+$의 수와 OH$^-$의 수가 같다.
> ㄴ. A와 B는 구경꾼 이온이다.
> ✔ A와 B는 중화 반응에 참여하지 않으므로 구경꾼 이온이다.
> ㄷ. (가)에서 생성된 물의 양은 4×10^{-3} mol이다.
> ✔ H$^+$의 수와 OH$^-$의 수를 비교하여 양(mol)이 적은 쪽을 한계 반응물로 하여 계산한다.

18 (1) 농도를 모르는 용액을 삼각 플라스크에 넣고 지시약을 넣은 후, 농도를 아는 표준 용액을 뷰렛에 넣는다. 뷰렛의 꼭지를 열어 용액을 삼각 플라스크에 떨어뜨리면서 색 변화를 관찰하여 변한 색이 사라지지 않는 순간 뷰렛의 꼭지를 잠근다. 따라서 실험 과정의 순서는 (나)-(가)-(다)이다.
[모범 답안] (나)-(가)-(다)

(2) 중화점에서 산이 내놓은 H$^+$의 양(mol)과 염기가 내놓은 OH$^-$의 양(mol)이 같아야 한다. 따라서 $1 \times x \times 10$ mL $= 1 \times 0.1$ M $\times 25$ mL에서 HNO$_3$(aq)의 몰 농도(x)는 0.25 M이다.
[모범 답안] 0.25 M

16강 산화 환원과 산화수

01 (가)~(다)의 산화수를 구하면 다음과 같다.

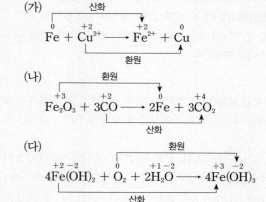

> 해설 클리닉
> ㄱ. (가)에서 Fe은 전자를 잃었으므로 산화되었다.
> ✔ 전자를 잃으면 산화, 전자를 얻으면 환원된다.
> ㄴ. (나)에서 CO가 산소를 얻었으므로 산화되었다.
> ✔ 산소를 얻으면 산화되고, 산소를 잃으면 환원된다.
> ㄷ. H$_2$O를 구성하는 수소와 산소 원자의 산화수가 변하지 않았으므로 H$_2$O은 산화되거나 환원되지 않았다.
> ✔ 산화나 환원이 일어나면 산화수가 변한다.

02 물질이 전자를 잃는 반응이 산화, 물질이 전자를 얻는 반응이 환원이다. 즉, 전자의 이동에 의한 산화수의 변화가 있어야 산화 환원 반응이다.

오답 피하기 ⑤ 중화 반응은 원자들의 산화수가 변하지 않으므로 산화 환원 반응이 아니다.

03 ①, ④ 마그네슘은 전자를 잃고 산화되어 양이온이 되고, 산소는 전자를 얻어 환원되어 음이온이 된다.

② 산소는 산화수가 0에서 -2로 감소하므로 환원된다.

⑤ 산화 마그네슘은 이온 결합 물질이다.

오답 피하기 ③ 산소는 자신은 환원되면서 마그네슘을 산화시키는 산화제로 작용한다.

04 ㄱ. (가)에서 Cl의 산화수는 0에서 $+1$로 증가하였으므로 산화되었다.

ㄴ. (나)에서 X는 HCl로, 아레니우스 산이다.

오답 피하기 ㄷ. Y는 NaOH로, 이 반응은 중화 반응이다.

05 [모범 답안] 과정 Ⅰ, 과정 Ⅳ, 과정 Ⅰ에서는 Ag이 전자를 잃고 산화되고, S은 전자를 얻어 환원된다. 과정 Ⅳ에서는 Ag

이 전자를 얻어 환원되고, Al은 전자를 잃고 산화된다. 과정 Ⅱ와 Ⅲ에서는 산화수의 변화가 없으므로 산화 환원 반응이 아니다.

채점 기준	배점
과정을 옳게 고르고 그렇게 생각한 까닭도 옳게 서술한 경우	100 %
과정만 옳게 고른 경우	40 %

06 ① Mg이 전자를 잃고 산화되고, H$^+$이 전자를 얻어 환원된다.
$Mg(s) + 2HCl(aq) \longrightarrow H_2(g) + MgCl_2(aq)$
오답 피하기 ② Cl$^-$은 산화되지도 환원되지도 않는다.
③, ④, ⑤ Mg 1개가 산화될 때 H$^+$ 2개가 전자를 얻어 수소 기체(H$_2$)로 환원된다.

07 공유 결합 물질에서 산화수는 전기 음성도가 큰 원자가 공유 전자쌍을 모두 가진다고 가정할 때 각 구성 원자가 가지는 전하의 수이다.
X의 전기 음성도가 H, Y보다 작다면, (가)와 (나)에서 X의 산화수는 모두 +4이고, X의 전기 음성도가 H, Y보다 크다면 (가)와 (나)에서 X의 산화수는 모두 -4이므로 두 조건 모두 제시된 조건에 맞지 않다. 따라서 X의 전기 음성도는 H보다 크고 Y보다 작다. 또한 (나)와 (다)에서 Y의 산화수가 같으므로 Y의 전기 음성도는 X, Z보다 크다. 따라서 X는 2주기 14족 원소, Y는 2주기 16족 원소, Z는 3주기 17족 원소이다.
ㄱ. (나)에서 X는 H로부터 전자 2개를 얻고 Y에게 전자 2개를 잃으므로 X의 산화수는 0이다.
오답 피하기 ㄴ. (다)에서 Y의 산화수는 -2이고 Z의 산화수는 +1이므로 전기 음성도는 Y가 Z보다 크다.
ㄷ. 화합물에서 원자의 산화수의 합은 0이고 전기 음성도가 Y>H이므로 H의 산화수는 +1이다. 따라서 H$_2$Y$_2$에서 $2 \times (+1) + 2 \times$(Y의 산화수)$=0$이므로, Y의 산화수는 -1이다.

08 ㄱ. (가)는 Cu가 산소와 결합하는 반응, (나)는 CuO가 산소를 잃는 반응으로 모두 산소가 관여하는 산화 환원 반응이다.
ㄷ. (나)에서 ⓐ는 CuO로부터 산소를 얻어 산화되고, CuO는 산소를 잃고 Cu로 환원되므로 ⓐ는 구리보다 산화되기 쉬운 물질이다.
오답 피하기 ㄴ. (가) 과정에서 Cu의 산화수는 0에서 +2로 증가한다.

09 ㄱ. (가)에서 O$_2$는 환원(O의 산화수 감소: 0 → -2)된다.
ㄴ. (나)에서 Fe(OH)$_2$은 산화(Fe의 산화수 증가: +2 → +3)된다.
오답 피하기 ㄷ. (가)와 (나)에서 H$_2$O의 H와 O의 산화수가 변하지 않았으므로, H$_2$O은 산화제가 아니다.

10 [모범 답안] Cl$_2$는 산화되는 물질이면서 동시에 환원되는 물질이다. Cl$_2$는 HClO으로 될 때 Cl의 산화수가 0에서 +1로 증가하므로 산화되고, HCl로 될 때 Cl의 산화수가 0에서 -1로 감소하므로 환원된다.

채점 기준	배점
물질을 옳게 쓰고, 그렇게 생각한 까닭도 옳게 서술한 경우	100 %
물질만 옳게 쓴 경우	40 %

11 (가)의 H는 산화수가 0에서 +1로 증가 → 산화
(나)의 Fe은 산화수가 0에서 +3으로 증가 → 산화
(다)의 C는 산화수가 -4에서 +4로 증가 → 산화
(라)의 Mg은 산화수가 0에서 +2로 증가 → 산화
(마)의 C는 산화수가 +4에서 0으로 감소 → 환원

(가) $2\underset{0}{H_2} + O_2 \longrightarrow 2\underset{+1}{H_2}O$
(나) $4\underset{0}{Fe} + 3O_2 \longrightarrow 2\underset{+3}{Fe_2}O_3$
(다) $\underset{-4}{C}H_4 + 2O_2 \longrightarrow \underset{+4}{C}O_2 + 2H_2O$
(라) $\underset{0}{Mg} + CuCl_2 \longrightarrow \underset{+2}{Mg}Cl_2 + Cu$
(마) $6\underset{+4}{C}O_2 + 6H_2O \longrightarrow \underset{0}{C_6}H_{12}O_6 + 6O_2$
산화수 변화가 가장 큰 것은 -4에서 +4로 증가한 (다)이다.

12 ㄱ. HCl(aq)에 A와 B를 넣었을 때 A에서만 기포가 발생하였으므로 A는 H보다 산화되기 쉽다. 따라서 반응성은 A>H>B이다. 금속 A가 모두 반응하고 난 후 A^{2+}이 들어 있는 용액에 금속판 C를 넣었을 때 금속판 C의 질량이 증가하였으므로 C가 A보다 반응성이 크다. 따라서 반응성은 C>A>H>B이므로 B<C이다.
ㄷ. (가)에서 A^{2+} 1개가 생성될 때 H$^+$ 2개가 감소하므로 용액의 전체 이온 수는 감소한다.
오답 피하기 ㄴ. (나)에서 C^{2+} 1개가 생성될 때 A 원자 1개가 석출된다. 금속판 C를 A^{2+}이 들어 있는 용액에 넣었을 때 금속판 C의 질량이 증가하였으므로 원자의 상대적 질량은 A>C이다.

13 ① CH$_4$에서 C의 산화수가 -4에서 +4로 증가하므로 CH$_4$은 산화된다.
②, ④ O의 산화수는 0에서 -2로 감소하므로 O$_2$는 환원된다. O$_2$는 자신은 환원되면서 다른 물질을 산화시키므로 산화제이다.
⑤ H$_2$O에서 각 원자의 산화수 총합은 $(+1) \times 2 + (-2) = 0$이다.
오답 피하기 ③ H의 산화수는 반응 전과 후에 +1로 일정하다.

14 각 화합물에서 Mn의 산화수는 다음과 같다.
MnO$_2$: +4, MnCl$_2$: +2, Mn$_2$O$_3$: +3, KMnO$_4$: +7

[모범 답안] $KMnO_4$, MnO_2, Mn_2O_3, $MnCl_2$

15 (가) $5H_2O_2 + 2MnO_4^- + 6H^+$
$$\longrightarrow 2Mn^{2+} + 5O_2 + 8H_2O$$
(나) $H_2O_2 + 2HCl + 2I^- \longrightarrow 2H_2O + I_2 + 2Cl^-$
(나)에서 H_2O_2는 환원되었고 I^-을 산화시키는 산화제로 작용하였다.

16 Zn이 전자를 잃고 Zn^{2+}으로 산화되고, Cu^{2+}이 전자를 얻어 Cu로 석출된다.
$CuSO_4(aq) + Zn(s) \longrightarrow Cu(s) + ZnSO_4(aq)$
ㄱ. Zn의 산화수는 0에서 +2로 증가한다.
ㄷ. 수용액에서 푸른색을 나타내는 Cu^{2+}이 Cu로 석출되므로 수용액의 푸른색은 점점 옅어진다.
오답 피하기 ㄴ. SO_4^{2-}은 구경꾼 이온으로 반응에 참여하지 않으므로 그 수가 변하지 않는다.

17 (가)와 (나)의 산화수의 변화는 다음과 같다.
(가) $2\overset{+2\ -2}{NO} + \overset{0}{O_2} \longrightarrow 2\overset{+4\ -2}{NO_2}$
(나) $3\overset{+4\ -2}{NO_2} + \overset{+1\ -2}{H_2O} \longrightarrow 2\overset{+1\ +5\ -2}{HNO_3} + \overset{+2\ -2}{NO}$

해설
클리닉
ㄱ. 반응 전후의 원자의 종류와 수를 맞추면 ㉠은 NO이다.
✓ 반응 전후 원자의 종류와 수는 변하지 않는다.
ㄴ. (가)에서 NO는 자신은 산화되면서 O_2를 환원시키는 환원제이다.
✓ 자신은 산화되면서 다른 물질을 환원시키는 물질을 환원제라 한다.
ㄷ. (나)에서 N의 산화수는 NO_2에서 HNO_3이 될 때 $+4 \rightarrow +5$로 증가하고, NO_2에서 NO가 될 때 $+4 \rightarrow +2$로 감소한다. 따라서 (나)는 산화수가 변하는 산화 환원 반응이다.
✓ 산화수가 변하면 산화 환원 반응이다.

18 ㄴ. NH_3와 HCN에서 N의 산화수는 각각 -3이다.
오답 피하기 ㄱ. HCN에서 C의 산화수는 $+2$이다.
ㄷ. (나)에서 H_2는 C_2H_4을 C_2H_6으로 환원시키는 환원제이다.

19 (가) $2Mg(s) + O_2(g) \longrightarrow 2MgO(s)$
(나) $2Mg(s) + CO_2(g) \longrightarrow 2MgO(s) + C(s)$
ㄱ. (가)와 (나)에서 Mg은 산화되어 MgO이 된다.
ㄷ. (다)에서 검은색 가루는 드라이아이스(CO_2)가 환원되어 생긴 탄소(C)이다.
오답 피하기 ㄴ. (가)에서는 산소가, (나)에서는 이산화 탄소(드라이아이스)가 산화제로 작용한다.

17강 산화 환원 반응의 양적 관계

| 내신 기출 | | | | 161~163쪽 |
01 ⑤ **02** ⑤ **03** ② **04** ④ **05** ⑤
06 해설 참조 **07** ① **08** ③ **09** 해설 참조
10 ① **11** ③ **12** ③

01 Cu의 산화수는 0에서 +2로 2 증가하고, N의 산화수는 +5에서 +2로 3 감소하므로 $a=2$, $b=3$이다. (나)에서 증가한 산화수와 감소한 산화수가 같도록 계수를 맞추고, (다)에서 N 자의 수가 같도록 계수를 맞추면, $c=3\times2+2$에서 $c=8$이다. 마지막으로 H 원자의 수가 같도록 계수를 맞추면, $8=2\times d$에서 $d=4$이다. 따라서 $a=2$, $b=3$, $c=8$, $d=4$이므로 $a+b+c+d = 2+3+8+4 = 17$이다.

해설
클리닉
$a+b+c+d=17$이다.
✓ 반응 전후의 증가한 총 산화수와 감소한 총 산화수가 같아야 한다.

02 ⑤ 산화 환원 반응에서 반응 전후에 증가한 산화수와 감소한 산화수가 같음을 이용하여 계수를 맞추면 다음과 같다.
$5Sn^{2+} + 2MnO_4^- + 16H^+$
$$\longrightarrow 5Sn^{4+} + 2Mn^{2+} + 8H_2O$$
오답 피하기 ① ㉠=5, ㉡=2이므로 ㉠>㉡이다.
② Mn의 산화수가 +7에서 +2로 감소하므로 MnO_4^-은 환원된다.
③ 반응 전후 H의 산화수는 변하지 않으므로 H^+은 산화제도 환원제도 아니다.
④ Sn의 산화수가 +2에서 +4로 증가하므로 Sn^{2+}은 산화된다. 따라서 Sn^{2+}은 자신은 산화되면서 다른 물질을 환원시키므로 환원제이다.

03 주어진 화학 반응식의 반응 계수를 구하여 완성하면 다음과 같다.
$3NO_2(g) + H_2O(l) \longrightarrow 2HNO_3(aq) + NO(g)$
ㄷ. HNO_3에서 N의 산화수는 +5, NO에서 N의 산화수 +2이다.
오답 피하기 ㄱ. $a=3$, $b=1$, $c=2$, $d=1$이므로 $a+b(=4)>c+d(=3)$이다.
ㄴ. H_2O을 구성하는 원자의 산화수는 변하지 않으므로 H_2O은 산화되거나 환원되지 않는다.

04 ㄴ. (나)의 화학 반응식은 $3NO_2 + H_2O \longrightarrow 2HNO_3 + NO$이므로, $a+b=4$, $c+d=3$이고, $a+b>c+d$이다.
ㄷ. HNO_3은 물에 녹아 H^+을 내놓으므로 아레니우스 산이다.
오답 피하기 ㄱ. (가) $2NO + O_2 \longrightarrow 2NO_2$에서 N의 산화수는 $+2 \rightarrow +4$로 증가한다.

05 (가)에서 생성되는 Al^{3+}이 1몰이므로 A 이온의 산화수는 $+1$이다. 금속 이온의 산화수와 반응 후 수용액 속 양이온 수는 다음과 같다.

수용액	수용액 속 양이온 수(몰)			
	A^+	B^{2+}	Al^{3+}	전체
(가)	1	0	1	2
(나)	0	2.5	1	3.5
(다)	0	3	2	5

> **해설 클리닉**
>
> ㄱ. A 이온의 산화수는 $+1$이다.
>
> ✓ (가)에서 생성되는 Al^{3+}이 1몰이다.
>
> ㄴ. (나)에서 반응 후 수용액 속 B 이온 수는 2.5몰이다.
>
> ✓ (나) 수용액 속에는 B 이온 2.5몰과 Al^{3+} 1몰이 들어 있다.
>
> ㄷ. B는 A보다 산화되기 쉽다.
>
> ✓ B가 이온으로 존재하는 것으로 보아 B가 A보다 반응성이 크다.

06 주어진 반응을 화학 반응식으로 나타내면 다음과 같다.
$$Zn(s) + 2HCl(aq) \longrightarrow H_2(g) + ZnCl_2(aq)$$
0.2 M $HCl(aq)$ 100 mL에는 HCl 0.02몰이 녹아 있으며, Zn 1.3 g은 0.02몰이다. Zn과 HCl은 1 : 2의 몰비로 반응하므로 Zn 0.02몰 중 0.01몰은 HCl 0.02몰과 반응하여 H_2 0.01몰을 발생하며, Zn 0.01몰은 남는다.
[모범 답안] 0.01몰

07 금속과 금속 이온의 반응에서 수용액에 존재하는 금속 이온의 산화수와 금속 이온 수를 곱한 값은 항상 일정하다. 금속 C는 과정 (가)~(다)를 진행하는 동안 반응하여 계속 감소하므로 $C(s)$가 감소하는 경향을 볼 수 있도록 (가)의 몰비를 다음과 같이 변경한다.

과정	몰비 $C(s)$: 비커 Ⅰ의 양이온 : 비커 Ⅱ의 양이온
(가)	$5 : 1 : x = 10 : 2 : 2x$
(나)	$7 : y : 2$
(다)	$6 : 3 : 1$

과정 (가)~(다)까지 C의 양(mol)은 10, 7, 6 순으로 감소한다. 과정 (나)에서 금속 C가 10몰이고 A^{a+} 수용액에 넣어 주었을 때 A^{a+}는 모두 환원되어 석출한다. 금속 C가 10몰에서 7몰 남았으므로 3몰이 반응하여 수용액 상태에 C^{c+}로 남아 있으며, A^{a+}은 2몰이 금속 A로 석출된다. a, b는 3 이하의 정수이고 $c \times 3 = a \times 2$이므로 c는 2, a는 3이다. (나)에서 비커 Ⅰ은 A^{3+}가 모두 환원되고 C^{2+}만 남았으며 3몰이 존재하므로 $y = 3$이다. 과정 (다)에서 금속 C가 7몰에서 6몰로 1몰 반응하였고, 수용액 속에 C^{2+}이 1몰 있으며 (나)에서 반응하지 않은 B^{b+}은 2몰이므로 2몰의 B^{b+}이 B로 석출된다. 따라서 $2 \times 1 = b \times 2$이므로 $b = 1$이다. (가)와 (나)의 비커 Ⅱ에 들어

있는 양이온은 B^+이고 반응이 없었으므로 $2x = 2$이다. 따라서 $x = 1$이다. $a = 3$, $x = 1$, $y = 3$이므로
$$\frac{x \times y}{a} = \frac{1 \times 3}{3} = 1$$이다.

08 0.1 M $HCl(aq)$ 200 mL에 들어 있는 HCl의 양(mol)은 0.1 mol/L × 0.2 L = 0.02 mol이다. Zn과 HCl은 1 : 2의 몰비로 반응하므로 필요한 Zn의 최소 양(mol)은 0.01 mol이고, 최소 질량(g)은 0.01 mol × 65 g/mol = 0.65 g이다.

09 반응 전후 전체 이온의 전하량 합은 같아야 한다.
(가) A^+ 1.5몰
(나) A^+과 B^{3+}의 전하량 합이 1.5몰이어야 한다. (나) 수용액 속 실제 이온의 전하량 비는 $A^+ : B^{3+} = 2a : a$이므로 $(1 \times 2a) + (3 \times a) = 1.5$몰이다. 따라서 a는 0.3이므로 A^+은 0.6몰, B^{3+}은 0.3몰이다.
(다) B^{3+}과 C^{2+}의 전하량 합이 1.5몰이어야 한다. (다) 수용액 속 실제 이온의 전하량 비는 $B^{3+} : C^{2+} = b : 6b$이므로 $(3 \times b) + (2 \times 6b) = 1.5$몰이다. 따라서 b는 0.1이므로 B^{3+}은 0.1몰, C^{2+}은 0.6몰이다.

[모범 답안] (나)와 (다)에서 반응한 B와 C의 양 (mol)은 각각 0.3몰, 0.6몰이므로 B의 원자량은 $\frac{w_1}{0.3}$, C의 원자량은 $\frac{w_2}{0.6}$이다. 따라서 $\frac{C의\ 원자량}{B의\ 원자량} = \frac{0.3w_2}{0.6w_1}$이므로 $\frac{w_2}{2w_1}$이다.

채점 기준	배점
답과 계산 과정을 모두 옳게 서술한 경우	100 %
답만 옳게 서술한 경우	40 %

10 ㄱ, ㄴ. Al과 HCl이 반응할 때 Al은 산화(산화수 증가: 0 → $+3$)되고 HCl은 환원되면서 H_2가 발생한다.
ㄷ. (나)에서 Cu의 산화수는 2만큼 감소(+2 → 0)하므로 Cu 1몰이 생성될 때 전자는 2몰 이동한다. 화학 반응식의 계수의 비가 몰비이므로 생성되는 물과 Cu의 몰비는 같다. 따라서 (나)에서 생성된 물의 양(mol)은 $\frac{3.6\ g}{18\ g/몰} = 0.2$몰이므로 0.4 몰의 전자가 이동하였다.

11 (가) $2HCl(aq) + Zn(s) \longrightarrow H_2(g) + ZnCl_2(aq)$
(나) $Zn^{2+}(aq) + Mg(s) \longrightarrow Zn(s) + Mg^{2+}(aq)$
ㄱ. 0.1 M $HCl(aq)$ 200 mL에 들어 있는 HCl의 양(mol)은 0.1 mol/L × 0.2 L = 0.02 mol이며, Zn의 양은 충분하다. HCl과 Zn의 반응 몰비는 2 : 1이므로 반응한 Zn의 양은 0.01 mol, 즉 0.01 mol × 65 g/mol = 0.65 g이다.
ㄴ. (가)에서 HCl과 H_2의 반응 몰비는 2 : 1이므로 H_2 0.01몰이 발생한다.
오답 피하기 ㄷ. (나)에서 Mg은 산화되어 수용액에 녹아 들어가고 Zn^{2+}이 환원되어 마그네슘 막대에 금속으로 석출된

다. 이때 Zn의 원자량이 Mg보다 크므로 금속 막대의 질량은 증가한다.

12 ㄱ. (나)에서 수용액에 들어 있는 이온의 양(mol)을 구하는 식은 다음과 같다.
(반응 후 전체 양이온 수)=(가)의 A 이온 수+(증가한 B 이온 수)−(감소한 A 이온 수)
감소한 A 이온 수를 x라고 하면 0.5몰=0.7몰+0.2몰−x몰이므로 x는 0.4이다. 즉, B가 0.2몰 이온화될 때 A 0.4몰 감소되었으므로 A의 전하량은 +1가, B의 전하량은 +2가이다. 따라서 남아 있는 이온은 A^+이 0.3몰, B^{2+}이 0.2몰이고, 이온의 양(mol)은 A가 B의 1.5배이다.
ㄴ. (다)에서 전체 양이온 수가 줄었으므로 C 이온은 C^{2+} 또는 C^{3+}이다. (나)를 통해 반응성이 A보다 B가 큰 것을 알 수 있고, C 0.2몰이 모두 반응하였으며 C 이온을 제외한 이온이 0.05몰 남아야 한다. 따라서 A 이온은 모두 반응하였고, B 이온이 0.05몰 존재한다. 전하량은 반응 전과 후가 같으므로 반응 전의 A^+ 0.3몰과 B^{2+} 0.2몰의 합은 C^{c+} 0.2몰과 B^{2+} 0.05몰의 합과 같으므로 0.3+0.4=(C^{c+}×0.2)+0.1, $c=3$이므로 C 이온은 +3가 이온이다. 따라서 B 이온은 B^{2+}, C 이온은 C^{3+}이므로 B 이온과 C 이온의 산화수비는 2 : 3이다.
오답 피하기 ㄷ. (나)에서 금속 A가 0.4몰 생성되었으며 (다)에서 금속 A가 0.3몰, 금속 B가 0.15몰 생성되었다. 따라서 (나)와 (다)에서 생성된 금속의 전체 양(mol)은 0.85몰이다.

18 강 화학 반응에서 열의 출입

내신 기출				167~169쪽
01 ⑤	**02** ①	**03** ③	**04** 해설 참조	**05** ⑤
06 ①	**07** ⑤	**08** ④	**09** 해설 참조	**10** ②
11 ①	**12** ③	**13** ⑤		

01 제시된 반응식은 발열 반응의 예이므로, 열을 방출하는 예를 골라야 한다.

해설 클리닉	ㄱ. 광합성
	✔ 흡열 반응의 예이다.
	ㄴ. 휴대용 손난로, ㄷ. 메테인의 연소, ㄹ. 조리용 발열 팩
	✔ 발열 반응의 예이다.

02 ㄱ. 흡열 반응이란 열을 흡수하는 반응이다.
ㄴ. 물이 기화할 때는 열을 흡수하므로 주위의 온도가 내려간다.
오답 피하기 ㄷ. 산과 염기의 중화 반응은 발열 반응의 예이다.
ㄹ. 흡열 반응에서는 생성물의 에너지 합이 반응물의 에너지 합보다 커서 그 차이만큼을 열로 흡수한다.

03 그림은 열을 방출하는 발열 반응을 나타낸 그래프이다.
오답 피하기 ㄴ. 반응이 일어나면서 열을 방출하므로 주위의 온도가 높아진다.
ㄷ. 생성물의 에너지 합이 반응물의 에너지 합보다 작다.

04 [모범 답안] 산화 칼슘(CaO)이 물에 녹는 반응은 많은 열을 방출하는 발열 반응이다. 구제역 바이러스는 높은 온도에서 죽으므로 산화 칼슘과 물이 반응할 때 방출하는 많은 열을 이용하여 바이러스를 살균할 수 있다.

채점 기준	배점
산화 칼슘이 구제역을 방역할 수 있는 원리를 열의 출입과 관련하여 옳게 서술한 경우	100 %
산화 칼슘이 구제역을 방역할 수 있는 원리를 열의 출입과 관련하여 옳게 서술하지 않은 경우	0 %

05 ㄱ. (가)에서 메테인이 공기 중의 산소와 반응하여 열과 빛을 내는 반응은 산화 환원 반응이다.
ㄴ. (나)에서 물이 끓어 수증기가 되는 반응은 흡열 반응이다.
ㄷ. (다)에서 김이 뿜어져 나오는 현상은 수증기가 액화되어 물방울로 되는 현상이므로 이때에는 열을 방출한다.

06 이 반응은 흡열 반응의 예이다.

해설 클리닉	ㄱ. 이 반응은 흡열 반응의 예이다.
	✔ 반응 후 온도가 내려갔다는 것은 반응 시 주변의 열을 흡수했다는 것을 의미한다.
	ㄴ. 이 실험은 흡열 반응으로, 반응물의 에너지 합이 생성물의 에너지 합보다 작다.
	✔ 흡열 반응에서는 반응물의 에너지 합이 생성물의 에너지 합보다 작다.
	ㄷ. 눈이 내린 도로에 염화 칼슘을 뿌리는 반응은 발열 반응의 예이다.
	✔ 눈이 내린 도로에 염화 칼슘을 뿌리면 염화 칼슘이 물과 반응하여 녹으면서 열을 방출하고, 이 열에 의해 도로의 눈이 녹는다.

07 금속과 염산을 반응시키면 수소 기체와 열이 발생하며, 발열 반응이 일어나면 주변의 온도가 높아진다.

08 반응 후의 온도가 올라갔으므로 고체 X가 물에 용해되는 반응은 발열 반응이다. 실험 결과 발생한 열량은 4.2 J/g·℃×110 g×5 ℃=2310 J이고, 용해된 X의 질량과 10 g이므로 고체 X가 물에 용해될 때 방출하는 열량은 $\frac{2310}{10}$=231 J/g 이다. 이론값이 310.2 J/g이므로 실험 중 열의 일부가 공기 중으로 빠져 나갔음을 알 수 있다.
오답 피하기 ㄱ. 고체 X의 용해 반응은 발열 반응이다.

09 $Q=cm\Delta t$=4.2 J/g·℃×(96+4) g×10 ℃=4200 J, 용해된 NaOH의 질량이 4 g이므로 NaOH이 물에 용해될 때 방출하는 열량(J/g)은 $\frac{4200 \text{ J}}{4 \text{ g}}$=1050 J/g이다.

[모범 답안] 1050 J/g

채점 기준	배점
수산화 나트륨이 물에 용해될 때 방출하는 열량 (J/g)을 옳게 구한 경우	100 %
수산화 나트륨이 물에 용해될 때 방출하는 열량 (J/g)을 옳게 구하지 못한 경우	0 %

10 열량(Q)=열용량(C)×온도 변화(Δt)=연소열×X의 양(mol) 이므로 1 kJ/℃×$(t-10)$ ℃=720 kJ/몰×$\dfrac{2\,g}{32\,g/몰}$이다. 따라서 t는 55이다.

11 ㄱ. 통열량계를 이용하여 열량을 측정할 때는 화학 반응에서 출입하는 열은 통열량계 속 물과 통열량계의 온도 변화에 이용된다고 가정한다.
발생한 열량(Q)=물이 얻거나 잃은 열량 + 통열량계가 얻거나 잃은 열량=$(c_물×m_물×\Delta t)+(C_{통열량계}×\Delta t)$
위의 식에 따르면 에탄올의 연소에 의해 발생하는 열량은 $(4.2\,J/g\cdot℃×1000\,g×2\,℃)+(2.8\,kJ/℃×2\,℃)=14\,kJ$ 이며, 에탄올 0.46 g은 0.01몰이므로 에탄올의 연소열은 1400 kJ/몰이다.
오답 피하기 ㄴ. t_2가 실제보다 낮게 측정되면 발생하는 열량이 작게 측정되므로 연소열도 작게 계산된다.
ㄷ. (가)에서 500 g의 물로 실험해도 연소열은 변하지 않고, t_2는 높아진다.

12 에탄올의 연소열이 1380 kJ/몰이고 분자량이 46이므로 에탄올 2 g이 연소되면 1380 kJ/몰×$\dfrac{2\,g}{46\,g/몰}$=60 kJ이 방출된다. 열량계의 온도 변화는 물의 온도 변화와 같으므로 열량계의 열용량은 $\dfrac{60\,kJ}{3\,℃}$=20 kJ/℃이다.

13 ㄱ, ㄴ. 묽은 염산에 아연이 녹아 들어가면서 수소 기체가 발생하는데, 이때 열을 방출하므로 t_2가 t_1보다 높다. 따라서 이 반응은 발열 반응이다.
ㄷ. (나)에서 아연은 전자를 잃고 아연 이온으로 산화된다.

내신 마무리　　　　　　　　　　170~174쪽

01 ①　**02** ③　**03** ④　**04** ④　**05** ③
06 해설 참조　　　**07** ⑤　**08** ②　**09** ④　**10** ①
11 ①　**12** 해설 참조　**13** ④　**14** ③　**15** ①
16 ⑤　**17** ①　**18** ②　**19** ③　**20** ②　**21** ⑤

---

01 ㄱ. 물이 증발하였으므로 수증기 분자 수는 (가)보다 (나)에서 더 많다.

오답 피하기 ㄴ. 증발 속도는 온도의 영향을 받으므로 (가)와 (나)와 같다.
ㄷ. 고무마개를 열어 두면 증발 속도가 응축 속도보다 빠르므로 오랜 시간이 지난 후 물은 모두 증발할 것이다.

02 ㄱ. (가)에서 ㉠은 양성자(H^+)를 OH^-에 주었으므로 브뢴스테드·로리 산이다.
ㄴ. (가)와 (나)를 구성하는 탄소 수는 모두 2개이다.
오답 피하기 ㄷ. ㉡은 염기로 작용하였다.

03 ㄴ. (나)는 pH가 5이고 산성이므로 $[H_3O^+]$가 $[OH^-]$보다 크다.
ㄷ. (다)에서 $\dfrac{[OH^-]}{[H_3O^+]}=\dfrac{1.0×10^{-6}}{1.0×10^{-8}}=100$이다.
오답 피하기 ㄱ. $[H_3O^+]$는 (가)가 (나)의 100배이다.

04 $H_2A(aq)$과 $B(OH)_2(aq)$의 반응에서 앙금은 생성되지 않으므로 구경꾼 이온인 A^{2-}은 개수가 변하지 않는다.
$B(OH)_2(aq)$ 20 mL를 첨가한 혼합 용액 (가)가 산성이므로 H^+, A^{2-}, B^{2+} 3가지 이온이 존재하고, 이온 수의 비율을 만족하기 위해서는 단위 부피당 이온 수는 $H_2A(aq)$이 $B(OH)_2(aq)$의 2배가 되어야 한다.

혼합 용액 (가)		H^+	A^{2-}	B^{2+}	OH^-
이온 수	반응 전	$4N$	$2N$	N	$2N$
	반응	$2N$	—	—	$2N$
	반응 후	$2N$	$2N$	N	0
이온 수의 비율(%)		40	40	20	0

혼합 용액 (나)가 염기성이므로 OH^-, A^{2-}, B^{2+} 3가지 이온이 존재하고, 이온 수의 비율을 만족하기 위해서는 $B(OH)_2$가 $3N$개 첨가되어야 하므로 x=60이다.

혼합 용액 (가)		H^+	A^{2-}	B^{2+}	OH^-
$B(OH)_2(aq)$ 첨가		0	0	$3N$	$6N$
이온 수	반응 전	$2N$	$2N$	N	0
	반응	$2N$	—	—	$2N$
	반응 후	0	$2N$	$4N$	$4N$
이온 수의 비율(%)		0	20	40	40

혼합 용액 (가)의 양이온 수는 $3N$이고, 혼합 용액 (나)의 양이온 수는 $4N$이므로 (가) : (나)=3 : 4이다.

05 A는 Cl^-, B는 Na^+, C는 OH^-, D는 H^+이다.
(가)는 OH^-이 존재하므로 염기성 용액이고, (나)는 H^+이 존재하므로 산성 용액이다. 따라서 pH는 (나)가 (가)보다 작다.
ㄷ. 수용액에서 이온의 전하량의 총합은 0이므로 (가)에서 A의 수=n_1-n_2이고, (나)에서 A의 수=n_3+n_4이다. 따라서 $n_1-n_2=n_3+n_4$이므로 $n_1-n_3=n_2+n_4$이다.
오답 피하기 ㄴ. 용액의 pH는 (나)가 (가)보다 작다.

06 (가)는 산성이므로 (가)에 들어 있는 이온은 Cl^-, Na^+, H^+이다. 혼합 전 $HCl(aq)$ 30 mL에 H^+, Cl^-이 n몰씩, $NaOH(aq)$ 30 mL에 Na^+, OH^-이 n몰씩 들어 있다면, (가)에서 $H^+ : Na^+ = (x-n) : n = 2 : 1$이므로 $HCl(aq)$ 30 mL에 H^+, Cl^-이 $3n$몰씩 들어 있다. (나)는 염기성이므로 (나)에 들어 있는 이온은 Cl^-, K^+, OH^-이다.

(1) ㉠ : $OH^- = 1 : 2$이고 K^+의 양(mol)은 OH^-보다 작을 수 없으므로 ㉠은 Cl^-이다.

[모범 답안] Cl^-

(2) 혼합 전 $NaOH(aq)$ 30 mL에 Na^+, OH^-이 n몰씩 들어 있다면, $HCl(aq)$ 30 mL에 H^+, Cl^-이 $3n$몰씩 들어 있으므로 $HCl(aq)$ 20 mL에는 H^+, Cl^-이 $2n$몰씩 들어 있다. 혼합 전 $KOH(aq)$ 40 mL에 K^+, OH^-이 y몰씩 들어 있다면, (나)에서 $Cl^- : OH^- = 1 : 2$이므로 $KOH(aq)$ 40 mL에 K^+, OH^-이 $6n$몰씩 들어 있다. 단위 부피당 OH^-의 양(mol)은 $KOH(aq) : NaOH(aq) = \dfrac{6n}{40\ \text{mL}} : \dfrac{n}{30\ \text{mL}} = 9 : 2$이다.

[모범 답안] 단위 부피당 OH^-의 양(mol)은 $KOH(aq) : NaOH(aq) = 9 : 2$이다.

07 ㄴ. (나)에서 CN^-은 양성자(H^+)를 받으므로 브뢴스테드·로리 염기이다.

ㄷ. (다)에서 OH^-은 H_2O의 짝염기, CN^-은 HCN의 짝염기이다.

08 단위 부피당 X 이온의 수가 혼합 용액의 부피가 증가할수록 감소하므로 Cl^- 또는 H^+ 중 하나인데, 용액 (가)와 (나)에 들어 있는 금속 양이온의 종류가 한 가지는 같고 다른 한 가지는 다르므로 X 이온은 Cl^-이다. 또한 ●은 (가)와 (나)에 모두 포함되어 있으므로 Na^+이며 단위 부피당 이온 수가 (나)가 (가)보다 크므로 (가)는 B, (나)는 A에 해당하는 단위 부피당 양이온 모형이다. 따라서 ▲는 H^+, ■는 K^+이다.

혼합 전 $HCl(aq)$ 10 mL 속에 들어 있는 H^+과 Cl^- 수는 각각 $30N$씩이고 A에서 혼합 용액 속에 들어 있는 ●(Na^+)과 ▲(H^+)의 이온 수비가 2 : 1이므로 A에서 H^+ $20N$이 반응하고 $10N$이 남아 있으며 혼합 용액 속에 들어 있는 ●(Na^+) 수는 $20N$이다. 혼합 용액의 부피가 30 mL이므로 단위 부피당 양이온 수는 ●(Na^+)과 ▲(H^+)가 각각 $\dfrac{2}{3}N$, $\dfrac{1}{3}N$이고 모형 ● 1개는 $\dfrac{1}{6}N$에 해당한다.

ㄴ. (가)에서 ●(Na^+)과 ■(K^+) 수 비가 2 : 1이므로 혼합 용액 속에 들어 있는 ■(K^+) 수는 10이다. A에 첨가한 $KOH(aq)$ 30 mL 속에는 K^+ $10N$, OH^- $10N$이 있었고, A에 있던 $10N$의 H^+을 모두 중화시켰다. 따라서 B는 중성 용액이다.

오답 피하기 ㄱ. A에서 Cl^-이 30, Na^+이 20, H^+이 $10N$이므로 가장 많이 존재하는 이온은 Cl^-이다.

ㄷ. $NaOH(aq)$ 20 mL 속에 Na^+과 OH^-이 각각 $20N$이 들어 있고 $KOH(aq)$ 30 mL K^+, OH^-이 각각 $10N$이 들어 있으므로 단위 부피당 이온 수는 $NaOH(aq)$은 $\dfrac{40}{20}N = 2N$, $KOH(aq)$은 $\dfrac{20}{30}N = \dfrac{2}{3}N$이므로 $HCl(aq)$이 $KOH(aq)$의 9배이다.

09 혼합 용액의 전체 이온 수는 혼합 용액이 염기성이면 혼합 전 $NaOH(aq)$의 전체 이온의 양(mol), 산성이면 혼합 전 $HCl(aq)$의 전체 이온의 양(mol), 중성이면 혼합 전 $NaOH(aq)$(또는 $HCl(aq)$)의 전체 이온의 양(mol)와 같다. (가)는 염기성, (나)는 산성이 되어야 혼합 용액의 전체 이온의 양(mol)이 같아진다.

ㄴ. $NaOH(aq)$ 30 mL에 존재하는 전체 이온의 양(mol)과 $HCl(aq)$ 40 mL에 존재하는 전체 이온의 양(mol)은 n으로 같으므로 단위 부피당 전체 이온 수 비는 $NaOH(aq) : HCl(aq) = 4 : 3$이다. 같은 부피당 존재하는 OH^- 수와 H^+ 수 비는 4 : 3이므로 생성된 물 분자 수의 비는 (가) : (나) = 3 : 2이다.

ㄷ. (나)에 $NaOH(aq)$ 20 mL를 첨가하면 $NaOH(aq)$의 부피는 30 mL, $HCl(aq)$의 부피는 40 mL이므로 완전히 중화된다. 따라서 Na^+과 Cl^-의 양(mol)은 같아진다.

오답 피하기 ㄱ. (가)는 염기성이므로 pH > 7이다.

10 ㄱ. 화학 반응식에서 반응물과 생성물의 원자의 종류와 개수가 같아야 하므로 A는 Cl_2이다.

오답 피하기 ㄴ. Mn의 산화수는 MnO_2에서 $+4$이고 $MnCl_2$에서 $+2$이다.

ㄷ. (나)에서의 화학 반응식은 $Cl_2 + 2Br^- \longrightarrow 2Cl^- + Br_2$이므로 Cl_2는 산화제이다.

11 주어진 반응식을 완성하면 $SO_2 + 2H_2S \longrightarrow 2H_2O + 3S$이다.

오답 피하기 ㄴ. SO_2에서 S의 산화수는 $+4$이다.

12 (가) NO는 환원제로 작용하고, F_2는 산화제로 작용한다.
(나) H_2는 환원제로 작용하고, NO는 산화제로 작용한다.
(다) H_2는 환원제로 작용하고, C_2H_2은 산화제로 작용한다.

[모범 답안] (가) F_2 (나) NO (다) C_2H_2

채점 기준	배점
(가)~(다)를 모두 옳게 서술한 경우	100 %
(가)~(다) 중 2가지만 옳게 서술한 경우	60 %
(가)~(다) 중 1가지만 옳게 서술한 경우	30 %

13 XH_4에서 X의 산화수가 -4이고, 옥텟 규칙을 만족하므로 X는 2주기 14족 원소인 탄소(C)이다. XF_4에서 X의 산화수

는 $+4$이다. YH_3에서 Y는 옥텟 규칙을 만족하므로 질소(N)이고, YF_3는 비공유 전자쌍을 1개 가진 삼각뿔형 구조이다.

오답 피하기 ㄱ. YH_3에서 산화수 $a=-3$이고, YF_3에서 산화수 $b=+3$이므로, $a \neq b$이다.

14 산성비가 만들어지는 과정을 화학식으로 나타내면 다음과 같다.

$S + O_2 \longrightarrow SO_2$

$2SO_2 + O_2 \longrightarrow 2SO_3$

$SO_3 + H_2O \longrightarrow H_2SO_4$

ㄱ. ㉠ S이 ㉡ SO_2으로 될 때 S의 산화수가 $0 \rightarrow +4$로 증가하여 산화되었고 O의 산화수가 $0 \rightarrow -2$로 감소하여 환원되었으므로 ㉠ S은 환원제이다.

ㄴ. 화합물에서 H의 산화수는 $+1$, O의 산화수는 -2이므로 ㉠ S에서 S의 산화수는 0, ㉡ SO_2에서 S의 산화수는 $+4$, ㉢ SO_3에서 S의 산화수는 $+6$, ㉣ H_2SO_4에서 S의 산화수는 $+6$이다.

오답 피하기 ㄷ. ㉢ SO_3에서 ㉣ H_2SO_4이 될 때 S, H, O의 산화수가 변하지 않으므로 산화되거나 환원되지 않는다.

15 ㄱ. 수용액에 들어 있는 A^+ 수를 x몰이라고 한다면 B^{2+} 수는 $(6-x)$몰이다. (가)에서 이 수용액에 금속 C를 넣었을 때 A^+과 금속 C가 모두 반응하였고, (나)에서 추가한 C 1몰도 모두 반응하였으므로 (가)에서 A^+ 모두와 B^{2+}의 일부가 금속 C와 반응했음을 알 수 있다. (가)에서 일어나는 2가지 반응의 양적 관계는 다음과 같다.

	nA^+	$+$	C	$\longrightarrow$	nA	$+$	C^{n+}
반응 전 양(mol)	x		3		0		0
반응 양(mol)	$-x$		$-\dfrac{x}{n}$		$+x$		$+\dfrac{x}{n}$
반응 후 양(mol)	0		$3-\dfrac{x}{n}$		x		$\dfrac{x}{n}$

	nB^{2+}	$+$	$2C$	$\longrightarrow$	nB	$+$	$2C^{n+}$
반응 전 양(mol)	$6-x$		$3-\dfrac{x}{n}$		0		$\dfrac{x}{n}$
반응 양(mol)	$-\left(\dfrac{3}{2}n-\dfrac{x}{2}\right)$		$-\left(3-\dfrac{x}{n}\right)$		$\dfrac{3}{2}n-\dfrac{x}{2}$		$3-\dfrac{x}{n}$
반응 후 몰수	$6-\dfrac{3}{2}n-\dfrac{x}{2}$		0		$\dfrac{3}{2}n-\dfrac{x}{2}$		3

(가) 과정 후 생성된 C^{n+}의 양(mol)은 3몰이고, 양이온 수 비는 $B^{2+}:C^{n+}=1:2$이므로 B^{2+}의 양(mol)은 $6-\dfrac{3}{2}n-\dfrac{x}{2}=1.5$몰이며, 이 식을 정리하면 $3n+x=9$이다. A^+의 양(mol)인 x는 6보다 작아야 하므로 $3n+x=9$에서 $n=1$일 때, $x=6$이 되고, $n=3$일 때, $x=0$이 되므로 두 경우 모두 모순이며, $n=2$의 경우에만 성립한다.

오답 피하기 ㄴ. $x=3$이므로 반응 전 A^+의 양(mol)은 3몰이다.

ㄷ. (나) 과정에서 B^{2+} 1.5몰과 추가로 넣은 C 1몰이 반응하므로 반응 후 B^{2+} 0.5몰과 C^{2+} 4몰이 남는다. 따라서 (나) 과정 후 양이온 수의 비는 $B^{2+}:C^{2+}=1:8$이다.

16 ㄱ. 질산 은 수용액에 철못을 넣으면 못 표면에 은이 석출되는 현상을 통해, Fe이 Fe^{2+}으로 산화되고 Ag^+이 Ag으로 환원됨을 알 수 있다. 즉, Fe은 Ag보다 산화되기 쉽다.

ㄴ. $AgNO_3$과 Fe이 $2:1$의 몰비로 반응하므로 Ag^+ 1몰을 환원시키려면 0.5몰의 Fe이 필요하다.

ㄷ. Fe은 산화되어 Fe^{2+}으로 되므로 Fe 1몰당 2몰의 전자가 이동한다. 따라서 Fe 0.1몰을 넣어 완전히 반응시켰을 때 이동한 전자는 0.2몰이다.

17 (가)는 철의 제련 과정이고, (나)는 철의 산화 과정이다.

(가) $Fe_2O_3 + 3CO(화합물 A) \longrightarrow 2Fe + 3CO_2$

(나) $2Fe + \dfrac{3}{2}O_2 \longrightarrow Fe_2O_3$

ㄱ. (가)에서 화합물 A는 산소를 얻어 산화되고, Fe_2O_3은 산소를 잃고 환원되어 Fe이 된다.

오답 피하기 ㄴ. (나)에서 Fe의 산화수는 0에서 $+3$으로 증가한다.

ㄷ. (가)에서 Fe의 산화수가 $+3$에서 0으로 3만큼 감소한다. Fe_2O_3 1몰에는 Fe이 2몰 존재하므로, Fe_2O_3 1몰을 제련할 때 이동하는 전자는 $3 \times 2 = 6$(몰)이다.

18 $A^{3+}(aq)$ V mL에 들어 있는 A^{3+} 수를 $2N$이라고 하면, 반응 전 (나)에 들어 있는 A^{3+} 수는 $4aN$이다. 생성된 A의 질량은 (가)가 (나)의 2배이므로 반응 후 (나)에 들어 있는 A^{3+} 수는 $3aN$이고, B^{n+} 수는 N이다. 반응 후 (나)에 들어 있는 전체 양이온 수가 $3N$이므로 $3aN+N=3N$, $a=\dfrac{2}{3}N$이다.

(가)에서 반응한 A^{3+} 수와 생성된 B^{n+} 수가 각각 $\dfrac{4}{3}N$, $2N$이므로 $n=2$이다. 반응한 B의 질량은 (가)가 (나)의 2배이므로 (가)에서 남아 있는 B의 질량은 x g이다.

19 ㄱ. $a=5$, $b=2$, $c=10$, $d=2$이므로 $a+b+d<c$이다.

ㄴ. C의 산화수는 $+3$에서 $+4$로 증가하였다.

오답 피하기 ㄷ. MnO_4^-과 $C_2O_4^{2-}$은 $2:5$의 몰비로 반응하므로 MnO_4^- 1몰을 모두 환원시키는 데 필요한 $C_2O_4^{2-}$의 양은 2.5몰이다.

20 ㄷ. (다)에서 철가루는 산소와 반응하여 산화 철이 되면서 열을 발생하는데, 이때 철가루는 산화된다.

오답 피하기 ㄱ. (가) 연료의 연소는 열을 방출하는 반응이고, (나) 얼음이 녹는 반응은 열을 흡수하는 반응이다.

ㄴ. (나)는 상태 변화로 물리 변화이므로 원자의 산화수 변화가 없다.

21 $HCl(aq)$과 $NaOH(aq)$이 반응하여 1몰의 H_2O이 생성될 때 56.0 kJ의 열이 발생한다. 0.1 M 묽은 염산 100 mL와 0.1 M 수산화 나트륨 수용액 100 mL를 반응시키면 0.1 mol/L

×0.1 L=0.01 mol의 물이 생성되며, 이때 560 J의 열이 발생한다.

ㄱ. $Q=cm\Delta t=4.0$ J/g·℃×(200 mL×1.0 g/mL)×Δt =560 J에서 Δt=0.7℃로, 수용액의 온도는 0.7 ℃ 높아진다.

ㄴ. 이 반응은 열이 발생하는 발열 반응이므로 반응물의 에너지 합이 생성물의 에너지 합보다 크다.

ㄷ. NaOH 대신 KOH을 사용해도 중화 반응의 알짜 이온 반응식은 동일하므로 발생한 열은 같다.

MEMO

꿈을 위한 동행

축구선수, 래퍼, 선생님, 요리사...
배움을 통해 아이들은 꿈을 꿉니다.

학교에서 공부하고, 뛰어놀고 싶은 마음을
잠시 미뤄둔 친구들이 있습니다.
어린이 병동에 입원해 있는 아이들.

이 아이들도 똑같이 공부하고
맘껏 꿈 꿀 수 있어야 합니다.
천재교육 학습봉사단은
직접 병원으로 찾아가
같이 공부하고 얘기를 나눕니다.

함께 하는 시간이
아이들이 꿈을 키우는 밑바탕이 되길 바라며
천재교육은 앞으로도
나눔을 실천하며 세상과 소통하겠습니다.

천재교육

내신 다품

정답과 해설

고등 화학 I

배움으로 행복한 내일을 꿈꾸는
천재교육 커뮤니티 안내 . . .

 교재 안내부터 구매까지 한 번에!
천재교육 홈페이지

천재교육 홈페이지에서는 자사가 발행하는 참고서,
교과서에 대한 소개는 물론 도서 구매도 할 수 있습니다.
회원에게 지급되는 별을 모아 다양한 상품 응모에도
도전해 보세요.

 구독, 좋아요는 필수! 핵유용 정보 가득한
천재교육 유튜브 <천재TV>

신간에 대한 자세한 정보가 궁금하세요?
참고서를 어떻게 활용해야 할지 고민인가요?
공부 외 다양한 고민을 해결해 줄 채널이 필요한가요?
학생들에게 꼭 필요한 콘텐츠로 가득한 천재TV로 놀러 오세요!

 다양한 교육 꿀팁에 깜짝 이벤트는 덤!
천재교육 인스타그램

천재교육의 새롭고 중요한 소식을 가장 먼저 접하고 싶다면?
천재교육 인스타그램 팔로우가 필수!
누구보다 빠르고 재미있게 천재교육의 소식을 전달합니다.
깜짝 이벤트도 수시로 진행되니 놓치지 마세요!